JN215216

編集復刻版

木村淳　編・解説

明治漢文教科書集成

第13巻

補集Ⅱ　模索期の教科書編③

不二出版

〈復刻にあたって〉

一、左記資料は国立教育政策研究所教育図書館所蔵を底本とさせていただきました。記して感謝申し上げます。

資料1『中等漢文』巻1・4・5、資料2『中等漢文読本』巻2・5・7・8、資料3『中等教科漢文読本』巻2〜9、資料4『訂正中学漢文読本』巻1・2・3・5、資料5『漢文読本』巻2、資料6『新撰漢文読本』巻3・4

一、収録した資料は適宜縮小し、四面付としました。

一、原本の表紙は収録しませんでした。

一、原本の白頁は適宜割愛しました。

一、印刷不明瞭な箇所がありますが、原本の状態によるものです。

（不二出版）

〈補集Ⅱ　模索期の教科書編　収録資料〉

東京帝國大學文科大學教授文學博士服部宇之吉校閲
東京高等師範學校教諭兼助教授法貴慶次郎編纂

漢文讀本

袁勵準題簽

東京 元元堂書房發行

例言

一、本書は、中學校を主とし、師範學校、陸海軍豫備校、及同程度の各種學校の漢文教科書に充てんがため編纂したるものなり。

二、材料の内容は頗る廣濶にして、其形式もまた多様なりといへども、特に皇國青年の英氣を鼓舞し、忠君愛國の健心鐵腸と高尚優雅なる情操とを修養せしめんことを期するを以て編纂の中心標準としたり。

三、尚編纂するに當りて注意したる諸點左の如し。

著名なる史傳説話を寫したる文學を撰ぶこと。

偉人豪傑を表示せる文學を撰ぶこと。

山河風光の眞美を表寫せる文學を撰ぶこと。

古來皇國民性敎化の源泉となり來れる文學を撰ぶこと。

將來皇國民性を發展せしむるに有力なる根底たるべき文學を撰ぶこと。

極めて、普通にして、世間一般に流行せる文學を撰ぶこと。

音調風格の高尚にして、藝術として永久に尊重すべき文學を撰ぶこと。

情意音調、共に青年の意氣を鼓舞するに足る文學を撰ぶこと。

現今の科學思想と撞突せざる内容の文學を撰ぶこと。

徒に青年の頭腦を困頓厭倦せしむるが如き難句典故を含有せざる文學を撰ぶこと。

材料をして國語科は言ふに及ばず、修身科歴史科と親しき聯絡を有せしむること。
初年級の材料をして、特に小學校にて修得せる觀念に聯絡せしむること。

四、材料の種別と分量とは文部省所定の教授要項に從ひてこれを定め、各級に配當したり。

三、送假字の標準。
語根の他はすべてこれを施すを原則としたり。
國語の法格に適合するに志したり。
初年級にありては、特に、小學校にて修め來れる國語と聯絡せしむるやうに、心を用ひたり。

四、符號の種類。
句讀點は單に○印のみを用ひたり、諸種の點を用ふるは、か

へりて生徒を惑はしむるを恐れたればなり。
反り點は
一語を反すにレ、二語以上をかへすとき、并に已にレ點を用ひたる語句をかへすときには、一二三等、已に一二三四等を用ひたる語、若しくはレと一二三四等とを用ひたる語をかへすときには甲乙丙丁戊己等を用ひたり。
初巻には言語を記載したるところの首尾に必ず『』印を施し、他と區別したり。
又文字と文字との間に｜印を用ひ、熟語の記號としたり。

五、欄上に記載して教授の便を計りたること左の如し。
作者の略經歷。
固有名詞の略解。

難語の略解。
教授上必用なる摘字。
解の方には點を施し、摘字の方には之を省きて、兩者の區別を明かにしたり。

六、地圖は生徒が皆地理歷史科用のものを所有すべきを以て、ここには極めて簡略なる附圖を添へたるのみ。尚各巻に各一枚の今世東洋地圖若しくは我が國地圖を添へたるは、教授の際、必用に應じて、圖上にこれを指示するの便に供せんがためなり。

七、更に詳細は別本教師用參考書に讓る。

八、材料原據の主なるもの左の如し。

近古史談（大槻清崇）　先哲叢談（原善）
近世叢語（角田簡）　近世人鏡錄（角田簡）

名節錄（岡田僑）　近世叢語（角田簡）
文苑遺談（青山延于）　日本蒙求正續篇（堤正勝）
日本外史（賴襄）　日本政記（賴襄）
皇朝史略（青山延于）　國史略（巖垣松苗）
逸史（中井積善）　野史纂略（青山延光）
鎌倉史（小川弘）　近世名家文鈔（釋月性編）
今古八大家文鈔（内田孝太郎編）　近世名家文粹（東條永胤編）
文章奇觀（川田剛編）　小品文鈔（土屋榮編）
奇文欣賞（大槻磐溪編）　自娯集（貝原篤信）
東涯先生文集（伊藤長胤）　鳩巢先生文集（室直清）
栗山文集（柴邦彥）　精里集抄（古賀煜）
奠陰集（中井積善）　春水遺稿（賴惟完）
黃葉夕陽村舍詩（菅晉帥）　同　後篇（菅晉帥）
山陽遺稿（賴襄）　山陽詩鈔（賴襄）

日本樂府（賴襄）　小竹齋詩鈔（篠崎弼）
星巖集（梁川孟緯）　蓮塘集（梁川孟緯）
驅豎齋詩鈔（新宮碩）　淡窓小品（廣瀬建）
遠思樓詩鈔　初篇及同貳篇（廣瀬建）
象山先生詩鈔（佐久間修理）　修靜庵遺稿（蒲生秀實）
磐溪詩文鈔（大槻清崇）　拙齋小集（青山延于）
塤篪小集（青山延壽）　鶴梁文鈔（林長孺）
慊堂存稿（松崎復）　松陰詩集（吉田矩方）
幽囚錄（吉田矩方）　幽室文稾（吉田矩方）
拙堂文集（齋藤正謙）　艮齋文略（安積信）
同　續附詩略（安積信）　愛日樓文（佐藤坦）
宕陰存稿（鹽谷世弘）　報桑錄（齋藤馨）
十八史略（曾先之）　資治通鑑（司馬光）
史記（司馬遷）　靖獻遺言（淺見安正）

文章軌範　同　續篇
八大家文讀本　古文前集
古文後集　唐詩選
三體詩　陶淵明集
李太白詩集　白香山詩集
孟子　中庸
大學

明治三十七年十二月　編者識

漢文讀本卷一目次

漢文讀本卷一目次 終

漢文讀本卷一

單句一

花が美し。

花美。

櫻の花が美し。

櫻花美。

櫻の花が美麗なり。

美麗

爛漫 觀客 雜沓

櫻花美麗。

花は紅に、柳は綠なり。

花紅。柳綠。

櫻の花爛漫として、觀客雜沓す。

櫻花爛漫。觀客雜沓。

花が開く。

花開。

櫻の花が開く。

櫻花開。

櫻の花が盛に開く。

櫻花盛開。

櫻の花開き、觀客集まる。

櫻花開。觀客集。

人走。

花笑。

衆人至。

巍巍　洋洋

車馬往來。

春去夏來。

犬吠猫眠。

山秀水淸。

樹木繁。禽鳥戲。

高山巍巍。長江洋洋。

單句二

花が甚だ美し。

花、甚だ美し。

花甚美。

櫻の花が甚だ美し。

櫻花、甚だ美し。

櫻花甚美。

櫻の花、既に開きぬ。

櫻花既開。

風がふくときは花が散る。

成績　卒　盛衰　方　黄鳥

風ふけば花散る。

風則花散。

成績稍可。

大雨卒至。

景色最佳。

學業漸進。成績益良。

盛則衰。

梅花方開。黄鳥多集。

梅花既落。桃花方盛。

單句三

子が父に似たり。

子、父に似たり。

子似レ父。

その子、父に似たり。

其子似レ父。

落つる花、雪の如し。

落花、雪の如し。

落花如レ雪。

寒き雨、雪となる。

寒雨爲レ雪。

兄は弟より長ず。

兄長ニ於弟一。

親は子より賢し。

親賢ニ於子一。

友、遠方にあり。

友在ニ遠方一。

軍艦、港内に泊す。

軍艦泊ニ於港内一。

楠公は湊川に戰死せらる。

楠公戰ニ死于湊川一。

虎ハ類スレ猫ニ。

太郎似タリレ父ニ。

雨如シレ麻ノ。

我軍迫ルレ敵ニ。

君父之恩高ニ於山一。

源平兩軍戰ニ於壇ノ浦一。

塵積爲レ山。

單句四

兄が弟を愛す。

兄は弟を愛す。

兄愛弟。

兄が弟を疑はず。

兄不疑弟。

弟が兄に愛せらる。

弟爲兄所愛。

我軍、敵を攻む。

我軍攻敵。

敵軍、我に勝たず。

損傷

敵軍不勝我。

敵軍、損傷せらる。

敵軍被損傷。

有大志者。不見小利。

見小利。則大事不成。

睡眠不足。則精神衰。

賢者不必貴。愚者必不貴。

平氏爲源氏所亡。

約束

善人被賞。惡人被罰。

單句 五

學生よ、怠るなかれ。

學生勿怠。

書を讀むには急ぐべからず。

讀書不可急。

約束は輕しく變ずべからず。

約束不可輕變。

鍛錬

弟子は先生を敬はざるべからず。

弟子不可不敬先生。

汝はすべからく勉强すべし。

汝須勉強。

汝はまさに身體を鍛錬すべし。

汝當鍛錬身體。

先生が、生徒に書を讀ましむ。

先生が、生徒をして書を讀ましむ。

課業
邸內
大意

先生使生徒讀書。

君勿怠課業。

不可妄入邸內。

先生說文法。使知其大意。

源賴朝。令其弟範賴義經討平氏。

人宜守約束。

單句六

兄が、筆を弟に與ふ。

兄與筆於弟。

兄が、筆と紙とを以て弟に與ふ。

兄以筆紙與弟。

兄が、弟に與ふるに墨を以てす。

兄與弟以墨。

兄が、弟に與ふるに筆と紙と墨とを以てす。

兄與弟以筆紙及墨。

弟が筆と紙と墨とを兄より受く。

弟受筆紙及墨於兄。

兄が林檎を得、之を弟に與へんと欲す。

兄得林檎。欲與之弟。

生徒質疑先生。

校長與生徒以賞品。

平氏據福原。法皇詔源範賴義經討之。

楠正成。以帝所嘗賜寶刀授正行。

讒
遭
長者

梶原景時怨義經。讒之賴朝。

予今日遭先生于道。

兒童讓路於長者。

單句七

少年今讀書。

何書乎。

地理書也。

日夜勉勵乎。

或勉或怠。
少年在家。
大人亦在。
少年及大人讀書。
大人善讀之。少年亦能讀之。
少年何讀。
中學讀本也。
大人何讀。

村重は永祿天正頃の人、攝津茨木に據り、又伊丹にありき。後、

不能答。
太郎曰。君嘗讀理科書乎。
次郎曰。未讀。
太郎曰。何爲不讀。
次郎曰。僕不能讀。
太郎曰。非不能。不爲也。

荒木村重

荒木村重、雄豪をもて聞えしかば、織田信長これを試みんとて、饅頭を鋒さきにつらぬき、これにくらはしゝに、村重平然自若として、口を開きてこれを受けぬ。

織田信長のために滅ぼされぬ。

賴襄は山陽と號しき。安藝の人。天保三年歿しぬ。

雄豪　貫　啗　平然自若

賴襄

荒木村重以雄豪聞。織田信長欲試之。拔刀貫饅頭于鋒以啗之。村重平然自若開口受之。（刪修）

言行

篤信は益軒と號しき。筑前の人。正德四年歿しぬ。

豈乎　夫　駟馬難及　哉

言ふことは易けれども、行ふことは難し。言ふこと、豈慎まざるべけんや。行ふこと、豈勉めざるべけんや。それ、一言たりとも妄りに發しなば、駟馬すら及び難からん。慎まざるべけんや。

貝原篤信

言易行難。言豈可不慎乎。行豈可不勉乎。夫一言妄發駟馬難及。可不慎哉。

世弘、宕陰と號しき。江戸に生れ、慶應三年歿しき。
秀忠は家康の子。
大量
猝
左右
驚愕

徳川秀忠

徳川秀忠、大量あり、幼きとき、人に書を讀ましめて、聽きしに、にはかに、怒れる牛、堂にのぼりて戸障子を突きぬ。左右の人々、驚き愕れて顔色なかりしに、公は自若として書を閲してやまざりき。

鹽谷世弘

徳川秀忠大量。幼時、使人讀書而聽之。猝有怒牛。登堂突戸障。左右驚愕

失色
閲
輟
中村和は栗園と號しき。豊前中津の人。

失色。公自若閲書不輟。

徳川光圀

徳川光圀、年七歳のとき、一日、父頼房從容として、『我若し陣に臨み創を被らば、汝は能く扶持して退くや否や』といひければ、對へて『兒は尊體を踰え進みて敵を斬らんのみ』といひけり。頼房これを奇としき。

中村和

明治十四年歿しぬ。
光圀は水戸の城主。
頼房は家康の子。
從容
踰

徳川光圀。年甫七歳。一日父頼房從容謂曰、我若臨陣被創。汝能扶持而退否。對曰、兒踰尊體。進斬敵耳。頼房奇之。

荻生徂徠

荻生徂徠は書を看て、日暮に向ふときは、簷際に出で、簷際にても、字を辨ずべからざるに至れば、室に入りて、燈火にむかひぬ。されば旦より夜ふ

原善は念齋と號しき。徳川幕府の士。文化三年歿しぬ。
荻生徂徠。享保十三年歿しぬ。
簷際
齋中
自旦
釋
分陰
率

くるに至るまで、手に巻を釋てざりき。その平生分陰を惜みしこと、大むねかくの如し。

原善

荻生徂徠。看書向暮。則出就簷際。簷際亦不可辨字。則入對齋中燈火。故自旦及深夜。手無釋巻之時。其平生惜分陰者。率此類也。

井伊直孝

角田簡九華と號しき。大坂に生れ、安政二年歿しぬ。永井尚政は山城淀の城主。

永井尚政、始めて老中と爲りしとき、敎を井伊直孝に求めしに、直孝は『子、先づ齋戒せよ』とこたへけり。是に於て、尚政齋すること七日、朝服して來りければ、直孝もまた朝服して之に見え、いましめて、『世に「油斷大敵」といふ諺あり、忘れたまふな』といひきとぞ。

角田簡

永井尚政。始爲老中。求敎井伊直孝。

井伊直孝は近江彦根の城主。
齋
朝服
油斷大敵

直孝曰。『子先齋戒。』於是尚政齋七日。朝服而來。直孝亦朝服見之誡曰。『諺有之。曰「油斷大敵。」請勿忘之。』

織田信長

織田信長、嘗て、自ら十指の甲を剪り、侍臣に其剪りくづを收めしめけるに、侍臣は左右を搜索し、久しくして去らざりければ、信長あやしみて、其故を問ひしに、『きりくづ九つを得候ひしかど、尚

大槻清崇は、磐溪と號しき。仙臺藩の人。明治十一年歿しぬ。
收
剪餘
搜索

一つ足らず候へば』と申しぬ。こゝに於て、信長起ちて、兩袖を拂ひしに、爪片一つ落ちき。よりて、大に侍臣を賞し、『人の用心は常に此の如く緻密なるべし』といひきとぞ。

大槻清崇

織田信長。嘗自剪十指甲。使侍臣收其剪餘。侍臣搜索左右。久而不去。信長問。『汝何故不退。』答曰。『剪餘既得九。

緻密

而未見其一。』信長爲起拂兩袖。則爪片墜者一。信長大賞之曰。『人之用心。當如此緻密。』

徳川家康 一

徳川家康十歲のとき、安倍河原に遊び、兒童が石もて戰へるを見しに、一群は百五十人にして、一群はこれに倍しき。觀るもの爭ひて、人數衆き方に味方せしに、家康は、僕の背にありながら、獨り、

甫

寡き方につかしめければ、僕怪みて、その故を問ひしに、『衆き方は衆きをたのみて怠り、寡き方は寡きを知りて用心すべければ、寡き方勝たん』といひたりしが、後はたして、その言の如くなりき。

頼襄

德川家康甫十歳。出游安倍河原。觀兒童石戰。一群百五十人。一群倍之。觀者爭就其衆者。家康在僕背。命就

恠 恃 果

其寡者。僕恠問故。家康曰、『衆者自恃其衆。寡者自知其寡。寡者勝矣。』果如其言。

德川家康 二

家康三河にありしとき、毎夏、常に麥飯を食ひければ、左右のもの粱飯をすゝめけるに、家康これをしりぞけて、『汝等はわが意をさとらず、方今、時亂世に屬し、干戈日に動き、士卒煩擾して、寢食を

青山延于は雲龍又は拙齋と號し、水戸の文學者にして、天保十四年歿しき。

左右 粱飯 曹 干戈 煩擾 不安寢食

安んぜず、われ、豈、獨り飽くに忍びんや、且つ、儉を以て用を足さば、民を勞せずして、自ら豐ならん』といひけり。聞けるもの悅服しき。

青山延于

家康在參州時。毎夏常食麥飯。左右進粱飯。家康却之曰、『汝曹不曉吾意。方今時屬亂世。干戈日動。士卒煩擾。不安寢食。吾豈忍獨飽。且以儉足用。

豐 悅服

不勞民以自豐。』聞者悅服。

本多忠勝

長湫の役に、本多忠勝三百人をひきつれ、秀吉の大軍と戰ひ、敵と隄を隔てゝ、並び行きしに、彼此相距ること二町ばかりのところにて、敵爭ひて發砲せしかば、我軍死傷相次ぎき。是に於て、忠勝號令して、『敵の砲聲あるごとに、必ず、空を仰げ』といひければ、衆みな、令の如くせしに、敵軍は己が

本多忠勝 秀吉
隄 距可二町
發砲
銃度失高

銃度の高きに失するによりて、敵は、かく空を仰ぐぞと心得、銃度を下げければ、それより、丸はみな我軍に及ばざりき。

中村和

長湫役。本多忠勝率三百人。與秀吉大軍。隔一隄並行。相距可二町。敵爭發砲。死傷相次。忠勝令曰。毎砲聲必仰天。衆皆如令。敵人謂銃度失高。自

是丸皆不及。

板倉重矩

板倉重矩は、丈短く、すがめにして、かたち、甚だ醜かりしかど、性、温和にして度量ありき。政をとりしこと九年なりしが、その中三年の間、京畿を鎭めたりしに、治績のほまれ著しく、人皆良臣といひたりき。わかきとき、居間に咬菜といへる額をかゝげたりしを、顯るゝに及びても、猶これをす

青山延光は延于の子。字は伯卿。明治三年九月歿しき。
板倉重矩 眇目
度量 聲績
扁

てざりければ、ある人、その故を問ひしに、「おのれ、今、富貴なれば、侈の心生じ易し、此額なくんば、いかでか自ら戒めんや」と答へけり。卒せしとき、家に餘財なかりき。時の人、皆その死を惜みぬ。

青山延光

板倉重矩。短小眇目。貌甚醜。溫和有度量。執政九年。中鎭京畿三年。聲績著聞。一時稱爲良臣。少時嘗扁其居。

咬菜 顯職 額
警
悼惜
上杉謙信 武田信玄 今川氏眞は義元の子。氏康は相模小田原にありき。仰鹽
陰
寄書

曰咬菜。及居顯職。猶揭舊額。人問其故。重矩曰。吾今富貴。侈心易生。不有此扁。何以自警。及卒家無餘財。時人悼惜。

上杉謙信

賴襄

武田信玄國不濱海。仰鹽於東海。今川氏眞與北條氏康謀。陰閉其鹽。甲斐大困。上杉謙信聞之。寄書信玄曰。

弓箭
多寡唯命
平價
騰驤　逐北
凶髡　狠狽　麾扇　氷鋋　石田三成

『聞氏康氏眞困君以鹽。不勇不義。我與公爭。所爭在弓箭。不在米鹽。請自今以往取鹽於我國。多寡唯命。』乃命賈人平價給之。

謙信擊信玄圖　大槻清崇

奔流激薄馬騰驤。長劍飛光逐北忙。笑殺凶髡狠狽甚。欲將麾扇捍氷鋋。

石田三成　大槻清崇

放鷹
行童
喫
要
遽
愛寵　竟

豐臣秀吉嘗放鷹於野。渴甚。投一僧寺。乞茶太急。有行童。進一大椀茶。微溫。盛到七八分。公一喫稱快。更進一椀。少熱。不滿半椀。公徐喫了。又要一椀。於是代以小椀。太熱。不可遽口。公愛其才敏。請之住持僧。携歸以爲小臣。漸愛寵之。後竟列爲五奉行。治部少輔石田三成是也。

時宗は時賴の子。相摸太郎と稱しき。
強毅　不撓
將軍は宗尊親王なり。小笠懸
時賴
萬衆齊呼
任負荷
隆景は毛利元就の子。

北條時宗　賴襄

北條時宗爲人。強毅不撓。幼善射。弘長中。大射於極樂寺第。將軍欲觀小笠懸。顧命諸士。無敢應者。時賴曰『太郎能之。』太郎時宗幼字也。召而上場。時年十一。跨馬出。一發而中。萬衆齊呼。時賴曰『此兒必任負荷。』

小早川隆景　賴襄

連署　稟事
花押　點畫　福島正則
遺狀
當橫　戸原野
新宮碵は。涼庭と號し、又、驅豎齋と號しき。京都の

諸將在朝鮮。連署稟事。小早川隆景花押。點畫甚繁。福島正則傍觀謂之曰『押字宜疎。不宜密。不然則臨死作遺狀。不能速成也。』隆景笑曰『大丈夫當橫尸原野。何以遺狀爲。』正則有愧色。

望富士山　新宮碵

獨拔芙蓉無比倫。群山羅列小於皴。

醫者にして、又詩文をよくしき。嘉永七年歿しぬ。
擇
人倫　責善輔仁
五倫
所繫

中天白雪三千歳。不受人間半點塵。

擇師友

貝原篤信

人倫之道。因朋友之責善輔仁而立。師亦在朋友輩中。而最貴者也。是以。聖人以朋友。爲五倫之一。然則其所繫爲至重。可不擇其善者。與之交乎。

貝原益軒

原善

貝原益軒。嘗居東。將西歸。取路于海

雜然
喋喋　亢顏
旁若無人　唶
恧然　陳
鼠竄
泰時　式目

上同船數人名姓不相知。雜然相向。喋喋相語。中有一少年。亢顏談經。旁若無人。益軒唶無言。若無能者。既而及船達岸。各告其姓名鄕里。則少年始知爲益軒。恧然不自容。遂不陳其名。鼠竄去。

北條時賴

賴襄

北條時賴循泰時式目。內外稱治。而

大佛宣時　詣
紙燭　索
庋襯　碟　儉薄
岡田僑は鵬里と號し、淡路の人。賴山陽に學びき。
黑田孝高
置酒　適

其自奉。多人所不堪。大佛宣時嘗詣。時賴。時已深夜。時賴手一壺酒。曰。欲與子共之。顧安所得肴。照紙燭索于庋。襯碟有殘醬。取而佐酒。其儉薄如此。

黑田孝高

岡田僑

日根野備中使朝鮮也。借金黑田孝高。既歸。懷金詣孝高。孝高爲置酒。適

棘鬣魚　羹
鄙
野中止は兼山と號しき。
齎　蛤蜊　無恙
饋　異味

有贈棘鬣魚者。命吏烹其骨爲羹。而貯其肉。備中心鄙之。宴已畢。出懷中金還之。孝高不受。備中大愧。

野中兼山

原善

野中兼山土佐人。嘗來江戸。及歸期。也。致書鄕人曰。土佐無物不有。自江戸齎歸。惟有蛤蜊一艘耳。海路幸無恙。以歸日饋之。衆以爲嘗異味。計日

漕　飫　遠慮　毛利元就　器量　保　濟　躓　溺　髫齓

待歸。既至則命投其所漕於城下海中。不餘一箇。衆怪問兼山笑曰『此不獨饋諸卿。使卿子孫亦飫之也。』自此後。果多生蛤蜊。衆始服其遠慮。

毛利元就一　　賴　襄

毛利元就幼有器量。其保嘗抱之。濟水而躓溺。保惶懼謝罪。元就曰『行道而躓常也。庸何傷。』比髫齓。詣嚴島神

盍　將死　箭　糾

祠。既歸問從者曰『汝輩何祈。』曰『祈郎君主安藝也。』元就曰『汝盍祈吾主天下。夫願主天下者。能主一方。願主一方者。能主一國。今願主一國矣。其所成可知已。』聞者奇之。

毛利元就二　　中　村　和

毛利元就病將死。致諸子於前。取箭數條。一如其子數。自糾爲一束。極力

抽　濟　起於欲　何不和之有　長野確、號は豐山。伊豫に生れ、明和三年、天保八年、江戶に歿しぬ。　敗績

折之。不能折也。單抽其一條。隨折隨斷。因戒曰『兄弟猶此箭也。和則相依濟事。不和則各敗。汝等勿忘。』隆景進曰『夫兄弟之爭。必起於欲。棄欲思義。何不和之有。』元就悅曰『宜從仲兄之言。』

松平忠直　　長　野　確

大坂之役。越前之師敗績。越公時年

轡　戇　匹夫　策　冑　縱　朱綬　睨　決雌雄

十四。大怒。開馬單進。老臣天方某進執其轡諫曰『戇哉將也。欲效匹夫乎。』公益怒。策擊其冑三。某尙不肯縱。君臣相爭久之。時公朱綬金冑甚美。城將眞田幸村見之。呼曰『少年大將爲誰。』公乃仰睨之。大聲曰『我是松平忠直。何不來決雌雄。』幸村壯之。令其下勿放銃。曰『壯將可惜。』初城士連銃射

颶 梢長　祟　毅然　無恙

之。於是乃止。

加藤清正 一

中村和

加藤清正渡海。遇颶。船將覆沒。梢長訴曰、『海神爲祟。無所祈。若投人于海、庶幾可以免矣。』清正毅然正色曰、『人命至重。貴賤皆同。殺人自生、豈忍爲哉。無已則以汝曹充之。』於是水手奮操舟。既而風波稍斂。卒得無恙。

航海 駕　艙　胡孫即猿。　厠 瞯 竊　塗抹　研　輟

加藤清正 二

大槻清崇

清正航海歸肥後也。駕大艦呼天地丸者而西。艙間日讀論語、以朱墨自句。清正有所愛胡孫。游戲不離側。偶起之厠。胡孫瞯其亡、竊把朱筆、縱横塗抹卷上。清正復座視之。笑曰、『汝亦有志聖人之道乎。』復研朱墨、句而不輟。

氣食萬牛　雄風　函人　擐　勁矢

加藤公像

新宮礥

氣食萬牛功出群。豐公有眼早知君。雄風百代猶如在。熊本城高勢入雲。

函人

中村和

某侯。使函人作鐵甲。成。欲試之矢。函人曰、『臣能以身當之。』乃擐其甲而坐。侯命善射者、以強弓勁矢射之。中胸。鏗然矢躍。侯曰、『善。吾既試其前矣。未

釋　怯者　正勝は、靜齋と號し、明治初年に榮えき。　譴譟　勒

知其後如何。將試其脊。』函人釋甲而號曰、『臣未慣作怯者甲。』請辭。侯曰、『吾過矣。』賞之以金。

梶原景季

堤正勝

梶原景季、景時子也。生田森之役、景時帥五百騎、譴譟而進。敵將二千圍擊之。景時奮戰而退。不見景季。謂爲敵所獲。復勒三百騎、大呼奮擊。敵兵

箙　風流

宗資は京師の人。徳川綱吉に仕へ、常陸笠間城に封ぜられき。

循謹　盛滿　梁

搢紳

崩駭。無敢近者。乃與景季遇。是時景季折梅花挿箙。平軍望見。稱其風流。

本莊宗資　青山延光

本莊宗資。爲人循謹。以盛滿爲戒。常掛五十錢於梁。書其旁曰三扇函人問其故。曰『吾昔在京。貧甚。適關東有命招我。我乃之市。欲買扇三柄贈一搢紳。叙別。囊中僅有五十錢。市人聞

直

榮顯　寒素

警

信は艮齋と號しき。奥州郡山の人。萬延元年歿しぬ。

頼宣は家康の子。先鋒

訖

憾

關東招我。不論直而授扇。其窮如此。今日身極榮顯。恐忘寒素。故揭此自警耳。』

徳川頼宣　安積信

元和元年。東照公征大阪。賜公旗幕。從軍。五月七日。公聞先鋒接兵。馳至則戰已訖矣。見東照公。泣曰『兒不幸不得爲先鋒。故不及戰。殊可憾也。』松

妙齡

咲

雄偉

牛食之氣

驍勇

平正綱在側。慰之曰『公妙齡。後來臨陣必多矣。不須深憾。』公怒曰『咲正綱。謂頼宣再有十四歲之時乎。』東照公悅曰『今日使頼宣有戰功。不若此二語爲雄偉也。』列侯在坐者。皆感歎以爲有食牛之氣。

藤原保昌　青山延于

藤原保昌。爲人驍勇。膂力過人。精達

微行

劫褫

抽　逼

首服

碌碌者

絮衣

武藝。與甥源頼信等齊名。保昌嘗夜微行吹笛。時有大盜袴垂者。欲劫褫之衣。踵行里許。抽刀逼之。保昌停笛顧問其名。袴垂不覺首服。保昌曰『我嘗聞汝名。汝亦非碌碌者。從吾而來。』吹笛徐行。還家取絮衣與之曰『乏則復來。愼勿作劫。』

源義家　青山延于

渠
兵法
恚有故
飛雁亂行
江帥
伏

源義家從父賴義東征。平賊而還。嘗詣關白賴通。談征戰事。時大江匡房在座。聞之。既而匡房退出。私言『渠有將才。惜未知兵法。』義家從者。竊聽而恚。待義家出而告之。義家曰『是必有故。』追及謹請。遂執弟子禮。及征武衡。方攻金澤城。見飛雁亂行曰『是江帥所教。必當有伏。』分兵圍之。果有伏。遂

遺胤綿綿
梁川孟緯は、字を公圖、又は無象といひ、星巖と號しき。安政五年歿しぬ。
征袖

擊敗之。

八幡公畫像　新宮礥

名門將略孰爲倫。弓矢斯張掃虜塵。
遺胤綿綿護皇國。仰君武德耀千春。

馬上吟　梁川孟緯

征袖籠垂鞭。馬毛寒似鐵。
朝來經過山。一半已成雪。

平教經　堤正勝

兜鍪
鎧袖
覓
揣
蹻捷

平教經。教盛子也。叙從五位下。任能登守。壇浦之敗。教經欲與源義經決死。會義經舟摩教經舟而過。教經乃脫兜鍪。撤鎧袖。躍入其舟。回視覓之。義經自揣不可當。於衆中避之。教經遂認義經。大呼自名。欲前搏之。義經從士遮前。蹴而倒之。義經得間遷別船。教經膂力雖絕衆。蹻捷不如義經。

雙挾
伶人
怯懦
馭

以故逸之。敵兵安藝時家。與手下力士二人齊進當之。教經蹴其一人墮海。雙挾二人歿海。時年二十六。

岩間大藏　大槻清崇

岩間大藏。爲人魁梧儻然。一丈夫也。信玄拔之伶人中。以列士伍。而性怯懦畏死殊甚。信玄試之戰陣。七進七退。信玄曰『是不可以常法馭焉。我聞

崑崙山は支那の西部にあり。 鼓鑄 礟聲 惴惴 無恙 憣然 驍名

西域崑崙山。鐵化爲金。則人性怯懦亦在鼓鑄如何耳。一日臨戰。俄捕大藏。縛之竹牌外。使向敵坐。一步不能動。則矢丸雨下。礟聲如雷。大藏膽落神死。無復人色。幸而不中。竟戰惴惴以得無恙。大藏於是憣然改悟曰。人苟有命。矢丸且不能中。死豈足畏哉。自此每戰。鼓勇先登。遂以成驍名。

職掌 無官大夫 搏 婉然

平敦盛

堤正勝

平敦盛。經盛子也。敍從五位。以其無職掌。世呼曰無官大夫。一谷城陷。平氏擧族乘舟而遁。敦盛獨後。望從兄知盛船。單騎入海。敵將熊谷直實。大呼曰。公非平氏大將乎。盍與決死。敦盛年十六。乃回馬與直實搏。墜馬。直實膝壓鎧袖。欲拔刀斬之。俯視之。婉然美少年也。直實心憐之。不忍加刄。問其姓名。敦盛告以實。遂遭害。

遭 元喬は南郭と號しき。寶暦九年歿しぬ。 旋風 粃糠 僮奴 遽 駭態 供米

鳥羽僧正

服部元喬

鳥羽僧正。好戲畫。嘗作旋風圖。吹米囊在空。粃糠塵亂。側畫僮奴遽欲抑留之狀。妙極駭態。時人傳玩。轉進上皇。皇覽大笑。且歎其工。及僧正朝。問其畫意。便應曰。有此事。近日官供米至。大風忽起。輕颺囊穀。奴輩騷擾。臣僧傍看。不堪可笑。戲作此爾。上皇乃寤。令考問倉吏。果有不法。供米多雜粃糠。

輕颺 騷擾 寤 鞘 欵紋 覼

森蘭丸

大槻清崇

森蘭丸。嘗奉信長。刀在側。刀鞘黑漆。有欵紋數十條。蘭丸潛料記其數。信長覼知之。而不言也。居數日。集左右。

中

料記

誠愨

近臣。撫其刀謂之曰『有能諳射鞘上欵數者。乃與此刀。』衆爭射之。不能中也。蘭丸獨默不言。信長問『汝何故不射之。』蘭丸謹對曰『臣嘗料記其數矣。今如爲不知者而中之。是賣主公以貪其賜也。臣心所深恥。是以不敢。』信長悅其誠愨不欺。賜以其刀。

酒井忠勝

青山延光

大猷公は、德川三代將軍家光なり。

憑

菟裘之地

割據

酒井忠勝。典樞機三十餘年。爲天下所憑賴。大猷公最信任之。嘗欲封以駿河十八萬石之地。忠勝辭曰『此東照宮菟裘之地也。臣不敢當。』後又欲封以甲斐二十四萬石。又辭曰『此武田氏割據之地也。臣不敢當。』公遣人諭之曰『卿不欲去若狹。吾當給鄰近之地近江二郡。卿勿復辭。』忠勝又辭

執柄

本多正純は、元和中宇都宮に封ぜられ、後、出羽の由利に流されぬ。

嗟歎

曰『臣之所以辭封者。亦有說焉。自古執柄之臣。祿厚則驕。驕則覆。如本多正純可以見矣。臣而受厚祿。安知異日之不生侈心。臣縱能恭謙終身。又安知子孫之不招禍。故臣之辭封。非特爲一身也。』公嗟歎而止。

朝夷三郎

堤正勝

義秀。稱朝夷名三郎。和田義盛第三

驍勇　矯健　膂力絕倫

搏鬪　勁捷

隍

校　隕

子也。義秀驍勇矯健。膂力絕倫。義盛擧兵。欲滅北條義時。義時入幕府。義秀排門而入。力戰搏鬪。勁捷如神。斬五十嵐小豐次等五將。傷北條朝時。而遇足利義氏。欲與之搏。義氏躍馬踰隍逃。遇武田信光。信光子信忠欲救父。馳當義秀。義秀心嘉之、舍而不校。凡當其鋒者。莫不隕命。府兵殆不

支　帥

世育は金陵と號しき。下總の人にして、明治初年歿しき。

種樹

踞侍

能支焉。既義盛敗死。義秀帥五百人。赴安房。不知其所終。或曰戰死。又曰赴高麗。

義猴

芳野世育

東京谷中。有業種樹某者。畜猴。甚慧能解人意。鍾愛有年。而某罹疾。頗爲祟患。每醫來診。猴必踞侍。甚有憂色。與物不食。如諦聽二人之言者然。醫

柩　自經　慰諭

絕粒　搜索

緊

殪　瘞

竊異焉。已而某歿。猴悲號哀慕不離柩。欲自經者再矣。家人驚愕慰喩之。猶且絕粒。及至葬。失其所在。多方搜索。得之牀下。以繩緊縛其喉。兩手握其端而殪。因瘞之某墓側。

兒嶋高德

堤正勝

兒嶋高德。稱備後三郎。範長子也。世居備前兒島。高德聞後醍醐帝西

盍　要

候

尾

勾踐　范蠡

遷。謂其衆曰。『吾聞。志士仁人。有殺身以爲仁。見義不爲無勇也。』盍要奪駕以擧義。衆奮從之。伏舟坂山而待。久之不至。遣人候之。曰。『駕向山陰道。』乃閒道至杉坂。則已過矣。衆乃散去。高德乃變服尾駕而行。欲一見帝有所言。而不得間。於是夜入帝館。白櫻樹而書之曰。『天莫空勾踐。時非無范蠡。』

熟視　欣然

妖氛　瞑

吐露　丹心

左海は和泉の堺なり。茶儀

旦日護兵聚覩。不能讀也。乃奏之帝。帝熟視之欣然。

備後三郎題詩櫻樹圖

新宮磧

妖氛無處不揚塵。紅日西沈天地瞑。
吐露丹心才十字。著鞭輦道一番春。

千利休

大槻清崇

千利休。學茶儀於左海人紹鷗。紹鷗

諾 掃除　纖塵　瀟灑 躊躇　搖　翻 風趣　祕訣

嘗欲試利休才。命掃除庭中。諾而往則茶亭之前。帚痕如拭。不留纖塵。林樹瀟灑。靑翠欲滴。利休躊躇。無復下手處。竟入林中。試搖其一樹。則墜葉翻風。片片點地。殊覺添一段風趣。乃報曰『謹了命矣』紹鷗視之。感其奇才。盡傾祕訣而授焉。

細川幽齋

大槻清崇

搢紳　馬銜 窮追　頷　潛心 奧妙

細川幽齋。少小不喜國歌。自謂是搢紳婦女之技。非武夫之事也。偶某地之戰。追敵之棄馬走者。不及而返。從者執馬銜以諫曰『窮追勿失。臣驗馬背尚暖。以知其行不遠。古歌不云乎。『君波麻太。遠久波行自。我袖乃袂乃涙。比延志果禰婆』』藤孝頷之。卽馳遂執其人以還。從此潛心歌道。深沈奧

菅晉卿は、字を禮卿といひ、茶山と號しき。備後の人にして、文政十年歿しぬ。　苦竹　隣叟 起草　謫　翁媼

妙。至窮古今集祕訣。

冬夜

菅晉卿

推窓初雪滿庭中。宿雀聲收苦竹風。
應是隣叟文起草。夜齋磨墨響隆隆。

素戔嗚尊

堤正勝

素戔嗚尊。伊奘諾尊子。天照大神弟也。尊謫出雲。至簸水上。有哭者焉。其聲甚哀。往見之。則翁媼擁一少女以

妖蛇　槽 醞　睡　割　雲氣

泣。尊問其故。對曰『有妖蛇。頭尾皆八。每歲來害人。予有八女。皆爲其所害。今唯存一女。而亦將害』尊曰『汝以女獻我。我能爲汝除害』翁媼喜。尊乃作八間棚。下置八槽醞。身爲少女裝。坐以待之。及期。蛇果至。飲酒醉睡。尊拔劍。斬而寸斷之。割尾得寶劍。乃獻之大神。初蛇所居。有雲氣。故稱曰天叢

甲寅 乙卯 舟檝 戊午 抵 溯 邀

雲劍

神武天皇 賴襄

甲寅歲十月。親將發日向。至速吸門。得珍彥。收爲嚮導。十二月。至安藝。居埃宮。乙卯歲。入吉備。居高島宮。備舟檝。蓄兵食。戊午歲二月。航抵浪速。溯流至河內。赴龍田路險隘。乃東由生駒山。入大和。長髓彥邀擊我軍于孔

薨 窟居 奧區 松苗は京師の儒者にて、嘉永二年歿しぬ。 追 游獵 鑽燧

舍衞阪。我軍不利。皇庶兄五瀨命傷於矢薨。乃退還示弱。轉由紀伊入。分兵誅諸窟居賊。盡定大和。相畝傍山東南。爲國之奧區。定爲都焉。卽位。

日本武尊

巖垣松苗

日本武尊過伊勢。拜神宮。倭姬以神劍授之。追至駿河。土賊佯降。欲誘尊殺之。乃勸之游獵。因縱火燒野。尊鑽

挺劍 薙 賊魁 賤陋 嘉號 中井積善、字は子慶、竹山と號し、文化元年歿しぬ。

燧取火。反燒賊徒。時挺劍薙草。賴以得免。由是名叢雲劍。曰草薙劍。先是。尊討熊襲。時年十六。爲童女裝。入刺賊魁。賊魁曰。汝爲誰。曰。我是大足彥天皇之子。賊魁曰。吾未見強勇若皇子者。吾雖賤陋。願上嘉號。曰日本武尊。自是稱日本武尊。

日本武尊

中井積善

攘 振旅 戮鯨鯢 追想 窺 練兵甲

劍華攘虜圍。東海耀皇威。
振旅期空在。琴原白鳥飛。

日本武尊像

大槻清崇

東征萬里戮鯨鯢。歸路茫茫海色迷。
追想深淵沈沒跡。薄氷嶺上喚吾妻。

神功皇后

青山延于

神功皇后察三韓窺爲熊襲之後援。決意西征。令諸國造戰艦。練兵甲。

斧鉞　擣櫼　惶遽　面縛　冥勃　嶢屼　擣巢窟　社稷

皇后身爲丈夫裝。執斧鉞令三軍。發和珥津。風順船迅。不勞擣櫼直抵新羅。潮水怒漲。及國中。新羅王波沙寐錦。惶遽不知所爲。面縛來降。

三韓來

頼襄

東征渉冥勃。吾妻先我沒。西伐入嶢屼。吾兒先妻沒。何知娘子攝軍擣巢窟。兩死社稷。昌其後。

龍顏　亟節儉　窮之頹敗

患難持家有健婦。胎中天皇腕肉凸。肖乃父祖非肖母。龍顏垂淚侍臣哀。先皇不目三韓來。

仁德天皇

青山延光

仁德天皇卽位。都于攝津難波。謂之高津宮。宮室不亟。務從節儉。一日天皇登臺遠望。人烟不起。以爲百姓窮乏。詔除課役三年。宮垣頹敗無所

豐穰　殷富　炊烟　朽壞　暴露　稅調

營作。比及三年。五穀豐穰。百姓殷富。歡聲盈路。其後天皇復登臺遠望。見炊烟盛起。謂皇后曰。「朕既富矣。復何憂乎。」后曰。「今宮室朽壞。不免暴露。何謂富乎。」天皇曰。「君以民爲本。民貧則朕貧也。民富則朕富也。未有民富而君貧者矣。今炊烟盛起。富庶可知也。」諸國請輸稅調以修宮室。

課役　簣　漏屋　敝衣　簇擁

不聽。數年。始科課役。造宮室。百姓扶老攜幼。爭先來赴。運材負簣。日夜勞作。未幾宮室悉成。

炊烟起

頼襄

烟未浮。天皇愁。烟已起。天皇喜。漏屋敝衣富赤子。子富父貧。無此理。八洲縷縷百萬烟。簇擁皇統長接天。

進調　俳優　便

中大兄皇子

青山延于

皇極天皇四年。夏六月。三韓入貢。中大兄謂石川麻呂曰。「三韓進調之日。卿當讀表。吾欲入誅入鹿。」石川麻呂諾。及期。天皇御大極殿。入鹿入侍。入鹿爲人多疑。劍不去身。鎌足使俳優調之。入鹿乃解劍而入。便戒衞門府。閉諸門。中大兄親執長槍。立於殿

警衞　畏縮　流汗沾背　徑　蹉跎

側。鎌足持弓矢警衞。石川麻呂讀表。文將盡。鎌足促子麻呂。子麻呂畏縮不發。石川麻呂手戰聲顫。流汗沾背。入鹿怪問之。石川麻呂曰。「天威咫尺。不覺乃爾。」中大兄恐其失機。徑入斫入鹿。子麻呂等繼進。遂斬殺之。

大兄靴

頼襄

大兄靴。靴脱鞠墜足蹉跎。鞠墜

蹴　妖鹿　扶桑木　廢寺　荒陵　南淵　藤蘇

猶可拾。社稷墜可如何。手捧君靴納君靴。君足一踢斃妖鹿。臣手再植扶桑木。

大和路上懷古

菅晋卿

廢寺荒陵路幾岐。行人歸鳥夕陽遲。南淵夫子家何處。想見藤蘇講易時。

和氣清麻呂

巖垣松苗

稱徳天皇時。太宰府主神阿曾麻呂。

阿諛　厲色　登祚　感憤　祝禱　系統

阿諛道鏡。託神勅上言曰。「禪位道鏡。天下太平。」天皇乃令清麻呂詣宇佐奉幣。道鏡厲色語以阿曾麻呂之言。且曰。「使予登祚。以卿爲台鼎。不則有劍耳。」既出。眞人豐永遇之于途。以言激之。清麻呂感憤而去。往至宇佐。祝禱通宵。歸復命于朝曰。「臣親受神勅。云。我邦開闢以來。皇家一系統。道

覬覦　大逆無道
慚恧
清氣

鏡何者。敢覬覦神器。大逆無道。』天皇默然。文武百官在列者。悉失色汗背。道鏡慚恧奏曰、『清麻呂妄言不敬。』更名穢麻呂。流大隅國。潛遣人途殺之。會雷雨不果。藤原百川救護之。分俸資給。

和氣清　　賴襄

和氣清。改清爲穢不損清。清氣

浩浩　赤日
龍蟠虎踞　峻嶒
勵精圖治

浩浩塞天地。護得赤日天中明。臣舌可拔。臣語不可屈。三寸舌萬古日。

拜桓武陵　　賴襄

十萬人家烟火蒸。龍蟠虎踞勢峻嶒。
不知耕鑿由誰力。春草茫茫延曆陵。

醍醐天皇　　青山延于

醍醐天皇。臨御日久。勵精圖治。延喜

格制
盛飾
職事　讓
擧動　惶懼
頓
凍餒

中。新立格制。而風俗奢侈。多犯者。天皇患之。一日。藤原時平盛飾而入。天皇見而大怒。使職事讓之曰、『今者嚴立格制。左大臣身長百僚。首犯國禁。大臣擧動。豈宜如此。』時平惶懼。歸第。屏居月餘。自是奢侈頓改。天皇性慈仁愛民。寒夜親脱御衣。以省民間凍餒。每見群臣。假以顏色。嘗曰、

嚴恪
親任
獻替　匡救
文墨　謫居無憀
重陽

『持己嚴恪。人難盡言。故朕常溫顏色。以來諫者。』

菅原道眞　　青山延于

菅原道眞。歷事五朝。尤爲宇多天皇所親任。天皇嘗好游獵。道眞諫止之。隨事獻替。多所匡救。及被配。閉門不出。託文墨自遣。雖謫居無憀。未嘗忘忠愛之意。一日。遇重陽賦詩曰、

斷腸　萬籟　闌　客衣

去年今夜侍清涼。秋思詩篇獨斷腸。
恩賜御衣今在此。捧持每日拜餘香。
聞者莫不感歎。

菅公自詠

離家三四月。落淚百千行。
萬事皆如夢。時時仰彼蒼。

太宰府謁菅廟　新宮磧

萬籟全收夜欲闌。松杉露滴客衣寒。

乾坤　玉欄　偏私　主殿寮　松明　率分堂

忠魂不滅乾坤裏。明月淸風滿玉欄。

村上天皇　賴襄

村上天皇寛恕。恩無偏私。嘗問近臣曰、「外間以朝政爲何如。」對曰、「稱其寛。」天皇喜曰、「朕志也。」又嘗召一老吏、問曰、「朕治孰與延喜。」老吏懼不敢對。天皇頻問之。吏乃曰、「賤臣何有所見。唯覺主殿寮多進松明、率分堂前生

煩劇　窮達　興亡　茅棟竹籬　丹崖碧樹　賴惟完は、春水と號し、襄の父なり。文化

草與前代少異耳。」蓋寮政務所會。堂割大藏省十分一、別納、謂政事煩劇。歳貢無餘也。天皇聞之、有愧色。益加意政治。

山亭讀書圖　菅晉卿

一身窮達無意。千古興亡在心。
茅棟竹籬客少。丹崖碧樹山深。

曉望　賴惟完

十三年歿しぬ。　潑墨　淋漓　轗　紅曦

何人潑墨墨淋漓。畫出海山將曙時。
一望無波潮水湛。連峯絶處轗紅曦。

漢文讀本卷一　終

明治三十七年十二月九日印刷
明治三十七年十二月十二日發行

定價 卷一、金貳拾錢
卷二、三、四、五、各貳拾五錢

不許複製

著者 法貴慶次郎
東京市青山南町三丁目五十二番地

發行者 元元堂書房
東京市京橋區銀座四丁目十五番地
右代表者 中村銀次郎

印刷者 石川金太郎
東京市京橋區西紺屋町廿六七番地

印刷所 株式會社秀英舍
東京市京橋區西紺屋町廿六七番地

發兌元 元元堂書房
東京市京橋區銀座四丁目十五番地

東京帝國大學文科大學教授文學博士服部宇之吉校閲
東京高等師範學校教諭兼助教授法貴慶次郎編纂

漢文讀本

袁勵準題簽

東京 元元堂書房發行

漢文讀本卷二目次

漢文讀本卷二目次　二

漢文讀本卷二目次　三

漢文讀本卷二目次　四

漢文讀本卷二

釋月性は知圓、清狂と號す。周防妙圓寺に住しぬ。奇僧なりき。
鄕關　墳墓地
弔
耒耜　徑
跟

壁書　釋月性

男兒立志出鄕關。學若不成死不還。
埋骨豈期墳墓地。人間到處有靑山。

中江藤樹　原善

某州一士人。經過藤樹之故里。欲弔其墳墓。問路農夫。農夫即舍耒耜。徑趨入屋。更著潔服出。士跟之行。既而至墓所。

爾
闔邑
忿疾
職由

農夫拜掃甚恭。士心訝之。因問曰。『爾于藤樹。有何親故。而敬禮乃爾。』農夫曰。『欽仰藤樹先生。豈惟余哉。闔邑皆然。父老每語其子弟曰。「吾里父子有禮。兄弟有恩。室無忿疾之聲。面有和煦之色者。職由藤樹先生之遺敎也。」此所以無一人不戴其恩也。』於是士變容曰。『世稱爲近江聖人。吾乃今而知其非虛讚也。』即敬拜其墓。厚謝農夫去。

新羅三郎
右近衛尉
笙
祕曲
調
淸原武衡
肯

源義光　堤正勝

源義光。稱新羅三郎。頼義之子也。爲右近衛尉。義光素好音。學笙豐原時元。時元有祕曲。曰大食調入調。其子時秋尚幼。祕曲未可授焉。乃授之義光。義光之兄義家。擊淸原武衡。不克。義光聞之。奏請赴援。不許。義光舍官赴之。時秋追至。請與俱。義光謝之不肯。至足柄山。辭喩再三。猶不肯去。義光忽悟。乃出大食入調

旆
腥塵　蹋
邊塞　苦馳驅

譜示之曰。『子送我。必以此也。』時適月明。義光吹笙。盡授所學而別。

題八幡太郎過勿來關圖　頼襄

春風吹旆白央央。多難關心道路長。
滿地腥塵未全掃。馬蹄愧蹋落花香。

新羅三郎足柄山吹笙圖　大槻淸崇

邊塞兇徒未伏誅。吾兄幾歲苦馳驅。

離鴻曲　海隅
周國　漢京
清磬　嬌紅
破芒鞋
鳳凰城

一聲吹徹離鴻曲。憑寄秋風到海隅。

平安城　服部元喬

周國已禾黍。漢京芳草生。
東方千萬古。只有平安城。

入京城　梁川孟緯

敲雲清磬金銀寺。隔水嬌紅桃李街。
好箇輭紅佳麗地。可能容我破芒鞋。

又　梁川孟緯

形勢山河擧目驚。五雲高擁鳳凰城。

蟣蝨　抽毫
迢迥　峽間
輕衫　弄春　喧
處士

自知蟣蝨臣材小。不敢抽毫賦帝京。

桂川　服部元喬

西野迢迥望。峽間雲氣開。
急流千里色。知自月中來。

嵐山　頼襄

行到嵯峨日已斜。嵐山一半暮烟遮。
醉眸未必沒分曉。暗處松杉明處花。

嵐山歸路　新宮碩

輕衫短帽弄春喧。無事初知處士尊。

徜徉　寸晷　黃昏
蕃山は號なり。名は伯繼。京師の人。
馳驅奔走
稟受
淡
裯笥

一日徜徉如寸晷。天龍寺畔已黃昏。

熊澤蕃山　原善

熊澤蕃山年少時。體貌充肥。自以爲武夫之職。一旦緩急。被甲持兵。馳驅奔走。無所不爲。而豐肥如斯。雖由稟受。亦或安佚所致。從是攻苦食淡。日夜武事是講。或出曠野放鳥銃。或行山村投民家。其當宿直也。藏木兵于裯笥。僚友就寢後。獨竊出空庭。演槍劍法。或深夜登屋。

瘦削
世弘は宕陰と號しき。江戸の人。慶應三年歿しぬ。
諜然
窮詰

習禦火。如是者十餘年。身軀稍瘦削。

松平信綱　鹽谷世弘

世子家光。嘗見屋上乳雀。命近臣往捕之。屋係大將軍燕室。衆莫敢往。乃推信綱。曰。『汝年幼體輕。宜往。』信綱勉強應命也。夜潛緣屋索之。失足墮中庭。諜然有聲。大將軍提刀。夫人執燭而出。見信綱詰之。對曰。『臣觀雀兒。心欲之。竊來捕也。』大將軍曰。『否。是必有主使者。』窮詰再四。

緘口　胠　餕　縱　孺子　羽翼

而不告。大將軍怒。內信綱於巨囊中而緘其口。懸之柱曰『汝首實。卽許去。』信綱自囊中爭之徹旦。旦日大將軍出視朝。夫人憫之。私胠囊口以餕啗之。復緘口如初。日中大將軍入復詰之。終不改辭。夫人固請而縱之。大將軍目送焉。謂夫人曰『孺子能如此。後必羽翼吾兒。』

本多氏絕命詞　大槻清崇

本多忠勝病將死。召其二子忠政忠朝。

就蓐　人生有始必有終　噫　君恩海壑　奄然

遺言後事。忠政就蓐問曰『大人苟所欲言請謹聽之。』忠勝曰『唯有一事。』問『何也。』曰『願不死耳。』二子怪問曰『人生有始必有終。大人所悉。今何爲出此言耶。』忠勝乃使忠政執筆以書。其辭曰『死止毛奈。阿羅死止毛奈。死止毛奈。御恩遠受志君越思邊盤。』譯曰『死可惜兮。噫死可惜。君恩海壑。未全酬。』二子泣未答。忠勝則奄然而逝。時年六十三。

豪邁　鼾聲　鹵簿　鞭　胡孫

上杉景勝　大槻清崇

上杉景勝豪邁而膽大。其臨陣。前隊既交戰。矢丸雨下。呼聲震天地。而景勝身尙臥幕中。鼾聲如雷。其朝于京師。一行鹵簿數十百人。寂不聞咳聲。唯覺人馬行聲肅肅然耳。嘗渡富士川。人多船小。中流殆欲沈。景勝怒立舟頭。舉鞭一揮。衆皆躍入水。游而涉。船乃得達岸。平素未曾見喜悅之色。家有所養胡孫。偶蒙

巾幘　點頭　莞然　致仕　執　薦

景勝所脫巾幘。走升庭樹。向景勝。點頭者三。景勝始莞然。左右侍御。見景勝笑顏。唯此一事云。

板倉勝重　青山延光

京師所司代板倉勝重致仕。子周防守重宗爲所司代。初勝重以年老辭職。將軍問曰『孰代卿者。』勝重曰『群臣固不乏人。何必問臣。必欲使臣薦之。臣子重宗可也。』將軍乃以重宗補之。重宗固辭。將

執政　曉　不勝任　剡　逡巡

軍曰。『卿父薦卿。卿何得辭之。』重宗不奉
命而退。執政以重宗與安藤直次善。令
直次諭之。直次過重宗。重宗曉其意。然
直次竟不語及其事。將還。重宗曰。『將軍
命僕代父。君聞之乎。』直次曰。『吾固知子
之不勝任也。』重宗曰。『君亦以爲不可乎。』
直次曰。『子非無才。但失之怯。』重宗驚問。
直次曰。『父薦之。君命之。奈何辭之。但速
就職。萬一有過。剡腹以謝耳。』子乃逡巡

畏避　疏豪　率直　高館は陸奥にあり。源義經の自殺せしところ。　辰刻

畏避。非怯而何。』重宗然之。乃受命。

本多正重　　大槻清崇

本多三彌正重。佐渡守正信之弟也。性
疏豪而率直。照公嘗在伏水。觀幸若八
九郎演高館舞。舞終。謂左右曰。『今世安
得勇豪如辨慶者乎。』三彌進曰。『辨慶不
乏其人。特無名將似判官公者耳。』關原
之戰。朝已過辰刻。公尚陣在桃配野。三
彌時爲監軍。走來告曰。『敵營遠矣。請少

黄口兒　繞　太公は家康。台德公は秀忠なり。　給事　拗　若。如是也。

進大旗。』公冷笑曰。『黄口兒敢多言。』三彌
繞其背。私語曰。『口雖黄也。遠則不得不
云遠矣。』及大阪冬役。給事台德公。食一
萬石。太公聞之。召見問曰。『三彌善拗矣。
今何所改悔。而能高人品如此。』三彌曰。
『今將軍淳良易事之主也。事若主。而善
拗者。非愚則狂矣。』太公笑曰。『三彌故態。
亦復發歟。』

土井利勝　　大槻清崇

藏　鄙吝　唯　拮据　謹慤

土井利勝。擧漢絲零餘尺許。付侍臣大
野仁兵曰。『謹藏之。』同僚或有笑其鄙吝
者。利勝置不問。居三年。偶利勝腰刀帶
尾解矣。急呼仁兵曰。『持往所付漢絲來。』
仁兵應曰。『唯在此。』直取之腰袋。以呈利
勝。乃手自拮据。以結束其帶尾。欣然微
笑曰。『無用之用。今而驗矣。』遂召其老寺
田與左衞門。命之曰。『寡人甚嘉大野仁
兵謹慤而重主命也。其增與祿三百石。』

桑婦蠶繰　展轉　棄天物　博　鄙吝　松島坦は北渚と號しき。信濃の人。天保年中歿しぬ。

抑、漢絲之爲物。成於彼土桑婦蠶繰苦辛之手。而展轉航于海。以入我都。其勞人力。何如哉。雖則寸殘尺餘。徒委之流塵。是棄天物也。吾心所最懼。而仁兵之守以不失。謂之事天者可也。因戲曰。『一尺之絲。博三百之祿。所獲亦多矣。夫笑鄙吝者。欲何爲。』

荒木又右衛門　松島坦

荒木又右衛門幼時與同年友。獵于山。

捷徑　竄伏　溺　謠　戰慄　刎頸交

山中日暮。友曰。『來路遠。不如取乎捷徑。』又右衛門曰。『有盜。不可往。』友曰。『怯哉。』遂先行。過巖上。有壯夫眠其下。鼻息如雷。友曰。『是也。竄伏而過渠必追矣。示勇可也。』俱溺其面。壯夫駭覺曰。『童子膽氣可愛。』護送數里。其友行歌山姥謠。發聲高朗。既而戰慄不能揚。壯夫笑曰。『此兒客氣耳。』顧又右衛門曰。『子沈勇也。吾送至此。有所試也。』壯夫後與由井正雪。爲刎頸交者。柴田三郎兵衛也。

青山延壽は延光の弟なり。今尚生存す。　芭蕉　造　窮乏　強　徑

芭蕉翁　青山延壽

芭蕉翁。伊賀人。元祿中。大和國武內村有孝女。名今。有至性。人皆感動。芭蕉一歲往在山城攝津間。將賞花芳野。僅得金一兩。以當路費。聞今女名。枉道造焉。感其孝養。且憐其窮乏。乃出囊中金一兩。贈之。今辭不受。芭蕉強與之去。徑就歸途。途而遇一友人。其人謂翁曰。『芳野花何如。』芭蕉語以其故。友人曰。『翁平生。心切於見芳野花。今得路費而不爲觀花。費與之於人。實爲遺憾。』芭蕉笑曰。『予遊芳野。爲花之美也。今幸覩人之美者。何恨不見花。春者他日又至。』竟拂袖去。

遺憾　竟拂袖去　齋藤馨は子德と字し、竹堂と號しき。仙臺の人にして、齋藤拙堂、安積艮齋等と時を同じうせしが、年僅に三十八にして歿しぬ。　瞰　蒼翠

駿相紀行（節錄）　齋藤馨

廿六日。登清見寺。瞰三保松原。蒼翠欲滴。蓮峯朗出于其左。實一佳境。經興津上薩陀山。地高爽。與富嶽相對。俯則海

玦　秀氣津津　玲瓏　拱揖狀

波如玦。岳影落水。上下相映。自此至蒲原。稱田子浦。信東海道第一之勝也。過此則富士川。水勢急駛。舟渡極力始達。駿中諸水皆泅夫駕人而獨此有舟。以其急流不可用泅夫矣。

廿七日。早發。路行嶽下。秀氣津津逼人。嶽形玲瓏。自四面觀之皆無不宜。而此間支峯複嶺。左右羅列。作拱揖狀。可以爲正面之觀。三島以東嶽麓已盡。函嶺

誰何　送款於敵

又起。愈上愈險。宿箱根驛。驛在嶺頂。又瀕湖水。夜寒甚。

廿八日。關門誰何極嚴。是爲海內諸關之最。四里小田原。北條氏五世所據。今爲大久保侯治城。北條氏因函嶺之險。以抗豊公。而舊臣宿將。既有送款於敵者。彼獨恃形勝。而不知人心之不可恃。亦可悲矣。經大磯。有寺。爲鴫立澤。或云。是伊勢豪賈某隱栖之地。謂西行遺跡

削崖嵚巇　拍激　殿閣輝煥

誤也。渡馬乳川。宿藤澤。

廿九日。南轉至晝島。灣廻沙平。島屹立海中。有天妃祠。上下二祠。西又有一祠。從其背降。削崖嵚巇。海水拍激。得巨窟。安天妃像。其中深黑。導把燭而進。乃出取路腰越。過七里濱。沙路前却。至鎌倉。上長谷大悲閣。海島之觀頗曠。其下人家鱗列。爲雪下里。拜鶴岡八幡廟。殿閣輝煥。亦大祠也。廟東白田彌望。皆源二

蔽虧　苔蘚剝蝕　屠戮

位及諸公邸址。其北林樹蔽虧。有二位墓。石塔一區。苔蘚剝蝕。有石燈。薩侯所獻。蓋以其爲遠孫也。二位貽謀不善。骨肉相屠戮。三世卽亡。而孫支據有西偏。至今不墜。亦意外之幸耳。有大江廣元。島津忠久二公墓。修理改營。皆薩長二公之所造。東行山勢逼隘。如東曰朝比奈切通。蓋古時郭門之迹。

函嶺

梁川孟緯

丹巘　紅蔦罩翠磴之而　簏　委虵　孖峯は峯の名。風漪　琉璃戯嬉　斷齶　午絲　嶔巇

早發三島驛。亂峯吐丹巘。巉巖起寒色。
紅蔦罩枯枝。翠磴如龍脊。石比作之而。
登登曷可已。馬足籋雲危。背指沓已逈。
前路尙委虵。一重又一重。峯峯出逈奇。
孖峯忽當面。崖絕俯風漪。何水渟爲湖。
展此青琉璃。山靈巧亦甚。把人當戯嬉。
斷齶故蔽目。及茲忽放開。水次即置郵。
炊煙散午絲。巖乎要害地。重關正維持。
喬木森遮日。石勢何嶔巇。奔泉下噴壑。

平楚　蜀門銘　含煙

脚底鬪鳴雷。一日八十里。登降我馬疲。
首俯尻倍高。不容捷足馳。坂盡盻平楚。
暮煙已凄其。今見孤兎穴。金湯舊城池。
善哉蜀門銘。亦惟德爲基。區區北條氏。
焉用此險爲。

久能山　新宮碩

萬仞石壇如上天。豆州一望淡含煙。
小民唯覺威靈迫。古樹山寒聽急泉。

齋藤實盛　堤正勝

効　錦襖　篠原　麾下　第

齋藤實盛。其先越前人。實盛嘗事源義朝。及義朝敗。去事平宗盛。平維盛之討源義仲也。宗盛令實盛從之。實盛請曰。『此役也。臣必効死。越前臣之鄕里。願得衣錦襖以爲身後之榮。』宗盛許之。篠原之敗。實盛獨止奮鬪。爲義仲麾下手塚光盛所獲。光盛以首視義仲曰。『臣得一奇男子首。以爲將則非將。以爲士則著錦襖。問其姓名。終不告。第曰。『視木曾公』

皤　鬚髮　舊　潸然　踐　佐野は下野にあり。驍名

義仲熟視曰。『噫。此齋藤別當乎。我幼時見之。其髮既皤。而今鬚髮鬒黑。何也。樋口與渠有舊。必能識之。』召而視之。兼光潸然曰。『此實盛也。實盛嘗曰。「吾年老力衰。取侮壯者。他日臨陣。當染鬚髮以伍壯者。」今果踐其言。』乃洗之。鬢髮皤然。義仲感其舊恩。命葬之。

天德寺了伯　大槻淸崇

佐野城主天德寺了伯。屬北條氏。驍名

瞽師　嗚咽歔欷　從容　大息　先登

夙顯。嘗招瞽師善琵琶者某。演平語。瞽師爲唱二曲。一係佐佐木高綱事。一係那須宗高事。了伯每聽一曲。嗚咽歔欷而不已。他日從容問左右曰。『昨聽平語若何。』皆曰。『甚可樂也。但所演皆係赫赫功名之事。而君獨泣不已何也。』了伯聞之。仰天大息曰。『吾今而知汝等不足爲我用也。顧高綱之辭鎌倉公。乞其所愛名馬。而約先登於不可必之前。其心固

生還之理　兩軍屬目之中　涕淚　睫　箭

無生還之理矣。宗高立馬於兩軍屬目之中。而射扇眼乎海波數百步之外。不幸一發不中。唯有自刎以投於海耳。吾推究二子心事至此。則感慨悲壯。不自覺涕淚之交乎睫也。今日弓箭之士果能以二子之心爲心。則何戰不勝。何功不成。汝等乃曰見其可樂。不見其可悲。吾是以知其無能爲也。』

柴田勝家

大槻清崇

牙城　力偶　盥　訖

永祿十二年。柴田勝家爲織田氏守長光寺城。佐佐木承禎圍而攻之。遂破其外城。勝家退保牙城。防戰甚力。偶有人告佐佐木氏者曰。『此城乏水。若絕其汲路。城可下也。』承禎悅。從之。城中果困。而未變其旗色也。承禎怪之。乃託和議。納平井某於城中。勝家將出接之。平井請盥。手勝家命盛水於巨盤。使二人左右捧而致之。平井盥訖。則棄餘水於庭。無

色然　儲水　訣飮　眉尖刀　鐓鑓　缸　吶喊　潰　狼狽　擾亂　勳

復愛惜意。平井覘之色然而歸。既而儲水殆竭。勝家度不可脫。會諸將士。置酒訣飮。時問所餘之水。則僅二斛矣。勝家呼眉尖刀。以其鐓鑓破水缸。以示必死。乘曉開門吶喊。潰圍以出。佐佐木氏兵。以其出不意。狼狽擾亂。不可復止。勝家乘機衝突。斬首八百餘級。使人獻之於岐阜。信長大悅。賜勳狀以賞之。

大谷吉隆

堤正勝

治部　惡疾　指麾　土宜

大谷吉隆仕豐臣氏。與石田三成友善。三成密與上杉氏謀欲除德川氏。吉隆極言其非計。三成弗聽。吉隆曰『吾與治部有舊。今知其不克。棄之非義。』乃黨三成。與平塚爲廣等。出兵關原。吉隆病惡疾。在輿使爲廣代指麾。爲廣與東軍戰。知其不可敵。以所獲首級與國歌一首。贈吉隆曰『以此爲冥途土宜。請速爲計。』其歌曰『奈能多迷珥數津留伊能知波。

津伊珥は、終になり。古人の假字を誤れるなり。　冥途　隴　十字鎗

於志加羅志。津伊珥斗摩良奴。宇幾與斗於母弊波。』吉隆謂使者曰『平塚有文有武。足以壯冥途之行矣。』乃作答歌付使者。曰『知幾利阿禮波。牟津能知摩多珥。志婆志摩氏。於久連佐幾多津。古斗波阿利斗毛。』遂自殺。方是時。爲廣戰疲。息于隴上。敵兵欲擊之。爲廣曰『身是平塚因幡守。授汝首。』投所執十字鎗曰『弁以贈汝。』遂死。

曾呂利某

大槻清崇

解人頤　間話　奧義　豐頬緻目　覬覦

豐公之臣有曾呂利某者。談言微中。善解人頤。一日來候照公之館。間話之餘。啓公曰『世以大黑天爲降福之神。家家祭之。而知其奧義者鮮矣。』公曰『願聞其說。』曾呂利曰『大黑爲貌。豐頬緻目。高其眉宇。而戴黑帽於頭者。表其無覬覦上之心也。人而不覬覦上。則驕慢之心自消。而人人能安其分。所以致百福也。』公

囅然　譯　盱　深理妙訣　長物　膠柱之琴

囅然頷曰『然。我亦有五字訣。曰「宇閉遠美奈。」譯曰毋盱上。又有七字訣。曰「美乃保土遠志禮。」譯曰知身之分。蓋皆此意已。抑大黑之所以戴帽。更有一層深理妙訣焉。汝知之乎。』曾呂利曰『不知也。』公曰『夫其所以戴帽者。欲一脫而望天耳。譬諸士之佩刀。常固室以善藏者。待其一抽以爲用之時也。刀而不抽。刀亦爲長物。即帽而無脫。是亦膠柱之琴耳。果

憮然

天年

歲歉　菜色

蕃薯

有何妙用乎。曾呂利憮然。

甘藷先生　　原善

青木昆陽嘗嘆曰、『凡有罪非死刑者、遠放之島嶼、要在使其終天年耳。然諸島少五穀、常以海產木實給食。是以往往不能免餓死。豈不亦痛哉。即雖種藝之地、遇歲歉則民不能無菜色。意者百穀之外、可以當穀者、莫如蕃薯也。』乃陳官、求種子于薩摩、試種之官藥苑中、則極

蕃衍

鏤版

歲登　遡

篠崎弼、字は承弼、小竹又は畏堂と號し、大阪の人、嘉永四年歿しぬ。

秧

耶娘　蒼黃

蕃衍。於是以國字著蕃薯考一卷、而演其培植之法。官鏤版、併種子行下諸島及諸州。未數年、無處不種。至今上下便之。雖歲不登、民不遡餓者、實昆陽之惠及無窮矣。題其墓門之碑曰甘藷先生之墓。有以哉。

挿秧歌　　篠崎弼

水田漠漠雨茫茫。村南村北急挿秧。婦子不足煩耶娘。維亞維旅太蒼黃。

豐穰

餉

塘

轎　使君

畦

菊池純は、三溪と號し、紀伊の人、明治二十四年歿しぬ。

高髗　蹙眉

男兒不衣女不粧。泥寒雨濕百相忘。唯恐播種後鄰鄉。且歌且挿無亂行。心期今歲亦豐穰。欣然一餉飽飢腸。時聞人馬過野塘。森然一隊油衣裳。轎簾半捲銀爐香。知是使君向東方。夏畦勤苦君莫傷。官人忙於農夫忙。

賴山陽　　菊池純

賴襄、字子成、通稱久太郎、號山陽外史。安藝竹原人、賴惟完之子。爲人高髗蹙

眼采炯炯

峻峭　氣節

三本木街は、京都にあり。

眉、眼采炯炯。望之有威。性峻峭、以氣節自持。未嘗屈己隨人。其去國、誓曰、『己不能仕父母之國、不復著朝服見貴人。』文政六年癸未、買家三本木、稱水西莊。庭中雜植梅花竹樹、又置一小草堂、臨鴨水、對東山。稱山紫水明處。是歲六月、患喀血。時方著日本政記。乃日夜勉強、構稿曰、『我必欲成之而入地。』及秋、疾益劇、以九月二十三日、歿于家。時年五十三。

聲名
子成は賴襄の字。
訃音
賴襄は、三十六峯外史と號しき。
泉臺
龍蛇
麴蘗

襄在於京師。聲名重於一時。四方文士游京者。爭來求見。皆一切謝絶。平素讀書攻文。常語人曰。『謂我才子。未悉我者也。謂我能刻苦者。眞知我者也。』識者以爲知言。

聞賴子成訃音。詩以哭寄　梁川孟緯

東山六六峯何處。雲鎖泉臺慘不開。歲在龍蛇爭脫兔。人傳麴蘗遂爲災。

雙珠
寡鵠
惆悵
荏苒
寥落
江湖
擔頭
鉛錘は魚の名。

一朝離掌雙珠泣。五夜看巢寡鵠哀。彼此撫來最惆悵。海西有母望兒來。

春末書懷　梁川孟緯

年華荏苒去如馳。寥落江湖酒一巵。試問文游半歸土。爭教雙鬢不成絲。池邊芳草夢何處。風裏楊花春片時。洗盡街塵雨纔霽。擔頭已叫賣鉛錘。

瀧澤馬琴　菊池純

瀧澤馬琴。名解。字瑣吉。號曲亭。武州江

稗史
野乘
屛居
著述
意匠
沈吟
掠奪
側
驚悸

戶人。喜稗史野乘。名聲大彰。嘗屛居一室。潛思著述。意匠慘澹。沈吟久之。時正正午下。偶家人令下婢供茶。而馬琴一意攻苦。不知背後有人。獨語曰。『今夜必縊下婢。掠奪其衣物。投屍于井中。以滅其跡。可謂妙計矣。』因閣筆微笑。婢側耳于戶外。聞之驚悸。謂『主翁欲殺我。』及昏而遁逃。赤跣歸家。泣告其父兄曰。『兒今日隔壁聞主翁獨語。命逼今夕。不速去

爲所魚肉
色然
鬻者
奇趣
忮心
志士

殆爲所魚肉。』父兄色然。舍匿其家。託疾乞暇。馬琴怪之。研詰一再。初首其所自。馬琴抵掌喩之曰。『鬻者予著稗史。命意沈吟。忽獲一奇趣。欣然不能自持。偶然上口。豈復有忮心邪。』婢家父兄大笑。乃止矣。

愛日　貝原篤信

人之講學勤業。皆以時日之力。故志士惜日短。嗚呼。此日難再得。今年不重來。

曠日
有生之樂　虛生之憂
那波方は活所と號し播磨の人。紀伊の儒者。正保五年歿しぬ。
富春秋
逸遊

是以學者最要惜時日。豈可廢時曠日乎哉。古語曰、「天地有萬古、此身不再得。人生只百年、此日最易過。幸生其間者、不可不知有生之樂、亦不可不懷虛生之憂。」此六句、可時吟玩。

自警詩　　那波方

少壯勤勞老可休。吾曹猶幸富春秋。
昨非不及就今是。二六時中無逸遊。

蒲生氏鄉　　大槻清崇

蒲生氏鄉伏病、茶博利休往問之。氏鄉示其所自詠曰、「限有盤吹爾登花波散物遠心短幾春乃山風。」譯曰、「山花自落豈無期、何事春風不待時。」蓋言見毒也。利休泫然流涕曰、「嗚呼惜哉、失無雙國士矣。」遂賡歌答之曰、「降登見盤積奴先爾掃邊加志雪爾者折奴靑柳乃絲。」譯曰、「及其未積須相掃、靑柳元無折雪枝。」蓋惜剛勇而不能防害也。氏鄉卒之後、

啓
移封
恩威兼洽
甆器
青甆
碟

書史福田某啓硯函、視之、有遺書云、「願移封於朝鮮。」蓋知爲太閤所疑也。因嘆曰、「使主公在世三年、必得其所願。豈不惜乎。」

加藤嘉明　　大槻清崇

加藤嘉明沈勇而有識量。其待諸臣、恩威兼洽。嘗好聚舶載甆器。每明商至長崎、託而致之。家有靑甆鍾子淺碟、各十枚。嘉明最愛玩之。有佳客、輙供之。一日

恐惶
洩憤
奇物

侍臣某誤墜之地、破其一枚。侍臣思主怒、恐惶待罪。嘉明聞之、如有所思、乃召侍臣曰、「汝勿患。我豈爲小過棄一士耶。」因呼取其餘九枚、盡毀之曰、「汝等勿謬以我爲洩憤之擧。吾有所大悔也。顧使此器永存、每後來供客、人必曰、『某年某日、某姓名破其一。』是以唯九。此則以器玩之故、永遺一士罪名也。吾心所甚憎。」是以如此。蓋自此絕意、不復愛奇物。

飯田覺兵衛

大槻清崇

加藤忠廣清正子也。嘗語左右曰、「我願爲多力人。」左右曰、「何也。」曰、「欲重襲厚甲、以免銃丸之害耳。」飯田覺兵衛、侯之舊將而數從清正有功者。此時在坐。進而泣曰、「主君何言之怯耶。夫先君之在世、破堅挫鋭、大小數十戰。未嘗一受刀瘢。遂爲征韓先鋒、蹂躪八道、鬼上官之名、至今猶止兒啼。然而所著不過一單甲。

破堅挫鋭
刀瘢
蹂躪

抑爲主將者、苟能愛將校、撫士卒、則三軍之從指揮、猶吾手足。然則三軍之甲、皆君之甲也。假令將叛卒離、君獨雖重百甲、亦無補於死。君何言之怯耶。」遂號哭而退。獨自歎曰、「噫加藤氏之亡、其不遠矣。」居無何、忠廣果坐事國除。

阿王

中井積德

南北之時、赤松光範爲津守護、屢爲楠正儀所窘、憤懣不知所出。其隷宇野氏

指揮
國除
積德は履軒と號しき。碩儒なり。文化十四年歿しぬ。
楠正儀は、正成之子。正行の弟なり。

之子阿王、父死于墨江之役。年十歳。告光範曰、「楠氏父讎也。請往事之、待以歳月、必可得志矣。」光範曰、「汝年少耳。死事者之子也。吾弗忍矣。」阿王曰、「年大豈得事焉。」乃遣之。阿王抵赤阪、獨與一僮彷徨城下。有人訊之。曰、「我爲宇野六郎之子。父死而族人奪宗。躬無所容。將投丘壑自託緇流也。」其人以歸、告于正儀。正儀哀之、寘于左右。正儀素仁惠、推心善

抵
僮
彷徨
訊
投丘壑自託
緇流
寘

視之。阿王亦勤敏服役。居數歳、正儀益器之、嘗授以邑。阿王辭以未有軍功。浮屠氏之法、爲死者祈福、以七紀數。於是宇野六郎死之七年、遭其忌。阿王感念、將以是夜刺正儀。適正儀以阿王年大也、召而冠之、賜名曰正寬、慶以御賜兜鍪。阿王感激無他。侍坐抵夜、得閒。既起身、而平日恩義弗可棄也。加以晝日之遇、弗忍也。正儀又從容背坐、無復防閑。

浮屠
兜鍪
防閑

秀康は家康の子なり。

勳閥

擐甲禮

置酒

勉強自厲、竟弗能也。出而哭之慟。衆愕共視之。阿王具告之實曰、『吾唯有死而已矣。』抽刀自刺、爲所奪。乃髡髮爲僧、入山中、以正寛爲其號、以終其身云。

阿閉掃部

大槻清崇

越前侯秀康之就封也、聞阿閉掃部爲勳閥之士、以重祿聘之。猶伊勢亦越之世臣也。將爲其子行擐甲禮、請掃部爲賓。禮畢置酒。伊勢謂掃部曰、『今日豚兒

鑣

殪

決輸贏

須臾

蠘

擐甲之初、願子語當年武功、以祝兒前程。』掃部曰、『吾豈有武功可語乎。無已則有一焉。吾嘗見一士武風最可觀者矣。賤嶽之役、兩軍既散。吾單騎沿余吾湖而退。有一騎呼於後者。回鑣接之。則曰、「朝來所殪、皆雜兵矣。不幸未遇好敵。觀子儀容、果非凡士。敢請一戰決輸贏。」余曰、「諾。」下馬將交槍。其人曰、「請俟之須臾。我槍蠘矣。」沒鋒於湖、洗之者三。曰、「可以

決雌雄

懷舊

拍掌

契濶久

戰矣。」於是相鬪、雌雄未決、而日已昏黑。乃呼曰、「可恨。槍鋒難辨。請期他日。子爲誰。身是青木新兵衞也。後日相見戎間、誓不付勝負於他人矣。」揚鞭而別。吾結髮從軍、未嘗見從容整暇如此之士。』言未畢、有青木方齋者、自屏後出、謂掃部曰、『側聽吾子話、懷舊之涙不能自禁。吾子亦不記乎。爾時與君交鋒者、卽此翁也。』掃部拍掌曰、『契濶久矣。今日相遇、何

觴

好

秩祿

忠教、彥左衞門と稱しき。

睥睨

權貴

執政

其奇也。』乃擧觴屬之、好以腰刀。由此青木之名顯于一時。侯聞而聘之、與掃部同其秩祿。

大久保忠教

鹽谷世弘

大久保忠教睥睨權貴、足未嘗踵執政之門。松平信綱使監察秋山正重風之曰、『翁之蒙優遇、天下所知。誰責其禮法。雖然執政者代上而行令者也。敬執政、卽所以敬上也。翁雖老、而列在朝。何不

媚 珍奇
諂諛
不腆 苟苴
狼藉

時候執政之門、亦奉上之道也。』忠敎曰。『諸某亦念之。然我往彼來、禮之常。我往亦勞彼也。且今媚權門者、爭以珍奇爲獻。吾貧不能得貨。故不敢然。子幸見誨。謹奉敎。』忠敎謂、此必信綱使之。於是苞蔓菁數十根、一奴負而從之、先踵信綱門。呼曰『大久保彥左、爲諂諛來。家貧無以致奇珍。不腆圃菜、敢進左右。』以苞苴賓諸階。泥土狼藉。謁者大駭、以爲狂人。

古賀煜は侗庵と號す。幕府の儒者なりき。弘化四年歿しき。
蟻垤

不敢通之。忠敎曰『權門勢家、珍異日臻。寒士野菜、何足進。公等不通亦宜也。請持去。』徐自收之而去。他執政皆如之。最後詣正重。曰『前日幸受敎。故今悉候諸公之門。敢致不腆之賂。然諸公不受。請致諸厨下。』乃置而去。後執政會公堂、談及此事、皆大笑。

題富士山圖

古賀煜

登蓮嶽之絕巔、以四望、山如蟻垤。而海

神王
遺世之想
享
躋攀
丹靑

似盃。風在下、而雲霑衣袂。令人胸豁神王、翩乎有遺世之想。是亦人生之至快樂也。人之希享斯快樂者、滔滔皆是。而克酬素志者、不過億萬中之一二。予觀世人之談富士、詳確明晰、瞭然如曾躋攀者。及考其實、彼未始夢睹。特覽丹靑所描、強不知爲知。乃知言之易、而其至難在於行之也。今人於聖賢之大道、未始踐行其一端、及宣之於口、則縱說橫

涔涔
炎塵
高潔

說、流暢不窮、類躋履已熟者。又奚異於目擊畫圖之山、以資雄辯者哉。斯弊在吾儕儒生爲最甚。予展此圖、不覺汗涔涔下。非獨嘆畢生不獲償登嶽之願而已也。

望富士山

新宮礥

萬丈層氷白若銀。　淸風六月拂炎塵。
如今東海十餘國。　高潔似君能幾人。

豐臣秀吉一

大槻淸崇

尾州愛智郡有中邨里。里分上中下爲三村。日吉者其中中邨之人也。天文五年正月朔日出時生。故名日吉。年甫十六。齎其父所遺永樂錢若干匹。以出鄕里。多買麤線針於淸洲。而來津島之市。以其針易糧食與草鞋。遂往濱松。遇久能城守松下嘉兵於途。嘉兵異其狀貌。使人問其鄕貫。日吉具答以實。嘉兵乃携以歸。爲換其服。并以袴與之。初雜處

齎　鄕貫

之奴隸中。既而擢爲內豎。付之衣服器玩。掌其出納。日吉機慧而敏捷。凡所使令無不如意。嘉兵甚愛用之。而儕輩之舊者皆嫉之。竊匿其主之器玩。以誣日吉。如此者數矣。嘉兵知其無罪也。憫之。爲與永樂錢三十匹。以遺歸。日吉於是資其錢。以往淸洲。夤緣其鄕人仕織田氏者某。爲挈鞋奴。無幾爲小人頭。改名藤吉。時年十八。

擢　內豎　機慧　器玩　誣　夤緣　挈鞋奴

豐臣秀吉二　　大槻淸崇

越將作間盛政。既得中川淸秀首。傲然以爲無敵己者。當此之時。筑前守秀吉在大垣。聞柳瀨敗聞。抵掌曰。我得大捷矣。單騎北馳。步騎數千。及於中途。日暮達賤嶽址。距盛政砦二里而陣。盛政馳人致書曰。何來之速。請待天明。一快戰耳。秀吉答書曰。言當自我發。乃爲公所先耶。明旦快戰之事。謹領命矣。使者既

去。秀吉冷笑曰。異域張子房。吾不之知。方今在我日東。誰復有以智先我者乎。命設炬火於山野。數里照映。煌煌如白晝。越人夜襲之計遂沮。明旦與盛政大戰於嶽南。乃有七槍之捷。

豐臣秀吉三　　大槻淸崇

關白既滅小田原。引兵而東。將征奧州。次宇都宮。時本多忠勝伐土寇。在總之廳南。公差人致之行營。一日大會列侯

異域　張子房　煌煌　行營

颺言

飇擊

諸將。出首鎧一領。示於衆曰。『是爲佐藤四郎忠信之鎧。誰居今日可比忠信忠勇者。苟其有之。孤將擧以與之。』衆莫敢應者。公因颺言曰。『服此鎧而無愧色者。唯德川氏臣本多中書爲然。記昔長湫之役。失我褊將三人。孤憤怨之極。聞敗卽發步騎三萬。飇擊而馳。時中書在敵營。聞之。率手兵五百赴援。與我軍相距數百步。並隊而馳。每兩軍相摩。輒發銃

渠爲誰

穀穀

粉虀不回踵

挑戰。我軍不敢動。行里餘。有一騎蒙鹿角冑。下鞍飮馬於河。問渠爲誰。稻葉伊豫。曰。本多平八也。孤不覺淚穀穀下。曰。壯哉平八。以我三萬擊渠五百。猶石壓卵。粉虀不回踵。渠則從容飮馬。以示餘暇。何其壯也。但我殺之。亦無補於勝敗之數。不若且縱之。以成渠勇矣。故不顧而馳。今日求之古人。非藤忠信。莫可以比。遂以賜忠勝。是夜。公竊召忠勝。自點

侑
誇揚

懌

茶而侑之曰。『子勇誠無雙矣。雖然誇揚之衆。以成海內之名者。孤力亦爲多矣。』因徐問曰。『未知與德川氏。其恩之輕重大小何如。』忠勝伏而不答。強之。則曰。『殿下之恩。江海無量。但臣爲德川累世臣屬。君恩之大。非可以輕重較也。』公聞之。不懌而罷。

豐臣秀吉 四　　大槻清崇

太閤以慶長三年八月十八日午晌薨。

需

壽六十三。葬於東山阿彌陀峯。初聚樂第之成。公偶詠國歌一首。自書之箋。使尼孝藏主函而藏之。戒曰。『他日有需則出之。』後十二年。至此病篤。俄召尼孝。命之曰。『持昔所付國歌來。』尼孝出而進之。公直援筆。記歲月日及諱於其後。欲幷造花押。半成而腕澁。乃擲筆。明日而薨。蓋豫以擬絕命詞。臨薨出以遺後人也。其歌曰。『露止置。露止消奴留我身哉。奈

榮華一夢

米澤城主上杉治憲、鷹山と號す。

平洲は號。名は德民。尾州侯の儒官。後米澤侯の賓師たり。

仁波乃事波。夢乃世乃中』。譯曰、露生露滅、是吾躬。浪速榮華、一夢中。此箋今尚傳在木下侯云。

書鷹山公事　齋藤馨

米澤藩老莅戶九郎兵衞、精勤國務。老而不倦。鷹山公慮其耗精生疾、使紀平洲勸其遊息自養。平洲卽至其家曰、『今日奉公命至。子愼聽之。』九郎謝曰、『某有酒癖。公豈禁之耶。自今愼不飮矣。』平洲

老職

治績

曰、『否。子年老務劇。恐生疾病。子少自養、之是公命也。』九郎駭曰、『甚矣公之不思也。公以爲今如何時耶。國用不足、民庶不定。某任老職、夙夜精勤。猶恐其不至。乃務自游息、將措一國民庶于何地。』因泫然泣。平洲復命誦之。公曰、『九郎老尙如此。九郎而疾、明日誰當代九郎者。』亦泫然泣。平洲出語人曰、『米澤君臣相遇如此。治績安得不顯耶。』贊曰、『古人嘗稱、

佛陀

英雄多泣。余謂、必英雄而後泣。兒女雖泣、非泣也。無他。兒女之泣淺、出于眼。而英雄之泣深、根于心。故君而不泣、非仁君也。臣而不泣、亦非忠臣也。今觀米澤君臣之泣。而其仁且忠可知矣。宜其民到于今猶泣而思於君也。』

丹海刻佛殿　安積信

奧有奇功人。曰丹海。能以徑寸之木、爲宮殿佛陀花鳥之屬。曲盡其妙。予嘗觀

鳳凰

拱踞

手理衣縐

髯鬣

欄檻

狻猊

千賀氏所藏者。高僅一寸一分、方半之。殿屋中高而四邊下。其上鳳凰舒翼竦立。其四阿象鼻曲上、承簷梁。間四面刻諸菩薩。踞者、拱者、仰者、俯者、袒胸露乳者、凡二十有二。無一相肖。鬚眉耳目、以至手理衣縐之微、莫不悉備。殿四柱有龍纏之。頭角奮怒、髯鬣森張、鱗甲燄燄發火。甚詭異。欄檻匝其外、挿梅花數枝。掛萼疎密可辨。殿下狻猊各蹲其隅者

猙獰　趺座　神采　雕鏤　澹宕　囊橐　阿堵

四猙獰如生殿中央彌陀趺座蓮華上觀音勢至侍立於左右服飾精緻神采奕奕逼人殿基四面排列十二屬凡其雕鏤纖微如黍如塵如蚊脚雖壯者快精非以眼鏡照之不能瞭然天下之絕技至此極矣丹海性澹宕不以生業經心貧僅給雖奉重貨而請之不敢許至囊橐枵盡乃刻之兌去每語人曰『我非技能過人惟阿堵異焉耳我少好刻佛

蹙頞　縣蝨學射　以棘匕爲猴　假托

像既而以爲刻其大不若刻其小之爲尤巧也於是專心致志刻數百軀一旦矑光精明視小如大游削於寸黍之質恢恢有餘地傍觀者蹙頞以爲至勞而我甚樂之嘗試抽髮一莖剖爲四條其中空心與剖竹不異云古人有縣蝨學射者有以棘匕爲猴者予每以爲假托之言今觀之乃知非空言也夫刻萬象於寸木雖小技亦天下之難者然專心

貿貿然　當其衝

致志不敢懈弛粗者精小者大卒以造其極況讀書砥行求在者何難之有而貿貿然未有所自得焉顧吾心不專歟志不至歟感之而作刻佛殿記

鳥居元忠守伏見城

安積信

東照公征上杉氏使君與內藤家長松平家忠松平近政留守伏見曰『東征之後大阪擧兵此城當其衝必當先攻之

踊躍

吾知汝等忠貞故留之善守勿怠』咸對曰『臣等當竭力拒戰繼之以死』後大阪果擧兵毛利秀元遣使喩之開城君對曰『寡君使予守此安得開城若欲得之宜攻而取焉』乃嚴兵堅守令曰『兵寡不得相救當各守其所而死之若畏死者去之可也吾不敢怨』衆踊躍從令前此宇治茶商上林竹庵來居君麾之使去竹庵曰『小人久承德川公重恩且辱君

寘　蟻附　譙樓

知遇。雖商賈不忍臨難而去。願從君死。」君義而許之。大會將士。寘酒敍訣。談笑如平時。既而秀元諸將來攻。凡九萬三千餘人。城兵僅千八百餘。皆分必死。敵四面環攻。蟻附而登。城兵善拒。死者山積。乃列砲連發。響如萬雷。屋瓦皆震。城兵不屈。益竭力拒戰。敵不能登。是夕。嶋津氏。督精兵來攻。鋭甚。城兵殆不能支。君自譙樓觀之。率兵突出擊卻之。城中

邀　麋　披靡

俄有叛者。縱火。敵見之爭登。城遂陷。家忠近政及臣僕皆死。君帳下二百十餘兵亦死。殘卒勸君。「自裁。不然。恐將死奴隷之手。」君曰。「我所以悉力拒敵者。非求生邀名也。第欲麋敵於此。少抒關東之難。則死奴隷之手。何愧焉。汝等亦皆鼓勇殺敵。勿亟死。」乃率殘兵。入萬衆中。殺傷數十人。敵兵披靡。即收兵。敵復競至。君回戰擊破。如是者數次。從兵皆死。存

殲　偃月刀　剄馘　保元元年

者三十餘。無一不被重創。敵爭進圍之。君大怒。奮擊潰圍。入牙城。則殘卒已殲。因挾偃月刀。踞石待敵。雜賀孫市。舞槍而進。君呼曰。「我城將也。」孫市偃槍而跪曰。「我輩刺大將不恭。宜自盡。」君嘉其有禮。脫甲割腹作十字。呼曰。「剄。」孫市進馘之。時年六十二。

源爲朝勇戰一（日本外史）　賴襄

於是上皇使使者召爲義。爲義辭曰。「臣

老羸　芟鋤

老羸。非復平昔。長子義朝勇而有衆。而既赴禁内矣。餘子獨爲朝可用。君請用之。毋以臣爲也。且臣夢家所傳八甲。爲風所漂。臣心惡之。往必不利也。」使者強之。爲義不得已。率諸子赴之。上皇喜。以爲判官代。賜邑及寶劍。以四子賴賢爲藏人。因會議戰。爲朝進而言曰。「臣大戰二十。小戰二百。以芟鋤九國。以少擊衆。毎利夜攻。臣請今夜襲高松殿。火其三

負氣　竊

方而要之一面。其善戰者獨有臣兄義朝。然臣一矢斃之至。如平清盛輩。臣鎧袖一觸。皆自倒耳。則乘輿必不得不出。臣乃加矢其從兵。徙輿於此。而奉陛下於彼。易如反掌。則東方未白。大事集矣。』賴長曰。『爲朝年少負氣。所言皆鄙人私鬪之事。安可施之帝王之戰耶。兩帝爭國。當用堂堂之陣。南都僧兵應召。且至。成軍以戰。未爲晩也。』爲朝退竊罵曰。『唉。

長袖　撤　籌　擐

長袖者惡知兵哉。家兄有謀。將出我所欲。爲僧兵寧可須也。』爲義又進策曰。『本宮垣溝單淺。無地可據。以寡兵保此。非計也。陛下宜幸南都。撤宇治橋。以守卽不利。幸于關東。臣糾合家人。奉輿復闕。臣籌之不難。』賴長弗聽。爲義退而言曰。『吾不知死所矣。』與其六子賴賢賴仲。爲宗。爲成。爲朝。爲仲。分八甲。擐之。送一於義朝。爲朝軀幹大。不可服。乃服他甲。獨

趣

以二十八人守西門。餘子盡從父。以百騎守南西門。平忠政等諸將。以兵數百。分守諸門。義朝在禁內。關白藤原忠通以下。聚議不決。義朝數趣之。有詔召義朝於階下。問計。對曰。『取勝一擧。莫若夜攻。臣聞南都兵千餘應上皇徵。已次宇治矣。宜及其未至擊之。』從之。詔。『戰勝聽昇殿。』義朝對曰。『武臣赴戰。不期生還。臣請拜賜而死。』攝衣而昇。藤原通憲奏曰。

若何　諜者　哂

『彼之曾祖祖父嘗聽昇殿。而父則未也。以子先父若何。』詔曰。『勿問。』義朝感喜還營。繫鞭車傍曰。『我卽戰死。誰知我得昇殿。此識之也。』乃以選兵四百襲白河殿。平清盛亦赴之。兵凡數千人。上皇諜者還報。

源爲朝勇戰　一（日本外史）　賴襄

爲朝哂曰。『固當然爾。』賴長恐爲朝不爲用。遽拜爲藏人。爲朝曰。『吾何用藏人爲。

懾懼　鏃

吾鎭西八郎可矣』辭不拜。將戰諸子爭先不決。爲朝曰『臨戰何論兄弟。然吾嚮以不軏獲罪。故欲先而不敢。唯敵強難當處。輙命於我』賴賢賴仲邀擊義朝。敗退。義朝隨攻之。平清盛攻西門。其將伊東景綱與二子伊東五。伊東六先進。爲朝射之。洞五之胸。而著六之袖。清盛懾懼而退。獨其騎山田伊行返戰。爲朝又射斃之。馬逸入義朝營。鏃穿鞍。大如巨

鏊　辟易　彎

鏊。部將鎌田政家取而獻之曰『八郎君所爲也』義朝曰『彼弱齡未當至此。詐設以怖敵耳。汝嘗試之』政家自呼而進。爲朝曰『爾非吾家人乎』對曰『昔爲主君。今爲兇徒』射中其冑。爲朝大怒。與二十八騎闢門突出。政家辟易退走。義朝以二百騎馳之。呼曰『吾奉宣旨來。汝盍趣降。乃彎弓於其兄乎』爲朝曰『判官公受院宣令爲朝等拒戰。且彎弓於其兄。孰與

鳴鏑　臍　甲之鬲　冑之題

推刄於其父。因大戰。義朝立馬莊嚴院門。爲朝望見之。注箭。既而舍曰『父在此。兄在彼。焉知其不有所潛約勝敗互相救護哉』乃注鳴鏑。顧謂家季曰『吾且褫其魄』家季曰『得毋誤乎』爲朝曰『第觀吾所爲』乃射穿冑臍。貫門扇。義朝大驚。乃呼曰『八郎射未爲精』爲朝曰『不敢焉耳。即被許甲之鬲冑之題。唯阿兄所命』乃注大箭。深巢清國進。蔽義朝。應弦而倒。

鼓譟

義朝兵死傷最衆。爲朝亦喪二十三騎。猶固守。爲義賴賢等又善拒。天漸明。義朝馳使奏請用火攻。聽之。乃縱火上風。烟焰蔽宮。宮中大亂。義朝等鼓譟。終陷之。上皇出奔入如意山。爲義以下悉從之。上皇親諭散遣之。皆揮泣而散。

平重盛諫父　一（日本外史）　賴　襄

於是清盛乃被甲執長刀而出。召平貞能曰『亟戒將士。今擧朝之人。嫉我圖我。

官爵踰分 / 新院 / 故院 / 猖獗 / 自愛 / 恩宥

蓋謂我官爵踰分耳。在昔田村丸徽者也。以平東夷功、超拜大將。他多類此者。豈獨淨海。淨海勤勞、非一日也。保元之變、我宗族大半赴新院。且重仁親王者、我父所覆育也。而我思故院遺詔、獨屬官軍、終克平亂逆。平治之變、信頼義朝之猖獗。吾而自愛、事未可知。重命輕躬。夷滅凶黨、以至於收經宗惟方等、數冐大難、無非爲官家者。以此言之、官家恩

見族滅 / 扞 / 亟 / 擐甲 / 叩 / 睨

宥雖窮子孫可也。今乃輕信讒言、欲見族滅。卽毋告者、豈不危殆。異日細人有再進言、則下宣討我、目我爲賊、不可悔也。吾欲先發移之鳥羽宮。否者請幸於此耳。北面奴輩或且扞我。亟戒將士。』有主馬盛國者、馳告重盛。重盛大驚、急命駕赴之。入第門、族人皆擐甲鞍馬、旗幟成列、將起。重盛烏帽直衣而入。宗盛叩其袖曰、『公何以不被甲。』重盛睨曰、『汝等

呿 / 覩 / 西光 / 問 / 群小彙進 / 覬覦

何以被甲。敵人何在乎。吾爲大臣大將。自非有寇賊犯闕、則不宜被甲也。』

平重盛諫父二 (日本外史) 賴襄

淸盛望見之、遽起表黑衣而出。數正襟、襟呿甲覩。謂重盛曰、『吾察西光狀、如成親等、乃其枝葉耳。間群小彙進、覬覦不已。而御以輕躁之君、何所不至。我欲且請幸一邊、以待事定。』語未畢、重盛泣數行下。久之言曰、『重盛熟覩尊貌、知家門

葛原 / 平將軍 / 刑部卿 / 叨 / 霽威

已屬衰運也。重盛聞之、世有四恩。皇恩爲最。抑我門雖辱桓武葛原之胤、而降爲人臣、中微不顯。以平將軍之功、而不過國守。刑部卿聽內昇殿、萬人反辱。及至大人、乃陞太政大臣。以兒之不肖、且辱大臣大將。宗族駢植朝廷、田園半於天下。叨恩極矣。爲官家所疾、誰謂不宜。而運命未艾、讒人旣獲。宜諭罪所當、退陳事由、則公家豈有不霽威。何必草草

較著　嚮背之決　下野守　覩感

爲也。兒又聞之、以王事辭家事、不以家事辭王事。況善惡較著者乎。重盛自六位至三公、沐浴君恩、不可勝擧。嚮背之決、自有在焉。素所撫循士、願爲重盛死者二百餘人。保元之亂、源下野守、以敕命斬六條判官。兒在當時、以爲大逆無道。不忍言者也。此非大人所親睹乎。欲忠則不孝、欲孝則不忠。重盛進退窮於此矣。生覩是感、不若死也。大人必欲遂

刎　讓　敕　剄

今日之擧、先刎重盛首、然後發。且言且泣。擧坐感動。

平重盛諫父三（日本外史）　賴襄

清盛曰、『淨海以衰老爲此擧、非爲一身計。徒慮子孫耳。乃以爲不可。汝好計之。』乃起入內。重盛顧讓諸弟曰、『今日之事、縱令公老耄發事、子等何不匡救、乃慫慂之也。』出敕將士曰、『欲從公赴院者、見重盛剄首、然後行也。』乃還小松第。既夜

惶懼

憂慮弗能措、於是出令徵兵曰、『有大事。速來會。』衆相告曰、『沈重人出如此令、必有由也。』於是爭赴之。一夕二萬餘騎。而西八條無復一人。重盛乃令家貞、貞能往護清盛。清盛問曰、『小松第何由徵兵。』二人對曰、『院宣內府曰、「汝父忘君恩。欲亂國家。命汝討伐之。」內府慮君自急也、令臣等來護。曰、君安之。重盛在焉。當以身請。」清盛惶懼曰、『爲我語內府。吾前途

漣然　慚愧　齋藤正謙は有終と字し、拙堂と號しき。藤堂侯に仕ふ。慶應元年歿しぬ。

已迫。不復事事。唯卿令之。』二人還報。重盛漣然曰、『使父爲此語、吾罪大矣。』乃親臨勞兵曰、『汝等應召卽來、眞不負平生。而事出謬傳。宜亟罷去。後有緩急、幸毋狃焉。』因盡罷去。法皇聞之泣曰、『重盛報怨以恩。使人慚愧。』

觀曳布瀑遊摩耶山記　齋藤正謙

癸巳晩秋、余有攝播之游。二十二日、將

崎嶇
匹練

從兵庫還大阪。早發。入謁生田社。社樹老蒼、使人肅然。遂欲觀曳布瀑。右轉上砂山。崎嶇十餘町。攀一邱。得茶店。呼爲望瀑臺。臺當其前。壁頂瀉下。如匹練製曳。此其所以得名。但邱上平臨。不甚奇觀。乃躡巖角降就瀑底。仰觀壁面。有石突出。瀑下垂至石。輒怒駭珠驚玉。餘沫霏散。漲空而下。如驟雨至。衣巾盡濕。呼快者久之。乃反從阪下右折。又有一瀑。

稜疊
砌
俯瞰

比前者稍小。土人呼爲雌瀑。而以前者爲雄。此瀑已見伊勢物語平治物語等書。其爲名勝久矣。左轉一里。取路青谷。上摩耶山。崖樹紅黃相間。稜疊可愛。然路甚險。一步一喘。纔及山門。門內尤峻。石磴掠面而起。數百級。僧坊夾磴。皆砌石爲基。高數十仭。層層向上。儼如城郭。進至絕嶺。佛殿宏壯。榜曰忉利天上寺。俯瞰連日所經歷。皆在履下。海灣一碧。

鵬程萬里
杳渺
盤折

諸州之山。圍繞其外。至紀阿之際。兩間不相合。如大環缺。從缺而望。鵬程萬里。杳渺無際。出門就正路。盤折而下。呼爲七曲。太平記所載。赤松圓心敗六波羅軍處。行樹多猴。纍纍掛枝。見人驚叫而去。半里至上野。路漸夷。經西宮尼崎。而還。顧望摩耶山。宛然在雲表。步步惜別。山亦搖光馳碧。迭至大阪。乃止。

源頼政戰死 一（日本外史）　頼襄

治承四年。源頼政討平氏。
數
烙記
從容

平氏以外祖益專橫。頼政爲從三位。削髮而老。子仲綱爲伊豆守。有名馬。宗盛數欲借之。仲綱弗肯。頼政懼。令仲綱許之。宗盛借而不還。大會客而出其馬。烙記仲綱二字。曰『騎仲綱』。曰『鞭仲綱』。仲綱與父言而憤之。頼政素善於以仁王。以仁王者。法皇次子也。第在三條高倉。稱高倉宮。頼政嘗夜詣高倉。從容說曰。『大王者。於上皇爲庶兄。於今上爲伯父。才

列於編戶　奴僕視
檄
塗炭

德兼備。天人交應。而齡已及壯。未得爲親王。臣竊爲大王羞之。王亦見淸盛所爲乎。廢立生殺。一從其私。當今之時。大王亦竟不能保終。自平氏之專權也。諸州源氏。列於編戶。皆見奴僕視。憤怨鬱積。因屈指擧之。得賴朝義經以下四十餘人。曰。『大王誠能仗義聲罪。此輩皆可傳檄而致也。王何不速擧大事。上拔法皇幽厄。下援萬姓塗炭耶』王意悅。終聽

嫡宗
泄

之。會源行家自熊野來。賴政薦之於王。行家故爲義第十子也。是歲五月。拜行家爲藏人。密齎王令旨。以諭諸源。以賴朝爲嫡宗。特賜一通。行家又密誘新宮僧徒。爲援。行家既發。僧徒相告語。謀泄。熊野別當平氏黨也。聞而攻之。敗還。馳告平氏。平氏未悉事端也。遣兵圍王宮。賴政次子兼綱。爲撿非違使。在遣中。急告之賴政。賴政卽馳使王宮。告曰。『王急

昧爽
鬮

逃之園城寺。臣等將追赴焉』王隷士長谷部信連。被王以婦人服。遣之。開門而待。昧爽。吏卒入門。呼索王。信連大罵。殺傷十餘人。而被執。終不告王所在。

源賴政戰死 二（日本外史）　賴襄

賴政焚其第。率仲綱兼綱等五十餘人。追赴王所。其舊臣渡部競居平氏第後。衆欲呼之與偕。賴政曰。『毋以爲也。彼不呼而來者』已而宗盛聞賴政奔。使人鬮

逝

競在焉。乃召見之。問曰。『三位逝矣。汝何以不從』競佯答曰。『臣近與三位有隙。故不相聞知也』宗盛誘以厚祿。競佯喜從之。因言『新圖報効。獨患無馬』宗盛與以所愛駿馬。競乃歸舍。結束。騎其馬。過平氏門。呼曰『渡部競。源家舊臣。何能改慮仕仇敵哉。今將赴援三位。何不要擊』平氏莫敢出者。遂至園城寺。仲綱大喜。截其馬鬛尾。烙記宗盛二字。夜使人驅入

踶齧　慙恚　遶

之平氏第馬入廐與他馬相踶齧。一第驚騷。宗盛慙恚。於是賴政招叡山南都。並援王。因建策曰『今夜遣羸兵千。縱火三條。以誘平氏兵。且戰且郤。而以精騎數百遶襲六波羅。必得克矣』僧眞海者。陰附平氏。故發異議沮之。天遂明。平氏亦以利啗山徒。山徒叛欲攻賴政。賴政乃奉王走南都。王不習騎墜者六。因息于平等院。平知盛等以二萬騎追至。賴

流矢

政撤宇治橋板拒之。會曉霧。平氏兵緣橋架來戰。渡部競等善拒。殺傷過當。已而敵亂流大至。賴政中流矢傷膝。兼綱亦戰死。賴政乃與王訣。使王脫走。而自還戰。亂射敵不敢進。乃入院。釋鎧而坐。謂其騎曰『吾年已七十七矣。爲天下倡義。可以死也』與仲綱皆自刄。王途爲追兵獲。殂。

源賴朝擧兵 一（日本外史）　賴襄

治承四年。源賴朝擧兵。　女　孅

賴朝以三百騎軍于石橋山。明日。大庭景親以首藤經俊等三千騎來攻。會日且暮。或議待明日戰。景親欲及三浦黨未至而戰也。進而挑戰。自名曰『我鎌倉景政裔也。倡亂者何人』賴朝使人對曰。『我君。八幡公四世孫也。奉王命誅無道。東國士族。誰非君家人。女獨不記乃祖之從八幡公於陸奥乎。乃背義嚮利。以孅家聲也』景親語塞。乃與弟景尙先進。

佐公　咫尺不辨

賴朝召岡崎義實。問『孰當彼兄弟者』義實乃三浦義明弟。居伊豆者也。於是薦其子義忠。義忠受命而退。召僕家安曰。『我欲爲佐公死也。女全身而歸。語之我妻子』家安不肯歸曰『郎君年二十。乃能爲佐公死。臣年六十。焉不爲郎君死』乃從而進。義忠遇景尙。搏而伏之。呼從者。從者未屬。而敵人長尾爲宗來援景尙。時夜黑。大雨。咫尺不辨。義忠曰『上者景

摸　扣

倘也。景倘曰、『上者義忠也。』爲宗進摸其鎧。義忠揚足蹴之。急拔刀刺景倘。刀不脫。室爲宗弟定景亦來。義忠終被殺。家宗死之。比明、我兵遂大敗。走入杉山。敵兵群追。賴朝殿而親射敵。應弦而倒。景廉扣馬諫止。自與佐佐木高綱・天野遠景等留戰。高綱弟義淸娶景親妹。在追騎中。高綱呼曰、『汝以一婦人故、背君離親。何無恥之甚。』因奮闘數却敵兵。賴朝

踪　僵

得間獨與土肥實平、冒險逃走。狩野茂光老大艱步。使子親光舍己從賴朝。乃自殺。親光與時政・景廉・高綱等六人、俱踪賴朝。見其立僵樹上。請生死以之。實平曰、『多人則顯。宜散去之。』賴朝乃遣時政赴甲斐、發其諸源。其餘皆期後會散之。獨與實平俱匿。景親大索山谷。其族梶原景時、知賴朝所匿處。故導之他。景親亦聞賴朝自殺也。馳使告之京師。

索

源賴朝擧兵 二（日本外史）　賴襄

賴朝既免出杉山、匿箱根山。初三浦義明遣子義澄・義連・庶孫義盛等、以三百騎會賴朝于石橋山。至酒匂、聞賴朝敗死。乃還與畠山重忠戰于小坪。克之而歸守衣笠城。重忠以三千騎攻之。義明年八十九。力疾上馬、欲親戰。義澄等止之。出戰不克。城竟陷。義明謂義澄等曰、『佐公有勇略。非一敗而死者。女輩宜索

耄耋　逡巡

而從之。吾老矣。不能行。當止死於此。吾耄耋死、不足惜。獨憾不目佐公成業耳。』義澄等固請扶行。弗聽。逡巡間、遂爲敵兵所獲死。義澄等航海、走安房、索賴朝。賴朝之匿箱根山、投僧家。僧弟嘗善於平兼隆者、欲爲復仇。乃逃出、循山走土肥。自眞鶴碕上舟、赴安房。獨土肥實平・岡崎義實從之。當是時、海陸皆敵。二人盡心防護。數日望見一大船、載甲士者。

悲慟

二人急匿賴朝于船腹。而待大船至。則三浦氏也。見義實。爭問『佐公何在。』義實不輙對。曰『吾亦索公耳。』義澄等泣曰『吾棄父而去者。欲見公焉耳。今如此。悔不與俱死。』賴朝聞之。匍匐而出。義澄驚喜。拜曰『君在此耶。亡父之言。果驗矣。』賴朝聞義明死。悲慟。義實亦語石橋之戰。義忠死狀。相共泣涕。義盛進曰『諸君何徒泣爲。今得與佐公遭盍議大事。』諺曰『欲

相國　歆　武夷

食者先器。』饗藤原忠清。以相國命。得爲士所別當。八州士人。群聚其門。臣意歆之。君而得志。願授臣以此職。』賴朝笑而諾之。

南房遊記

安積信

經總房海岸。凡數百里。一峰盡。一峰出。一波窮。一波生。如入武夷九曲。奇不可言。忽抵浪太。亦復異境。村屋被山帶海。屋上怪岩。飛舞欲墮。有島曰仁衛門島。

稀疎　罾　楫　石磴　胡床

小峰屏峙。草樹稀疎。漁舍相望。亦有短籬晒罾者。舟楫徃來如織。鎌倉源公石橋山之敗。逃入房州。仁衛門者。事之甚謹。賜以此島。子孫至今不絕。收漁租爲產。家頗富。島外奇石林立。如竪掌排指。又如武庫兵戟縱橫。村西有觀音閣。躡石磴而登。閣前大石突起。上甚平。似爲我置胡床者。坐而望碧波。挼藍。島嶼礁石布置精絕。似爲我設假山水者。閣南

詭異　揮洒　刻峭森聳[角韱][角韱]然　點染

危巖孤聳。最詭異。似簪筆而待我側者。巖下翠浪澆瀯。似磨墨而待我揮洒者。我亦自愛吾奇。不敢妄下一語也。又行數里。石益多益奇。刻峭森聳。頭角[角韱][角韱]然。疑初平叱呼。群羊齊起。予戲名之曰仙羊海。過此則道上水仙花盛開。玉雪爛然。清香襲人。山水外更作點染。神工化筆。何爲奇變如是。因悟樝棃橘柚。不同味而皆可以悦口。山水花石。不同狀。

模倣　精彩　流落　慘澹

而皆可以怡目。韓柳歐蘇體制各不同而皆可以雄跨古今。後人區區模倣。絕無精彩。殊不知造化之妙愈無窮。則人心之妙亦愈無窮。何必倣優孟衣冠。顧予有志而未能也。

千葉氏故墟歌　大槻清崇

源公一敗石橋山。流落遙航房之灣。
誰助將種成霸業。海氣慘澹觀望間。
首來謁者千葉介。從騎三千路旁拜。

風靡　長松落落　烟滅　燒眉

張旗一策會事機。八州風靡何其快。
爾來傳世二十餘。將家盛衰互乘除。
今日來尋千葉郡。只見長松落落擁故墟。君不見北條九代足代十三世。烟滅何獨千葉之裔。

源右府石橋山逃難圖　新宮碩

亂戰塵紅血作池。輕兵逐北急燒眉。
仇家猾虜恩如母。老檜腹中安虎兒。

肇　劍璽　縱

平氏西走一（日本外史）　賴襄

義仲進軍叡山。宗盛大召族人議曰。「兵寡。我欲奉帝及法皇奔西國。以圖再舉。何如。」知盛進曰。「不可。我祖桓武實肇此都。後降為武臣。於今八世。未嘗退避。寧決戰于此。刀折矢盡而後已。」教盛。經盛等皆以為然。宗盛不聽。使人造法皇。法皇不在。宗盛大失意。乃奉帝及皇太后皇弟惟明。收劍璽。縱火諸弟。率其子右

督　亮

衞門督清宗。其弟中納言知盛。右中將重衡。淡路守清房。其義弟式部丞清定。丹波守清邦。其叔父參議經盛。中納言教盛。薩摩守忠度。經盛子皇后宮亮經正。若狹守經俊。教盛子越前守通盛。能登守教經。從五位下業盛。知盛子武藏守知章。經俊弟敦盛。清盛二弟維俊。艮衡。故基盛子左馬頭行盛等。及攝政藤原基通。大納言平時忠而西。權大納言

殘滅

賴盛從而後、比及鳥羽、撤赤幟而東。倚法皇伏匿。基通亦還走。平盛嗣欲追之。宗盛曰『舍之。吾無所用此不義人也。』因問曰『小松中將何如。』曰『未來。』宗盛曰『亦賴盛比邪。』乃召畠山重能兄弟曰『汝子弟在武藏。汝盍東。』二人對曰『臣等蒙平氏恩二十年于此。見危而遁、不忍爲也。』宗盛曰『父子相慕、無貴賤一也。父在西、子在東、以相殘滅、吾心憫之。汝宜亟去

挈

悽然

從賴朝。』二人泣辭而東。

平氏西走二（日本外史）　賴襄

宗盛等至關戶、顧見數百騎至。則維盛也。率其弟右中將資盛・左中將清經・左少將有盛・侍從忠房・備中守師盛、來。衆大喜。維盛曰『吾遺妻孥而來。皆啼哭牽我。吾是以後。』宗盛曰『衆皆挈家。子何獨否。』答曰『挈焉而行、終可庇乎。』衆相顧悽然。經正幼仕仁和寺法親王。既其所愛

通刺

請面謁

琵琶。雖征行、未嘗不攜。是日齎返謁王曰『臣等事已至此。願得一敘別而行。』因卽席彈數曲。王及左右皆垂淚。經正曰『臣嘗欲守此賜、以傳子孫。今行且死亡。不忍幷寶器滅沒之。』乃奉還琵琶而去。忠度亦自淀河還、詣其和歌師藤原俊成。夜叩門通刺、請面謁。俊成微啓門見之。忠度曰『自兵興、不得數於君家。今當遠別。聞君奉勅有所撰輯。臣幸得收一

鎧縫

撰集

燼

恢復

章焉、死且不朽。』乃出其歌集於鎧縫。俊成泣而受之。行盛師俊成子定家。亦遺其集、留別焉。俊成・定家後並撰集、收二人所作云。於是擧族奉輿而西、會平貞能自攝津還、下馬跪曰『諸公欲何之。』宗盛告故。貞能大諫其不可。不聽。貞能獨東入京師、則諸第皆燼矣。乃夜詣重盛墓、白曰『君豫知有今日爾。然願以冥護圖恢復。』且日發墓、收其骨而西、追至福

不以隆替易志

稠

原宗盛等方會將士議曰、「我家不足惜。如帝王神器何。」皆泣而對曰、「臣等世受君恩、不以隆替易志。窮海極天、唯君所適。鳥獸且記恩。況於人乎。」宗盛喜、乃相率拜清盛墓、張樂於墓前、徹夜。天明、燒其宮殿諸第、航赴西海。法皇勅奪平族百八十餘人官爵、沒其邑。

見墳墓有所思　梁川孟緯

出閭見墳墓。纍纍何其稠。中有富

白髏

玉樓

名姝

彈絲

淸謳

人骨。蔓草纏白髏。在世爲歡樂。所居疊玉樓。名姝紛圍座。彈絲發淸謳。貧人生憂苦。死近富人丘。貧富竟不異。無樂亦無憂。寄言諸年少。脩己勿他求。人生惟立善。遺愛被千秋。

宇治河先登一（日本外史）賴襄

無幾何、徵兵聚者六萬。乃盡委之於範賴義經。因令曰、「未曾阻我兵、必於宇治

訣別

指揮

河。皆具善馬、可以騎渡。」賴朝有駿馬二。曰池月、曰磨墨。梶原景時有寵。其子景季年少銳勇。於是請得池月以先登。賴朝曰、「乞焉者多。吾不與也。顧範賴等戰不能克、吾且親往、此吾乘也。」乃賜磨墨。諸將士皆發。明日、佐佐木高綱自近江來謁。賴朝問曰、「聞汝在近江。盍直從軍入京乎。」高綱對曰、「臣如從軍、不敢期生。欲一見君訣別、且奉指揮也。」馳三日、乃

達。臣唯一馬。罷不可用。故後期。在此。」賴朝喜、因謂之曰、「汝能爲我先登於宇治乎。」曰、「能。臣居河上、識其淺深也。」於是遂出池月賜之。高綱感喜、謝曰、「君聞高綱未戰而死、則不能先登也。聞未死而戰、則先登者高綱也。」拜舞而出。賴朝呼返戒之曰、「景季等乞焉而不與。汝記之。」對曰、「諾。」

宇治河先登二（日本外史）賴襄

嘶　二良要　久闊

時大軍陣于浮島原。景季視群馬。無過磨墨者。牽而上高丘。誇示於衆。已而有大嘶聲。畠山重忠曰、「池月聲也。何以至此。」已而高綱僕牽池月至。過丘下。景季問曰、「誰乘。」僕對曰、「佐佐木氏之乘。」景季大慍曰、「不圖。公之視彼踰我。我寧與彼死。使公喪二良。」即扣刀要路而待高綱望見之。謂其騎曰、「彼非梶原邪。公之囑我殆爲是也。」漸近。景季呼曰、「四郎久闊。」

哂　不遑顧慮

彼乘公所賜乎。」高綱哂曰、「否。吾患無善馬。欲就公廐借之。聞磨墨已賜於子矣。池月不得命矣。子且然。況於高綱乎。然君事方急。不遑顧慮。遂誘廐人竊之矣。後有責問。子幸救解之。」景季色解笑曰、「悔我不竊也。」乃與俱西。

宇治河先登　三　（日本外史）　賴襄

範賴向勢多。義經向宇治。義仲聞之。議戰守。見兵千騎。乃遣今井兼平。山木義

撤　功最　撾

弘拒勢多。根井行親。楯親忠拒宇治。撤橋板。樹柵。張繩於水中守之。二十日。義經以騎二萬五千。至東岸。戒居民避軍。而火其廬舍。以布陣焉。起櫓自登。具筆硯。書將士功最。曰、「將以報鎌倉也。」將士皆奮欲戰。義經又發令。而軍囂豗不聞令。乃取平等院鼓。撾於櫓下。一軍屬耳。義經乃令、「二萬人中必有善泅者。直前嘗之。我勇士緣橋架。防敵。勿使敵射我

紿　條超乘

泅者。」泅者爭釋甲而沒。刀截其繩。平山季重。澁谷重助。熊谷直實等。上架而射。射戰良久。有二騎。鞭馬亂流而進。先者景季。後者高綱。高綱自後紿景季曰、「子之馬條慢矣。」景季駐馬約條。高綱則超乘而過。上岸自名。景季踵上。義經上功簿。高綱爲先登第一。景季爲第二。畠山重忠以手兵繼渡。行親射之。中其馬。重忠泅而達岸。揮刀而進。北兵辟易。義經

乃以全軍渡撃大破之。

題佐佐木四郎騎渡菟道圖　賴襄

噴鐙春漲叱驕龍。一躍先登誰競雄。
郤識官途波浪險。著鞭勇退急流中。

鐙　驕龍

義仲戰死一（日本外史）　賴襄

義仲馳使請法皇幸醍醐寺。弗聽。則率兵馳赴其宮。拔刀瞋目。立于階下。具輿趣幸。宮中股栗。會有來告東軍已至木幡矣。義仲馳出過五條第。訣妻藤原氏。久而不出。有二士諫之。自殺帳前。義仲乃出。遇行親親忠。合其兵。兵僅三百騎。望見東軍旗幟彌天。曰、『吾死矣。』諭將士散去。衆請生死相從。義仲乃進冒東軍。重忠景時等累進。皆潰。義仲驅進。與義經遇。義經以數百騎。攢蹄衝撃。因亂射之。義仲大敗。被創。以殘兵西走。義經使其兵追之。而與重忠等詣法皇宮。大江

股栗

藤原氏。前關白基房女。

旗幟彌天

攢蹄

業忠上宮垣。望見之曰、『義仲復至矣。』一宮驚怖。業忠又報曰、『旗號自別。蓋東兵也。』義經踵門下馬。颺言曰、『臣源賴朝使者義經也。破賊而至矣。願爲奏之。』業忠驚喜跳下。匍匐入奏之。法皇大喜。延六人列立中門外。見之。使人指問其名。穿赤錦袍者曰、『源義經。』被緋甲帶大刀者。曰、『畠山重忠。』亞重忠者二人。曰、『澁谷重助、河越重賴。』玄甲者梶原景季。黄甲者。佐佐木高綱。法皇曰、『皆壯士也。』因敕護宮焉。義仲既敗。欲挾法皇西奔。還至于宮。義經等撃郤之。

踵　颺言

匍匐

袍

義仲戰死二（日本外史）　賴襄

義仲走至三條磧。東兵爭要撃之。義仲且戰且走。殘兵十三騎。重忠復追之。義仲妾曰巴。兼平妹也。有膂力。每從軍。是時單騎止鬭。重忠欲生得之。注目薄之。攫巴甲袖。巴策馬。馬躍袖絕。重忠舍之。

要撃

膂力

薄

策

搏

而還。義仲以七騎走。會範頼既破勢多、而入遠江。人内田家吉在其先鋒。巴與之搏、斬其首以視義仲。義仲歎曰、「家吉美而勇。乃授首於女子。不知吾亦終死何人手也。」因諭巴遁去。巴曰、「臨死携妾。人謂我何。」巴請共死。義仲強之。巴乃泣涕辭去。義仲走至粟津。遇兼平。兼平曰、「義弘戰死矣。臣未審主公爲何狀。是以脫歸耳。」義仲曰、「吾宜死於京中。欲一見汝

故忍而至此。身創力竭。可以自殺矣。」兼平曰、「主公努力。方今平氏在西。佐公在東。主公盍走保北國。以圖三分。臣請留拒敵。主公可以逃也。」乃樹旗集潰兵。潰兵稍聚。得數百騎。進衝敵陣。貫而過者三。乃有二十餘騎。範頼以數千騎圍之。義仲奮戰。盡亡其騎。獨有兼平。兼平乃指一邱樹、謂義仲曰、「君赴於彼。徐自爲計。臣請拒於此。」義仲徑田赴邱。馬陷于

淖

元暦元年正月

振旅

壬申殉節

薦藻蘩　澹煙

淖。顧視兼平。箭中額死。年三十一。兼平方奮鬪。箙餘八矢。射斃八騎。聞敵中傳呼木曾公死、曰、「我事終矣。」啣刀墮馬。自貫而死。東軍振旅。

粟津　菅晉卿

此地曾經幾戰攻。如今只說四郎忠。
壬申殉節人多少。千載誰能表鬼雄。

木曾義仲墓　梁川孟緯

更有何人薦藻蘩。澹煙微雨鎖黄昏。

瘞

齋藤正謙は拙堂と號し、藤堂藩に仕へ、慶應元年歿しき。

渺瀰

突怒偃蹇

八景は、堅田落雁、唐

湖南三尺無情土。瘞却英雄未死魂。

望琵琶湖　齋藤正謙

七日、早發過勢多橋。望琵琶湖。渺瀰粘天。適大風。驚濤洶洶如海。抵石山寺。山以石爲體。突怒偃蹇。奇怪萬狀。得磴而上。上有佛堂。堂中有源氏室。傳是紫姬草源語處。寺藏其影像及硯云。又有觀月亭。臨湖。風槪無比。尤宜於秋夜觀月。故名。八景中所謂石山秋月是也。反出

崎夜雨、粟津晴嵐、三井寺晩鐘、石山秋月、矢走歸帆、比良暮雪、勢多夕照なり。

躋

驛路
逢阪

官路過粟津。訪今井兼平墓。墓在野田中。兼平雖不能諫止義仲之叛。奮闘致死。不負所事。其志可哀。過膳所。道傍有義仲寺。門閉固。不甚欲入。不叩而去。抵三井寺。躋磴而上數百級。佛殿壯閎。俯臨湖水。唐崎竹生島諸勝。一覽在掌。取路古關。入京。

湖上　梁川孟緯

迢迢驛路繞山明。關廢空餘逢阪名。

潺潺
遺聲

瘦藤
欄干

駐
閑人
袖手

臨眺

碧流

一曲琵琶人不見。流泉潺潺有遺聲。

登三井寺　新宮碵

寺俯大湖秋色寒。瘦藤倚遍石欄干。
英雄幾度駐兵馬。不似閑人袖手觀。

石山旅亭　新宮碵

水風脈脈入欄干。臨眺此間心地寬。
百尺高樓一痕月。石山倒影碧流寒。

一谷之戰一（日本外史）　頼襄

平氏終復福原。築城據焉。負山臨海。生

元暦元年
二月

忌辰

田爲東門。一谷爲西門。勝兵十萬餘。繫大艦數千。平教經轉戰于備前安藝淡路和泉。皆捷。源頼賢子義嗣。頼仲子義久居淡路。皆爲所殺。平氏威振關西。期犯京師。頼朝聞之。趣二弟赴伐。以二月三日攻一谷。範頼以五萬騎向東門。梶原景時監軍焉。義經以萬騎向西門。土肥實平監軍焉。以明日爲清盛忌辰。延至七日。先期三日早發。義經取丹波路。

稽留

兼行。比暮至三草山。聞平資盛等七千騎陣山西也。召實平議曰。「夜襲之乎。抑待旦也。」實平未對。田代信綱進曰。「敵謂我恃衆稽留也。則急襲之必勝。」義經曰。「是得我心。」卽發。命僕辨慶火沿道民家。取明而過。夜半至山西。急襲資盛。資盛果不備。大敗走。天明。令信綱實平以七千騎赴西門。而自將精騎三千。向鵯越。鵯越者城後間道也。日暮駐軍。熊谷直

麾下　闞　曙　辟易

實平山季重在麾下。直實謂其子直家曰『冒險混進。孰後孰先。欲立功者不若向西門。』直家曰『然。此公常先士卒。不可隨也。未知平山子何如。』使僕闞之。季重甲冑按刀。獨語曰『誰能先我。』僕歸報。直實曰『彼所見亦同我也。』乃馳赴一谷。天未曙。薄門自名。季重踵至。敵闢門二人突入奮鬭。城兵辟易。季重出亡其旗卒。乃復入斬其敵而出。實平信綱皆至。令

嚮導　嫗　長身高顴

士卒繼攻。門堅不破。範賴亦令諸軍薄東門。武藏人河原高直與其弟踰柵先登。中箭死。當是時。平氏專防東西二門。而不圖義經之向鵯越也。路險夜黑。令辨慶索嚮導。辨慶認火光。得一人家。見翁嫗對坐。告以故。翁曰『小人以獵爲業。諳知山路。而今老矣。有一兒膽氣可用。』呼起從辨慶。謁義經。義經執火視之。長身高顴。持獵弓矢。問其齒。曰『十七。』

鎧仗　瞰視　酣

義經爲冠之。命姓名曰鷲尾經春。給鎧仗。以爲嚮導。問『鵯越如何。』經春曰『太險。人馬不可行。唯鹿能踰之。』義經曰『鹿四足。馬四足。等耳。』先衆馳之。至鵯越。則天明。瞰視城中。二門戰方酣。義經欲急應之。而懸崖數百仞。如經春所言。衆相目。莫敢進者。乃試驅鞍馬二。下之。一傷。一達。義經曰『可下矣。』乃屈其所騎馬後足。一鞭而下。三千騎皆倣之。冑鞍相觸。直

駭擾　烟焰漲城　給

達城後。大呼而入。平氏軍駭擾。自相擊刺。教經等敗走。義經縱火乘之。烟焰漲城。範賴實平破東西門而入。三面合擊。斬平通盛等十人。

一谷之戰二（日本外史）　賴襄

重衡西走。東人莊家長追射其馬。馬倒。其騎騎副馬。重衡呼而取之。騎爲不聞走。重衡欲自殺。遂爲家長所獲。忠度亦爲岡部忠澄所追。忠度給曰『吾東兵也。』

涅齒
搏
逼

忠澄曰『幘而涅齒者。非東兵也』忠度返鬪。搏忠澄伏之。三刺之不入。忠澄僕來。終爲所殺。忠澄撿其鎧。得歌稿。因知其爲忠度也。經正走過大藏谷莊。高家呼而求鬪。顧答曰『吾羞與若鬪也』高家怒逼之。經正下馬自殺。其弟經俊及通盛。業盛。師盛。清定。清房。盛俊等皆死。通盛妻。聞其夫死。投海而死。教經航赴淡路。宗盛奉帝于舟。諸敗兵爭舟而溺者無

隘
嘶
歔欷

數。知盛初爲武藏守。國人識而追之垂及。其子知章時年十七。遮鬪斬其一騎。死之。知盛得間而遁下馬上舟。舟隘不容馬。則北馬首鞭之。馬躍上陸。田口成能曰『良馬也。與其獲於敵。寧射殺之』知盛曰『吾由此免。不忍殺之』馬望知盛三嘶。終爲義經所獲。知盛謂宗盛曰『子死以救父。父棄子而走。使他人如此。吾當唾其面。今吾爲之。謂之何哉』因歔欷流

貽

涕。敦盛亦與知章同齡。望知盛舟馳之。爲熊谷直實所獲。是日直實冒曉向西門。聞城上有笛聲。及獲敦盛。見其腰挿笛。念嚮所聞者是也。乃請首於義經。幷其笛歸之經盛。義經以諸首虜歸獻法皇。法皇使人諭重衡曰『女貽書宗盛。使効神器。則宥女死。放還屋島』對曰『臣宗世建動王家。而子孫卒爲君所棄。以至於此命也。勝敗豈關臣一人。臣不才。至

假令生還將何面目見宗族哉
龍駕

爲纍囚。假令生還。將何面目見宗族哉。宗族亦必不肯。以臣易神器也。雖然臣不敢不奉敕。乃作書。從院宣使至屋島。時子得書悲泣。欲聽之。知盛執爲不可。教宗盛作答表曰『謹領宣旨。通盛以下既授命矣。重衡豈獨欲生哉。至若神器。不可須臾離聖體也。陛下倘思貞盛清盛遺動。則辱枉龍駕。臨幸西州。臣等護以西南四道兵。以討亂賊。不者。臣等有

剸　豪華　參差　去鵠飛鴻　斕班　鼓鼙戟牙

赴三韓契丹而已。不能奉命。平時忠捕院使。剸而遣之。

一谷懷古　梁川孟緯

二十餘年夢一空。豪華吹散海腰風。
山排殺氣參差出。潮迸冤聲日夜東。
憶昔滿宮悲去鵠。欲將往事問飛鴻。
斕班剰見英雄血。塹樹鵑啼朶朶紅。

又　梁川孟緯

鼓鼙聲死鐵沈沙。往往漁人網戟牙。

狐兎窟　骷髏　將烟霞　燔　寂寞　鄗塢荆杞　松崎復は慊堂と字し、

軍壘今爲狐兎窟。僧居嘗是帝王家。
骷髏有眼何能識。草木無情也自花。
欲把一盃聊酹汝。幾行哀涙落烟霞。

一谷　安積信

歌成玉樹醉金樽。燕雀安知棟宇燔。
飛將忽從天半至。全軍爭向海灣奔。
縱横利刄舟中指。寂寞寒潮月下魂。
鄗塢空成百年計。一朝荆杞擁頽垣。

鐵拐峰　松崎復

益城と號しき。弘化元年歿しぬ。　滄波沸白　奄忽　既往　遺烈　素

鐵拐仙人上天處。將軍鐵騎下天來。
千帆影亂山風急。昔日滄波沸白回。

歳云暮　梁川孟緯

一日復一日。奄忽歳云暮。
天運循無已。百年同朝露。
方來哭既往。哭者亦將去。
念此情惻惻。何堪再三撫。
惟夫德與功。遺烈令人慕。
文章垂不朽。亦以有素故。

鄒魯心術　書閣焚膏弊袍　此とは、淡路福良港を指せるなり。　塍疇

習之在如何。邪正須辨路。
至哉鄒魯文。心術爲先務。

書閣寒月　新宮碵

背山書閣夜焚膏。不管霜威透弊袍。
心鏡斯時寫何物。一輪寒月萬松高。

鳴戸　青山延壽

十二日。晴。朝出將觀鳴戸。鳴戸距此里餘。舟行爲便。余不喜舟。故從陸路。倩導夫西行。出市過海岸及塍疇間。攀一嶺。

暗礁
迫蹙
盪激奔狂
毛骨寒慄
掀飜飄揚

嶺雖不高路頗險惡。下嶺又經田間。踰嶺路者凡二。又陟一嶺。左右皆海。是爲鳴戸崎。斗出海上。凡十五町。與阿波躶島相對如門。其際相距纔十五町。有暗礁。如馬脊橫於其中。少露其頭脊。朝則潮自南洋來。爲門所迫蹙。又遇暗礁。勢益盪激奔狂。盤渦轉旋。雪躍雷轟。使人毛骨寒慄。舟船過其間。掀飜飄揚。最爲危險。晩則汐從播州洋來。入門咷號激

雷吼電激
掀舞飄蕩
盤旋
遺憾

薄亦如前。余來候未至。濤波未激。盤渦猶小。踞岬角待之。良久而潮至。雷吼電激。驚浪飜雪而西。頃刻之間。潮奔數里。眼窮乃止。偶有漁舟。從潮出門。掀舞飄蕩。如一葉下急瀨。陰曆月初。潮汐最盛。余之來也。適會月末。潮汐已老。不能究壯觀。聞之。若遇逆風。潮汐怒激。盤旋衝擊。波飜浪躍。澎湃震撼。如百萬銀龍鬬於海門。極爲大觀。余不及觀。頗爲遺憾。

渡部は攝津にあり。
艤
舳艫
介

矣。乃取來路回。

義經襲屋島　（日本外史）賴襄

文治元年二月。義經發京師。艤于渡部。東兵不習水戰。人人自危。梶原景時曰。『請爲逆櫓。』義經曰。『何謂逆櫓。』曰。『舳艫皆設櫓。進以舳。退以艫。』義經曰。『求進而退。兵之通患。乃欲求退乎。』曰。『宜進而進。宜退而退。良將也。有進而無退。野猪而介者耳。』義經變色曰。『猪乎鹿乎。吾不自知。

勦
落宴
解纜

吾唯知進而勦敵爲快而已。公若爲大將。逆櫓千百。聽公所爲。若義經則不欲也。』衆目笑景時。景時慚恚。義經遂令將士曰。『進而死者從我。退而生者自此去。』畠山重忠。熊谷直實。金子家忠。佐佐木高綱等。願從者數百人。將發。逆風俄起。舟艦壞破。乃留修艦。艦成。義經託言落宴。以具糧食。卽夜令解纜。時風反而益暴。衆人不肯。義經曰。『風順。盍發。』伊勢義

駛
尼子浦、勝浦は、ともに阿波にあり。
瑟縮
結束
中山は、阿波讃岐の境にあり。

盛張弓注矢曰『不用命者射殺』舟人相謂曰『行死止死、死一耳』乃發從者五艦。百五十騎獨置炬於義經舟乘暗而南。舟駛如射黎明達尼子浦望岸上有赤幟。可三百騎義經令曰『我馬足瑟縮不可直用。驅而游之結束騎焉勿虛發以費箭』衆從之上岸大戰擒敵將田口良連。其捕虜言『櫻間良遠以五十兵守勝浦城』義經馳抵城疾攻拔之進至中山。

內府。宗盛也。
齎

見一卒齎書京人也義經問曰『子何之』曰『之屋島』義經曰『吾阿波人應內府徵者如聞源氏艤淀河子必途覩之其兵幾何』卒曰『可六萬』曰『子所齎誰書』曰『六條夫人書』夫人內府妹也曰『書中何言』曰『吾焉得知之。獨口授我曰「九郎既發京矣彼眞可畏者以木曾如鬼神彼一擧取之君急修城集兵以爲之備」書辭亦如是耳若公等亦宜亟赴之』曰『諾且

子屢赴屋島乎』曰『然』曰『聞其城甚固然否』曰『否潮來則須舟潮去可騎渡』義經乃叱曰『吾九郎也』奪其書縛卒于樹以五十騎疾馳明日至屋島縱火於高松里平氏大驚以爲大兵至也擧族乘舟。而義經已至城下矣騎能屬者七人而已。

義經襲屋島二　賴襄

城兵有平有國呼曰『大將誰』伊勢義盛

日晡

對曰『九郎判官』曰『是義朝婢子從鐵賈如陸奧者乎』義盛怒城兵嘲罵不已金子家忠令弟近範注箭射殺罵者義經恐敵知其寡單也乃縱火燒城平氏兵皆航更乘迫岸七騎拒射我兵後者稍稍來屬又有州人藤原範忠者以生兵數騎來曰『臣曾祖範明嘗從八幡公戰陸奧者』義經喜以爲先鋒戰而交退日既晡敵以一舟載美姬挿扇于竿植之

扇轂
鐵搭
扱

舳去陸五十步。麾而請射義經曰。『誰命中之者。』衆薦下野人那須宗高。義經召而命之。宗高騎而獨出。兩軍注視。宗高一發斷扇轂。扇翻而墮。兩軍大呼。平氏兵怒而來戰。義經親擊卻之。追而入海。遺其所執弓于波上。俯欲取之。敵兵爭以鐵搭鈎其冑。義經以刀扞之。鞭扱其弓。從兵呼曰。『舍之。』義經不聽。終取之還。從兵曰。『君何輕身而重弓。』曰。『不也。使吾

貽
鏖
醻

弓如叔父鎭西八郎之弓。則可。否者。是貽敵笑也。』宗盛憾失義經。令教經率精兵。迫岸射義經。佐藤嗣信以身蔽義經。輒仆。教經豎菊王下舟。欲斬其首。嗣信弟忠信射殺菊王。扶兄還營。義經親視嗣信。枕之膝。問所欲言。嗣信曰。『臣自出陸奥。已委身於君。代君而死。死且不朽。獨不覩君鏖敵爲憾耳。』義經泣曰。『我鏖敵在旬日。而不及醻汝勞。』嗣信肯謝而

賵
驢
細雨
禾黍跡
渚煙
掀轉

絕。是日。鎌田光政亦被箭死。義經請僧。葬光政嗣信于高松。賵以名馬。蓋藤原秀衡所驢。宇治一谷二役所騎也。一軍感泣。皆思爲義經死。

檀浦

新宮礩

海門秋老急潮鳴。細雨斜風愁暗生。
欲弔平家禾黍跡。渚煙中斷暮山橫。

檀浦

安積信

黑風吹海浪掀天。往事悠悠轉可憐。

六龍
冕旒
粉黛
捐
空海は讃岐の人、承和二年寂す。

萬馬東來犯城闕。六龍西幸御樓船。
冕旒空葬淵中月。粉黛俱消浦上煙。
千古崖山同峻節。君臣至死不曾捐。

嚴島

齋藤馨

嚴島周廻七里。至絕頂半里餘。曲磴盤旋。如煙繞樹。見泉淙淙下。爲白絲瀑。有一堂。衆人雜沓。曰。『僧空海闢山所置。神燈至今不滅。此日分其火。炊飯以供神。人食其餘。每歲爲例。』自此以上。巨石層

詭形
豫山讃嶂は、伊豫讃岐諸山をいふ。
三備は、備前備中備後なり。
縹渺
宏敞
邐麗
海瀅
瀲灎

沓。詭形爭出。名皆陋。或託神異。不足紀。但頂上南眺。豫山讃嶂。東至三備。洲渚歴落。縹渺無際。頗爲宏敞之觀。然此島與天橋松島稱三勝。而天橋吾未之見。若松島則兼邐麗雄奇之致。此地既缺邐麗。而雄奇亦不足比。獨堂廟幽美。爲愈耳。世稱『嚴島以人力勝』。信然。堂祀天女。在山下海瀅。潮滿則堂浮水上。長廊百八間。左右懸燈。夜點火。影與波映瀲

嘹喨
陶氏、其主大内義隆を弑せしかば、元就これを亡ぼす。
俯仰
珠廊
繚繞
玲瓏

灎。生色。是日。伶人奏舞。笛聲嘹喨。海魚欲出。天文中。毛利元就討陶全姜。營壘即在島中。戰國之時。何國無戰。而求其義戰。如毛利氏者甚罕。宜其餘慶。流于後昆也。

嚴島　新宮 碩

名區知是小瀛洲。俯仰看來風景幽。
偃水珠廊千尺曲。挿空畫塔萬尋抽。
雲歸繚繞岡巒沒。月出玲瓏島嶼浮。

臨眺
小川弘は越後の人、心齋と號し、明治三年歿しぬ。
齋

身在此中胸已豁。不須臨眺上層樓。

堀川夜襲　小川 弘

元暦元年十月。盗夜襲義經堀川之第。盗者僧昌俊也。初昌俊之入京師也。義經士江田弘基。見其從騎之多。怪之。走告義經。義經命弘基召昌俊。昌俊不來。更遣辨慶。昌俊乃至。義經詰其所以不來見。昌俊曰『臣此行。詣七大寺。今在齋。不可以見大人』。義經曰『汝詣寺。何從騎

二位は、源二位頼朝なり。
顧眄
爛醉

之多也』。曰『是備他盗賊耳』。義經笑曰『否。吾知之矣。奉二位旨。圖我耳。吾今欲執汝。顧汝吾兄使者。吾不可先發』。昌俊手書誓詞十紙。還舍義經侍姬曰靜。隙闚昌俊。謂義經曰『昌俊將去。顧眄第中。最注目於廐。恐有異志』。義經素易昌俊。爛醉而寢。其士皆歸休。留直者僅七人。靜意獨不安於昌俊。使二童往伺之。久之不還。又使一婢。婢趨還曰『二童皆死于

鏘然　儆　蝟

門。門內人擐甲。馬置鞍。言未既、第外大譟。靜急搖義經。不寤。及取鎧振之。鏘然鳴。則義經蹶然以起。叱令開門騎而出。呼曰、方今誰敢圖我者。昌俊疑其有備。不敢進。與兒玉黨六十騎環而射之。義經士卒歸休者、聞變四至。行家亦來救。昌俊敗走。義經徑詣法皇宮。奏曰、臣之不儆、有驚天聽。然賊已走矣。願勿煩聖慮。乃還。衆觀之、矢集冑如蝟。而在箙者

詰　毆　高舘城は、義經の死せしところなり。　不共戴天

三箭而已。皆莫不稱其勇。昌俊北走匿鞍馬山。山僧與義經有舊。獲之僧正谷。縛送於義經。義經詰其背誓詞。對曰、誓者昌俊。襲者二位。義經怒毆其面。昌俊曰、我面卽二位面。義經壯其對、意欲釋之。昌俊請速死。義經嗟賞之、遂斬之。

過高舘有感　新宮　磧

峻嶮覆巢窟。絕海用奇兵。馳突爭呼吸。疾雷擊無聲。不共戴天敵。一掃宇內淸。

亢龍有悔　大名　牝雞磨喙　走狗煮　短舸　落照　興廢　逆旅　乾坤　斷魂　鞍馬山は京都の北にあ

亢龍又有悔。鬼神忌大名。牝鷄磨長喙。奸奴肩相並。彼輩何爲者。阿兄沒人情。斷脛終及臂。不怪走狗煮。渺矣五湖水。短舸載彼美。見機古有人。寧謂非多智。我過高舘村。云是九郎宅。荒草無人掃。蕭蕭落照昏。興廢徒回首。逆旅一乾坤。英雄空死處。何人不斷魂。槿花紅滿地。猶餘舊血痕。

遊鞍馬山　新宮　磧

り。義經幼時ここにありき。　梵宮　陳跡　牛郎は牛若丸を指す。牛若丸は義經の幼名。　鹽谷誠は宕陰の弟にして、誠之と字し、簣山と號しぬ。明治七年歿しき。　颷發

溪聲隔竹響喧然。林缺梵宮斜照懸。山鬼鬪刀痕在石。牛郎陳跡草如煙。

信州地震記　鹽谷　誠

禍災之變、莫慘于地震矣。凶荒雖厄、豫備可以濟之。疾病雖厲、醫藥可以療之。火災則防而滅焉。水患則導而治焉。獨至地震、忽然颷發。比屋傾倒、不可逃避。甚則山崩海翻、水陸變遷。係其地方者、倂人畜死亡幾盡矣。豈可不恐而畏哉。

巨礮　坼墳　啓龕　耑耑之民

弘化四年三月廿四日、信州地大震、閱數月而止。當其始發、如巨礮斯發、轟轟殷殷、震天駭地。山崩川溢、地坼砂墳。五郡數百里之地、振蕩最甚。罔論城郭宮室山陵藪澤、凡存乎地上者、靡不悉被其害。地脈所接、延及北越高田治下。猶與信之五郡同。加之以火災、重之以水患、死亡不可勝算。蓋近古以來所未有也。適屬善光寺啓龕、耑耑之民、自遠而

闐噎　糜爛　逆旅　顚仆　狼狽

來、雲聚烟簇、闐噎街衢。家倒火發、得生還者、百無一二。積尸爲丘、煤黑不能辨、認人子以爲父、認人父以爲子。收糜爛之餘、以歸葬者不尠矣。有參州士二人詣佛者、寢逆旅樓上。驚震動而覺、覺而見星。意棟折屋壞。急呼其友、欲與下樓。振振顚仆、狼狽失度。友曰、樓既倒矣。何下之爲。於是乎、始知其躬在于地上也。辛苦遁去。登猿嶺、則炎焰燭天、哭聲振

汪洋渺漫瀦　防遏

山野。二人相見而嘻。乃祝其無恙云。此雖一事、亦可以類知矣。岩倉山枕于犀川、而高山崩壓川。川上更突出二山、眞神山亦崩、埋沒其下流。河水爲之不流。汪洋渺漫、瀦爲巨浸。日又一日、平地水高數丈、而未知其所決也。土人遁逃四散、入山林以避焉。至四月十三日而決。拔大木、轉巨石、雷薄雲奔、不可防遏。衝川中嶋及松代城下、城內僅以免。村落

磅礴　焮灼燃烘

數十、民家數千、盡爲所流蕩。嗟呼、此變也、地震水火、一時併臻。信人之不幸、何至此乎。蓋地震由于伏陽。陽氣伏于地底、磅礴鬱積、極而發焉。在天爲雷電、在地爲震動。無足怪者。西洋之說曰、地震多在于山國、而又善發于火山近傍。蓋地底有伏道、與火山相通。硫黃硝石凝結既久、一有陽氣透入其間、則焮灼燃烘、一時勃發。夫淺間山爲信之巨嶽、天

天竺は印度なり。

明中。山巓火發。炎焰熾盛。雨砂土數州。赤地百里。人畜倶死。距今六十餘年。顧復有伏道貫通于地底。硫黃硝石與伏陽相感。薰灼激發。以成斯災耶。天明則發之乎地上。今日則發之乎地下。其事雖異。其理則同。併記以爲戒。且質諸有識者焉。

山田長政傳一

齋藤正謙

暹羅國。在南天竺。周廻萬里。物豐人繁。

覇　隷　磊落　商販　流落　干

號爲善國。而我山田長政覇於此云。長政字仁左衛門。或曰。『伊勢祠官之隷。』或曰。『尾張人。』自稱織田右府之孫。少而磊落有大志。不事商販作業。好談兵。雄傑自喜。流落寓於駿府。元和初。天下始定。士之求仕者。皆干侯伯。長政弗屑。曰。『此間無立功名處。唯游海外。或可以展吾志耳。』時下海無禁。府有經商二人。曰瀧曰太田。將航海回易臺灣。艤舟於大阪。

蕞爾

長政請附乘之。二人弗許。長政乃先到大阪。求二人之舟。入而匿焉。既而二人至。揚帆而發。長政乃從艙間出。申前請。二人大驚。不能如之何。許之。既到臺灣。商事畢。將倶還。長政曰。『某在鄉國。殆不能自存。姑欲留此土。覓喫飯處。』二人方患長政之狂。心私喜。委而去之。方此之時。支那姦民。稱日本甲螺。誘我邦邊民。占據臺地。長政通覽地方。蕞爾一島。且

指畫　流寓　糾合

已有主。不可有爲也。又附蠻舶。西游暹羅。會邦內騷亂。四隣交侵。而六昆最強。暹羅國主出師禦之。長政見其行軍無紀律。私言其必敗。既而果然。人或傳其語。聞於國主。國主奇之。召見長政。詢方略。長政指畫陳策。鑿鑿可用。國主大喜。擢長政爲上將軍。往禦六昆。時本邦人流寓暹羅者衆。長政糾合數百人。雜以土兵。亡慮萬餘人。皆爲日本裝。聲言曰

吶喊

本援兵大至六昆軍沮因縱兵奮擊大破之六昆王憤甚傾國來寇兵數十萬長政曰『敵衆強盛難與爭鋒唯以謀撓之破之易易耳』乃分軍爲三一伏山陰一艤海澨長政親率其一出於海陸之間進挑戰兵既交佯敗走六昆兵追之將及號砲俄發海陸二軍吶喊齊進火鎗亂發長政視機反之衷敵軍前後擊之大破六昆兵殺數萬人遂追北長驅

噪　迓勞

入其都擒六昆王以歸威震遠近四隣爭送欵於暹羅於是國主大賞長政妻以其女封六昆及匹皮留之地號曰晻普亘晻普亘蓋諸侯王之謂也

山田長政傳二　齋藤正謙

久之國主年既高頗倦勤使長政攝行國事於是晻普亘之名噪於印度諸國而本邦地隔遠未聞知也數歲瀧太田復回易海外行到暹羅既入其界迓勞

供御　愕眙

之使沓至相迎入館少焉有吏來戒王召見二人二人初不知其故心頗疑懼且從吏入見王冠服在交椅上金珠粲目儀衞甚盛二人俯伏膝行不敢仰視及退就館飮食供御如待貴客者意益不安既夜復有吏傳呼至曰『王來』二人驚出迎王便服入坐笑拍二人之肩曰『故人無恙』二人愕眙仰視乃長政也長政自備說其發跡之由二人叩頭謝曰

寥廓　桑梓

『鄙人愚矇嘗相從於塵埃中無禮獲罪多矣不意大王能自致於寥廓之上也』長政曰『予之有今日實由二子之賜抑人有德於我可不報哉』既罷厚賜遣之本邦商旅聞之多游暹羅長政皆善遇之長政雖富貴而常懷桑梓不置每臨戰遙禱於駿府淺間之神軍輒勝至是命工摹繪當時戰鬭之狀爲扁附商舶獻於淺間廟以報賽焉又屢牒執政納

方物　專恣　震恐

方物於大府、不失恭順之意。頃之國主殂。世子代立。長政退就封。先是國主之妃專恣。與其近臣謀除國主。畏長政而不發。及長政去。遂弒之。長政聞之。則謀興兵討之。二姦大懼。募人潛往毒之。長政死。時寬永十年也。長政無子。有一女。名阿因。勇武有父風。親將其衆。欲復父讎。屢敗暹羅之兵。通國震恐。盡發屬國之兵來戰。衆寡不敵。阿因遂敗亡。其下

警　諺　嬌厲膩

逃歸於本邦。長政之弟某在江戶。聞長政獲志。欲往從之。適有人傳長政死。乃止。

猫狗說

賴襄

猫捕鼠于內。狗警盜于外。各有其職。以事主者也。然諺曰。『畜猫三歲。三日忘恩。畜狗三日。三歲不失』。而人常愛猫而疎狗。何哉。以其形體。則狗之粗。不若猫之膩也。以其聲音。則狗之厲。不若猫之嬌。

善柔便辟　閨闥　餕

也。以其性情。則狗之剛決。不若猫之善柔便辟也。是以猫之於主人。不離其左右。出入其閨闥。食有魚。寢有褥。而狗則寢於土。而食於餕。終歲不得望見主人之面。認盜而吠無賞。縱鼠而不捕無罰。可悲也夫。

漢文讀本卷二終

明治三十七年十二月九日印刷
明治三十七年十二月十二日發行

定價　卷一、金貳拾錢　卷二、三、四、五、各貳拾五錢

著者　法貴慶次郎　東京市青山南町三丁目五十二番地
發行者　元元堂書房　東京市京橋區銀座四丁目十五番地
右代表者　中村銀次郎
印刷者　石川金太郎　東京市京橋區西紺屋町廿六七番地
印刷所　株式會社秀英舍　東京市京橋區西紺屋町廿六七番地

發兌元　元元堂書房　東京市京橋區銀座四丁目十五番地

東京帝國大學文科大學教授文學博士服部宇之吉校閲
東京高等師範學校教諭兼助教授 法貴慶次郎編纂

漢文讀本

袁勵準題簽

東京 元元堂書房發行

漢文讀本卷三目次

漢文讀本卷三目次終

尾藤孝肇。字志尹。號二洲。伊豫人。寬政中爲昌平黌教官。

異趨舍　一龍一豬

奚　韓子。退之。

慄

漢文讀本卷三

習說

尾藤孝肇

兩兒相嬉在于閭巷之中。跨竹而走。驅犬而鬪。其所爲莫不相似也。稍長各異趨舍。日疎月遠。其所爲莫不相反也。迄其壯也。乃一龍一豬。奚翅韓子所言而已哉。嗚呼此何故也。豈非習使之然也歟。是故可以成智。可以成愚。可以成賢。可以成不肖也。習之於人。所係不其大乎。吾視馬之習于火者。聞災卽嘶。見焰卽馳。與常馬慄

性相近也習相遠也

蒲生秀實。字君平。號修靜庵。下野人。文化十年歿。

而却走者。殆如殊其類。故君子愼乎習。習而弗懈。何憂于其無成焉。夫子曰。性相近也。習相遠也。習之於人。其可不愼哉。

偶作

蒲生秀實

少年文學竊才名。老去微功尚未成。
草澤誰知獨憂國。鬢前方見白毛生。

遊東叡山記

青山延于

都下之地。以花著者有四焉。東有墨沱河。南有御殿山。北有飛鳥山。而其最近而最盛者。爲東叡山。其地在闤闠之中。隆然突起。花木幽邃。石

逵。九達道也。
錦疊繡錯
凭
羅綺紛黛
往來繽紛
唫
槃散。同蹣跚。跛行貌。

古山深。都下遊賞之地。蓋以此爲第一云。自余來東武。每佳辰美景。莫不常來遊賞。今茲乙丑之春三月。攜次子延昌。來遊于此。從湯島過忍池。至大逵。入自黒門。登石磴數十級。至山王社。憩樹下少頃。至清水閣。于時前後櫻樹數百株。一時亂發。埋山繞谷。錦疊繡錯。凭欄廻顧。則池水鏡潔。花光相映。粲如濯錦。是日也。天暖風和。都人士女。遊者如雲。羅綺粉黛。隨群逐隊。往來繽紛。有藉草而坐者。有踞石而唫者。有歌者。有舞者。有笑者。語者。行者。憩者。被酒而槃散者。解

盤礴。箕坐也。
透迤
甍。莫耕切。屋棟也。
東照公。原皆作神祖。
佝僂。音寇樓。背曲也。
慶元。慶長。元和。
擊壤鼓腹

衣而盤礴者。莫不欣欣自得。都下觀遊之盛。於是可知也。降階而西。行櫻樹中數十步。透迤而下。至文珠樓前。層甍及宇。飛檐凌空。金碧照耀。五彩奪目。遠而望之。蔚如霞起。又行數十步。至廊門前。左有石階數級。是爲東照公廟。余肅然斂容。佝僂而過。顧謂延昌曰。慶元已降。海內昇平一百有餘載於茲。擊壤鼓腹。人不知兵。今吾與汝。幸而生于太平之時。得肆觀遊之樂。此皆非東照公之賜哉。雖然。一治一亂。循環無端。異日如不幸而有風塵之警。安得享今日之樂乎。

萬朶嬌雲
衰髩
裙屐
老傖

然則遊觀亦不可常焉。可不記乎。延昌曰唯唯。遂爲之記。

曉望東叡山花已盛開　梁川孟緯

昌平直北是東台。山上春風曙色開。
萬朶嬌雲遮不徹。鐘聲流得出花來。

東叡山看花　梁川孟緯

山前山後一齊開。衰髩尋春能幾回。
裙屐裝成年少樣。不教花咲老傖來。

經一谷有感　新宮碵

崢嶸
嘶
羶
絲管
彩鷁
艨艦
紫騮

維昔平氏古營壘。經年七百跡泯然。
當時元帥無戰略。獨恃崢嶸鐵枴嶺。
秋夜月明嘶良驥。春晝花紅酒如泉。
東兵如鷲一敵百。流血十里草木羶。
絲管宴罷眠未覺。一炬灰燼滿營煙。
八歲天子付女子。鳳蹕豈待彩鷁遷。
此時舟中指可掬。安得一壺換萬錢。
白旗逐北張鵬翼。艨艦遙遁八嶋邊。
西軍誰敢囘馬首。只見紫騮美少年。
沙汀授首泣敵將。孤憤留得官道前。

松濤

平知章。知盛子。

衂。傷也。

綺襦乳臭

賴賢。稱監物太郎。此戰奮闘最力。被創遂死。

又見孝子死於敵。行旅揮涙停馬鞭。
我今來此弔往事。松濤瑟瑟愁暮天。

平武州知章墓　菅晋卿

九郎緣崖西師衂。貂蟬詎得當兜鍪。風鶴皆敵將安避。上軍下軍亂爭舟。中有十將能致命。慷慨最推平武州。搏戰遮敵代父死。生氣凛凛六百秋。忠孝兩全古所難。況在綺襦乳臭儔。賴賢忠勇類乃主。亦冒亂刃復主讐。四尺雙墳官道側。想見英姿悵遲留。野史詳略竟何意。誇揚平氏只風流。忠度櫻花敦盛笛。至今猶入市童謳。

柴野邦彥。爲幕府儒官。號栗山。讃州高松人。文化四年歿。

旭曦

紀那須與市事　柴野邦彥

既而阿波讃岐。叛平氏而待源氏者。所在山洞。往往十騎二十騎。相將而來歸。判官兵及三百餘。當日日向暮。不可決勝。源平交收兵而退。海上艶裝一小舟。望岸搖來。距岸七八段。轉而橫舳而止。源軍疑而視焉。舟中出宮娃。年可十八九。綠衣紅袴。開純紅扇。畫旭曦者。插竿樹之船頭。向岸而招。判官召後藤基實。問曰。彼欲何爲。對曰。是慂使我射也。臣意。或者將軍進當箭道。而觀翫姬妓。則欲巧狙而射落也。但扇則似可

戰袍

使射者焉。判官曰。我軍可能射者爲誰。對曰。巧射固多。就中下野國人那須太郎資高之子與市宗高者。力雖稍劣。而手則巧利矣。判官曰。有徵乎。曰。諾。其賭射禽鳥。三必二得矣。乃命召之。與市尚二十左右之男子也。披茶褐戰袍。紅錦飾襟袂。擐青縚甲。佩白帶刀。背負一箙二十四枚斑羽箭。加插鷹羽鳴鏑一枚。腋繳纏漆弓。脫兜鍪繫鎧紐。進而跪馬前。判官曰。宗高。汝射扇正中。令敵軍寓目。則如何。辭曰。臣自料不知其可能也。若誤射。則永爲我軍弓矢之辱矣。請更命

枝梧

乍湧乍陷

定能者。判官大怒曰。此行發鎌倉赴西國者。其豈可違義經之令。若毫存枝梧者。須速歸鎌倉也。與市私謂。若再辭。恐成惡意。乃曰。然則其逸則臣不敢知也。既有命矣。請嘗試之。乃起鐵驄肥健駕金稜鞍。以跨之。整頓弓在手。促轡向汀而步。我兵目送之。言曰。此壯夫定能者。判官亦視似以爲委得人焉。既的道較遠。驅馬入海一段許。距扇猶在七段遠所。時二月十有八日。日已加酉。會北風頗烈。高浪打岸。船乍湧乍陷。而漂泛。扇亦不安竿而閃曜。海面則平軍一行

自裁
面不可再向人
被春風飜弄

列舳而注目。岸上則源軍並轡而凝視。極爲顯揚盛事矣。與市閉目默禱曰。南無八幡大菩薩。殊我國日光權現。宇都宮那須湯泉大明神。請令射夫扇正中也。若誤事者。折弓自裁。面不可再向人也。神欲使一歸本國者。此矢勿使逸焉。既開目。風粗恬。扇如容射者。乃取鳴鏑架上。引滿而發。雖然劣力。而十二拳飛鏑。響浦長鳴。射斷扇眼上寸許。餘力遠去入海。扇則揚而舞空。被春風飜弄一再。颯然散落海中。純紅之扇。夕日映發。委白波。浮沈泛泛。舟師擊舷而賞贊。陸

再醮

軍鼓箙而讙呼。

曾我兄弟一（大日本史）　青山延光

曾我祐成。小字一萬。弟時致。小字筥王。伊東祐親之孫也。父河津祐泰。爲從祖父工藤祐經所殺。時一萬年五歲。筥王三歲。其母抱屍哀哭。撫兩孤曰。汝等成長。能報父讎乎。一萬泣曰。兒等成長。必斬讎頭。及母再醮曾我祐信。兄弟遂爲祐信所鞠。年稍長。嬉戲常以擊刺爲事。一萬挽弓射屏障。筥王曰。復父讎。何用弓。自執木刀斫之。一萬嘗仰見蜚雁。歔欷曰。禽鳥猶有父母。使

晦匿

我孤者誰。筥王曰。讎之首。豈堅於鐵石乎。一萬遽掩其口曰。勿妄言。因相對號泣。焦思勞心。復讎之念。未嘗一日懈。會源賴朝滅平氏。管轄天下兵馬。祐經事之。被親信。以賴朝嘗怨祐親。乘間勸殺祐泰遺孤。賴朝即使梶原景季往曾我。諭祐信。致二兒於幕府。母子泣而別。景季心憐之。見賴朝。白其狀。請宥之。賴朝曰。祐親殺我兒。奪我妻。今已死矣。吾欲逞志於其孫子。如何宥之。畠山重忠。和田義盛等。營救甚至。二兒因獲放歸。母喜其免死。而切戒之。深自晦匿。一萬年

迺
祝髮

十三。更名祐成。冒繼父氏。稱曾我十郎。乃遣筥王。爲箱根山僧行實弟子。筥王復讎之志日切。適祐經。從賴朝。詣箱根。筥王欲識其面。從山僧歷問將士姓名。及祐經。不覺色動。乃袖小刀。密圖刺之。祐經執其手曰。子非筥王乎。容貌肖迺父。我與子至親。今日相遇。且喜且悲。宜速祝髮。專歸佛乘。因出一裝刀授之曰。表一時相見之情耳。筥王欲得間刺之。而衆人環坐。又恐力不敵。終不果。

曾我兄弟二（大日本史）　青山延光

嗚咽　覘

筥王年十七。行實命披緇受戒。筥王憂之竊還。曾我。謂祐成曰。弟今日爲僧。如仇讎何。願早束髮。以避師命。祐成然之。相與造北條時政。訴衷曲。時政壯其志。即爲備禮。加烏帽。命名時致。稱曾我五郎。母見時致。大駭曰。吾使汝爲僧。何遽如此。汝不母我。吾何子汝。母子之恩絶矣。勿復來見。時致嗚咽而退。自是兄弟歷遊大磯黃瀨川三浦。屢覘祐經。祐經每出從卒自衞。兄弟時或望見。不能下手。建久四年。賴朝獵于富士野。祐經從焉。祐成時致大喜曰。天也。因定計往富

叩頭　狙　陽

士野。時致謂祐成曰。弟獲罪於所恃。不能面訣。死而不瞑。祐成見母告別。因請召見時致。母峻拒之。祐成叩頭涕泣。具告時致憂懼之狀。母意解。召見之。兄弟請賜衣。母解所著授之。戒曰。狩獵之場。士庶麕集。愼勿致忿爭。兄弟遲遲不忍去。泫然泣下。退而復進。回顧數四。母頗怪之。兄弟至箱根。見行實。行實察其志。取社中所藏二寶刀授之。遂往富士野。百方狙祐經。不得間。既而聞賴朝還府有日。兄弟憂之曰。時難再得。機不可失。今夜急入神野營。以殺祐經。乃陽爲警

彷徨　酣

夜者。過列營前。入祐經臥所。祐經已移別室。兄弟彷徨。不知所爲。會畠山重忠家士本多親經至。素欲兄弟遂其志。指畫祐經所在而去。

曾我兄弟　三（大日本史）　青山延光

是夜。祐經召倡妓與吉備津祠官王藤內宴飮。大醉酣寢。兄弟擧炬相視曰。殺醉臥人。猶斬死人。因蹈席大呼曰。祐成時致爲父報讎。祐經驚覺。將執刀而起。兄弟揮刀交下。遂寸斬之。幷殺王藤內。倡妓驚呼曰。曾我兄弟殺父讎。時五月二十八日。雷雨闇黑。營中騷擾。平子野右馬允。

倉皇　沈淪　昵近　髫齔

愛甲三郎等。倉皇出鬪。兄弟殺傷十許人。力極而疲。祐成與新田忠常接鋒。遂爲所殺。時年二十二。時致見祐成死。徑前突入將軍營。小舍人五郎丸。被婦人服。俟時致過。自後抱持。衆共禽之。賴朝乃遣和田義盛梶原景時。檢祐經尸。翌日。賴朝坐幕中。諸將環列。召見時致。使狩野宗茂新開實光。詰問所以殺祐經。時致瞋目叱二人曰。祖父入道歿後。子孫沈淪。雖不得昵近。何就汝輩對狀。願面一言而死。賴朝壯其言。親問之。時致曰。祐成時致。自髫齔至今。復讎之念無

須臾　諫動　彈涙　冥福　廣瀨建字子基號淡窓安政二年歿

須臾忘。今日志願畢矣。犯幕府者。欲一賜謁而自殺也。夫祐經。我之讐。而君之寵臣也。寂心入道。君之讐。而我之祖父也。君寵吾仇。而讐吾祖。能無憾乎。意氣益猛厲。聽者諫動。賴朝愛其膽氣。欲宥死。祐經子犬房丸。哀訴請殺。乃斬之。時年二十。賴朝得祐成時致遺其母書。彈涙讀之。命藏之書庫。祐信在獵場。賴朝召而慰諭。使還鄉。修二子冥福。除曾我莊租。後人爲立祠於富士野。

曾我兄弟　廣瀨建

功名　簇　彭豕

一擊雙刀下。報親吾事成。
昔人誇破楚。半是爲功名。

賴朝狩富士野時所用

古銅竈歌　大槻清崇

維昔建久癸丑夏。源公大獵富士麓。
旌旗蔽天金鼓震。千隊從騎如雲簇。
先縱輕卒三面圍。驅盡毛群遍山谷。
猛士舞刀待其來。直與摯獸相角逐。
被傷彭豕人立啼。脫箭窮猿抱樹哭。
相彼投兎輙斃之。鹿斯之奔應弦伏。

箙　鬱律　黷　圉人

獵罷行營竈烟揚。馬解鞍兮士釋箙。
滿身流汗浴不收。汲盡銅爐湯萬斛。
爾來星霜六百餘。此物儼然存面目。
銅質煌煌含紫氣。古色鬱律殊可掬。
何年歸我侯家有。神所呵護寧可黷。
置之公廨不斷火。晨夜沸騰任湯熱。
今日朝野沐國恩。誰向中原還逐鹿。
圉人浴馬叱叱聲。無復流矢在白肉。

時宗鏖元寇（日本外史）　賴襄

宋氏爲胡元所滅。諸鄰國皆服於元。獨我邦不

殪

通使聘。元主忽必烈。令韓人致書於我曰。不服則尋兵。朝廷欲答之。下鎌倉議。時宗以其書辭無禮。執爲不可。元主復遣使者趙良弼來。時宗令太宰府逐之。凡元使至前後六反。皆拒不納。龜山天皇文永十一年十月。元兵可一萬。來攻對馬。地頭宗助國死之。轉至壹岐。守護代平景隆死之。事報六波羅。令鎭西諸將赴拒。少貳景資力戰。射殪虜將劉復亨。虜兵亂奔。而元主必欲遂初志。後宇多天皇建治元年。元使者杜世忠。何文著等九輩。至長門。留不去。欲必得我報。

冗費　憤恚　舳艫相銜　鏁聯　彀弩

時宗致之鎌倉，斬于龍口。以上總介北條實政爲鎭西探題，遣東兵衞京師，西兵衞者悉從實政，益築太宰府水城，省冗費，充兵備。弘安二年。元使周福等復至太宰府。復斬之。元主聞我再誅使者，則憤恚，大發舟師，合漢胡韓兵，凡十餘萬人。以范文虎將之入寇。四年七月，抵水城，舳艫相銜。實政將草野七郎，潛以兵艦二艘邀擊于志賀島，斬首虜二十餘級。虜列大艦，鐵鏁聯之，彀弩其上。我兵不得近。河野通有奮前，矢中其左肘。通有益前，仆檣爲梯，登虜艦，擒虜將王冠

踵　嚇宋。姓趙氏。　時宗。稱相摸太郎。　甕

者。安達次郎，大友藏人，踵進。虜終不能上岸，收據鷹島。時宗遣宇都宮貞綱，將兵援實政。未到。閏月，大風雷，虜艦敗壞。少貳景資等，因奮擊鏖虜兵。伏尸蔽海，海可步而行。虜兵十萬，脫歸者纔三人。元不復窺我邊。時宗之力也。

蒙古來　賴襄

筑海颶風連天黑。蔽海而來者何賊。蒙古來。來自北。東西次第期呑食。嚇得趙家老寡婦。持此來，擬男兒國。相模太郎膽如甕。防海將士人各力。蒙古來。吾不怖。

斫　羶血　饞涎　敵王愾

吾怖關東令如山。直前斫，賊不許顧。倒吾檣，登虜艦。擒虜將，吾軍喊。可恨東風一驅附大濤。不使羶血盡膏日本刀。

讀弘安紀　大槻清崇

壓海來，來何船。舳艫相銜旗蔽天。咄哉蒙古忽必烈。欺我神國垂饞涎。陪臣某敢敵王愾。遣褊裨將驅鼠輩。嘗誅使者定民心。一掃萬船在度內。快舸邀戰五龍山。倒檣競入虜艦間。亂刀觸處髯奴殲。只許三人僅生還。吁嗟乎轉讀大般若。奉幣諸廟社。

怯懦　拍　蹤　城郭絃歌　昇平垂楊　巨靈

赫赫神靈寧助怯懦者。何物精誠起神風。臣平時宗方寸中。

筑前城下作　廣瀨建

伏敵門頭浪拍天。當時築石自依然。元兵沒海蹤猶在。神功征韓事久傳。城郭影浮春浦月。絃歌聲隱暮州煙。昇平有象君看取。處處垂楊繫賈船。

笠置山觀元弘行在所作歌　賴襄

巨靈手擘地骨起。怪嵒萬尺爭層累。竪者

淹　龍旂　憑倉卒　蒙塵　播越。散越也。　竭蹶　賚　再狩　九仞一簣　石顱

爲櫓橫爲墻。天作高城淹天子。元弘之
元秋八月。龍旂憑險事倉卒。黠賊蟻附緣
間道。一敗蒙塵更播越。普天何人非王臣。
誰赴急難來竭蹶。猶頼祖宗在天誘帝心。
夢賚異材是良弼。君在臣敢死。臣在賊滅
可指日。唯願君心終始一。笠山南望芳埜
山。再狩之駕不復還。君王唯忘在此危。
九仞一簣眞可惜。吾來慷慨憶當時。時認
石顱鑿礎基。藤公傳敕楠公跪。此處是耶
未可知。居民爲我指村墟。爲賊鄕導實由

斥　嵩岷　蒙塵　順逆　颱。職剡切。風吹浪動也。　霓旌　槐柳　壠墳

渠。至今猶不通婚嫁。童孺唾罵斥如奴。
嗚呼嵩岷猶能辨大義。寄語人間士大夫。

笠置山

篠崎弼

維昔帝蒙塵。至今人濕巾。
北條皆亂賊。楠氏獨忠臣。
御座不遑暖。怪巖何足珍。
猶憐民俗厚。順逆絕婚姻。

平城懷古

梁川孟緯

雲端雙開古神京。憶昔春風颱霓旌。
囿沼已荒槐柳合。衣冠何在壠墳平。

呦呦　鸎。黃鳥也。　鳴珮

一溪豐草呦呦鹿。千樹殘花恰恰鸎。
行盡借香山下路。流泉鳴珮最關情。

正成守千窟（日本外史）

賴襄

元弘二年八月。護良親王起兵據吉野。又諭赤松則村勤王。八月。則村起兵播磨。於是京畿警聞交至。鎌倉高時乃檄東北三道。大發兵以子時治族高直大臣二階堂貞藤將之。而宰長崎高資監焉。西擊正成等。正成相金剛山之千窟城之。城挾山帶壑。周回一里。高數百仞。中有五泉。雖旱不涸。造槽蓄之。養以黃土。雨則引屋溜

槽　萃　閣筆　薄

於槽。乃使別將守赤坂。而自從金剛山。三年二月。東兵自三道上。分爲三軍。攻金剛山及吉野赤坂。赤坂城兵力拒。殺傷過當。賊絕其水道。城遂陷。吉野受圍七日乃陷。吉野赤坂既陷。關東三軍皆萃于金剛山。而西南諸道兵應高時徵者亦會焉。稱八十萬。合勢攻正成。正成以千餘人拒之。賊兵四面仰攻。呼聲動天地。正成令士卒投大石。隨亂射之。無復虛箭。軍監高資。令十二史記死傷。三晝夜不閣筆。乃令諸軍。勿復薄城。時大旱。賊火箭射城。正成以機注水。使不能

蕞爾 襲 瞰 徽號 畏憚 大閧 窮蹙

焚。賊將高直議曰。蕞爾山巓。不容有水。得非乘夜出汲乎。前攻赤坂。絕水而克。此計可襲也。遣名越某將三千人。柵守東溪。久之毋出汲者。正成瞰其倦怠。夜出兵擊走之。奪其幟而還。且日。樹之壁上。呼曰。此名越公所贈。有公徽號焉。我無所用。願奉還之。名越慚恚。擧族薄城。城上豫橫懸大木。及敵薄而發之。因射斃四千餘人。賊益畏憚。休戰。築長圍環守。城兵困之。正成乃作藁人數十。被以甲冑。夜列城下。兵伏其後。乘曉霧大閧。賊相告曰。城兵窮蹙出戰也。擧軍競進。

雲梯 喞筒 烟燄

我兵頗發矢。輒退入城。而敵集於藁人。則巨石已碎其頭。立死五百餘人。賊不敢復薄城也。三月。高時遣使者。督促諸將進攻。諸將合議。命工造雲梯。長二十丈。跨壑架壁。銳兵六千。欲緣乘城。正成令投大炬。喞筒注油。以燒雲梯。烟燄噴起。賊兵前後喧騰。梯遂中斷。陷壑焚死者數千人。諸道豪傑。望正成之風。多應官軍者。護良又命大和土寇。絕敵糧道。敵兵多逃亡。敵中有新田義貞。請護良令。稱疾東歸。謀攻鎌倉。於是六波羅二帥又遣宇都宮公綱。以千餘人來援。急

城趾 天柱 地維 三光 干戈 笳鼓 妖孽 目眥 接踵 首倡 東魚

攻拔柵。鑿城趾。正成應機拒之。敵竟不能拔。

大塔宮古鎧片歌(爲齋藤某賦)

梁川孟緯

天柱折。地維缺。三光閉。干戈蝟起笳鼓咽。誰居一劍掃妖孽。大塔王。眞英傑。口罵賊虜目眥裂。憤怒如雷何激切。陣雲慘澹卷錦旗。孤軍陷圍外援絕。甲被七矢馬負傷。百戰不撓心肝鐵。各國義師紛接踵。吾王首倡功第一。功第一。東魚滅。車駕還幸鳳凰闕。共言天下從此平。中興

蠧 寵 嬖 娥媢 鴆鳥 梟 妖兇 合符節 誰辨烏之雌雄 窒 怨 幽魂 螻蟻 鏽碧 陰風

基業仗睿哲。豈知宴宴內心蠧。嬖寵娥媢崇宮室。鴆鳥爲媒毒亦甚。渴虎觸碎後門梟。又見神器出九重。可憐南木孤文臣力竭。妖兇尚在不釋兵。王之前言合符節。哀哉順非順。逆非逆。海可飜。山可拔。誰能辨烏之雌雄。誰能表王之忠烈。龍以神聽豈其然。讒聲纔入耳孔窒。請室之怨何由達。幽魂遂託螻蟻穴。齋子示我敗鱗片。鏽碧斑斕冤氣結。嗚呼冤兮冤兮待誰雪。颯颯陰風吹古血。

湊川之戰（日本外史）　頼　襄

鎮。鎮守府也。　格闘

賊軍乘勝而進。義貞軍兵庫。飛書告急。朝廷震動。時北畠顯家已歸鎮。京師兵寡。帝命正成行援義貞。正成奏曰。尊氏新擧九國而來。其鋒甚銳。我以疲兵格鬪。無他奇道。其敗必矣。爲今計者。陛下復幸叡山。召還義貞。縱賊入京師。而臣歸河內。絶其糧道。則賊兵日散。我兵日聚。於是夾而攻之。可一戰而破也。義貞之計。蓋亦出此。顧慮人言耳。戰道非一。要歸於勝。願朝廷再計之。諸公卿皆然之。獨參議藤原清忠不可曰。賊

抗議　闕　計較禍福

雖衆盛。不過如前役。王師有天命。宜防之外也。帝從之。正成退。謂其子弟曰。事已至此。何必抗議。延元元年五月十六日。與弟正季子正行等辭闕而西。至櫻井驛。正行時年十一矣。正成遣歸之河內。誡之曰。汝雖幼。已過十歲。猶能記吾言。今日之役。天下安危所決。意吾不復見汝也。汝聞吾已戰死矣。則天下盡歸足利氏可知也。愼勿計較禍福。嚮利忘義。以廢乃父之忠。苟使我之族隷而有一人存者。則率以守金剛山舊址。以身殉國。有死無他。汝所以報我。莫大於此。

揮淚　訣飮　和田崎。在神戶之南端。　扞　遮闘

因以帝所嘗賜寶刀授之訣別。正行請從共死。正成叱之。起正行揮淚而去。正成乃至兵庫。慰勉義貞。訣飮終夜。當是時。尊氏將水軍。直義將陸軍。陸軍稱五十萬。正成率手兵七百。陣于湊川。以當之。義貞以三萬騎。陣于和田崎。以扞水軍。水軍先鋒過而東。義貞拔軍循之。而尊氏全軍已上和田崎矣。正成顧謂正季曰。我腹背受敵。不可遁也。先破前者。而後接背者。如何。正季曰。然。於是兄弟竝突入陸軍。七離七遭。欲獲直義。直義馬傷而墜。我兵垂及。有一敵將。遮鬪而

逸　潰　耦刺　室直清。字師禮。號鳩巢。江戶人。享保十九年歿。　滔天　氛祲　宸極

逸之。尊氏亦分兵來援。包我軍後。正成兄弟回馬當之。血戰十六合。盡亡其騎。所餘七十三騎。猶可以潰圍。而正成心不欲生。乃走入湊川北民舍。坐釋鎧。身被十一創。顧謂正季曰。死而何爲。曰。願七生人間。以殺國賊。正成欣然曰。是獲吾心。耦刺而死。正成年四十三。宗族十六人。從士五十餘人。悉死之。

楠正成贊　室直清

惟昔北條氏。恣滔天之惡。氛祲上蔽三辰。宸極晦光。乘輿蒙塵。天子銳志中興。竊思謀臣。安

八紘　鯨鯢　抗衡　潰決　惓惓　結纓　諄諄　丹青　總角　貽

危扶顚楠公其人。料敵制勝。用兵如神。若夫龍蟄乎九淵。雷震乎八紘。以一身當天下之衝。以孤城挫百萬之英。卒能掃盡鯨鯢。以致四海之澄淸。緊公之膚功偉略。孰復與之抗衡。迨乎國難重興。兩虎虓爭。海宇潰決。天傾地崩。公獨惓惓王室。始終一誠。方關西之役既知國事之不可爲。寧血戰而結纓。中路歸子於家。諄諄誡以忠貞。今其言與心。皆丹青之所不能傳。而特見於圖者。儼然之貌。藹然之色。總角跪前。見子之翼一編親授。善乎。貽則子孫世守。忠孝兩得。嗚

瞻仰　蜀相諸葛亮　腥　馨　餘瀝　依稀　奔馳　餧

呼。公乎。臨死從容不忘憂國。悠悠千載。瞻仰曷極。唯可與蜀相並稱。而比其德者歟。

題楠公訣子圖。　賴襄

海甸陰風草木腥。史編特筆姓名馨。
一腔熱血存餘瀝。分與兒曹灑賊庭。

過櫻井驛址。　賴襄

山崎西去櫻井驛。傳是楠公訣子處。
林際東指金剛山。堤樹依稀河內路。
想見警報交奔馳。促驅羸羊餧獰虎。
問耕拒奴織拒婢。國論顚倒君不悟。

覩　殲　傾覆　剪屠　祁山　綿竹　逝　搶攘

驛門立馬臨路岐。遺訓丁寧垂髫兒。
從騎肅聽皆含淚。兒伏不去叱起之。
西望武庫賊氛惡。回頭幾度覩去旗。
既殲全躬支傾覆。爲君更貽一塊肉。
剪屠空腹膏賊鋒。頗似祁山與綿竹。
脈脈熱血灑國難。大澱東西野艸綠。
雄志難繼空逝水。大鬼小鬼相望哭。

書楠公碑拓本後。　梁川孟緯

嗚呼忠臣楠氏死。建武時事可知而已矣。一貂纔斃進一虎。干戈搶攘終不止。嗟哉

銓衡　雄略　一妖　兩佞倖　簀　掣肘　落繹　唯唯　鼙鼓　喧闐　鯨波

豈無樞臣主銓衡。豈無督臣司甲兵。帝亦多雄略况得公忠誠。君臣遭際有如此。何賊不平何功業不成。只此一妖逞姦譎。兩佞倖以簀爲舌。遂令公有掣肘患。公之心於此乎決。西望攝山氛祲黑。警報星飛紛落繹。中將屯兵兵庫津。我軍方及櫻井驛。召兒垂訓何諄諄。曰遺汝報國。兒伏不起請從死。叱曰汝何不寤得。非敢私也天恩重。兒也唯唯吞聲泣。鼙鼓喧闐震百雷。賊勢卷地鯨波來。圍之數重戰兩日。冑裂

符信

源黄門公

珉。石之美者。

有明徵士

岳墳　奸檜

刀折積屍堆。殘卒斫陣氣逾鋭。公顧笑曰
吁快哉。心心投合如符信。七十餘人列首
殉。湊川悠悠逝不回。滿地流血化青燐。
元祿五年歲壬申。源黄門公建貞珉。有
明徵士書其背。表章丹忱無點塵。嗚呼忠
臣死。後五百年纔有此。忠臣之忠義公義。
隔代燦然成雙美。我嘗憑弔薄設奠。白楊
悲風淚如霰。惜哉不沿岳墳置奸檜之例。
鑄出一妖兩佞倖而唾其面。

湊川行　　青山延于

播遷　鼎沸

良弼

恢復　康濟

翠華

咆哮

鑾輿　鐘虡

君不見元弘天子播遷日。四海分崩如鼎
沸。六軍纔保笠置城。夢賚忠臣眞良弼。
燕見一陳恢復謀。誓滅逆賊期康濟。豈圖
賊師陷行宮。翠華北狩孤島中。孤臣獨保
金剛山。金城鐵壁沓難攀。百萬賊軍勢咆
哮。盡鋭竭精攻不拔。天助王室生忠勇。
一掃逆賊傾巢穴。忽迎鑾輿返京師。鐘虡
依然復舊物。楠公殊勳誰能匹。中興論功
功第一。哲婦傾城振古然。逆焔一朝復滔
天。戰艦蔽海逼皇畿。一受帝命圖距之。

慇懃　奇筴

肝膈

披瀝

朱殷

安積信。號艮齋。磐城郡山人。初爲丹羽侯文學。後爲昌平黌敎授。萬延元年歿。

駘。駑也。

借箸慇懃陳奇筴。無奈忠謨與帝違。薄暮
馳至櫻井驛。解劍與子見肝膈。肝膈披瀝
何所言。遺命諄諄淸逆氛。孤軍直赴湊河
灣。鐵馬奮戰甲朱殷。一死原分濺腔血。
忼慨授命沙磧間。嗟呼楠公生爲忠義臣。
死爲忠義鬼。星霜荏苒五百歲。至今凛凛
有生氣。英雄事業已消亡。猶傳湊川古戰
場。千里路阻不可訪。欲弔忠魂淚縱橫。

湊川　　安積信

南枝入夢得眞才。閫外何爲混驥駘。

闔族

菅晋卿。姓菅氏。字禮卿。號茶山。備後人。文政十年歿。

恩讐　客窓　松籟

闔族精忠皆殉國。十年籌略總成灰。
丹心長照青天日。碧血空留古墓苔。
遺恨千秋消不盡。滿川夜雨鬪風雷。

宿生田　　菅晋卿

千歲恩讐兩不存。風雲長爲弔忠魂。
客窓一夜聽松籟。月暗楠公墓畔村。

過新田義貞墓　　新宮積

十里寒郊七尺碑。忠魂一片委蓬茨。
雪風如鏃無由避。想見將軍戰死時。

謁延元陵詩　　頼襄

矗盛也。
翠樾
樵蘇
玉魚
閟鄙冀切。閉也。
芻蕘
愾午蓋切。怒也。
傾厦

千株萬株花如雪。中有一邱矗翠樾。松邪柏邪錯杉檜。蟠根互護天龍骨。樵蘇相戒不敢觸。觸則風怒雲攫山欲裂。可惜威靈尚如此。當時不能殄蛇豕。遊人不知何帝陵。玉魚光閟落光裡。吾雖螻蟻亦王臣。曾私帶淚修前史。芻蕘敢欲慰帝魄。陳詞陵前獨拜跪。維昔天潢弄狡童。天之曆數在君躬。厲精誓雪列聖恥。此心上可質蒼穹。人神均敵王所愾。頽日回輪紅再中。大政豈盡乖處置。再造傾厦本難事。唯使

禩
日嗣
肆

君操心常如元弘初。不憂邦有百足利。顧命按劍語空雄。一抔長埋萬禩志。雖然五十年間萬生靈。爲誰膏鋒尸縱横。臣正成。死君在時心已明。臣義貞。懷君遺詔亦結纓。此輩忠肝壘壘及孫仍。盡爲君王死。不與賊共戴天生。天定賊巢亦終覆。死骨餧犬犬不食。天家依舊傳日嗣。自祖宗視無南北。中興偉擧警百世。陰制姦雄不肆毒。噫嘻君王可瞑目。

四條畷之戰一（日本外史）

賴襄

義故
挑
諜
聚落
輒趨

正行在金剛山。漸保聚義故。時出兵攝津。縱火挑賊。正平二年。秋。尊氏令細川顯氏將三千騎來攻。未至金剛山七里止舍。聞正行且攻箭尾城也。欲俟其離山而絶其後。正行諜知之。以七百人行火聚落。爲向箭尾而還。伏于譽田林。敵望火起。輒趨山下。亂隊疾馳過林。遇伏起大駭敗走。退守天王寺。山名時氏以六千騎來援軍于住吉。正行曰。先破時氏則顯氏不戰而走。分兵二千爲五隊。進向住吉。時氏分兵當之。正行

麾下
震駭
宗族
宸憂
餘燼

覘北軍塵起曰。敵陣四處。而衆倍於我。我不可分兵也。乃復合五隊爲一。疾行擊時氏。麾下時氏被創走歸顯氏。顯氏軍亂走過渡部。溺者無數。京畿震駭。正行援溺卒五百人。與衣甲禮而遣之。多願留仕者。正行遂進逼京師。尊氏大懼。乃發二十餘州兵。以高師直統諸將帥以南擊正行。正行與弟正時率諸宗族詣行宮。因中納言藤原隆資上言曰。先臣正成。嘗以微力挫强賊以安先帝宸憂。及天下再亂。逆賊四襲。遂致命於湊川。臣時年十一。命歸河内。囑以收合餘

報復 羸弱 虞 簾 悉鋭 股肱

盡報復國讎。臣年已壯矣。而稟性羸弱、常念不及今力戰、以有待之身、罹無虞之疾、上爲不忠之臣、下爲不孝之子。而今賊渠帥大擧來犯。是眞臣致命之秋也。非臣獲彼首、則授臣首於彼。臣生死決於今日。切希得一拜天顏而行。隆資入奏。帝掲簾臨視將士。前正行勞之曰、曩日兩捷。大殺賊勢。甚慰朕心。朕深嘉汝世忠。今賊悉鋭而來。眞安危之決矣。雖然、兵之進退、貴於從宜。朕以汝爲股肱。汝其自愛。正行俯伏、垂涕而出。辭訣後醍醐帝廟、題族黨百四十三人姓名

綴

於廟壁。然後上途。帝使隆資援之。

四條畷之戰二（日本外史）

賴襄

明年正月、北軍至四條畷。分爲五隊。四隊在前、左右相向。而師直中軍遙居其後。兵凡八萬騎。正行使隆資綴賊前軍、而自將三千騎、直指其中軍。賊前隊馳而遮之。正行以先鋒擊破而過。賊隊又至、與我後軍戰。我後軍終敗走。正行不顧。以三百騎直前。賊將細川清氏・仁木賴章等。更進遮鬪。正行盡破之。乃聚其騎。馬皆重傷。乃

隴餉 環視 衝中堅 殊死 披靡 抛 蹴 裏 索

舍馬踞隴而餉。賊衆環視。不敢迫。開其走路。皆合於中軍。正行餉畢、起謂衆曰、必與師直決死。進衝其中堅。我兵殊死戰。無不一以當百。賊軍披靡。正行進逼師直。師直臣僞稱師直死。正行大喜。抛首于空、而手承者三。軍士有告其實者。正行投頭于地、蹴且罵曰、咲、汝亦無雙國賊矣。已而曰、其勇可嘉也。自斷袖裏首、置隴上。復進索師直。望見其幟、欲追之。正朝曰、彼騎我步。不可及也。不若佯走誘之。乃與殘兵五十餘人、負楯以北。師直不肯追。令其裨將以數百騎尾擊

晨晡 蝟 騈 伺 瞋

之。正行大呼返戰、追走。復逼師直。相去數步。而我兵自晨至晡、三十餘合。力索莫能起。正行注目於師直。勉衆前進。敵連射之。正行身被箭如蝟。乃呼曰、已矣。勿爲賊所獲。與正時相刺、北向而斃。年二十二。餘兵皆自刄騈斃。和田賢秀。正朝弟也。獨混敵卒。伺擊師直。楠氏卒湯淺者、降在賊軍。識見賢秀、從後斬之。賢秀瞋眼視湯淺。湯淺懼、後獲疾死。正朝欲還奏狀。有一賊呼曰、忍獨亡乎。正朝笑而返之。賊乃走。如此者數。賊數騎至。朝正遂死。於是百四十三人悉死之。

菊池保定。字子固。號溪琴。紀州人。能詩。明治十四年歿。年八十三。
龍精
魑魅　蝄蜽
款
八埏
裲襠

菊池武光雙刀歌（贈菊池子固）

梁川孟緯

士固手中雙龍精。倚天拔鞘電虹明。云是吾祖之所佩。魑魅奔逃蝄蜽驚。雄者二尺有三寸。款曰正平十年肥州末貞。雌也不盈尺。十二年二月左安吉作。乃祖持之佐天子。一心忠赤照前史。當時國讐塞八埏。敵勢來如風雨駛。咄何蛇豕敢抗衡。此賊不殲誓不生。躍起大呼提刀出。剪人如草肅無聲。裲襠血裹數升鏃。百戰歸來

捫腹　大厦
盡瘁
奕世
寒芒
史云。正平十四年。武光與足利黨少貳大友氏。戰筑後大河側。克之。
蓺苑　榛蕪

笑捫腹。事成不成皆天耳。力扶大厦西南覆。嗟哉死竭臣職生臣忠。盡瘁何人能始終。奕世勤王節不變。菊池楠氏將無同。五百年前去鴻滅。子孫尚護兩條鐵。如見嚴霜烈日心。寒芒刺刺吹腥血。曩我西征弔遺蹤。筑河噴怒何洶洶。至今民俗欽忠義。爲說明公挫二兇。嗚呼當今海內無氛祲。所憂蓺苑榛蕪甚。以文繼武豈不可。削而平之是汝任。士固士固其勉旃。祖宗神靈在汝前。

攪
藤井啓。號竹外。字士開。攝州高槻人。慶應二年歿。
吼
天飆

芳野懷古

菅晉卿

萬人買醉攪芳叢。感慨誰能與我同。
恨殺殘紅飛向北。延元陵上落花風。

同　　藤井啓

古陵松柏吼天飆。山寺尋春春寂寥。
眉雪老僧時輟箒。落花深處說南朝。

奉母遊芳野　　賴襄

疊疊春山別有天。花開花落鎭依然。
可憐萬樹香雲暖。曾護南朝五十年。

楠氏論（日本外史）

賴襄

嶷立
扞護
居然
値遇
障
擣虛

外史氏曰。余數往來攝播間。訪所謂櫻井驛者。得之山崎路。一小村耳。過者或不省其爲驛址。蓋經足利織豐數氏。世故變移。道里驛程。從輒改耳。余於是低回不能去。顧望金剛山嶷立雲際。想見公擧義之秋。及其子孫據以扞護王室也。觀公詣行在。對天子曰。臣而未死。賊不患不滅。夫以一兵衛尉而居然以天下之重自任。豈非感激値遇以身許國哉。故能以赤手障江河。回天日於既墜。何其壯也。公聚北條氏精鋭於一城之下。而使新田足利之屬。擣其空虛。以殪

復辟
擧措
褊裨

其渠魁。帝之復辟、疇爵任職。宜以公爲首。而纔能與結城名和輩比肩。其失於擧措、足以知中興之無成矣。及足利氏叛。朝廷方倚新田氏爲重。公特充褊裨。供其驅使。亦以其門地有不若焉爾。然京師大捷、殆致掃殄者、非因公之策耶。嚮使帝以其所任新田氏者、以任於公乎。曷至使犬羊狐鼠之賊、蹂踐吾朝廷哉。然觀其臨死戒子。又曰吾死。天下悉歸足利氏。夫知天下之不可爲。而猶留其子孫、以衞天子。其設心雖古大臣、何以遠過。故子孫能守其遺訓、護正統天

熙鴻號於無窮

子於彈丸黑子之地、以防四海寇賊者、及三朝五十餘年之久。擧一門之肝腦、而竭諸國家之難。至其澌盡灰滅、而後足利氏始得大成其志於天下。蓋朝廷不能大任楠氏。而楠氏所以自任、莫以加焉。世之論中興諸將、尙視其資望大小、而不深揆其實。亦與當時之見等耳。不有楠氏、雖有三器、將安託焉。以繫四方望哉。笠置夢兆。於是益驗。而南風不競。俱傷共亡。終古莫以恤其勞。悲夫。抑正閏雖殊、卒歸於一。能熙鴻號於無窮、使公有知、亦可以瞑矣。而其大節巍然

與山河並存。足以維持世道人心於萬古之下。比之姦雄迭起、僅傳數百年者、其得失果何如哉。

梅雨憶鄉　賴襄

滿巷深泥雨乍晴。輪蹄絡繹過門行。
故園昔日西窻底。臥數黃梅墜地聲。

夢登富嶽記　齋藤正謙

齋藤子嘗晝讀書。炎曦赫然、草木不動。鬱然煩懣、如坐甑中。瞑然廢卷者數矣。有白衣人、忽自外來。蒼顏白髮、貌甚奇古。立余前揖曰、吾嶽神

轉眄
滉瀁

也。聞子久有登游之願。故來相迎。余愕焉答揖曰、幸甚。老人跨一竹杖、使余騎其尾。轉眄離地數百尺。杖化爲龍。行走如電。余瞑目從之。食頃呼曰、至矣。開眼則曠然。老人爲余指點曰、彼滉瀁限天地者、南海也。微白如小鏡者、諏訪湖也。近而愛鷹足柄諸山、圍繞羅立。遠而淺間溫嶽諸峯、若拱若揖、若俯伏以至於煙雲之間。千山棋點、萬水縈帶、不能盡辨。在五之所駐、西行之所過、源平之所勝敗、今川武田之所興滅、皆集目前。俯仰慨然。俄而有泛然如絮帽者、老人曰、

喔咿。雞鳴也。

雲也。有彷彿如兒啼者。曰雷也。有閃爍如金盤。穿雲而出者。曰日也。適風蓬蓬然大起。萬里豁然。東至於蝦夷唐太。西至於勃海朝鮮。收之襟帶之間。余於是悠然有小天下齊萬物之意。拊髀而歌曰。謂天大兮如一盂。謂地廣兮如一塊。紛擾擾兮幾英傑。噫穴蟻兮爭古槐。老人擊節而和曰。人世如夢。富貴浮雲。不如天上與飛僊群。既遙遙聞喔咿。老人曰。天鷄鳴矣。子當去。余自恨塵根未脫也。恨恨辭別。復在飛龍背。行聞鷄聲漸近。愕然驚寤。則身橫臥書案間。家鷄方

黃粱 南柯

報午。乃如其夢也。悵然自失者久之。既而歎曰。余於富嶽。寤寐欲一游。今幸遂之矣。雖然是夢也。未足副其願也。然天地亦夢耳。人世所謂富貴榮達者。惡有其非黃粱南柯者耶。然則此游爲夢可。爲眞亦可。余本生長東海。得熟識嶽面。及西遷。又過其麓。今而追想之。亦如夢寐。何獨以此游爲夢哉。書以記之。不使夢成其爲夢也。

丙戌仲夏。蕉鹿齋主人戲記。

富士山　紫野邦彥

誰將東海水。濯出玉芙蓉。

八葉

石川凹。初名重之。字丈山。參州人。爲人驍勇。熟練武事。又好讀書。善歌詩。

仙客

紈素

混沌

曦車 穹窿

蟠地三州盡。插天八葉重。
雲霞蒸大麓。日月避中峯。
獨立原無競。自爲衆嶽宗。

同　石川凹

仙客來遊雲外巔。神龍棲老洞中淵。
雲如紈素煙如柄。白扇倒懸東海天。

芙蓉峰　梁川孟緯

自從混沌死。世界孰其雄。
一嶽排元氣。群山趨下風。
曦車驚欲墜。天勢失穹窿。

鏟

乾坤

經始

向背 玲瓏

蟻蠓

帝亦鏟不得。留之鎮大東。

同

不知高幾許。但覺逼乾坤。
氷雪無冬夏。雲煙有吐呑。
人稱三國一。天放獨峯尊。
背上負如劍。寶山眞小孫。

同

經始果何歲。化兒多費工。
八方無向背。一白只玲瓏。
彼自處尊大。視人如蟻蠓。

巃嵸　依微　髣髴

誰能陵絶頂。槌擊碎巃嵸。

望海　藤井啓

鵬際晴開九萬天。無人之島定何邊。
追風狂浪如奔馬。忽觸巉礁碎作煙。

高輪望海　梁川孟緯

樓臺籠海岸。海岸一弓彎。蒼波杳渺渺。
帆影與鷗閑。將謂東南天地盡。依微乍落
總房山。

泊天草洋　頼襄

雲耶山耶吳耶越。水天髣髴青一髮。

篷窻　瞥見　太白　紅輪　恍　彷彿　營營

萬里泊舟天草洋。烟横篷窻日漸沒。
瞥見大魚波間跳。太白當船明似月。

夏日夢遊松島　大槻清崇

小松蒙小島。大島戴大松。高者拂雲低者
水。百千出海翠重重。曉波忽變紫金色。
紅輪飛上金華峰。昔游恍入夢。群仙笑相
逢。簾外晚風吹枕。紫薇花上夕陽紅。一
聲華鯨俄然覺。彷彿瑞巖寺裏鐘。

夏夜讀書　廣瀬建

世事何營營。不知夏日長。

陳編　剝啄　聒聒　佐藤坦。字大道。號一齋。江戶人。安政六年歿。　野田逸。丹後人。字子明。號笛浦。安政六年歿。

明月皎然來。庭柯散清影。
獨坐閱陳編。孤心發深省。
剪除去舊懦。磨礪就新猛。
喜無剝啄人。終此良夜靜。
鳴泉猶何事。聒聒常自警。

謾言　佐藤坦

落落乾坤人亦無。誰歟自古是眞儒。
唯名與利多爲累。一過此關纔丈夫。

紙鳶說　野田逸

紙鳶非鳶也。而及依人手。乘諸順風也。隨而颺。

翰飛戾天　葛藟　飄颻　順逆

隨而高。翰飛戾天。震雄聲於雲間。方此時。眞鳶
亦不能過之也。逆風忽起。則細線中斷。骨折肉
飛。傾覆流離而下。或落于泥沙。或困于葛藟。于
飄颻。忽而雲霄。忽而糞土。其不可測者如此。夫
順逆無定者。天上之風也。因其無定風。爲其身
之安危。爲紙鳶亦難乎。蓋依人而成事者。不得
不因人敗矣。待物而得勢者。不得不因物失矣。
今夫紙鳶。身不能自飛。待風以飛。身不能自騰。
依人以騰。一上一下。一安一危。莫非待風依人
也。甚矣其與權相相肖也。夫權相之登顯職致

高牙大纛　餗思穀切。鼎實也。　刑剭　恠　自得　冲天之志

身於青雲。高牙大纛叱咤風生者。是順風之紙鳶也。一旦鼎折覆餗。刑剭繼之者。是逆風之紙鳶也。何其終始懸絕。一至於斯乎。抑彼之所依者。皆人也。亦不得不因人。失也。彼之所待者。皆物也。亦不得不因物。敗也。是必然之勢。奚足恠焉。不見彼眞鳶乎。雄姿橫發自得於冥冥。勢不可則卑飛斂翼。翺翔於林木之間。一上一下。唯意是從。豈如彼紙鳶之依人待風者然哉。不見彼眞人乎。不依人。不待物。高而不忘卑。卑而不忘高。達則伸冲天之志。一擧淸四海。不達則脩

環堵　小黠　縶　啄　嘖嘖

然斂迹。優游於環堵。樂以忘憂。一屈一伸。唯意是從。豈如權相之依人待物者然哉。嗚呼。余觀眞人之不異於眞鳶。而有以益信權相之不異於紙鳶矣。紙鳶玩器也。一敗而可復製也。一敗而不可復製者。可不畏歟。

捕雀說

賴襄

雀小黠善畏。望食而不敢下。鴉多智善就利避害。鴉之所在。雀則下之。故捕雀者。以鴉爲招。縶鴉之足。環散粟。而隱網其傍。鴉俯啄粟也。群雀望視之。嘖嘖然。蓋相告曰。彼在焉。我可以往也。

胥溺於禍機　中井積德。號履軒。竹山弟。文化十四年歿。　售篩溲棍縷淪　餕

連翼而下。百啄喧爭。而網已掩之矣。嗚呼。彼自謂智且巧。莫或敢侮予。而爲食繫其手足。貪戀不能自脫。而視之者。不以爲可憫。而以爲可與歸。胥溺於禍機。而兩不悟也。可不哀哉。

鬻蕎麪者傳

中井積德

城西沙場。有鬻蕎麪者。曰泉氏。善售。蓄婢僮數十百人。袒而磨者。巾而篩者。溲者。棍者。縷者。淪者。陳器者。置漿者。待客者。日出而作。夜闌而後息。吾聞蕎麪價之廉者。雖善餕者。不耐百錢。少者其六之一而飽。然而泉氏收錢。日數十百緡。

鬻　沽　舖

可謂善售矣。其北街亦有鬻焉者。亦曰泉氏。諸沽乎南泉氏者。過其門而弗顧。久之將更業。南泉氏聞之。踵門而訊曰。我與汝同業乎。是兄弟也。今汝以不售廢業。不可也。我且貸乎汝。北泉氏謝曰。雖能貸之。而不售也。恐不繼。南泉氏曰。我能使汝售焉。還命輸之錢。夜則戌而收舖。有叩戶求沽者。輙曰。戌之後。沽乎北泉氏。亦猶我也。於是諸沽乎南泉氏者。戌之後。皆之乎北泉氏。由是北泉氏不售於晝。而售於夜。亦富。鄕隣之聞者。咸曰善哉。然而南泉氏益售。卒大富。嗚

己欲達而達人。見于論語。

冠讎

愧

朝川鼎、字五鼎、號善庵。江戸人。嘉永二年歿。

綠陰

客衣

呼泉氏市井賤人耳。然能推兄弟之愛者。又類乎己欲達而達人者。其致富。蓋有以也。今夫仕之騈肩於朝。其祿於國者。獨不有兄弟之親邪。至其同職聯事。益近而益相嫉。曾冠讎之不若者。能無愧於泉氏邪。吾聞泉氏多異行者。此其異之一。

山溪避暑

朝川鼎

溪深不受暑光侵。四面山環夏木森。
一點無風涼自足。綠陰如水滴客衣。

霧島山記（譯橘南谿東西遊記）

安積信

鴻荒之始

鉾

橘南谿、伊勢人。名春暉、字惠風。南谿其號。別號梅仙。長文學、委醫術、常好旅行、足跡周天下。文化二年歿。

霧島山在日向州。高四十里。周廻三百六十里。相傳鴻荒之始。册諾二神。從天橋俯視。見海霧中有小島。乃以鉾探之。遂降臨。因以名焉。其鉾至今倒立山頂。世稱之天倒鉾。誠神聖之靈蹟。邃古之遺器也。但峰巒崇峻。巖谷深阻。多風火雷電之異。鉾者往往失所在。故能極其巔而觀所謂倒鉾者少矣。南谿遊西州。抵麑島。因欲登觀焉。而非有膽力者不可偕。會一少年乞結伴。意氣甚可壯。乃以仲冬初八發。大抵日薩隅三州。瀕南海。氣候溫煖。雖嚴冬不見氷雪。是歲最

蔭翳晝晦

童然

翠浪

毛髮森豎

黕黑也。

暖。惟御一綿衣。經水陸二日。始達山下。陟八里許。有廟甚宏麗。晚投祝史家。詰朝倩嚮導俱登。喬木摩天。蔭翳晝晦。惟踐導者之迹而進。直上十五里。童然無草樹。四望空濶。三州諸山。環拱起伏如翠浪。遙見海水汪洋中。孤峰突起。儼然瑠璃盤上一點螺也。導者云。是薩之櫻島山。又登十五里。山益峻。燒石大如栗者。撒布路上。天忽晦冥。暴風揚沙。怪雨霎霎。自谷底倒捲而上。不覺毛髮森豎。又登八九里。路稍夷。而左則絕壑萬仞。雲烟密布。黕不見其底。右亦峻谷數十

輷

翕霍

倏

丈。中間通人處。如行馬鬣上。曰馬背越。稍進。燒石隨步崩下。鑿鑿有聲。須臾猛火炎燄。發于谷中。雷電殷輷。山鳴谷應。腥臭之氣撲鼻。或玄雲如潑墨。澎湃匝池。咫尺不辨。往來翕霍。倏聚倏散。作鬼神佛佗諸靈異之狀。或白虹一道。自脚底起。直上天半。或光怪閃爍。天地變爲黃金色。步武變幻。不可方物。蓋硫黃芒硝之氣。鬱積谷中。陽火自燃。陰氣應之。爆然震激。現種種變怪。爾特可畏者。橫風時來。勢如奔馬。稍不愼。則爲所捲去。頓爲火坑之鬼。所謂登者失所在。皆是

悸　顚步　槖　咄咄

物也。導者切加警戒。每風至。卽全體俯地。既過復起行。如是者數次。心悸骨驚。疑入阿鼻獄。少年尤震懼。五色無主。顚步不能前。導者曰。此子懼震如此。不亟返。禍不可測矣。遂扶掖而下。僅三里許。天氣淸朗如初。相與探槖中摶飯啖之。少年色始定。南谿獨咄咄。以不觀天衖爲至憾。因問。從此至絕頂幾里。曰不過十里。南谿笑曰。是不難到。子與少年待之可也。投袂獨往。抵馬背越。天色俄變。震電發作滋甚。備歷辛艱。遂以達于巓。果有物焉。質如精鐵。大如鉅竹。長丈餘。

鏉　碧鏽　徘徊　碧漢萬里　攅簇沓甃　羽翮陵雲之懷　大都　緇流　梵唄之聲

倒立地中。其鏉鏤若鬼面者。碧鏽沈蝕。古色可掬。雖未可必其爲太古遺器。而決非五百年來物也。巓無堂宇。無草木。徘徊四顧。天朗日麗。碧漢萬里。凡數州山川城邑。攢簇沓甃。若覆簣。若聚米。神氣浩然。有羽翮陵雲之懷。但靈境不可久駐。急覓來路而歸。過馬脊越數百步。遙見導者與少年地座偶語。長僅寸餘。如畫中所睹。既至。皆欣幸加手於額。相扶下山。大都天下名山。刊木通路。自役小角釋泰澄始。故爲緇流所占據。梵唄之聲相屬。獨此山。以諾册二神爲開山

鬃鬣　狷介　鎔　巉巉

祖。眞天下之靈境也哉。山中多奇樹異草。水精之屬。大池五丁餘。池畔多蚺蛇。聞人語輒出噬之。雖樵夫畏而不敢過。多野馬。形極詭異。鬃鬣長委地。多大蝦蟆大蜘蛛焉。

登白根山記

安積信

予性狷介。不能與世俯仰。而獨於山水篤好焉。嘗以天保庚寅三月。遊白雲金洞二山。詣榛名。道經剪風嶺。遙見西北諸峰。白雲鎔銀。其中有一峰巉巉秀出者。問之土人。曰白根山也。時雖不獲登。則心已識之矣。戊戌五月。偕兒文。門人

倩　莽蒼之野

梶塚士善。觀妙義山。踰碓冰嶺。過淺間嶽。浴草津溫泉。每一燥輒覺渾身快適。宿疾稍瘉。而煙霞之痼益劇矣。一日雨新霽。四山濃翠如沐。遊意與湯泉俱沸。因謂士善曰。白根山距此不甚遠。可三飡而返。且予有一面之舊。山靈必不以我爲生客也。子其偕登乎。士善躍然應命。兒文亦請伴。乃倩導者。裹糧擔酒而發。自村中東折。行莽蒼之野。忽得一溪。水淸淺。以亂石當橋。崖路頗嶄絕。魚貫而登。得孔道。是爲澁井道。有一客見導者立語。問之曰。白根山採硫黃者也。結

素練　鏘然　刻畫無鹽唐突西施耳

伴而往。左右有大壑。中間峭崖。壁立數百丈。如馬鬣之亘。一徑通其上。脚散神掉。殆不能移趾。導者顧而笑曰。以牛之痴重。而猶能馱載過焉。公等士人。曾牛之不若。予大愧。鼓氣而進。忽見瀑布自巖頂注。巖聳峽束。分爲二道。短者如縞帶。長者如素練。聲鏘然如珮環。委流囓石。噴雪而走。乃藉草環坐。酌酒以佐興。士善曰。此間地僻山深。千古文人所未遊。其遊之蓋自先生始。予曰。然。但予無謫仙驚人句。徒觀其勝。所謂刻畫無鹽唐突西施耳。衆皆沾醉。相促而走。有鹿

穽　帖　行廚

脛一隻。橫于道。蓋豺狼餘腥也。爲之愕然。因談及豺狼之事。客曰。往年廐橋驛。狼害禾稼。民苦之。胥議設穽。狼果陷焉。適有一農夫過而視之。狼極力不能出。呼號甚哀。農夫惻然謂曰。汝若無害禾稼。我當脫汝死。狼帖耳掉尾。作悅服之狀。乃下杙爲梯。卽緣之而逸。後不復害五穀。每農夫夜歸。輒護送至家。世稱薄心腸者。必曰豺狼。豺狼顧能報德如此。又行一里。皆飢疲。開行廚食之。美如亨太牢。又數里。有茆屋極矮陋。一茶而去。從此辭孔道入山。愈登愈險。多怪石。多

寒巖四月始知春　繚遶。遶同繞。　泓然　咫尺

異禽。多奇草嘉木。時五月中旬。櫻花初放。唐詩云。寒巖四月始知春。較此未爲晚也。林間有殘雪深尺餘。兒文及士善。嘻嘻歡笑。爭掬嚼之。齒頰錚錚有聲。既至絕頂。一峰巑岏刻厲。桀立如單楹。其他諸峰繚遶。有池焉。泓然以深。清冽可掬。循池而北。亂峰復起。周匝如環。有池焉。渺然以廣。甚溫可浴。大抵諸峰。皆爲硫氣所薰蒸。或黑或赭。骨立無膚。絕不生草木。極怪奇卓異之狀。而池水一冷一熱。咫尺頓異。造物者致詭幻。最不可思議。導者云。山中池水。大小星羅。凡九

漢土仇池　洞天福池　附庸　採　鑊中　爍　蓬勃

十六泉。予聞之。心竊喜。漢土仇池有九十九泉。萬山環之。可以避世。所謂洞天福池之一。而蘇東坡夢遊處。今此山正與彼相類。其亦洞天之附庸歟。而予何幸得遊之。無乃掛名於仙籍歟。池畔有茅屋。採硫者聚焉。客導予巡視製硫之法。先鑿山採硫。硫與沙土相混。採而柔之。以浸于池中。又舉而煑之鑊中。沙土自沈。硫黃自浮。然後出而乾之。深黃如常棣花。絕品也。周覽久之。遂下山。是日天清。霽暖日爍。人至絕巔。北風俄寒。歸途雲自林谷起。蓬勃浮動。欲載人去。予

須臾
駕雲遊帝鄕

亦久厭人世。便欲駕雲遊帝鄕而不能也。須臾冷雨疎疎下。回頭則亂峰已爲壑舟矣。自草津至絶巓。雖曰三里。其實不下四里。路又險危。兒文年甫十三。徒步往反。導者美其健不置。然歸寓則疲極。徑擁被而臥。士善亦大疲。因自笑。予抱煙霞之痼。不惟不能自醫。幷使兒與門人染其毒。冒險涉危。殊屬無用。然莊子云。世有無用之用。嗚呼天下誰復知無用之果爲用乎哉。天保九年夏五月十七日。屬藁於草津中津氏瓊華室。

侵掠

不貪程頓

甲越相戰一（日本外史）　賴襄

天文二十二年五月。村上義清。與高梨政賴須田親滿島津規久等。自信濃來投。請謁謙信。言曰。僕等爲武田信玄所侵掠。容身無地。側聞公威名。願賜一下手救援。謙信曰。諸君豈爲人下者。而來託於我。是知我也。我今略定內亂。念賀越。吾父讐。常欲屠此二國。遂樹幟京畿。是吾素志耳。雖然。遇知我者。而不爲出力。非丈夫也。因問義清曰。信玄用兵何如。曰。信玄行軍。不貪程頓。每戰要勝於後。謙信曰。彼要後勝。意在拓地。

挑戰

也。吾則不然。遇敵輙戰。要不枉其鋒耳。於是下令國內。以十月十二日。治兵小田濱。將八千騎入信濃。放火武田氏屬城。十一月朔。進陣河中島。信玄聞之。請援於今川氏。將步騎二万出雨宮渡。使山本晴行等四人覘之。歸報曰。北軍銳甚。君宜厚集其陣。不戰屈之。信玄從之。兩軍夾水而陣。謙信挑戰。信玄不出。相持二十七日。謙信遣使者言曰。吾聞公用兵。所嚮無留陣。而何獨不與我決乎。我於公非有怨仇。特爲義清輩。敢問公何以奪彼地。公不欲與吾戰。則還地於

庇

詰朝
傳發

旣望

彼不欲還地。則與吾戰。信玄答曰。公庇義清。眞爲高義。雖然。晴信而未死。公不能成志也。公欲戰。則自公始。謙信曰。諾。乃決議。約詰朝會戰。即夜傳發。以七隊合爲圓陣。平明度橋而進。信玄勒十四隊迎戰。自卯至未。爭橋相逐。勝敗不決。謙信分兵渡上流。出甲斐軍後。甲斐軍顧之退去。橫田源助板垣三郞等。及駿河七將皆死。而越後兵亦多死傷。引兵歸。二十三年八月。謙信復以八千騎入信濃。曰。吾此行必與信玄親戰。決雌雄耳。進渡犀川陣。旣望。信玄以二萬人出

壘　麾下　黃襖騮馬

與之對。固壘不出。間日。謙信使村上義淸等夜伏兵而曉出采樵者。近甲斐壘。甲斐兵出追之。陷伏。伏皆死。諸隊隨出。乃大戰。終日十七合。迭有勝敗。信玄潛下令。張組犀川而渡。伏旗幟。徑蘆葦中。直襲謙信麾下。麾下潰走。信玄乘勝而進。宇佐美定行等。以手兵橫擊。破之。擠之於河。信玄與數十騎走。有一騎。黃襖騮馬。以白布裹面。拔大刀來。呼曰。信玄何在。信玄躍馬亂河。將逃。騎亦亂河。罵曰。豎子在此乎。擧刀擊之。信玄不暇拔刀。以所持麾扇扞之。扇折。又擊斫其肩。甲

駛

斐從士欲救之。水駛不可近。隊將原大隅。槍刺其騎。不中。擧槍打之。中馬首。馬驚跳入湍中。信玄纔免。武田信繁聞信玄危。返之。呼騎索戰。戰死之。是日。兩軍死傷大當。而信玄被創。夜收兵退。後獲越後捕虜。言嚮騎乃謙信也。

甲越相戰 二(日本外史)　賴襄

弘治元年四月。信玄攻降木曾義高。以女妻之。二年。信玄取伊奈郡。於是盡定信濃。以高坂昌宣守貝津城。以備謙信。謙信爲武田氏强敵第一。諸將因榮昌宣也。三月。信玄謙信復對壘河

爨

中。信玄與山本晴行等謀曰。我分兵。遶出越後軍後。鼓譟逼之。而以本軍夾擊。必大得志。乃令信濃客將保科彈正等。以兵六千。夜度戶神山。時月黑。迷失道。不能達。謙信見甲斐軍夜爨。人馬有聲也。潛起擐甲。傳令。擧八千騎出。五鼓詣信玄牙營。會天大霧。謙信自霧中直斫營而入。營驚潰。斬山本晴行等六將。而天明矣。客將兵達上杉氏營。營無隻騎。顧聞河中戰聲如雷。則還渡筑摩河。出北軍後。甲斐軍望見乃返。夾擊北軍。軍敗走。追逼之犀川。北軍輪轉返戰。包追

候騎

兵將鏖之。甲斐後軍。橫擊救之。北軍乃倒隊而退。宇佐美定行。植幟渡口。護之盡濟。甲斐兵疲不復追擊。八月。謙信復出河中。使村上義淸等。營舊戰所。而自進過河。背水陣。信玄知其志在必死。不敢出戰。其候騎報曰。北軍積薪如山。信玄令諸將曰。敵中夜有火擧。愼勿進擊。進擊者族。及暮。候騎又報曰。北軍掃營。荷擔將去。諸將爭請追擊。信玄曰。謙信豈迫暮掃營者。擊之必敗。其夜北軍火起。甲斐軍不動。天明。望見北軍䟽行首。嚴陣而待。諸將乃服信玄。信玄謀設伏

瞰射 設覆

不識庵謙信 機山信玄

大牙

兩山間。挑戰佯敗。誘敵入山。瞰射殲之。乃夜設覆。而明縱馬入北軍中。出輕卒追之。謙信不出。信玄慮兵老有變。乘夜退入上野原。謙信擧軍追擊。信玄返戰。殺傷相當。交收兵歸。甲斐越後兵連不解。兩國士民患之。皆願媾和。今川義元爲周旋之。謙信將有事於關東及越中。於是和成。

題不識庵擊機山圖　賴襄

鞭聲肅肅夜渡河。曉見千兵擁大牙。
遺恨十年磨一劍。流星光底逸長蛇。

堰

甲越相戰三（日本外史）　賴襄

謙信之攻小田原也。北條氏使使請信玄北侵越後。以牽其勢。信玄乃令高坂昌宣焚掠彊上。謙信大怒。永祿四年八月。復出信濃。壘于西條山。堰水爲池。以備貝津敵。信玄與義信將二萬騎來。陣雨宮渡。以絕其歸路。越後將士說曰。利在速戰。謙信不肯。居三日。信玄收兵入貝津。以瞰謙信。謙信自若也。信玄謀曰。謙信蓋竢吾變。不動其軍也。吾伏兵河中。而別軍自貝津直往攻西條。則謙信無勝敗。必引兵北歸。而吾承

擒

啣枚

鏖戰。謙信可擒也。越後諜者報曰。甲斐軍出貝津南行矣。謙信召諸將問計。直江實綱曰。彼國內有變。故乘夜引去耳。當邀擊之。宇佐美定行。齋藤朝信曰。不然。彼蓋爲二軍。欲及吾踰河夾擊之也。語未畢。諜者又報曰。甲斐軍渡廣瀨上。河中陣矣。謙信謂二人曰。如汝言。吾將出其意外也。乃置疑兵山上。而全軍啣枚縛馬舌。涉雨宮渡。遇武田氏斥騎十七人。盡斬之。進壓信玄軍而陣。使本莊繁長色部長實等將二千騎陣筑摩河岸。甲斐別軍已向西條山。信玄俟報至。

牙旗

斫

殪

曉。曉未辨人色。見謙信牙旗在前。將士皆失色。越後軍鼓而進。聲震地。信玄不暇易其陣。以弓銃力拒。謙信常憾向斫信玄而不遂也。欲必決死。自抽牙兵。前逼信玄麾下。麾下潰亂赴犀川。荒川伊豆逼擊信玄。信玄脫走。謙信追之。義信以二千騎尾謙信後。甘糟景茂等擊走義信。謙信既克。休止傳殪。義信復以殘兵返襲敗之。斬越後將志田義時以下數十人。謙信執槍親鬪。本莊繁長等來救。復擊走義信。或說貝津敵夜出乘我疲。宜急收兵。謙信不肯。背犀川陣。次善

鞶　衝　掣　吼　矗

光寺三日。遣使信玄。欲再決戰。甲斐將士又有請爲者。信玄皆弗聽。

筑摩河　賴襄

西條山。筑摩河。越公如虎。峽公蛇。汝欲鞶。吾已啣。八千騎。夜衝暗。曉霧晴。大旗掣。兩軍搏。山欲裂。快劍斫。陣腥風生。虎吼蛇逸河噴雪。傍有毒龍待其饜。

河中嶋　梁川孟緯

千山圍野矗。二水夾墟通。
云是河中嶋。當年角兩雄。

颸。音思。風也。
風月神機不可端倪
春日山。上杉氏城址。
窮鳥。指村上義清。
甲斐困鹽。謙信輸之。
老姦指信玄。
信玄自度不起。戒子勝賴曰。吾死。天下獨有謙信而已。

灘聲晴亦雨。木末暮多風。
不見兵戈集。西天月一弓。

霜臺謙公贊　佐藤坦

靜如處女。動如吼獅。聚如快雨。散如旋颸。而詠風月於馬上。透神機於禪齋。其倏忽變化。不可端倪。則公之所以能正而又能奇也。

春日山　安積信

世平城壘久荒蕪。客子登臨想壯圖。
竹杖生風麾勁騎。鐵槍橫月撚吟鬚。
一群窮鳥開懷入。幾輛精鹽向敵輸。

汝請援。以國託之。彼一受女訐。必不與鄰國合以侵汝也。
游子
浹辰。謂自子至亥周匝十二日也。
箕面山。在攝津池田附近。

義氣矯然如白日。老姦猶欲托孤雛。

馬上吟　梁川孟緯

孤雁高摩月。殘星半墮雲。
荒雞聲十里。游子夢中聞。

游箕面山遂入京記　齋藤正謙

余在攝既浹辰。遂將入京。久聞箕面之勝冠於畿甸。謀迂路過觀。二十七日下午。發大阪東北渡長柄川。行五里至山下。盤迴而上。則淨境別開。清溪奔駛。紅欄橋架焉。此間竹經松緯。一往幽折。心甚樂之。但日昏黑。寺門閉矣。投宿門前

磴
綺錯　杳然
高雄。在山城洛西。以楓最著名。
竦峙
大屋曰厦。
韃鞳　潰珠　潭

茶店。背即溪。終夜有聲。琅然到枕。明旦門開。至觀音堂。稍前左右有磴。左爲行者堂。右爲辨天宮。並宏麗。合名之曰瀧安寺。滿山皆楓。爛然飽霜。色如渥丹。綺錯水巖之間。時有墜錦。點波杳然流去。談者多言其勝在高雄之上。意然。出後門。沿徑而行。楓盡松來。水窮石出。有巨巖竦峙。大如厦屋。曰唐人戾。戾之爲言反也。相傳昔有外國人來游。至此畏險反去。故名。更進。聞大聲韃鞳震山谷。徑轉望見瀑布。掛絕壁。長可二百尺。潰珠飛空。跳擲而下。至潭底。復逆上。輒轟然

魄悸

那智在紀伊。布曳在攝津。委蛇謂委曲也。

躡

雷動。有一佛堂面瀑。登觀焉。凜然魄悸。不能久留而去。聞近畿瀑布。以那智爲第一。此瀑亞之。想當然。且此瀑直下。略不遲回。比之布曳瀑曲折而下者。其勝各異。曲者委蛇著態。小品之文也。直者奔放駕勢。大篇之文也。或謂。文貴曲而賤直。非通論也。余觀二瀑。而知文有大小之別矣。自堂右躡磴而上。出瀑頂。頂凹蓄碧方三丈。上流灌注。底深不測。蓋瀑之源也。從後門至此。凡十八町。又一里許。至勝尾寺。中堂安觀音大士。爲西國三十三所之一。出前門。下阪五十町。

東福寺在洛東。

勝區

離披　朝暾

過客

鷲津在遠州濱名湖西。

至郡山。遂北上入京。數日往遊高雄及東福寺。兩地之楓冠於都下。號稱勝區。然余終不能忘箕面之勝矣。

箕面山　篠崎弼

滿山紅葉錦離披。恰是朝暾欲上時。
蕭寺門前無過客。清泉聲裏立吟詩。

桶峽之役（日本外史）　賴襄

今川義元既定駿河遠江參河。將大擧攻尾張。信長修諸城壘。令佐久間大學守鷲津飯尾定宗守丸根。與大高笠寺兵數戰。不決。永祿三年

丸根在尾州知多郡。大高笠寺亦在尾州。沓懸在尾州。

五月。義元自將三國兵四萬五千來攻。十八日。大學定宗馳使清洲告曰。義元昨日至沓懸。今夜將運糧大高。而且攻兩城也。信長召將士。言曰。我欲赴救。如何。林通勝等說曰。敵衆垂五萬。而我兵不過三千。宜避其來銳。據本城待之。信長曰。不可。吾視天下英雄。恃其地利以失事機。自取滅亡者。不爲少矣。先君有言。隣國之來犯。苟有遲疑。我將士且變志。當亟出迎戰。吾不敢背先君之敎。明日將一戰決勝敗也。與吾同志者。努力。諸將莫敢諫者。信長因命酒與飲。酒酣

謠

龕

逡巡

天明。信長自起舞。謠古謠曰。人世五十年。乃如夢與幻。有生斯有死。壯士將何恨。舞畢。卽被甲上馬。單騎擧鞭而出。騎能屬者十餘人。比及熱田祠。得千人。自祈戰勝。陰使祠官鳴甲于龕中。信長顧軍士曰。神助我也。乃取山路行。收諸城兵。兵凡三千騎。東望見兩城火起。將士逡巡。信長益鞭其馬而進。林通勝。柴田勝家。池田信輝。毛利秀高。扣馬諫曰。彼大衆新勝。以寡兵犯之。立覆沒矣。信長厲聲曰。汝輩且聞吾言。吾非妄意進犯敵也。敵納糧大高。終夜不息。今亦拔兩

罷　鼓譟　鏦

城。其兵罷極。而義元侮、我不復設備。吾乘是際出其不意、可一戰而擒也。梁田出羽進贊其計曰、敵拔兩城、未更其陣。中軍必在後。我直襲之、義元可獲矣。信長乃伏旗鼓、循山而馳、至於桶峽、瞰視義元營。信長欲下馬接戰。森可成曰、衆寡不敵。宜騎而突之。信長曰、善。乃馬上揮槍、先衆馳下。會大雷霧雨昏黑。我兵鼓譟斫營而入。敵衆大驚擾亂、不知所出。服部小平太進入幕中、薄義元。義元拔刀擊其膝。毛利秀高鏦義元、斬其首而出。駿河軍遂大潰。信長追擊、斬其精

賽　凱旋　太田元貞。號錦城。加賀人。文政八年歿。　枚　撲　絞纈

騎二千餘級、乃賽熱田而還。士女夾路迎觀。信長揭義元首于馬前、凱旋清洲。大高沓懸兩城皆解走。信長以此名聞天下。

桶峽　太田元貞

荒原弔古古墳前。戰克將驕何得全。
怪風吹雨晝如晦。驚破奇兵降自天。

桶峽　賴襄

士銜枚馬結舌。桶峽如桶雷擘裂。驕龍喪元敗鱗飛。撲面腥風雨耶血。一戰始開撥亂機。萬古海道戰氛滅。唯見血痕紅絞纈。

秋山儀。字子羽。號玉山。肥後人。寶曆十三年歿。　曛、黃昏也。　儔　鵠　搤

織田氏舊墟　秋山儀

英雄舊跡鬱風雲。回首岐阜落日曛。
一路松間採樵者。到今猶說田將軍。

賤嶽懷古　新宮礥

絕代英雄有誰儔。叱咤所向敵投矛。
山陽雄藩鵠垂翅。京南躍馬賊授頭。
爲主復讐伸大義。威風凜凜六十州。
三路軍容機未發。北道深雪無策投。
南軍制先猶多算。築起五寨搤其喉。
大湖漫漫限南北。越山連濃萬仞抽。

驥　嘶　勝一籌　烘　躪蹂　五幣紙　千瓢金　貔貅　鵓鳩

北軍雖多用無地。長蛇蟠屈據小邱。
壯士頓足良驥嘶。馳突乘曉勝一籌。
唉言魚也受吾餌。炬火烘天照驛郵。
揮鞭打破長蛇腹。首尾異所救無由。
鼓聲動地山岳拆。刀槍相擊亂躪蹂。
一夜戰骨高於阜。十里曠泉血欲流。
五幣紙爛委泥土。千瓢金輝山月收。
誰言兩虎不相活。犬羊何曾當貔貅。
只今夾路唯農舍。桑麻藹藹鳴鵓鳩。

賤嶽　安積信

鬖鬖
金鬚瓢子
血滴梨花
鼙鼓
糧餉

危峰鬖鬖水蒼蒼。草樹風悲古戰場。
南騎投機疾於鳥。北兵狃捷狼如羊。
金鬚瓢子山頭幟。血滴梨花馬上槍。
徙倚乍疑鼙鼓起。波濤捲雪拍寒塘。

蔚山嬰守(日本外史)　賴襄

慶長二年十一月。刑玠入韓。聚議都城。以爲和兵持重。若待秀吉親濟者。其志不在小。宜及今擊之。會明諸道募兵皆至。乃分爲三。李如梅將左軍。高策將中軍。李芳春解生將右軍。明三十三將與韓七將。分屬三軍。以楊鎬麻貴統之。糧

寨

餉火器。皆極豐備。期以十二月進攻焉。我諸將聞之。益修城壘。清正巡視西生諸寨。而留裨將加藤清兵衞。與毛利氏援卒俱修蔚山。明諸將議曰。秀吉諸將。清正最勇悍。先克清正。則餘從風解。乃聲向順天。以牽行長。而諸軍會慶州。留高策于彥陽。以絕釜山援路。而李如梅解生等。皆萃于蔚山。蔚山土木未竣。其役卒駭明軍至。入告清兵衞。清兵衞出戰。陷伏大敗。入城嬰守。淺野左京大夫。率毛利氏將太田政信宍戶元繼等。將往蔚山監役。行至彥陽。與高策夾嶺而

徽號

未相知也。比曉我斥兵上嶺。爲明先鋒所獲。我軍乃覺。政信元繼說曰。衆寡懸絕。不若疾走入蔚山也。大夫曰。幸長提兵至此。未覩明人之旗而逃。何面目復見太閤哉。公等欲走即走。吾當死於此矣。乃遣其將太駄岡野龜田森島四人。率銃隊進逆擊明先鋒。卻之。大夫在高阜望見策軍踰嶺也。恐其戰歿。使人召還之。不肯奮擊斃數百人而死之。獨龜田脫歸。獻所獲甲首。且曰。明兵之衆。望之無際。請君速退。大夫怒曰。吾豈聞衆而退哉。自揚徽號。麾衆而進。將士覩之。

追躡
嬰

爭赴明軍。大夫身被十餘創。猶進不已。龜田力諫。使二從士回其轡。而以刀鞘鞭馬。馬奔蔚山。策兵追躡。岡田某福永某。返戰而死。新兵衞望見。出城迎入。元繼爲明軍所隔。自間路入島山。島山。蔚山別堡也。時楊鎬李如梅等。已破蔚山外郭。大夫代清正。率厲將士。嬰壁守之。明兵以大夫爲清正也。欲必獲之。攻擊甚急。大夫自放銃。無不命中。時開門突戰。殺傷過當。二城之間有川。李芳春解生。泛兵艦以絕之。城兵銃破其五艘。溺數千人。而敵勢不衰。麻貴茅國器鼓衆

麕集　投袂　餧。音委。啗之也。

攀壁。前者墜、後者登。晝夜不歇。

蔚山嬰守二（日本外史）　賴襄

城兵欲告急於清正。清正時在機張。相去三日程。敵衆充塞道路。大夫曰、誰可往者。近臣木村某奮請往。大夫壯之、予以善馬。已出門。明兵麕集。木村一騎馳突萬衆中。一日一夜達機張。見清正告急。清正大驚。投袂而起。左右或止之曰、蔚山以孤城當大敵之衝。而我寡兵援之。終不能保。不若棄之也。清正曰、彈正囑我曰、綏急幸援我兒。今餧之敵。何以立天下。乃率見兵五百

見兵　兜鍪　蟻附　佛郎機。即佛蘭西。其國出銃。故以國名銃也。　溺

人。人負糧食、登舟赴援。與明候船戰江中、走之。清正自蒙銀兜鍪。杖薙刀。立船首。指麾士卒。明韓諸軍指目。莫敢近者。遂入蔚山。鎬貴謂將士曰、清正定入城矣。猶檻虎而刺之也。明日合諸軍。蟻附而上。清正令士卒投大石巨材擊卻之。即夜。與數百騎襲明軍。大獲而還。敵更起飛樓。以火筒佛郎機。百道並攻。城壘震裂。清正與大夫堅守不屈。鎬貴知其不可力取。乃下令休戰。合圍十晝夜。斷我汲道。城兵飢渴。皆嚙紙煎壁土。刺馬飲其血。馬盡。乃飲溺。夜出城外。搜明人

糗糧　皸、矩云切。瘃。陟玉切。寒瘡也。　礮　殲　經理。官名。此時楊鎬爲經理。　重寄　貽

尸。取其所佩糗糧牛炙食之。天大雪。士卒皸瘃。有墜指者。而清正意氣自若。益修守具。用銃及紙礮。日斃明兵數百千人。鎬貴夜設伏。而曉焚營退走數里。以誘城兵。城兵欲追。清正不許曰、彼舉火以退。退不設殿。不以夜而以曉。是將誘我而殲之也。久之。明伏稍稍出。終復圍之。浮田氏卒。有亡在明軍者。呼語城上人曰、楊經理願媾和。欲與加藤公面議之。期城外百步相見。清正欲往。大夫曰、敵情不可測。公受太閤命。爲一方重寄。勿輕出貽笑外國。雖然不出示之怯也。

紓

度。彼未識公面。僕請爲公代行。衆遂兩止之。故紓會期。以俟我援兵至。黑田孝高在梁山。使使告釜山曰、蔚山急矣。即陷。諸將隨之。不可不赴援。諸將然之。豐臣秀秋。毛利秀元。黑田長政。加藤嘉明。森忠政。蜂須賀家政。藤堂高虎。其子高良。脇坂安治等。將騎卒五萬。自彥陽昌原分道赴援。而行長自海上會之。三年正月。秀秋等至彥陽。擊破高策。與昌原軍皆赴蔚山。行長益裝空艦。蔽海而至。楊鎬聞我軍自三面至。挺身先遁。麻貴解生等。乘夜解圍。長政使後藤基次晨

韈。音諸履也。

糧仗

區寰　崇墉。余鍾切。牆也。

出候軍。得一馬韈于水涯。還報曰。是日本制。我軍已有騎渡者。不可後矣。長政即馳蹤明軍。藤堂高良等揮槍繼之。清正與大夫乃開門合擊。敵衆崩駭。獨其將吳惟忠茅國器殿而回戰。吉川廣家奮擊走之。明軍大走。遺棄糧仗蔽野。

名古屋(肥前)　安積信

氣壓神州震百蠻。長驅直欲合區寰。
崇墉遠映臺灣水。層閣平臨朝鮮山。
縱是無功誠可駭。若教有命豈空還。
秦皇漢武同雄略。瑣瑣休論得失間。

扶桑無聊

掌中珠

逞吞饞　酣

綏綏

讀征韓記其一　大槻清崇

扶桑亂定奈無聊。位極人臣立聖明。
誰料掌中珠碎恨。破殘八道尚難消。

其二

欲并明域逞吞饞。鴨綠津頭戰正酣。
可惜征韓三十萬。不分一半入江南。

其三

投鞭鴨綠志將成。一戰不支平壤城。
濡尾終然无攸利。有狐綏綏涉水行。

其四

鐵衣鬢

鶻

遺孤可託。曾參曰。可以託六尺之孤。可以寄百里之命。

北伐何曾憚險艱。鐵衣冒雪鬢斑斑。
忽忘身入不毛地。遙拜南天富士山。

謁加藤清正祠　新宮碩

蕭寺城西北。鐘樓掛夕陽。
樹喬飢鶻集。池古毒龍藏。
忠戰遭英主。武名轟絕疆。
吾今來仰德。山色凜於霜。

謁加藤清正廟　廣瀨建

寸木難支大厦頹。丹心抵死未嘗灰。
遺孤可託眞君子。夙誦曾參一語來。

殊域震慴

豐臣太閤論　青山延光

天下不能無强弱。國家不能無盛衰。而英雄豪傑。將大有爲於積衰積弱之餘。必也踔厲風發。一新天下之耳目。然後能變衰弱爲强盛。譬之暴雪猛雨。飄忽震蕩。萬物殆爲之摧碎。然後天地開霽。日月如新。故英雄事業。不可以常理論也。我神國嘗强矣。殊域震慴。朝貢相屬。而彼一叛。則王師出征。故神后征韓之後。在應神朝則二伐新羅。在仁德朝則一伐新羅。在雄畧朝則一伐新羅。二伐高麗。在欽明朝則二伐新羅。一

睞　跋扈

伐高麗。在推古朝。則一伐新羅。在齊明朝。則一伐肅愼。當是時。睞絕域。如四境。睞海濤。如坦途。故徵兵四方。萬里濟海。而天下不以爲勞。其强盛蓋如此。中古以降。王室稍衰。一變而天下之政。出於相門。再變而兵馬之權。歸於武人。四海之內。猶有不畏皇威者。何問海外鬼界一小島耳。源右將欲伐之。而公卿難之。夫以彈丸黑子之地。武人欲伐之。而廷議難之。又何恠武人之跋扈哉。其衰弱蓋如此。源氏亡。而王室困於北條。北條亡。而又制於足利。於是。積衰積弱有不

可勝言者矣。南北一統。而足利氏之橫日甚。彼傲然以爲天子我家所立。廢立唯吾所欲。則其有無。固不足爲之輕重。而明國之大。彼亦嘗聞之。乃謂彼土廣國富。我既不能及。則藉其力以濟我貧弱。此亦良策。於是修使於明。得其爵號以誇天下。得其錢貨以布天下。吁亦甚矣。當是時。明國睞我。猶蕃國。足利氏睞明主。猶君上。而天朝之尊。則天下不敢復問。衰弱之極至此。祖宗之憤。固將有所待而發焉。故織田右府興。而天下復知尊王室。豐太閤興。而王室之尊。殆復

瓦解　愛親覺羅氏　垂涎

於古。至征韓一役。蓋將振皇威於積衰積弱之餘。祖宗之靈實有賴焉。顧其所以謀之者。未必無私意。然而天將一振皇威。則太閤之擧不可謂非天下之公也。十萬之師一渡海。而八道瓦解。不可謂不伸神國之威也。而明主猶欲以一王號。解兵。此亦以足利氏睞太閤。而太閤一怒。明國震駭。不可謂不雪祖宗之恥也。皇威於是乎赫然震於絕域矣。異日愛親覺羅氏之幷呑明國。威毒亦甚。彼豈不垂涎於我。然畏慴斂手。不敢噬嚙者。太閤之力也。孰謂征韓一役。無功

決雌雄　白旆飄揚　桐章金扇　洪業　元和元年。大坂城陷。豐臣氏亡。　狙擊

於神國乎。

過關原有感　　新宮碩

誰將衆寡決雌雄。白旆飄揚敵已空。
雨注桐章泥土汚。霧晴金扇日光紅。
骨寒戰血原頭草。膽落奔雷山上風。
洪業開基天意在。攘除禍亂一麾中。

大坂城陷一（日本外史）　賴襄

兩將軍既至京師。大坂間細狙擊之。皆不成。乃遣大野道見縱火界浦。奪東軍據貲。遣大野治房以萬人入大和。攻郡山。走其守將筒井定慶。

退頓

聞淺野氏擧紀伊軍至，因誘其國民乘虛起兵。紀伊軍乃還，救。治房尾之。先鋒塙直次戰于樫井，戰死。治房赴援不及。既而東軍來，自大和河內。水野勝成。藤堂高虎。井伊直孝。伊達政宗。爲先鋒。諸隊長執前議，欲迎之南郊。基次不可曰。野戰勝敗，以衆寡決。今以寡擊衆。不若邀之險阻。臣請以萬人扼國府嶺，擊挫其先鋒。先鋒既挫。後軍必退頓南都郡山。不能輙進。吾因其變。以制其勝。至受大軍於曠原。臣所不知也。從之。授基次兵一萬四千。陣平野。又遣薄田兼相渡

啓

勸兵

部尙繼之。兩將軍使人誘基次曰。苟啓東兵則封以播磨。基次拜謝曰。今東西決戰。使西强東弱，則歸東矣。今東强西弱。去弱就强。臣之所恥也。雖然東旨之辱。亦不可不報。報以速死。臣速死城亦速陷。所以報也。五月五日。基次勸兵夜發。失道出古市。軍士恟懼。基次曰。此地據林臨水。戰守皆便。宜飮馬以待旦。旦日治長出助。基次。幸村陣道明寺。重成陣若江。盛親陣矢尾。基次不知敵有後繼，不告衆而進。至片山。與水野勝成遇。擊破之。尙兼相來，援連戰未決。陸奧美

栢原在河內。前役前年穢多崎之役也。

濃伊勢諸軍夾擊基次。基次盡亡其兵。以十一騎在山腹。使使訣兼相曰。子勉之。吾將死也。乃復進。中銃殪。還至栢原死。兼相恥前役之敗。亦奮擊而死。治長來，援大敗。大谷吉胤戰歿。

大坂城陷。二（日本外史）　賴襄

幸村聞急馳至。尙使人迎而告之曰。吾衆創殘。子請承之。幸村諾而進。橫邀陸奧軍。陸奧軍長騎戰。勁騎八百。馬上發銃。乘烟馳突。無不摧破。伊達氏每以此得志於東國。幸村諳知之。乃引兵上譽田東皐。皐中有凹處。就布陣焉。命其兵

二將一爲藤堂仁右。二爲藤堂新七。

隴與壟通。謂田中之

皆脫冑委槍坐。以竢指麾。陸奧軍稍近。幸村令曰。冑。及相去數十步。令曰。執槍。敵發銃。且馳至。遇槍而沮。又令曰。皆起。敵兵大潰而走。幸村轉陣南皐。收兵與尙戛殿而退。盛親上矢尾堤。望藤堂氏旗。乃退伏堤下。敵先鋒二將。以爲走也。徑田上。堤則盛親大呼起擊。走之。重成游兵亦來，援。遂斬其二將。重成與井伊直孝相距若江堤。擊破其前隊。重成揮槍挺進。所向皆靡。斬敵將山口重信等三十餘人。而其兵死傷畧盡。乃據隴而息。敵以生兵乘之。飯島某扼重成曰。盍

扼　高處也。

結纓　不截其餘示不復用也。

關原之役。盛次父長盛屬東軍。大捉後放于高野。而今猶生存。盛次恐敵東軍之罪連及父。故不名於敵而死也。

聚落

三處　道明寺。若江。矢尾也。

還城。重成掉頭而進。遂死之。直孝部兵取其頭。獻之前將軍。前將軍撿之。冑纓無餘。而頭髮有香。前將軍嘆惜曰。是預決死也。重成伯父宗明。戰于山田村。敗退。井伊氏藤堂氏合勢逼盛親。盛親亦敗退。增田盛次止戰。盛次。長盛子也。嘗在尾張。前役從東軍。東軍勝則憂。敗則喜。是役入城。屬盛親。以父猶在。不名而死。盛親與幸村等自平野退。縱火聚落而入城。三處之軍皆敗。將帥多死。城中失色。諸將議曰。今日期會皆失。各自爲戰。所以不得志。明日諸軍合力一戰。可

諮

金瓢

決以雌雄也。秀賴諮之幸村。幸村曰。臣請陣茶臼山。以誘敵。明石掃部自川場出今宮之南。擧火。敵背夾擊其中軍。而主公建旗鼓繼之。事或克矣。從是。

大坂城陷三（日本外史）　賴襄

旦日。幸村與渡部尚。大谷吉之等。出陣茶臼山。森勝永。竹田永應。陣天王寺南。郡良列。執桐號牙旗。在其後。治長與七隊長。陣毘沙門池南。治房與御宿政友陣岡山。津山左近執金瓢馬表。在其後。東軍彌漫山野。左右竝進。前將軍統左。

緋甲

錦袍

東征　討北條氏也。

踴躍

將軍統右。少將忠直。前田利光。本多忠朝。小笠原秀政等。爲先鋒。前將軍召候騎。問敵狀。對曰。其陣甚堅。又待秀賴親出。頗有鬭志。乃命質子大野治德。作書贈其父治長。治長時巡視至茶臼山。幸村曰。天下之事決於今日。公宜促主公出。主公出。則軍氣自倍。川場軍亦當赴期。治長諾而反城。則秀賴已在櫻門。擐緋甲。穿錦袍。千槍十旌。左右成列。鞍于馬而竢。如秀吉東征之儀。將士踴躍。俄而治德書至。曰。聞城中有約內應者。欲竢右府出擧事。謹勿出。治長危懼。止秀

猜

攬涕

睽

賴。而又往。欲與幸村議。東軍左先鋒已來。逼勝永等以銃手相挑。幸村止之。登高而望曰。中軍何不來也。因召其子大助曰。吾族在東。治長常猜我。我當斃於此。汝往侍右府。以明吾無貳心。大助時年十六。請止俱死。幸村叱曰。汝而死。誰明我志。盍殉右府乎。大助攬涕而去。敵兵益逼。而中軍及川場兵皆不至。幸村謂大谷吉之曰。事皆睽矣。是我死日已。麾兵而進。縱橫血戰。敵衆交至。幸村終死之。年四十六。吉之等皆死。御宿政友初仕越前。後歸大坂。於是遺書忠直曰。

臣無善馬。君猶記舊情、則願賜一匹以戰死。忠
直予之以馬。政友騎焉。自岡山至幸村營、則戰
已酣矣。曰、此亦不可以死乎。躍馬冒陣而死。勝
永與忠朝戰、擊大破之。斬忠朝。遂助永應與秀
政戰。又斬之。明石守重以驍騎三百、自川場赴
約。與東將水野勝成遇、交綏而南。聞茶臼山敗
則轉出生玉、與阿部氏高木氏戰不利而走。東
軍右先鋒逼岡山、治房擊破其先隊、轉逼將軍
麾下。勝永永應亦犯前將軍麾下。井伊氏藤堂
氏橫擊勝永。勝永退。治長軍代進、要以銃手不

弭　驚擾　塡

能遏。七隊長邀戰走之。

大坂城陷四（日本外史）　賴襄

時日已過午。前將軍使人入城議和。曰、從封大
和、弭兵。淀君乃使秀賴召還治長及速水守久。
二人旋旗入城。諸軍望見相驚擾。曰、城中有變
也。東軍乃齊進。城兵大潰。秀賴在櫻門據胡床。
迎見治長守久、大助亦至。叙幸村遺命、語未畢。
潰兵大至。秀賴曰、我將出戰決死。守久止之曰、
潰兵塡路、不可出戰。徒死徒隷手。寧嬰壁固守。
力窮而死、爲未晚也。秀賴從之、返坐于千席館。

稽首　播弄　牙營　母衣

東軍鼓譟逼城。城中有應之者。焚大野治長第。
京口門先破。我庖人大隅某謀反、縱火于庖。延
及殿宇。城兵大擾。諸門皆破。郡良列、津川左近
擊馬表牙旗至千席館。駢跪稽首而言曰、臣等
當死於城外。顧所掌表幟、先君所以傳於主公。
五畿七道四海之外、苟有目者、無不覩而識之。
委之敵人、傳觀播弄、將貽羞萬世矣。故謹奉還
耳。良列將自殺。顧謂守久曰、去歲之役、吾獻策、
欲襲敵前軍、縱火牙營。而公等弗聽。是終天之
憾事。已至此。言之無益。因卸甲、脫其母衣、置之

健鬭　烟燄

床上、曰、是先君之賜。今而致之。吾事畢矣。遂割
腹死。其子兵藏又死。眞野宗信、中島氏種、相繼
自殺。野野村吉安將入內城、火熾不可前。乃自
殺於二城橋上。堀田正高纔得歸第、手刃妻子、
而出、遇加賀兵突入于廳。乃健鬭而死。秀賴奉
淀君、將自殺于天主閣。守久止之曰、勝敗常也。
請暫待之。乃自觀月樓上于東櫓。烟燄隨至。治
長從之園莊倉中。與守久勝永共護之。治長猶
恃和議、致書兩將軍曰、群臣願自殺以全右府
母子之命。因使人奉夫人德川氏、送致東軍。東

悲號

軍既取、夫人使四將來監護倉外、命片桐且元錄倉中人名。欲出秀賴母子。四將發銃於倉中。以示絕。倉中皆哭。秀賴悽然謂守久。勝永曰。吾爲太閤嫡子。而至於此。天也。乃自刃而薨。年二十三。勝永剄之。淀君抱秀賴首。悲號。使氏家道喜殺己。於是道喜。治長。守久父子。勝永兄弟。津川左近。竹田永應。及堀伊藤。成田。森島。加藤。高橋。土肥。寺尾。片岡。垣原。小室。淺井。中高等。十餘人。皆殉之。治長重成。渡邊尚。並有母。與北畠氏。湯川氏等。婦女十人皆死。秀賴之未死。眞田大

颯芳　兜鍪　清揚　突兀

助隨其所之。衆諭之曰。舊臣且有逃者。子客將之子。不必殉之。盍出走。對曰。我父命我。必與右府偕死。終就倉外。籍藁而坐。不食者一晝夜。竢秀賴死。乃自殺。

木村重成贊　　室直清

一世英妙。風流颯芳。軍中授首。
兜鍪留香。誰云不壽。青史輝光。
清揚有宛。吾淚其滂。

浪華城春望　　篠崎弼

突兀城樓俯海灣。春空縱目一登攀。

凝望　斜陽

千帆白映洋中島。萬樹青圍畿內山。
賣酒店連平野盡。看花船自上流還。
牢晴天氣難多得。凝望斜陽未沒間。

赤穗遺臣復讎一（野史纂略）　　青山延光

元祿十四年春三月十四日。延詔使於城中。俄而內匠頭淺野長矩。與上野介吉良義央。私鬪傷之。即日。賜長矩死。沒赤穗五萬石。先是。詔使至江戶。將軍命長矩及左京亮伊達宗春。掌館待事。義央以高家。預焉。長矩以不習舊儀。固辭。

耆宿　贈遺

執政曰。上州老鍊。君宜就問焉。何以辭爲。義央以耆宿。居諸高家之上。每詔使至。必接待。由此意甚驕傲。共事者欲問舊儀。皆行賄賂。長矩還家。召老臣安井彥右衛門。藤井又左衛門曰。吾將就吉良氏諮訪。宜贈遺之。安井藤井素鄙吝。對曰。此高家之職也。不必遽贈遺。長矩乃就義央問舊儀。義央指授甚疎。長矩啣之。是日。長矩等會城中議事。問義央曰。詔使至。吾等迎之階下邪。義央曰。此等淺近事。君尚不知。而今迫期。急議。無乃爲衆笑邪。會夫人使者梶川與三兵

喋。丈甲切。血流貌。

衛至。謂長矩曰。禮畢告僕。長矩曰。諾。義央從旁謂梶川曰。君所議何事。僕當與聞焉。不然。恐失便宜。長矩色動而起。義央言於列曰。彼不知典故。何以接大賓。長矩不勝忿怒。挺刀擊之。中頭流血。義央眩惑。以手擁面而俯。長矩再擊中背。梶川抱持長矩。衆扶義央避去。將軍聞之大怒。命錮長矩於右京大夫田村建顯邸。以白書院血汗。更見詔使於黑書院。禮畢。將軍召老中相摸守土屋政直曰。天威咫尺。人臣最當戒懼。長矩乃率意鬪狠。喋血城中。速賜死。政直曰。誅長

矩而宥義央。恐招異日之變。將軍不納。遂賜死。十五日。命淡路守脇坂安照。肥後守木下利康。收赤穗城邑。二十六日。上野介吉良義央罷。將軍以義央無罪。命待創愈視事。時人以義央前倨而後怯也。嘲笑不已。彈正大弼上杉綱憲爲義央謝病。請免。許之。

赤穗遺臣復讎　二（野史纂略）　青山延光

先是。長矩訃至赤穗。老臣大石良雄。大野九郎兵衛。會羣臣於城中。來會者三百人。良雄曰。主辱臣死。此誠吾輩死節之秋也。然死固非難。而

社稷

處死實難。諸君欲以何死哉。衆皆曰。枕此城以死耳。亦何議。良雄曰。諸君言固然。但人臣之義。猶有可自効於國家者。當盡力焉耳。今社稷雖亡。有介弟大學君。可以奉先祀。吾等宜以死請幕府。爲先君立後。而幕府不聽。則有一死耳。九郎兵衛執異議。良雄以大義爭之。九郎兵衛不從。良雄乃與原元辰等定計。元辰叱九郎兵衛曰。危急之際。何暇緩議。子不宜在此座。九郎兵衛懼而起。良雄乃遣多川九左衛門。月岡治右衛門於江戶。就受城使哀訴。復會衆議守城。會

盟誓

者僅五十五人。良雄曰。衆離叛如此。將何以守城。不如待公使至。以此意自陳。然後相與自殺城上。以明殉國。衆然之。乃刺血盟誓。夏四月四日。赤穗使者至江戶。脇坂安照等既發。乃與安井彥右衛門。藤井又左衛門謀。詣長矩外親采女正戶田氏定。致良雄言。氏定曰。此大不可。若達幕府。自大學以下重得罪。是羣臣欲忠而反不忠於國也。乃作答書。令二人還報。長矩弟大學長廣。亦使二人諭良雄去城。二人還報。良雄密謂同盟曰。事既至此。吾等死於城。非徒無益。

適足累大學君。吾當去城耳。乃定復讎之謀。初良雄爲長矩所踈於事鮮預。人皆斥爲癡。至是擧國繹騷。文書堆案。處之有方。秩然不紊。衆人歎服。十八日。安照等至赤穂。良雄輸城而去。

赤穂遺臣復讎三（野史纂畧）　青山延光

十五年秋七月十八日。命安藝守淺野綱長錮淺野長廣於安藝。冬十二月十五日。淺野長矩遺臣大石良雄等四十七人。殺前上野介吉良義央復讎。先是將軍錮長廣於安藝。良雄等決意復讎。率同盟至江戸。義央方避仇上杉氏第。

除夜
馘
首實

良雄等憂之。議曰。除夜彼必還家。吾當襲之。已而義央欲設茗宴於家。以十四日還。良雄諜知之。乘曉襲撃。遂獲義央。而衆無識者。乃驗其尸。肩有刀痕。衆喜曰。此非先君之所手撃邪。良雄命馘之。赴泉岳寺。祭長矩墓。遣寺阪信行於安藝。報捷長廣。令吉田兼亮。富森正因詣大目付仙石久尚首實。久尚登城。白將軍。老中阿部正成謂衆曰。今世有節義之士如此。豈非盛事邪。是日。分拘良雄等四十六人於越中守細川綱利。隱岐守松平定直。甲斐守毛利綱元。監物水

食邑

野忠之四家。十六年春二月三日。讓吉良義央子義周不死父難。沒食邑。命安藝守諏訪忠虎錮之。毀其第。爲棄地。賜大石良雄等四十六人死。流其子弟於伊豆大島。先是。將軍議良雄等罪。大學頭林信篤議曰。良雄等報仇。天下之大義也。且其擧動詳愼。莫非所以敬士。若罪其擅用兵器而誅之。將何以奬勵人臣。執政然之。議曰。寛文中。奥平源八率衆報讎。宥而不誅。宜準據此例。然衆議未決。荻生茂卿聞之。謂柳澤吉保曰。聞林氏請宥良雄等。其論固善。然未達時

宜。今宥良雄等。上杉綱憲欲鏖之。淺野吉長欲救之。兩家構難。事將不測。是宥四十餘人。而招天下之禍也。不如殺之。吉保然之。議乃決。將軍猶欲宥之。一日謂公辨法親王曰。赤穂諸士。忠烈無比。殺之可惜。不殺則廢法。將奈之何。法親王不對而退。謂左右曰。將軍之意。蓋欲使吾救諸士也。然吾以爲此輩不死。不足以成萬世之名。所以不救也。是日遂賜死。衆咸遺言。葬長矩墓側。四家皆如其言。賻送甚厚。府下聞之。往弔祭者如市。

弔大石良雄文

室直清

郭芝山　棟宇翬飛　薜蘿　塋　翠微　流離　亡隷　蕞爾

出郭而南二十里。望芝山於海畿。佳城欝欝。茂林菲菲。金偃攸宮。棟宇翬飛。攀薜蘿而上躋。瞻丘墳之巍巍。曰赤穂之君臣爰啓塋于翠微。想侯之殁。曾幾年于今。屹而餘威。大石子曁其徒。諸墓纍纍而環圍。伊昔一體而同仇。死猶喜魂魄相依。慨念當日。猶在目。噫吾去此其安歸。始吾慕乎古人。嘆今世之莫覩。今觀諸子之所爲。反疑初心之殆迂。方諸子之流離。不過爲亡隷遷虜。生嘗仕蕞爾之國。死遂葬邊海之土。而天

都聚　葭莩之親　孚感　淫酗　蠱　三風十愆　家家相祖　技拄　綱維　繩矩　砥節

下仰望。如泰山。賓旅奔赴。如都聚。無尺土之封。而衆宗之。猶臣之尊主。無葭莩之親。而民愛之猶子之戀父。嗟夫孚感之極。有如是耶。吾謂事固有所輕重於世者。未必不係乎命數。自夫文教失宣。天下相尚以武。所賴勇士排難。忠臣禦侮。奈何近世汰侈成俗。淫酗爲蠱。三風十愆。家家相祖。嗟風俗之日頽者。有如將傾之宇。天作赤穂之難。借諸子而技拄。揭六合之綱維。正萬世之繩矩。天地爲之震動。人鬼爲之鼓舞。吾未聞丈夫立志砥節。有若斯之赫赫者。至於沈晦

寗子　留侯　咻　慷慨　歃血

待時。堅忍成謀。同愚寗子。協籌留侯。蓋載在天下之耳目。無爲多言而徒咻。惟私心之感慕。有吾涙之不留。跪陳辭而相弔。庶其有識於幽。

大石良雄舊邸垂絲櫻引

青山延于

元祿辛巳歳。賜死赤穂侯。忿爭一坐法。恨不殺仇讎。赤穂有臣姓大石。慷慨誓將殺主仇。潛匿獨唱同志士。歃血結盟爲主謀。赤穂由來稱好士。群臣皆要相終始。一朝國亡城爲墟。肉食偸生惜一死。纔得

防閑　凜冽　皎潔　糢糊　淋漓　物換星移

壯士四十七。義氣相合各如一。借問當時仇是誰。野州長史姓是吉。邸第不許人出入。防閑日日嚴且密。伺間覘隙運奇籌。破關排門忽復讐。時維嚴冬十二月。北風凜冽寒裂膚。臂上角弓霜皎潔。腰間寶劍血糢糊。提首間行獻侯墓。衣袖淋漓涙不乾。釋兵詣官願就死。觀者圜巷咸悲酸。石氏父子最絶倫。忠肝激烈泣鬼神。物換星移人代改。故國尚有第宅存。昔時遺愛留櫻樹。垂條依舊媚青春。紅線隨風花織

瓊葩　茵　權門貴戚　玉樓　錦繡腸　遐邇　名敎　庸工　刻削　林長孺。號鶴梁。武藏人。明治十一年歿。

錦。瓊葩鋪地草成茵。君不見權門貴戚百歲後。玉樓委地骨亦朽。一時富貴隨流水。園池不知何處是。嗟此一櫻樹。結根托忠良。海內文士錦繡腸。遐邇相傳修詞章。請看忠義扶名敎。英名千載與花芳。

松

賴襄

幾年養就老龍鱗。深壑時爲龍一吟。免得庸工加刻削。萬層雪底歲寒心。

烈士喜劍碑

林長孺

喜劍者。不詳何許人。或云。薩藩士。蓋奇節士也。

遊蕩　自若　承服　魚膾數臠

元祿中赤穗國除。大石良雄去在京師。時物論囂囂。言其有復讐之志。良雄患之。故假歌舞遊衍。以滅人口。一日遊島原妓館。會喜劍亦來遊焉。喜劍素與良雄不相識。然竊希物論。不虛及聞其遊蕩不已。心甚不懌。乃招良雄同飮于一樓。以微言諷之。良雄不應。因更反復直言。良雄猶不應。笑言自若。無承服色。喜劍乃怒目大罵曰。汝眞人面而獸心也。汝主死。汝國亡。汝爲大臣。而不知報仇。非獸而何。余將獸待汝。於是展左脚。盛魚膾數臠于脚指頭。使良雄食之。良雄

舐。神爾切。以舌取物也。

夷然。俯首喫之畢。舐指頭餘瀝。時良雄啞啞之笑聲。與喜劍叱叱之罵聲。喧然聞乎樓外矣。既而喜劍于役江戶。適聞赤穗人報讐事。問之則同謀四十六人。良雄其首也。喜劍愕然曰。吁余死矣。夫余目獸視良雄。乃我目之罪也。余舌獸罵良雄。乃我舌之罪也。余足獸食良雄。乃我足之罪也。余心獸待良雄。乃余心之罪也。一身皆罪。吁。余死矣。於是託病歸國。公私了事。復來江戶。則良雄既與同謀之士皆賜死。葬之江戶泉岳寺中。乃詣其墓。拜曰。我當面謝萬罪于地下。

屠　嘖嘖　齎

耳。乃拔刀屠腹而逝。有人又葬之其墓側。夫喜劍氏。初之與良雄不相識。而希其有義擧。中之直言忠告。至罵而辱之。終之殺身明志。以謝其罪。雖非中行之士。其奇節可謂不恥古之俠者矣。中西伯基亦奇士也。恒喜談忠臣烈士事。嘖嘖不離口。嘗憾喜劍有此奇節。而世多不之知也。欲別建一石于泉岳寺。畧記事蹟。以示後人。乃齎費金若干來。徵文于余。余時年方二十七八。未嘗作金石文字。固辭不可。乃約自今學文十年而後草之。時余貧甚。伯基乃留其金。使余

荏苒。猶侵尋。
檐
帙
傲骨
虛喝

自救。爾來荏苒過二十餘年。今則伯基年踰六秩。余亦五十餘。皆頹然老矣。余乃爲文出金致諸伯基。遂償兩債。嗟乎。喜劍之死。固奇矣。伯基此擧亦奇矣。獨恨余文不奇耳。

冬夜讀書　菅晉卿

雪擁山堂樹影深。檐鈴不動夜沈沈。
閑收亂帙思疑義。一穗青燈萬古心。

寒夜讀書有感　梁川孟緯

雙鬢浪蒼可徵。空餘傲骨故稜稜。學稱經世終虛喝。詩未名家且謾矜。滿眼英雄千

藜床
毾㲪
簾櫳
方寸
不昧鏡
翳

古血。一天風雨五更燈。手披殘卷藜床冷。欲借山僧舊毾㲪。

書院月夜歌　新宮碩

吾營南向宅。闢窗更向東。
庭前松稷稷。掛月落簾櫳。
月似有情者。來照方寸中。
白露夜靜寂。砌邊鳴寒蟲。
百感集心緒。雲出月朦朧。
吾有不昧鏡。月無清明窮。
有物來爲翳。吾心與月同。

貫通
蹉跎
伏櫪
傲骨
優游
老巖阿
闃

月虛忽生晦。心實百感融。
研磨不留跡。物理要貫通。
吾欲學明月。一氣滿太空。

歲暮書懷　青山延于

人間忙裏易蹉跎。十九星霜一瞬過。
伏櫪由來悲不遇。擊壺空自發狂歌。
千秋事業仍難就。萬里雄心竟若何。
傲骨平生無所屈。優游願得老巖阿。

歲暮　廣瀨建

燈殘半壁明。人少連窗闃。

精悍。精强勇悍也。
饘粥
健訟。自强不息。好爲訟也。
豪雋

書童還不眠。相話故鄉事。

高山彥九郎傳　賴襄

高山正之。上野人也。字彥九郎。家世農。正之生而俊異。喜讀書。略通大義。爲人白晳精悍。眼光射人。聲如鐘。有奇節。母死。廬於冢側三年。饘粥不給。骨立如枯木。事聞。官欲旌之。其鄉俗喜博奕。健訟。素嫉正之所爲。誣告於吏。繫之獄。獄胥食之。弗食。已而得出。即辭家遊四方。求豪雋奇傑之士交之。江門人江上關龍。豐前人梁又七輩。最親善。天明季年。歲饑。所在盜起。上野亦不

靖
黷
衷甲
蹋

靖。正之奮袂起曰、不可使吾鄕有此不良事。欲往理之。辭於關龍。關龍欲援之。正之不欲。黷以衷甲。受之獨行。至板橋。時已夜矣。有二男子。在橋上。相嚮臥。兩尻高而頭凹。正之念、不蹋不可行。患之。已而曰、是官道也。彼塞之無狀。蹋可。蹋凹處而過。其人蹶起。竝呼曰、誰蹋吾頭者。拔刀連鋒追擊。正之顧而睨曰、喝。其人辟易。不敢追。遂往。未至其鄕。過一旅店。有喧呼飮酒者。則關龍與又七。帥徒殊途先往。會事平。會飮也。呼正之同醉。俱還。後官獲劇賊渠帥。自語平昔未

股栗
刀欛
喑啞
折節
殷殷。憂也。

嘗遇難當漢。嘗在板橋。要人行劫。遇一眇小丈夫。瞋目呵我。憶之今猶股栗也。關龍善劍。每謂正之曰、子雖以氣服人。不熟武藝。遇眞英雄乃窮矣。正之不服。關龍罵曰、彥九。無用男子。能死斬我。正之憤然欲拔刀。關龍以手壓刀欛。笑曰、止焉。正之喑啞。終弗能拔也。於是折節學劍。每夜自試至千返。乃寢。正之又喜交文學士。聞人說孝子義僕事。雖遠輒往問之。轉述之於人。殷殷淚隨聲墮。談古今君臣順逆跡。慷慨如己與同時。關其事。少入平安。至三條橋東。問皇居何

拜跪
攬。取也。
山廟。蓋謂野州日光山廟。
豎子
澣濯
袴褶

方。人指示之。卽坐地拜跪曰、草莽臣正之。行路聚觀。怪笑不顧也。遊京郊。過足利尊氏墓。數其罪惡。大罵。鞭之三百。故平時見人惡。疾之如仇。一權人專利。中外愁怨。而不敢言。正之與同志語。攬涕曰、噫。公上百不知也。今接故紙。爲幟樹山廟門外。號召。立可得千許人。於誅豎子何有。聞者掩耳。其後弊事悉革。每聞一號令出。喜形於色。正之遊道極廣。公侯時招致之。不辭。嘗抵一侯與政治者。兩童子穿澣濯衣袴褶。饋食甚謹。侯指曰、是小兒輩。欲長者敎誨之。正之聞之

逡巡
剚
秉
揠。拔也。

逡巡。侯曰、勿然。雖余有闕失。願聞之也。正之拜曰、然則有所敢言。往年某處民。兄弟復父讎者。護送之同囚徒。是等事關風敎。願加意焉。侯謝曰、一時指揮不到。後當謹之。其爲世所重。而直己不阿如此。然正之在東。不得意。西遊至筑後。過一關。關吏呵止。正之歸館。自刺。館主人驚問故。不答。曰、吾館子。子自刃死。無他證。又不知其故。吏來檢尸。何辭答之。願勿殊以待。正之曰、諾。剚刃于腹。與劇談至夜分。吏來。秉燭檢之。又問故。不答。固問。曰、狂發而已。乃揠刀深入尺許。卽

好在。猶健在。臨別相告之語。

死臨死。館主問所欲言。正之曰。寄語海內豪傑。好在而已。正之既死。事傳三都。莫知其所以死。或曰。受闕吏辱。慙憤死也。關龍曰。吾數罵人試之眞。欲斬我者。獨正之渠已。果於殺人。故亦果於自殺耳。又七聞之曰。否。否。彥九蓋有所感於夢寐中。爾噫。渠雖夢猶能死者也。

外史氏曰。予幼聞先人善語彥九郎。先人亦嘗數相逢三都間。記其鄉貫係新田郡細谷村人。先世蓋屬南朝者。其好義不無所自云。嘗與客語。及元弘帝逃伯耆事。爭其地名訓讀。正之曰。

不軌之民

覇主

吾嘗再赴伯耆。訪士人識之客。不復能爭其人確實類此。先人嘗欲爲之傳。不果。近讀或書正之事。疑爲不軌之民。冤矣。予故略敍所聞如此。

登二條城樓　　中井積德

皇畿勢何若。　縱目二條城。
樹色東西嶽。　人烟左右京。
廢興幾覇主。　感慨一書生。
天地秋將盡。　臨風意更驚。

偶感　　蒲生秀實

治極民多幸。　悠悠數百年。

吉田矩方。字義卿。號松陰。安政六年。爲幕吏所刑。

赫赫

感時人易老。　懷古夜難眠。
義勇楠河內。　英雄柴筑前。
二公誰可學。　仗劍問蒼天。

獄中上家伯書　　吉田矩方

頑弟矩方再拜。白家伯敎大兄之座下。昔赤穗之國難。有義士四十七人焉。舍身報仇。至今聲名赫赫。在人耳目。童孺婦女。莫不艷稱。而當時拘儒。尙或有異議云。近時海賊猖狂日甚一日。及至今春。遂爲城下盟。而其禍患未知所底。於是忠孝節義之士。皆無不慨然涙下。思雪恥報

豢養　報效

懸絕

誹謗

面縛

仇者。矩方雖鈍劣。世蒙豢養。竊思報效。遂以身犯大典。爲父兄之憂。亦可哀已。然竊謂赤穗諸士。爲主報仇。甘犯城下弄兵之典。矩方爲國效力。甘犯闌出海外之典。一成一敗。雖智愚懸絕。其意何以異哉。世人百喙誹謗。固非所顧也。矩方也不幸。無以成大事。遂致此敗矣。雖欲見父兄。其可得哉。乃上書告永訣。冀恕其不悌不孝之罪。矩方向面縛坐輿。過泉岳寺前。思義士事。作歌曰。加久壽禮波。加久奈留毛乃止。志里那賀良。屋武遖屋末禮努。也滿登駄滿志意。蓋武

盥嗽　鳳闕　寂寞

士之道在于此。願無以私愛惑大義。父母在堂。非大兄上書委曲慰之。亦何以安尊念哉。澁木生無恙。昨見其面。氣象凜凜。不以死生爲念。蓋不愧于寺岡平右衛門者也。願告諸清介。聞大兄蒙命戍三崎。邊塞之狀無堪遙想。至痛至痛。

四月廿四日。矩方再拜。

拜禁闕

吉田矩方

山河襟帶自然城。形勝依然舊神京。

今朝盥嗽拜鳳闕。野人悲泣不能行。

上林黃落秋寂寞。空有山河無變更。

妖氛　八紘　萍　縲紲　斷腸

聞說今上聖明德。敬天憐民發至誠。

鷄鳴乃起親齋戒。祈掃妖氛致太平。

安得天詔勅六師。坐使皇威被八紘。

從來英皇不世出。悠悠失機今公卿。

人生如萍無定在。何日重拜天日明。

獄中有感

吉田矩方

孤身在縲紲。胸間百憂集。

只知有今朝。不知有明日。

曉鴉叫屋上。旭日透獄窓。

拜之空涕涙。聞之又斷腸。

寃　沈吟

斷腸非恨寃。涕涙非惜命。

外患迫吾君。如何此邦政。

又

吉田矩方

燭滅人眠夜已深。孤囚就枕正沈吟。

茫然閉眼又開眼。卽悟生前死後心。

出獄歸省

吉田矩方

十死一生脫獄歸。石田茅屋尚依依。

家翁欣喜出迎我。先拜慈顏涙滿衣。

天橋立

新宮礥

凡天下之勝。嘖嘖於人口者何限。特若奧之松

淼漫　湛碧　禪刹

嶼。藝之嚴島。與我天橋。實天造之妙境。宜其名甲天下也。余皆獲嘗一遊而觀焉。而天橋屬我生里。最悉之。橋之所在。其海曰與謝。砂聚而爲堤。截然劃水。橫列海口。自北而南。亘一里。其幅二十餘步。白砂皎麗。萬松鬱茂。有矗而如騰者。有如蟠者。有如躍者。奇趣淸絕。不可擧而狀。居然謂之造物者之浮橋可也。橋之東。淼漫無際。漁舟漕舶。風帆相逐。水光與天一色。此爲與謝海。橋之西。湛碧爲小湖。如瓶之有口。口狹二十步。舟楫潮汐之所來去呑吐也。西岸有禪刹。門

匾　藍水澄瑩　蒼龍伏波　屏

閣殿宇。巍然可仰。匾曰五臺山。堂上祀文珠像。香火日盛。前有茶店。最佳。眺覽遊者皆憩焉。寺三面臨湖。藍水澄瑩。瑠璃徹底。天橋之蒼翠。與水相映。浦雲渚雨之明滅。落霞與孤鶩。萃於目睫。眞爲高爽脫塵之境。屹然起於橋北者。成相山也。山腹有寺。攀躋半里而近。正面建觀音堂。幽邃古朴。爲千年之靈場。民祈冥福。絡繹不絕。踞而臨天橋。如蒼龍伏波。文珠與謝之諸勝。點點碁布。在乎屏履之間矣。環湖而三邊皆山也。山麓漁家民廛沿水。斷續爲村。粉壁瓦屋錯落

厠　雨暘　攬　咫尺　矚

厠其際。雨暘晦明。雪朝月夕。四時變態不同。宜於釣。宜於網。魚鰕如土。村醪亦可以醉。君子遊此間。高趣雅致。可併而攬於夫嚴島松嶼。不知其優劣果如何也。余以其勝屢語之平塚士梁。士梁素有煙霞之癖。一遊既盡其觀。三井牧山爲士梁之友。聞而羨之。癸卯三月。決計攜畫師雅喬遊焉。使寫其眞景。裝爲一卷。所謂縮天下之勝於咫尺之中。以領於坐臥俯仰之間。豈不愉快乎。矚余記之。余去鄉四十年。忽觀此圖。昔遊恍然在目中。乃欣然把筆記之。

瀲灔　蓬竈　地維　隍　覲　乙卯安政二年也。　祝融

天橋泛舟

新宮磧

澄江瀲灔淨無塵。浪接長天夜若銀。
露滴蘆花翻白雪。魚肥蓬竈斫金鱗。
玻瓈橫斷松三里。玉鏡斜懸月一輪。
爭得文章輝萬古。不輸赤壁泛舟人。

震災行一

齋藤正謙

天柱折地維裂。城復隍陵變谷。禍發關西及關東。彼蒼者天何太酷。余寓江門覲此凶。歲維乙卯月孟冬。百萬人家盡傾覆。祝融佐虐燄上衝。身首縱橫都下遍。載鬼

幽竄　槥須銳切。小棺也。　唁魚戰切。弔生也。　綾羅　甘脆　堯水湯旱　休祥

百車棄幽竄。生無室廬死無槥。一死一生誰弔唁。貴賤運糧如臨軍。上下束裝如赴戰。草屋布障庇風雨。陋如陣營誰擇便。不似平生競豪奢。彫刻粉丹飾室家。衣必綾羅食甘脆。珠礫金塊俗相誇。本是忘亂狃至治。滔滔天下人如醉。一都驚覺繁華夢。不唯地裂恐天墜。杞人之言或省悟。何知地妖非天意。君不見堯水湯旱亦天殃。挽回天心致休祥。即今只要補天手。轉禍爲福豈無方。嗚呼轉禍爲福豈無方。

籋。音聶。與躡同。
彌望皜然
孤山鄧尉羅浮。皆以梅有名
音鬱
熱鬧

梅谿遊記一

齋藤正謙

一目千本。尾山八谷之一也。花最饒。故有此名。蓋比芳野櫻谷云。余與同人出院下。前崖覺山水與梅花皆已佳絶。任意而行。至一大谷。文稼識而言之。徑詰曲而上。花夾之。步出其間。如籋白雲而行。數百步達巓。下顧彌望皜然。與谿山相輝映。余嘗遊芳野。觀其一目千本。有此盛而無此勝。又嘗觀嵐山櫻花。有此勝而無此盛也。更求之西土。以梅花名者。杭之孤山。境蓋幽。花則寥寥。蘇之鄧尉。花頗多。地則熱鬧。唯羅浮梅

蓊葧
螺旋
苔蘚

花村對峻峰。臨寒溪。而花尤饒。庶幾可比我梅谿歟。日已斂昏。花隱淡煙中。千樹依約。不見其所極。暗香蓊葧襲人。聞谿聲益近且大。至咫尺不辨色而後去。

梅谿遊記二

齋藤正謙

還抵嵩村。舍舟上岸。綠竹數畝臨水。亦梅谿中不可少者也。西麓梅花亦多。與月瀨之花相連。爛成銀海。西行數百步。花間得阪。螺旋而上。寔爲月瀨。山腹香雪中。出一大石。苔蘚被之。蒼鬱可愛。踞而少歇。益上至巓。眼界豁然。溪山呈露。

泰山。支那五嶽之一也。
雅馴
天保五年二月
犇奔也。
筐匱

無得藏匿。花溢山塡壑。彌望皜然。譬如登泰山頂下瞰大地。皆白雲是得。梅谿之全眞者也。宜乎月瀨之名獨顯。不止其名雅馴也。適天復陰。雪大至。風薄之。如舞蝶塞空。亦奇觀也。下谿索渡還。

天保火災記

安積信

二月七日午下。火起於神田佐久間巷。時北風方厲。飛燄直踰柳原堤。須臾蔓延。勢疾犇馬。闔都蒼黃如狂。持械器救火者。搬出家具者。乘屋防飛熛者。堵立而觀者。投鏬而偷筐匱者。呼謈

謈。蒲角切。大呼自勉也。
塡咽
跬步
炖。他昆切。風而火盛貌。又火盛熾之貌。
衞音同。通街也。
熸。子廉切。火滅也。又盡也。
翳晦
卓午。正午也。

者。哀號者。負且走者。蟻簇蜂屯。街衢塡咽。不容跬步。炖勢益熾。神田諸衢未燬盡。而火道遠在兩國濱街之間矣。紅光數里。夜明如晝。翌曉始熄。北自泉橋。南至中橋。東自淺草門內。西至本街。其他小網巷。靈巖島。八町堀皆熸。斯已大災矣。越九日。火又起於檜物巷。延燒至西河岸。有街卒數人。乘土庫防之。火忽從庫中發。卽皆翻身投河水。復上岸極力防之。其狂勇類如此。翌十日。西北風甚劇。揚沙捲塵。天日翳晦。人人自危。卓午火果發宮津侯之邸。邸在郭內。所謂大

鬱攸火氣也。飛廉神禽能致風者。焮於月切。煙火貌。燎縱火焚也。刮蓋謂刮聲。爆爆灼也。爆落也。西尾在三河。岩村在美濃。甍莫耕切。屋棟也。所承瓦故从瓦。飛甍謂其高。巘魚列切。高貌。崑岡出玉之山。火炎于崑岡。見尚書。三縁山增上寺。

名小路者。隣竝皆列侯第宅。非復區區市廛之比。鬱攸既暴。加以飛廉之威。烈焰競起。煙焮張天。闔都防火將卒。爭來救之。而燎原之勢。不可響邇。呼號吶喊之聲。與刮刮爆爆相雜。風益怒。火益激。松本西尾岩村岡山津山高知侯諸邸。飛甍巘巘摩天者。猶束稿而爇之。直及德島侯邸。堂廡樓閣。尤爲宏壯。俄頃紅燄騰上。如炎崑岡。先是德島侯承三縁山防火之命。故雖延燒已及邸。奮而不顧。部勒士衆。從煙焮中突出。隊伍齊整。意思閑雅。曾無幾微憂恤之色。所謂公

闤闠。音還潰。市門也。礧落猥切。磈於鬼切。又口猥切。石山貌。

翾飛

耳忘私。國耳忘家。吾邦忠勇之風。非漢人所夢見也。是時飛熛既星散。郭外炎炎而上。分爲二道。一自鍛冶橋至築地。一自數寄屋橋至芝口仙臺邸。竝極海灣而止。火光照波。作殷血色。布帆驚走。如蛺蝶翾飛於桃花林。甚至帆檣爲飛焰所焮。舟人恇駭。泅海而遁。凡三日大災。諸侯邸第。商賈闤闠。天下所稱爲繁華殷賑熱鬧之區者。一時化爲赤土。但見焦瓦燼材。縱橫礧磈。數里相接。長橋平梁。或燒斷。或存其半。高門穹闕。僅有遺礎耳。其餘大刹若西本願寺藥師堂。

烏有。言無也。

攢綴蜿動

金洞山。在妙義。

亦爲烏有。人畜死傷。固不可以悉計。洵爲未曾有之變矣。

登鋸山記

安積信

鋸山爲房總第一勝境。山勢自海岸起。走東南。其尾與清澄小湊諸山相接。以劃斷房總。房陽而總陰。遠望之。群峯刻峭鉏鋙。如鋸牙。故名焉。從保太登數里。老松生於危崖磐石之上。根悉露。筋脈怒張。如萬小蛇攢綴蜿動。前隔大壑。群峯矗矗刺天。向之所謂鋸牙者甚高壯。其中三峯。絕壁千仞。純骨無肉。略似金洞山。峯下岩礮

瀟爽

欵識

錯出。堂閣隱見樹梢。神觀瀟爽。骨戞青玉。有入武陵洞想。再登數里。則仁王門焉。門内古鐘。傳言自海中出。閱欵識。元享元年下野佐野應龍寺所鑄。復登則日本寺焉。係神龜元年行基菩薩剏建。寺後梅花盛開。過寺躡磴。則通天窟焉。欄楯皆石製。造極精。置行基菩薩像。又登數十步。青松列植。崖下即梅林。俯視花頂。極有佳致。又東迤百餘武。三峯屹然。已在頭上。怪巖突出相屬。如行簷底。一巖尤怪詭。疑怒猊張吻磨牙。人傍其吻而行。夔夔恐噬。巖下列置石佛。凡千

毿　下裊　淪。煮也。　榛棘

二百餘軀。小者咫許。大者亦不踰四五尺。碍眼轅趾。名山爲之減價。所謂規方竹杖而毿之者歟。路亦鑿石通之。忽下裊如入井。其口方正如函。俯入數步。豁然天朗。石欄橋長丈許。微泉自絕壁瀉。滙而爲潭。老松倒生壁上。蔭之。作獼猴捉月狀。又旋曲而登。窟中安釋迦及十六羅漢石像。甚精緻。窟外穿洞門者三。草閣立懸崖上。負峰面海。白波青嶂。俱廊廡間物。曰呑海樓。登望最勝。尼媼淪茶烹野簌以供。從閣東復登八九里。兎徑一線。榛莽離離沒人。甚險。絕頂稍夷。

環玦　繚肪　姝眉　闖。出頭貌。　鬅音間。鬢禿也。　淋漓。

可坐數人。而下臨無底之谷。俯視則兩脚俱酸戰矣。是日天氣清霽。遠眺絕奇。自品川金川。以連于三浦三崎。烟波汪洋。如環玦繚肪。浦賀最近。林樾廬舍。依約可辨。箱根足柄天城諸山。佛螺姝眉。稠疊攢蹙。而岳蓮巍然。氣壓萬山。如神聖之拔萃。豆房諸島。磊落横陳。小者若髻。大者若帽。遠者若魚闖波。近者若鰲負山。鬱若翠。赤若鬅。殊態奇狀。競秀獻巧。衣袂以之淋漓。襟懷爲之清壯。寺僧稱爲十州一覽峰。誠天下之偉觀也。巓有細徑。可以達群峰。予不勝興劇。獨披

棘莽　屑屑　曠世之懷

棘莽而進。度二三峰。峰益峻。觀益曠。飄飄然如駕空而登仙。但巒嶂簇簇。不知其所極。乃還。謂翁曰。此山之高。不過數千仞。而諸州山林都邑。藐若蟻壤。設使仙人自天半視之。直撮粟耳。我輩屑屑爭名利。其間得不爲其姍笑耶。翁曰。然。所處益高。則其視下益卑。所立既大。則其小者不能奪。故有鳳凰翔千仞之氣象。不爲區區聲利所動。君能有得焉。洵爲不負此勝矣。相與徘徊四顧。有曠世之懷。

鋸山

安積信

沾　疊嶂　鞋　鐘磬　參錯　芬蒨　捫

日月有虧昃。熊魚難兩得。平生未曾沾一官。天敎看盡數州山。年年探勝凌疊嶂。空翠濕衣秀可餐。去年遊金洞。仙境躡飛鞋。今年登鋸山。十國坐間弄。鋸山攙空高千尋。帝役巨靈刻碧岑。無乃天樂懸鐘磬。虛業維樅何森森。琳宮紫閣相參錯。草樹芬蒨香盈襟。山僧好事費心匠。巖際排置古佛像。援葛捫蘿冒險巇。闖然忽出飛鳥上。俯瞰滄海渺波濤。風帆沙鳥數秋毫。西南長狹東北濶。廻折恰成曲項匏。

皆 紛壁 浦溆 蟻蛭 瓊苞 點綴 戢翅 妥尾

極目江都皆欲裂。何處粉壁皓如雪。浦溆百轉山萬重。濃翠淺碧擁蟻蛭。壯哉蓮峰獨摩天。瓊苞爛然凝秀絕。島嶼磊落珠走盤。林樾村盧巧點綴。孤雲時出天城峰。衆山欲散不散嬾態濃。須臾遠近生靑靄。滅沒如遊龍。壯觀洵可愛。奇幻愈爭態。俯仰盪心胸。淋漓生浩慨。男兒不能垂紳廊廟中。坐使四海致熙隆。又不能立功萬里外。橫行瀚海震百戎。須當遨遊山水間。安能戢翅妥尾受牢籠。明年又將駕長風。

忍岡。東京上野公園總稱也。 髣髴 近習 觸忌

西鄉南洲傳

土屋弘

明治三十一年戊戌秋。西鄉南洲銅像成。建于忍岡。余往觀。容貌魁傑。慨然想見平生壯圖。遂執筆作傳。庶幾得其髣髴也。

西鄉南洲。鹿兒島人也。諱隆盛。稱吉之助。號南洲。仕島津侯齊興。爲近習。侯知其異才。甚愛之。暇日講武。衆汲汲從事。南洲獨如不經意。去釣於江濱。衆惡之。侯笑曰。吉不與汝等群。會大夫某直諫觸忌。賜死。南洲父曰吉藏。常出入其門。大夫贈物爲訣。吉藏抱之泣。南洲時年十四。在側亦泣。父問曰何悲。曰兒恨不能與斯人共直言極諫耳。聞者異之。及長求交於天下名士。其扈從在江戶也。訪藤田東湖于水戶邸。談論數刻。東湖知爲人傑。薦之其主景山。景山乞之島津氏。島津氏辭不遣。南洲去往京師。與淸水法性院僧月照交。月照慷慨。常欲恢復朝權。納交公卿。竊有所計畫。當是時。幕府漸衰。勤王之士起於四方。水戶藩首倡尊攘說。月照令南洲齎近衞氏密旨赴水戶。屢與謀議。於是月照與南洲。爲幕府所指目。近衞氏俾月照避于奈良。

僦 歌曰。大君乃爲爾波。

月照從僕重助。發京師。南洲送至大阪。謂月照曰。奈良褊小。且近接京師。不若暫避于我藩。乃僦船俱載。達赤馬關。南洲先歸鹿兒島。索潛匿之地。而追捕益急。月照走筑前。筑前人平野次郞攜與俱至鹿兒島。南洲驚喜迎之。飮宴談論。如平日。時安政五年十一月也。初南洲之歸也。請舍月照。藩吏不聽。至是南洲一夜旅裝。訪月照寓。具告以故。約俱投水而死。月照呼重助曰。將赴日州。速治裝。出抵海濱。乘舟。時望後一日。月明如晝。南洲置酒舟中。月照書和歌一首示

何加惜加羅
薩摩乃
瀬戸爾身
波沈牟斗
毛

南洲。南洲徐起。朗咏者數。躍投于海。月照繼之。次郎等大驚。令舟子搜之。不獲。已而兩屍相擁浮水面。重助等救護之。舟中。南洲纔蘇。月照卒不蘇。南洲變姓名。自晦。而物議喧然。藩命流于大島。南洲流大島。至此三次。因又改姓名曰大島三右衞門。亡幾。藩主召還。參與政務。及征長之役再起。南洲說藩主。釋京師之變所獲長藩俘囚。還之。繼遣使行成。慶應三年十二月。大將軍德川慶喜奉還政權。朝廷大會公卿諸侯及陪臣。議革新庶政。南洲參畫。建大策。戊辰之春。

部署

官軍徇東海道。南洲爲總督府參謀。抵品川。先進入水戶。德川氏臣勝安房往見南洲。南洲屛兵衞。單身出面。安房具陳慶喜恭順待罪狀。南洲傾聽良久曰。善。遂白之大總督有栖川宮。救護頗力。於是大總督置府于江戶城。以部署諸軍。已而賊奔據箱館。南洲受追討命。臨發謂人曰。吾復命不出三十日矣。果如其言。東北旣平。朝廷特任參議。辭而不受。明治二年。賜賞典祿二千石。以其功最顯也。南洲名遂重天下。六年五月。累進至正三位陸軍大將。此歲南洲大論

明治七年二月。江藤新平等據佐賀起亂。伏誅。

九年十月。熊本神風黨起亂。襲鎭臺兵擊破之。

前原一誠開熊本事起。欲擧兵應之。爲廣島鎭臺兵所擊破。事皆平。

褫

征韓事曰。宜及今伐之。以制東洋形勢。而與在廷諸公議不相協。因稱病歸鹿兒島。朝廷屢召不出。先是辭賞典祿不許。至此盡捐之。置私學于各鄕。敎育藩子弟。亡幾。佐賀萩熊本相踵亂起。將士缺望者皆曰。機不可失。南洲曰。機者何謂也。不聽。當此時。私學生徒氣焰漸熾。世目曰私學黨。十年一月。遂勸南洲擧兵。曰。在廷諸公。不足與有爲。淸君側。決大事。在此時。乃率一萬五千人。發鹿兒島。時二月十五日也。詔褫隆盛官位。南洲取路肥後。與熊本城鎭臺兵戰。攻圍

竄

籌策

王子明。鴻儒王陽明也。

數月。城將谷干城堅守。已而官軍海陸竝進。悉聚于熊本。南洲轉入日向。連戰皆敗。乃取平日所攜革囊。投之火。盡燒機密書。以滅其跡也。九月一日。衝圍取間道。還鹿兒島。據守城山。兵食皆竭。知其不可爲。起曰。此吾死所也。將到岩崎谷。流丸中腰。倒。別府新助走來。斫其頭。竄埋之。曰。不可俾敵得。是月二十四日也。年五十有一。城山崖腹有數坑。爲賊將避彈丸處。坑壁有南洲詩。曰。籌策未成坑中夢。八洲民庶恨秋風。人獲以寶之。南洲通王子學。善詩及書云。初南洲

根據

敗殘狼籍

之起兵也。會諸將議計。弟小兵衛進曰。宜二道竝進。一從日州出豐後。一駕艦襲長崎。取熊本以爲根據。傳令四方。事庶幾成矣。桐野利秋曰。大軍發境。不可不用堂堂正正之陣。出奇兵。似示怯。恐墜我兵威。小兵衛出謂人曰。誤薩摩男兒者。必桐野利秋也。以中隊長。激戰于木山路。遂歿云。

外史氏曰。南洲雄心落落。首倡征韓論者。蓋欲連合東亞諸邦。以當歐米各國也。其志何偉矣哉。惜無教之以一忍字者。遂起無名之師。敗殘

和州烏江縣。有項羽廟。羽之敗走也。烏江亭長檥船。以待羽。羽不渡。事見史記項羽本紀。

甎全

狼藉。前功共廢。雖然一呼而起。健兒銳卒。爭先奔附。信從悅服。猶赤子於慈母。此豈徒爾乎。杜牧題烏江廟云。勝敗兵家不可期。包羞忍恥是男兒。江東子弟多豪俊。卷土重來未可知。亦可以充南洲贊辭矣。

偶成　西鄉隆盛

幾歷辛酸志始堅。丈夫玉碎恥甎全。
我家遺法人知否。不爲兒孫買美田。

山行　西鄉隆盛

驅犬銜雲度萬山。豪然長嘯斷岸間。

毿毿

平野聞慧。豐後日田願正寺僧。號

請看世上人心險。涉歷艱於山路艱。

失題　西鄉隆盛

我有千絲髮。毿毿黑於漆。
我有一寸心。皓皓白於雪。
我髮猶可斷。我心不可截。

幽居　西鄉隆盛

幽居夢覺起茶煙。靈境溫泉洗世緣。
地古山深靜於夜。不聞人語只看天。

熊本城下作　平野聞慧

四面皆賊簇似雲。城在雲中級級分。滿目

古竹。又五岳。明治二十六年歿。

雲梯

火牛

殫力

驀地

今日眞火國。市廛村落一時焚。城中如魚在釜中。城將心居泰山安。破裂丸飛裂焰迸。雲梯笑渠學魯般。忽使萬雷發自地。火牛何必倣田單。六十日間無虛日。攻守一日幾艱難。軍粮如山山亦盡。賴有我兵力能殫。雖能殫力色欲菜。千竈烟絕兵氣寒。知是都督援軍到。大喊聲隔一山聞。城兵驀地出擊賊。賊軍崩去似倒瀾。嗚呼日本國中已無城。唯有此城遮賊氛。守城者誰谷中將。築城者是當年鬼將軍。

秦陳勝。呉廣。相謂曰。王侯將相寧有種乎。今改作乞丐。則極爲惻怛悲痛之語。

紈袴

宮城信夫二女復讐。全係俗說。而流傳已久矣。故云爾。

齠齔

歡心

前孝丐行

大槻清崇

天之降才非爾殊。王公乞丐有種乎。
却恠紈袴之孝子。至性多是在匹夫。
東奥白石有孝丐。兒曰磐二父浦介。
至孫磐五最可驚。一擊復讐何其快。
嗟哉宮城信夫誰家女。作歌新傳一佳話。
磐二純孝出天性。齠齔克服爺孃誨。
及至成童孝愈篤。親之所愛己亦愛。
每日沿門乞一錢。歸來纔能辨魚菜。
到頭不唯養口體。承其歡心匪敢懈。

志女。妻名。

眉黛

羹

炙

母病在床可奈何。夙夜看視不解帶。
其妻志女亦同志。蓬首何遑掃眉黛。
何罪于天母終歿。欲償其罪唯父在。
八十餘齡雖未耄。身病中風奈潦倒。
性好捕魚老未休。洿池川澤無不到。
夫妻助之盡心力。或携或負苦相導。
江魚活潑獲則供。爲羹爲炙唯所好。
城主聞之太感嘆。與米二苞勸其孝。
事達于公郡吏按。果然孝義不待贊。
文政己丑八月日。市尹之宅下賞判。

氷魚雪筍

詩曰。孝子不匱。永錫爾類。

鼓噪

褒曰奇特給青錢。磐則五貫妻三貫。
至孝如斯眞難得。況乃微賤在乞食。
嗟哉氷魚雪筍何足比。二十四孝欲無色。

後孝丐行

大槻清崇

孝子不匱錫爾類。類之近莫若父子。
大磐孝義吾既歌。小磐復讐可無記。
安政之元二月初。沿街鼓噪大黒戲。
春日遲遲欲夕陽。痛飲城頭賣酒肆。
小磐先歸大磐留。醉來去向圓明寺。
忽有惡漢遮途出。汝何爲者一聲詰。

本宮。驛名也。

踪跡

自稱癩坊流寓者。甲呼近松乙富吉。
二聲三聲互喧嘩。寸鐵尺挺鬬未畢。
小磐聞之趨往視。阿爺已斃血流溢。
急入癩坊捕近松。追獲富吉於本宮。
訴之警迹泣且請。此二人者實殺翁。
公議獄成處流竄。檻車遠送江島東。
磐也竊謂流丐兒。一朝遁島未可知。
即日潛形尾踪跡。牡鹿郡中日徘徊。
隔海遙對三國山。山上安置第六天。
流人如破孤島去。登陸定在阿那邊。

明年三月廿八日。大雨無人晝寂然。
一條細路排草往。瞥然認得二兇顏。
父之讐也汝記不。諾聲未畢石爭投。
三尺大棒持在此。一擊欲碎二人頭。
棒斷爲三各取一。神出鬼沒鬪未收。
磐也勢孤殆不免。急拔腰刀刺其喉。
松僵偃地富欲走。一蹶忽被藤蔓留。
直前乘虛擊便死。多年蓄怨今始休。
郡吏具狀告偉擧。理官沈吟徵今古。
如使磐也生良家。擢列士班固其所。

版籍
旌

無奈版籍屬匪人。國有常憲難私處。
終錄賞錢請之君。不知何數得平分。
吾公特斷旌孝烈。永世給賜七貫文。
乃命臣崇作歌曲。謹綴鄙辭了二局。
但使閭藩能傳誦。一新忠孝舊風俗。

漢文讀本卷三終

明治三十七年十二月九日印刷
明治三十七年十二月十二日發行

定價 卷一、金貳拾錢 卷二、三、四、五、各貳拾五錢

著者 東京市青山南町三丁目五十二番地 法貴慶次郎

發行者 東京市京橋區銀座四丁目十五番地 元元堂書房 右代表者 中村銀次郎

印刷者 東京市京橋區西紺屋町廿六七番地 石川金太郎

印刷所 東京市京橋區西紺屋町廿六七番地 株式會社秀英舍

發兌元 東京市京橋區銀座四丁目十五番地 元元堂書房

東京帝國大學文科大學教授文學博士服部宇之吉校閲
東京高等師範學校教諭兼助教授法貴慶次郎編纂

漢文讀本

袁勵準題簽

東京 元元堂書房發行

漢文讀本卷四目次

漢文讀本卷四目次終

漢文讀本卷四

白居易、字樂天。唐朝詩人。　倉廩　司馬光、字君實。宋朝大儒。

勸學文

白居易

有田不耕倉廩虛。有書不教子孫愚。
倉廩虛兮歲月乏。子孫愚兮禮義疎。
若惟不耕與不教。是乃父兄之過歟。

勸學歌

司馬光

養子不教父之過。訓導不嚴師之惰。
父教師嚴兩無外。學問無成子之罪。
煖衣飽食居人倫。視我笑談如土塊。

雲路　匹配　旃　朱熹、字元晦。宋朝碩儒。　逝　愆、韓愈、字退之。唐朝碩儒。

攀高不及下品流。稍遇賢才無與對。
勉後生力求誨。投明師莫自昧。
一朝雲路果然登。姓名亞等呼先輩。
室中若未結親姻。自有佳人求匹配。
勉旃汝等各早修。莫待老來徒自悔。

勸學文

朱熹

勿謂今日不學而有來日。勿謂今年不學而有來年。日月逝矣。歲不我延。嗚呼老矣。是誰之愆。

符讀書城南

韓愈

規矩　梓匠輪輿　提孩　三十骨骼成、乃一龍一豬　蟾蜍　蛆

木之就規矩。在梓匠輪輿。人之能爲人。
由腹有詩書。詩書勤乃有。不勤腹空虛。
欲知學之力。賢愚同一初。由其不能學。
所入遂異閭。兩家各生子。提孩巧相如。
少長聚嬉戲。不殊同隊魚。年至十二三。
頭角稍相疎。二十漸乖張。清溝映汚渠。
三十骨骼成。乃一龍一豬。飛黃騰踏去。
不能顧蟾蜍。一爲馬前卒。鞭背生蟲蛆。
一爲公與相。潭潭府中居。問之何因爾。
學與不學歟。金璧雖重寶。費用難貯儲。

犂鉏　菑畬　潢潦　郊墟　燈火可親　居諸

學問藏之身。身在則有餘。君子與小人。
不繫父母且。不見公與相。起身自犂鉏。
不見三公後。寒饑出無驢。文章豈不貴。
經訓乃菑畬。潢潦無根源。朝滿夕已除。
人不通古今。馬牛而襟裾。行身陷不義。
況望多名譽。時秋積雨霽。新涼入郊墟。
燈火稍可親。簡編可卷舒。豈不旦夕念。
爲爾惜居諸。恩義有相奪。作詩勸躊躇。

霞關感述

佐藤坦

山下一條流。山上花千株。上下相映帶。

彌望
甍碧
駢闐　黃塵
喝道
陳迹
隆替
孟浩。字浩然。盛唐詩人。

彌望霞彩鋪。有關在其側。巍峙守東隅。
譏察通行旅。鎖鑰警不虞。記載傳如此。
眼中今皆無。但見甲第宅。甍碧與門朱。
日日朝參路。駢闐簇馬車。滾滾黃塵起。
喝道人奔趨。昔爲荒冷地。今爲繁華區。
陳迹已茫渺。往事幾變渝。不知後千載。
隆替更何如。

春曉　孟浩

春眠不覺曉。處處聞啼鳥。夜來風雨聲。
花落知多少。

杜牧。晩唐詩人。酒旗。酒肆之標。昔梁武帝信佛。寄進佛寺。鳴呼。今六朝之城墟。已無。唯見四百八十寺零落頽廢耳。十八史略。元曾先之撰。先之字從野。
如
惣
受命之君
彲。神獸。

江南春　杜牧

千里鶯啼綠映紅。水村山郭酒旗風。
南朝四百八十寺。多少樓臺烟雨中。

伯叔諫武王（十八史略）　曾先之

西伯修德。諸侯歸之。虞芮爭田。不能決。乃如周。入界見耕者。皆遜畔。民俗皆讓長。二人惣。相謂曰。吾所爭。周人所恥。乃不見西伯而還。俱讓其田。不取。漢南歸西伯者四十國。皆以爲受命之君。三分天下。有其二。有呂尚者。東海上人。窮困年老。漁釣至周。西伯將獵。卜之。曰。非龍。非彲。非熊。非羆。非虎。非貔。所獲霸王之

貔。音毘。猛獸。
陽。水北也。
悛
木主。神主。
干戈

輔。果遇呂尚於渭水之陽。與語大悅曰。自吾先君大公曰。當有聖人適周。周因以興。子眞是耶。吾太公望子久矣。故號之曰太公望。載與俱歸。立爲師。謂之師尚父。西伯卒。子發立。是爲武王。東觀兵至於盟津。白魚入王舟中。王俯取以祭。既渡。有火自上復于下。至于王屋。流爲烏。其色赤。其聲魄。是時諸侯不期而會者八百。皆曰。紂可伐矣。王不可。引歸。紂不悛。王乃伐紂。載西伯木主以行。伯夷叔齊叩馬諫曰。父死不葬。爰及干戈。可謂孝乎。以臣弑君。可謂仁乎。左右欲兵之。太公曰。義士也。扶而去之。王既滅殷爲天子。追尊

古公。武王曾祖父。公季。武王祖父。
薇
神農虞夏
我安適歸
徂
命
適於義

古公爲太王。公季爲王季。西伯爲文王。天下宗周。伯夷叔齊恥之。不食周粟。隱於首陽山。作歌曰。登彼西山兮。采其薇矣。以暴易暴兮。不知其非矣。神農虞夏。忽焉沒兮。我安適歸矣。于嗟徂兮。命之衰矣。遂餓而死。

伯夷頌　韓愈

士之特立獨行。適於義而已。不顧人之是非。皆豪傑之士。信道篤。而自知明者也。一家非之。力行而不惑者寡矣。至於一國一州非之。力行而不惑者。蓋天下一人而已矣。若至於擧世非之。力行而不惑者。則千

微子　祭器

百年乃一人而已耳。若伯夷者。窮天地亘萬世而不顧者也。昭乎日月不足爲明。崒乎泰山不足爲高。巍乎天地不足爲容也。當殷之亡。周之興。微子賢也。抱祭器而去之。武王周公聖也。從天下之賢士。與天下之諸侯。而往攻之。未嘗聞有非之者也。彼伯夷叔齊者。乃獨以爲不可。殷既滅矣。天下宗周。彼二子乃獨恥食其粟。餓死而不顧。由是而言。夫豈有求而爲哉。信道篤。而自知明也。今世之所謂士者。一凡人譽之。則自以爲有餘。一凡人沮之。則自以爲不足。彼獨非聖人。而自是如此。夫聖人乃萬世之標準也。予故曰。

糾。桓公弟。　傅。　鉤　薦

若伯夷者。特立獨行。窮天地亘萬世。而不顧者也。雖然微二子。亂臣賊子。接迹於後世矣。

管鮑之交（十八史略）　曾先之

齊桓公。太公望呂尙之後也。五霸桓公爲始。名小白。兄襄公無道。群弟恐禍及。子糾奔魯。管仲傅之。小白奔莒。鮑叔傅之。襄公爲弟無知所弑。無知亦爲人所殺。齊人召小白於莒。而魯亦發兵送糾。管仲嘗遮莒道。射小白中帶鉤。小白先至齊而立。鮑叔牙薦管仲爲政。公置怨而用之。仲字夷吾。嘗與鮑叔賈分利多自與。鮑叔不以爲貧。知仲貧也。嘗謀事窮困。鮑叔不

一則云云。桓公語。仲父尊稱。　唐杜甫。字子美。　唐沈千運。呉興人。　坼

以爲愚。知時有利不利也。嘗三戰三走。鮑叔不以爲怯。知仲有老母也。仲曰。生我者父母。知我者鮑子也。桓公九合諸侯。一匡天下。皆仲之謀。一則仲父。二則仲父。

貧交行　杜甫

飜手作雲覆手雨。紛紛輕薄何須數。
君不見管鮑貧時交。此道今人棄如土。

感懷示弟妹　沈千運

今日天氣暖。東風杏花坼。筋力久不如。
却羨澗中石。神仙杳難信。中壽稀滿百。

孔子。宋太子弗父何後。何玄孫孔父嘉爲宋督所殺。其子奔魯。遂以孔爲氏。

近世多夭傷。喜見鬢髮白。杖藜竹樹間。
宛宛舊行跡。豈知林園主。却是林園客。
兄弟所存半。空爲亡者惜。冥冥無再期。
哀哀望松栢。骨肉能幾人。年大自疎隔。
性情誰免此。與我不相易。唯願得爾輩。
相看慰朝夕。平生茲已矣。此外盡非適。

孔子（十八史略）　曾先之

孔子名丘。字仲尼。其先宋人也。孔氏滅於宋。其後適魯。有叔梁紇者。與顏氏女禱於尼山。而生孔子。孔子爲兒嬉戲。常陳俎豆。設禮容。長爲季氏吏。料量平。嘗

樴、畜牛羊之處。
季孟、魯二卿。
陽虎、季氏家臣。
桓魋、宋司馬。
顙、額。
皐陶、堯賢人。
子産、鄭賢人。
纍纍然、如喪家狗。
竇鳴犢、舜華、共晉賢大夫。

爲司樴吏。畜蕃息。適周問禮於老子。反而弟子稍益進。適齊。齊景公將待以季孟之閒。孔子反魯。定公用之不終。適衛。將適陳。過匡。匡人嘗爲陽虎所暴。孔子貌類陽虎。止之。既免。反于衛。醜靈公所爲去之。過曹適宋。與弟子習禮大樹下。桓魋伐拔其樹。適鄭。鄭人曰。東門有人。其顙似堯。其項類皐陶。其肩類子産。自要以下。不及禹三寸。纍纍然若喪家狗。適陳。又適衛。將西見趙簡子。至河。聞竇鳴犢舜華殺死。臨河歎曰。美哉水。洋洋乎。丘之不濟。此命也。反于衛。適陳。適蔡。如葉。反于蔡。楚使人聘之。陳蔡大夫謀曰。孔子用於

詩云、小雅何草不黄篇。
古者二十五家爲里。里各立社。則書其社之人名於籍。
韋、皮也。
論語云、文學子游子夏。

楚。則陳蔡危矣。相與發徒。圍之於野。孔子曰。詩云。匪兕匪虎。率彼曠野。吾道非邪。吾何爲於是。子貢曰。夫子道至大。天下莫能容。顏回曰。不容何病。然後見君子。楚昭王興師迎之。乃得至楚。將封以書社地七百里。令尹子西不可。孔子反于衛。季康子迎歸魯。哀公問政。終不能用。乃序書。上自唐虞。下至秦繆。刪古詩三千。爲三百五篇。皆絃歌之。禮樂自此可述。晩而喜易。序彖象繫辭説卦文言。讀易。韋編三絶。因魯史記作春秋。自隱至哀十二公。絶筆於獲麟。筆則筆。削則削。子夏之徒。不能贊一辭。弟子三千人。身通六藝者。

六藝、禮樂射御書數。
史記、漢司馬遷撰。遷字子長。
低徊
折中
徳川齊昭、水戸贈大納言烈公。

七十有二人。年七十三而卒。子鯉。字伯魚。早死。孫伋。字子思。作中庸。

孔子贊（史記）

司馬遷

太史公曰。詩有之。高山仰止。景行行止。雖不能至。然心鄕往之。余讀孔氏書。想見其爲人。適魯觀仲尼廟堂車服禮器。諸生以時習禮其家。余低徊留之。不能去云。天下君王至于賢人衆矣。當時則榮。沒則已焉。孔子布衣傳十餘世。學者宗之。自天子王侯。家國言六藝者。折中於夫子。可謂至聖矣。

弘道館記

徳川齊昭

猷
尙
陵夷
東照公、原作東照宮。

弘道者何。人能弘道也。道者何。天地之大經。而生民不可須臾離者也。弘道之館。何爲而設也。恭惟上古神聖。立極垂統。天地位焉。萬物育焉。其所以照臨六合。統御宇內者。未嘗不由斯道也。寶祚以之無窮。國體以之尊嚴。蒼生以之安寧。蠻夷戎狄以之率服。而聖子神孫。尙不肯自足。樂取於人以爲善。乃若西土唐虞三代之治敎。資以贊皇猷。於是斯道愈大愈明。而無復尙焉。中世以降。異端邪說。誣民惑世。俗儒曲學。舍此從彼。皇化陵夷。禍亂相踵。大道之不明於世。也蓋亦久矣。我東照公。撥亂反正。尊王攘夷。允武允

威公。德川頼房。家康十一子。
義公。德川光圀。頼房次子。
伯夷、叔齊。
藩屏
唐虞三代

文。以開太平之基。吾祖威公。實受封於東土。夙慕日本武尊之爲人。尊神道。繕武備。義公繼述。嘗發感於夷齊。更崇儒教。明倫正名。以藩屏於國家。爾來百數十年。世承遺緒。沐浴恩澤。以至今日。則苟爲臣子者。豈可弗思所以推弘斯道。發揚先德乎。此則館之所以爲設也。抑夫祀建御雷神者何。以其亮天功於草昧。留威靈於玆土。欲原其始。報其本。使民知斯道之所繇來也。其營孔子廟者何。以唐虞三代之道。折衷於此。欲欽其德。資其教。使人知斯道之所以益大且明不偶然也。嗚嘑。我國中士民。夙夜匪懈。出入斯館。

郢。楚都。
臥薪

奉神州之道。資西土之教。忠孝无二。文武不岐。學問事業不殊其效。敬神崇儒。無有偏黨。集衆思。宣群力。以報國家無窮之恩。則豈徒祖宗之志弗墜。神皇在天之靈。亦將降鑒焉。設斯館以統其治教者誰。權中納言。從三位。源朝臣齊昭也。

吳越之怨（十八史略）　曾先之

吳王闔廬。擧伍員謀國事。員字子胥。楚人伍奢之子。奢誅而奔吳。以吳兵入郢。吳伐越。闔廬傷而死。子夫差立。子胥復事之。夫差志復讎。朝夕臥薪中。出入使人呼曰。夫差而忘越人之殺而父邪。周敬王二十六

嘗膽
屬鏤。劍名。
檟。棺材。
鴟夷。馬革囊。
姑蘇。臺名。在吳都。
成。和也。

年。夫差敗越于夫椒。越王勾踐。以餘兵棲會稽山。請爲臣。妻爲妾。子胥言不可。太宰伯嚭受越賂。說夫差赦越。勾踐反國。懸膽於坐臥。仰膽嘗之曰。女忘會稽之恥邪。擧國政屬大夫種。而與范蠡治兵。事謀吳。太宰嚭譖子胥恥謀不用怨望。夫差乃賜子胥屬鏤之劍。子胥告其家人曰。必樹吾墓檟。檟可材也。抉吾目懸東門。以觀越兵之滅吳。乃自剄。夫差取其尸。盛以鴟夷。投之江。吳人憐之。立祠江上。命曰胥山。越十年生聚。十年教訓。周元王四年。越伐吳。吳三戰三北。夫差上姑蘇。亦請成於越。范蠡不可。夫差曰。吾無以見

幎冒。面衣也。
長頸烏喙
牸。音字。牝也。

子胥。爲幎冒乃死。越既滅吳。范蠡去之。遺大夫種書曰。越王爲人長頸烏喙。可與共患難。不可與共安樂。子何不去。種稱疾不朝。或讒種且作亂。賜劍死。范蠡裝其輕寶珠玉。與私從乘舟江湖。浮海出齊。變姓名。自謂鴟夷子皮。父子治產。至數千萬。齊人聞其賢以爲相。蠡喟然曰。居家致千金。居官致卿相。此布衣之極也。久受尊名不祥。乃歸相印。盡散其財。懷重寶間行。止於陶。自謂陶朱公。貲累鉅萬。魯人猗頓往問術焉。蠡曰。畜五牸。乃大畜牛羊於猗氏。十年間。貲擬王公。故天下言富者。稱陶朱猗頓。

唐李白。字太白。

呉王夫差。都蘇州。有桂苑姑蘇臺。

鷓鴣

天保八年。丁酉。兩藩謂伊勢津伊賀上野。

崎嶇

蘇臺覽古　李白

舊苑荒臺楊柳新。菱歌清唱不勝春。
只今惟有西江月。曾照呉王宮裡人。

越中懷古　李白

越王勾踐破呉歸。義士還家盡錦衣。
宮女如花滿春殿。只今惟有鷓鴣飛。

下岐蘇川記　齋藤正謙

天保丁酉四月。余竣役。與兩藩士俱自江戸還。取路東山。舍輿歩行。旁探名勝。五月四日。下十三嶺。晩宿伏見驛。連日崎嶇。經涉山間。頗疲。至奴輩把槍荷鎧

瘏痡・病也。

喧豗

辰。今所謂午前八時也。

艣

操縱

倏忽

粧點

水簾

潭

者。或瘏痡不能起。且聞水路之勝。熟矣。因謀賃舟下岐蘇川。至桑名。殆二十里。不一日而達。乃召舟人戒之。翌日夙起。趨水濱求舟。舟人家在前岸樹林中。閉戸未起。阻以灘聲喧豗。累呼不達。唇焦舌燥。久之乃應。與其兒艤舟來迎。日已加辰。乃發。舟狹長。薄板爲之。呼爲鸕飼。兒纔十二歲耳。父在舳。兒在艫。各持艣。操縱甚習。灘急舟走。兩崖巒巘。一時皆搖。當前所見。倏忽在後。唯見岸行山走。而不覺舟移。山皆石身戴土。松爲之髮。而紅杜鵑粧點於其間。腥血如滴。又處處有水簾懸焉。緌緌灑灑。墜於潭石上。石皆奇狀。羅

渴驥

陸離。美好貌。

畫有皴法。大小斧劈等。皆皴法名也。

荊。荊浩。關。關同。倪。倪瓚。黃。黃公望也。

虀粉

捩

飛沫

列兩岸。或特立若柱。或柝裂若門。或若渴驥飲澗。或若臥牛橫道。五色陸離相間。皴率作大小斧劈。間有作荷葉披麻者。濯波浪以出。交替去來。不暇應接。蓋譎詭變幻中。帶清秀深穩之態。非荊關之筆。倪黃之手。不能狀也。雖僕隸輩不解山水之趣者。皆連呼奇不絶聲。忽遇一大巖屹立水中。舟殆觸之。少誤則虀粉矣。衆懼而默。舟人笑捩柁避之。輒掠巖角過。如此者數處。未嘗差絲毫。但經巖際。波激舟舞。飛沫撲人。衣袂盡濕。回視僕從。各握兩把汗。殆無人色。舟人甚閒暇。從容吹煙而坐。視上流船併力挽上者。難易懸

尾張犬山城。

粉壁

砉然

廣。恐宏之誤。盛廣之所著。有荊州記。鄘道元所著。有水經注。李白詩後出。

己。今所謂午前十時也。

脆美

絶。已而離峽。漸平遠。犬山城露於翠微上。粉壁鮮明。衆望見歡然。比至城下。又有暗礁礙舟。砉然欲裂。衆復相顧瞿然。過此以往。漁舟相望。歌唱互答。衆心始降矣。蓋始發抵此。爲陸行半日之程。不一餉時而至。其快可知矣。嘗讀盛廣之鄘道元所記。誇稱江水迅急之狀。至唐李白述其意云。千里江陵一日還。平生竊疑以爲文人虛談。今過此際。始知其不誣也。但舟行甚迅。不能徐翫峽中之勝。爲可恨已。又三里抵笠松。鳴鐘方報己。登憩岸上店。目猶眩。仰見屋緣。動搖不定。瞑坐良久乃止。進鱒。脆美媚口。此行跋涉山谷。

枕藉

喧聒

倥偬

五月五日。爲端午節。屈屈原也。漢土人五月五日浮舟以弔屈原云。汨羅在長沙縣。屈原投身之處。

蔬食彌旬。獲之以解菜飯。已。復入舟。岸愈濶。水愈緩。險阻已遠。無復可觀。枕藉而臥。風方逆。舟人用力。搰搰甚勞。艣聲喧聒。使人煩冤。午下稍得風便。揚帆復走。衆乃睡熟。比醒達於桑名。日尙高。謝遣舟人。登陸而行。至四日市宿焉。自伏見至此。殆爲二日半路程。道上行見家家挿菖蒲。彩旗翩然飜風。衆在行旅。倥偬涉日。殆忘月日。至是乃知屬端午節。不圖今日舟行。爲弔屈之擧。抑亦奇矣。且舟凌危險。布帆無恙。免爲汨羅之鬼。不亦厚幸乎。蓋天下之至奇至美者。每在於艱難危險之地。不獨山水之勝也。求之者。比於

入虎穴探龍頷

白帝。白帝城也。

入虎穴。探龍頷。危而後有所獲矣。余於是乎有感焉。未可以語千金之子也。姑記之。以示苦學勵行之人。

下岐蘇川　　賴襄

蘇水遙遙入海流。櫓聲雁語帶鄉愁。
獨在天涯年欲暮。一篷風雪下濃州。

下江陵　　李白

朝辭白帝彩雲間。千里江陵一日還。
兩岸猿聲啼不住。輕舟已過萬重山。

豫讓報讐（十八史略）　　曾先之

襄子漆智伯之頭。以爲飲器。智伯之臣豫讓。欲爲之

匕首。短劍。

委質

厲

晉趙氏。世稱趙孟。如知氏世稱知伯。

報仇。乃詐爲刑人。挾匕首。入襄子宮中。塗厠。襄子如厠。心動。索之獲讓。問曰。子不嘗事范中行氏乎。智伯滅之。子不爲報讐。反委質於智伯。智伯死。子獨何爲報仇之深也。曰。范中行氏。衆人遇我。我故衆人報之。智伯國士遇我。我故國士報之。襄子曰。義士也。舍之。謹避而已。讓漆身爲厲。呑炭爲啞。行乞於市。其妻不識也。其友識之曰。以子之才。臣事趙孟。必得近幸。子乃爲所欲爲。顧不易邪。何乃自苦如此。讓曰。不可。既委質爲臣。又求殺之。是二心也。凡吾所爲者。極難耳。然所以爲此者。將以愧天下後世。爲人臣懷二心者

醢

孤

涓人。主酒掃。左右親近也。

也。襄子出。讓伏橋下。襄子馬驚。索之得讓。遂殺之。

郭隗自薦（十八史略）　　曾先之

燕易王噲。以國讓其相子之。南面行王事。而噲不聽政。顧爲臣。國大亂。齊伐燕取之。醢子之而殺噲。燕人立太子平爲君。是爲昭王。弔死問生。卑辭厚幣。以招賢者。問郭隗曰。齊因孤之國亂。而襲破燕。孤極知燕小。不足以報。誠得賢士與共國。以雪先王之恥。孤之願也。先生視可者。得身事之。隗曰。古之君。有以千金使涓人求千里馬者。買死馬骨五百金而返。君怒。涓人曰。死馬且買之。況生者乎。馬今至矣。不期年。千里

亞卿

田單。齊將軍也。

馬至者三。今王必欲致士。先從隗始。況賢於隗者。豈遠千里哉。於是昭王爲隗改築宮。師事之。於是士爭趨燕。樂毅自魏往。以爲亞卿。任國政。已而使毅伐齊。入臨淄。齊王出走。毅乘勝。六月之間。下齊七十餘城。惟莒卽墨不下。昭王卒。惠王立。惠王爲太子。已不快於毅。田單乃縱反間曰。毅與新王有隙。不敢歸。以伐齊爲名。齊人惟恐他將來卽墨殘矣。惠王果疑毅。乃使騎劫代將。而召毅。毅奔趙。田單遂得破燕。而復齊城。

范雎報恩怨（十八史略）　曾先之

秦昭襄王稷立。有魏人范雎者。嘗從須賈使齊。齊王

簀

溺尿同。

遠交近攻之策

間步

綈袍

聞其辯口。乃賜之金及牛酒。賈疑雎以國陰事告齊。歸告魏相魏齊。魏齊怒笞擊雎。折脅拉齒。雎佯死。卷以簀置厠中。使醉客更溺之。以懲後。雎告守者得出。更姓名曰張祿。秦使者王稽至魏。潛載與歸。薦于昭襄王。以爲客卿。教以遠交近攻之策。時穰侯魏冉用事。雎說王廢之。而代爲丞相。號應侯。魏使須賈聘秦。雎敝衣間步往見之。賈驚曰。范叔固無恙乎。留坐飲食。曰范叔一寒如此哉。取一綈袍贈之。遂爲賈御至相府。曰我爲君先入通于相君。賈見其久不出。問門下。門下曰。無范叔。鄉者吾相張君也。賈知見欺。乃膝

莝豆

睚眦。瞋目之貌。

從音蹤。

行入謝罪。雎坐責讓之曰。爾所以得不死者。以綈袍戀戀。尚有故人之意爾。乃大供具。請諸賓客。置莝豆其前。而馬食之。使歸告魏王曰。速斬魏齊頭來。不然且屠大梁。賈歸告魏齊。魏齊出走而死。雎既得志于秦。一飯之德必償。睚眦之怨必報。王既用雎策。歲加兵三晉。斬首數萬。周赧王恐。與諸侯約從欲伐秦。秦攻周。赧王入秦。頓首請罪。盡獻其邑三十六。周亡。秦將武安君白起。與范雎有隙。廢爲士伍。賜劍死于杜郵。王臨朝而歎曰。內無良將。外多强敵。雎懼。蔡澤曰。四時之序成功者去。雎稱病。澤代之。

辟穀。不食穀以學仙術也。

赤松子。神農時仙人也。

圯音夷。楚人謂橋曰圯。

毆

太公。太公

張良（十八史略）　曾先之

留侯張良。謝病辟穀。曰。家世相韓。韓滅爲韓報讎。今以三寸舌爲帝者師。封萬戸侯。此布衣之極。願棄人間事。從赤松子遊耳。良少時。於下邳圯上遇老人。墮履圯下。謂良曰。孺子下取履。良欲毆之。憫其老。乃下取履。老人以足受之。曰。孺子可教。後五日。與我期於此。良如期往。老人已先在。怒曰。與長者期。後何也。復約五日。及往老人又先在。怒。復約五日。良半夜往。老人至。乃喜。授以一編書。曰。讀此可爲帝者師。異日見濟北穀城山下黄石。卽我也。且視之乃太公兵法。良

望也。

宋蘇軾字子瞻。號東坡居士。

挺身

異之。晝夜習讀。既佐高帝定天下。帝封功臣。使良自擇三萬戶。良曰。臣始與陛下遇於留。此天以臣授陛下。封留足矣。後經穀城。果得黃石焉。奉祠之。

留侯論

蘇軾

古之所謂豪傑之士。必有過人之節。人情有所不能忍者。匹夫見辱。抜劍而起。挺身而鬪。此不足爲勇也。天下有大勇者。卒然臨之而不驚。無故加之而不怒。此其所挾持者甚大。而其志甚遠也。夫子房受書於圯上之老人也。其事甚怪。然亦安知其非秦之世。有隱君子者。出而試之。觀其所以微見其意者。皆聖賢

刀鋸鼎鑊

賁育。孟賁夏育。

間不容髮

千金之子不死於盜賊

伊尹相湯伐桀。太公望佐武王伐紂。

荊軻聶政。刺客也。

張良五世

相與警戒之義。而世不察。以爲鬼物。亦已過矣。且其意不在書。當韓之亡。秦之盛也。以刀鋸鼎鑊。待天下之士。其平居無事夷滅者。不可勝數。雖有賁育。無所獲施。夫持法太急者。其鋒不可犯。而其勢未可乘。子房不忍忿忿之心。以匹夫力。而逞於一擊之閒。當此之時。子房之不死者。其閒不能容髮。蓋亦危矣。千金之子。不死於盜賊。何者其身可愛。而盜賊之不足以死也。子房以蓋世之才。不爲伊尹太公之謀。而特出荊軻聶政之計。以僥倖於不死。此圯上老人所爲深惜者也。是故倨傲鮮腆。而深折之。彼其能有所忍也。

相韓。韓亡。欲爲報仇。始皇東遊。至博浪沙。中良令力士操鐵椎。擊之。鮮美。鮮腆腆厚。厚尊自好。義也大之。肉祖。勧

然後可以就大事。故曰。孺子可教也。楚莊王伐鄭。鄭伯肉袒牽羊以逆。莊王曰。其君能下人。必信用其民矣。遂舍之。勾踐之困於會稽。而歸臣妾於吳者。三年而不勧。且夫有報人之志。而不能下人者。是匹夫之剛也。夫老人者以爲子房才有餘。而憂其度量之不足。故深折其少年剛鋭之氣。使之忍小忿而就大謀。何則非有平生之素。卒然相遇於草野之閒。而命以僕妾之役。油然而不怪者。此固秦皇之所不能驚。而項籍之所不能怒也。觀夫高祖之所以勝。項籍之所以敗者。在能忍與不能忍之閒而已矣。項籍唯不能

淮陰韓信。

魁梧

竹添進一郎。號井々。

赤松黃石亡無也。

祇唯也。

忍。是以百戰百勝。而輕用其鋒。高祖忍之。養其全鋒。而待其弊。此子房教之也。當淮陰破齊而欲自王。高祖發怒見於辭色。由是觀之。猶有剛强不能忍之氣。非子房其誰全之。太史公疑子房。以爲魁梧奇偉。而其狀貌乃如婦人女子。不稱其志氣。嗚呼。此其所以爲子房歟。

留侯祠

竹添進一郎

水自涓涓山自葱。祠堂深鎖夕陽中。
赤松應在荒唐境。黃石終歸亡是公。
祇願報韓全素志。敢言佐漢奏奇功。

史家徒説知幾早。千古無人識苦衷。

經下邳圯橋懷張子房　李白

子房未虎嘯。破産不爲家。滄海得壯士。椎秦博浪沙。報韓雖不成。天地皆震動。潛匿遊下邳。豈曰非智勇。我來圯橋上。懷古欽英風。唯見碧水流。曾無黄石公。嘆息此人去。蕭條徐泗空。

徐泗。徐州泗水也。

韓信一（十八史略）　曾先之

初淮陰韓信。家貧釣城下。有漂母見信饑飯信。信曰。吾必厚報母。母怒曰。大丈夫不能自食。吾哀王孫而

王孫。猶言

進食。豈望報乎。淮陰屠中少年。有侮信者。因衆辱之曰。若雖長大好帶劒。中情怯耳。能死刺我。不能出我胯下。信孰視之。俛出胯下蒲伏。一市人皆笑信怯。項梁渡淮。信從之。又數以策干項羽。不用。亡歸漢。爲治粟都尉。數與蕭何語。何奇之。王至南鄭。將士皆謳歌思歸。多道亡。信度何已數言。王不用。即亡去。何自追之。人曰。丞相何亡。王怒。如失左右手。何來謁王。王罵曰。若亡何也。曰。追韓信。王曰。諸將亡以十數。公無所追。追信詐也。何曰。諸將易得耳。信國士無雙。王必欲長王漢中。無所事信。必欲爭天下。非信無可與計事者。

公子。尊稱也。　屠。屠肉也。　俛蒲伏。干求也。　治粟都尉。掌治藏穀。

王曰。吾亦欲東耳。安能鬱鬱久居是乎。何曰。計必東。能用信。信即留。不然信終亡耳。王曰。吾爲公以爲將。何曰。不留也。王曰。以爲大將。何曰。幸甚。王素慢無禮。拜大將如呼小兒。此信所以去。乃設壇場具禮。諸將皆喜。人人自以爲得大將。至拜乃韓信也。一軍皆驚。王遂用信計。部署諸將。

壇場　部署

韓信二（十八史略）　曾先之

魏王豹叛漢。王遣韓信擊之。豹以柏直爲大將。王曰。是口尚乳臭。安能當韓信。信伏兵從夏陽以木罌渡軍。襲安邑。虜豹。信既定魏。請兵三萬人。願以北擧燕

乳臭　木罌

趙。東擊齊。南絶楚糧道。西與大王會於滎陽。王遣張耳與俱。三年。信耳以兵擊趙。聚兵井陘口。趙王歇及成安君陳餘禦之。李左車謂餘曰。井陘之道。車不得方軌。騎不得成列。其勢糧食必在後。願得奇兵從間道絶其輜重。足下深溝高壘勿與戰。彼前不得鬭。退不得還。野無所掠。不十日。兩將之頭可致麾下。餘儒者。自稱義兵。不用奇計。信間知之。大喜。乃敢下。未至井陘口止。夜半傳發輕騎二千人。人持赤幟。從間道望趙軍。戒曰。趙見我走必空壁逐我。若疾入趙壁。拔趙幟。立漢赤幟。乃使萬人先背水陣。平旦建大將旗

方竝。軌轍也。方軌。竝行也。　傳。傳令軍中也。

殊死

右倍山陵前左水澤

背水之陣

陷之死地而後生置之亡地而後存

逼帝閽

鼓。鼓行出井陘口。趙開壁擊之。戰良久。信耳佯棄鼓旗。走水上軍。趙果空壁逐之。水上軍皆殊死戰。趙軍已失信等。歸壁。見赤幟。大驚。遂亂遁走。漢軍夾擊。大破之。斬陳餘。禽趙歇。諸將賀因問曰。兵法右倍山陵。前左水澤。今背水而勝何也。信曰。兵法不曰。陷之死地而後生。置之亡地而後存乎。諸將皆服。信募得李左車。解縛師事之。用其策。遣辯士奉書於燕。燕從風而靡。

讀淮陰侯傳　齋藤正謙

將壇陳策動乾坤。　忽見飛騰逼帝閽。

劉長卿。唐朝詩人。

楚漢即亡。唯見楚水流耳。

客自指也。

客以渚蘋薦墓。

杜鵑啼愁漂母。

隆準。沛公。

重瞳。項羽。

漂母呼信曰王孫。

酇侯。蕭何。

須識一伸緣一屈。　少年跨下是龍門。

經漂母墓　劉長卿

昔賢懷一飯。　茲事已千古。　古墓樵人識。

前朝楚水流。　渚蘋行客薦。　山木杜鵑愁。

春草年年綠。　王孫舊此遊。

馬道驛北一水曰樊河。相傳酇侯追淮陰至此及之。　竹添進一郎

隆準是盲龍。　重龍乃沐猴。

天下幾人識英雄。　獨有漂母與酇侯。

一夜東遁鞭匹馬。　非我負漢漢負我。

韓信與項羽將鍾離昧有舊。羽亡歸信。信欲持其首以獻高祖。昧曰。漢所以不擊取楚(信時為楚王)以昧在公所。若欲捕我以媚於漢。吾今日死。公隨亡矣。卒自剄。信以其首謁高祖。上令武士縛信。信曰。果若人言。狡兎死。良狗烹。高鳥盡。良弓藏。敵國破。謀臣亡。天下已定。我固當烹。呂后使武士

樊河水漲不可行。　下馬河上藉草坐。

無端聽取碧蹄聲。　何人履我呼我名。

厚意未報一飯德。　回鞭且酬知己情。

却有神駿留化石。　禍機似諷狗烹客。

千載鐘室有誰弔。　石馬不嘶山月白。

蘇武（十八史略）　曾先之

中郎將蘇武。武帝天漢元年。使匈奴。單于欲降之。使漢降人衞律誘以富貴。武不應。律曰。不聽吾言。後欲復見我。尙可得乎。武罵曰。汝為人臣子。不顧恩義。為降虜於蠻夷。何以汝為見。律白單于。乃幽武置大窖

縛信。斬之長樂鐘室。

窖

羝。牡羊也。

生子曰乳。

節旄

中。絕不飲食。武齧雪與旃毛并咽之。數日不死。匈奴以為神。徙武北海上無人處。使牧羝。曰。羝乳乃得歸。武掘野鼠。去草實而食之。臥起持漢節。節旄盡落。武素善李陵。及降匈奴。亦謂武曰。人生如朝露。何自苦如此。武曰。臣事君。猶子事父也。子為父死。無所恨。不肯。陵喟然歎曰。嗟乎義士。至昭帝始元六年。漢使者至匈奴。求武等。匈奴詭言。武已死。漢使知之。言天子射上林中。得雁。足有帛書云。武在大澤中。匈奴不能隱。乃遣武。武留匈奴十九年。始以強壯出。及還。鬚髮盡白。拜為典屬國。

李陵別蘇武詩有攜手上河梁及不覺涙沾裳之句

瀲清也

岧嶤

蘇武　李白

蘇武在匈奴。十年持漢節。
白雁上林飛。空傳一書札。
牧羊邊地苦。落日歸心絶。
渴飲月窟水。飢餐天上雪。
東還沙塞遠。北愴河梁別。
泣把李陵衣。相看涙成血。

上妙義山記　安積信

十九日。曉起闢窗。月影在地。今日晴可知矣。促裝出舍。抵松枝。從驛中南折。涉白井川。行平原。天果瀲霽。四顧無纖雲。妙義山自北起。分裂爲數峰。岧嶤疊翠。一巨峰最峻拔。林麓隱隱見人家。卽廟祠所在。稍南

簷

蘭錡

崇墉

一峰奇偉如側弁。又其南與之肩隨而爭詭狀者。爲金雞山。予喜不自勝。鼓勇疾進。須臾抵妙義驛。連簷百餘家皆逆旅。躡石磴數百級。廟宇宏麗。樓門華整。扁曰白雲山。妙義別名也。下磴左折。入金洞山。山在白雲金雞間。故俗稱中岳。行里許。山轉谷闢。雜樹蒼蔚。有大石。嵲立路傍。清泉自其中流出。仰視群峰。峭拔數千仞。如排劍戟於蘭錡。曰辨天峰。絶壁峻擧。如崇墉之托霄上。曰鼓子崖。左則金雞諸峰。嵾嵾如卓綠蠟。曰天燭峰。鼓子崖之西。亂峰環匝。怪巖錯峙。有一洞門。玲瓏漏天光。曰仙人巖。金雞山又有洞門。並

峨眉天台

范寬倪迂

傴僂

堵牆

黝

在絶巓。人迹所不能及。遊眺至此。毛髮皆躍。疑所謂峨眉天台之勝。正復如此。恨無范寬倪迂寫貌之耳。坂路頗峻。傴僂而上。天燭峰既轉在左腋。稍進。峰巒愈益爭出。皆壁立數千仞。近覆頭上。勢欲頹墮。詭態非一。尖稜者如錐鑿。直裂者如矛殳。孤聳者如筍簴。盤亘者如堵牆。或黝或赭。廝皴沓蹙。青樹翠蔓。蒙絡搖綴。奇怪變幻。不可盡狀。山腹有寺。曰巖高寺。見寺僧。首問石門。僧曰。此山有東西之勝。石門在東。大日峰在西。宜先登大日峰。若石門極險絶。待明日可也。乃使一童爲導。過寺。拾石磴百餘級。有武尊祠。祠後

咆嘷

翎翎

一巖。飛起可三十丈。大石翼其左右。其中有窟。置小祠。曰金洞窟。自窟而北。怪巖下垂如簷。其下有開山道士長清碑。道士不詳其姓。父仕小田原北條氏。爲人所害。道士入金洞山。學劍。遂復讐。復來隱焉。居恒執鐵如意。終日端坐。行則曳鐵杖。蹈鐵屐。往來如飛。時有暴風雨。鬼夜哭。猛獸咆嘷。道士正色叱之輒止。壽百四十八。事詳于碑。安永中。上毛高克明所撰。神仙有無。不可思議。然茲山幽奇絶境。宜爲仙靈所托。其事必不誣矣。又躋數百步。大石如厦屋者。累累倚疊。其隙僅咫尺。翎翎若不容。曰磨鬚岩。脫雄刀。蝸附

拱 揖

晡

穹窿

而出其上。又有大石。最雄偉。石人踞焉。曰大日峰。箕坐而望。群峰環列。相去甚近。其高者。釋迦缶。金剛峰。五臺巖。稍卑者。大黑岩。鬼面巖。其餘狂峰怪嶺。皆嶄嶄起自峻谷。直上雲霄。若迎若送。若拱若揖。若翔若蹲。奇態萬狀。洵爲一山絕勝。而予所踞大日峰。亦甚峻絕。群峰高者。可仰捫其面。卑者。可俯撮其髻。下視峻谷不測。樹頂廡茀。長風冷然自遠而至。衣袂寒擧。懍乎不可久留。乃下山。日未晡。遊興復奮。請探石門。僧擇諳山路者爲導。循來路行數里。得第一門。穹窿突兀。可五十丈。兩棖相距十丈許。色黝質堅。矮樹駁

黝

蒙茸

僂屑

棖楣

蘚生其上。仰之。如刳丘山而存其形。似石非石。土精凝結。千古不塌。造物者之妙。胡爲乎奇搆如是。門左右。亂峰簇擁。門內一峰端。若植圭。行纔數步。無復蹊徑。披蒙茸。攀巉巖。則第二門突立危巖之上。上裹下狹。形偏倚。類折風巾。其高減第一門三之一。四邊峻絕。可望不可至。自此益危險。攀葛入谷。捫蘿陟崖。槁葉僂屑。鳥獸絕踪。導者亦屢迷方嚮。遂得第三門。高僅居第二門四之一。棖楣甚厚。儼然巨竈。而其下空洞通人。若闉闍然。踞其閫而憩。氣定乃行。崖谷益邃。古木偃臥。大數圍。莫有人採之者。雨淋日炙。純白若

虬

鵬

玉虬。陟降數里。至第四門。開豁廣大。與第一門相抗。屋最怪偉。如鵬之張翼。左右懸崖。與屋相屬。如虹橋。可踏而度。然一失足卽粉虀。寧可貪奇與性命爭邪。門前隔大壑。奇峰羅拱。有拗折如鐵如意者。有孤峯如筆頭者。有上巍而下峭。如承露盤者。怪木斜懸。古蘿倒垂。非圖畫可擬。導者云。此間山鬼所捿託。人能至者。數歲僅一二焉。時落日下絕壁。氣象蕭瑟。不類人間世。急覓舊蹊。入寺宿焉。予嘗聞好遊者之言曰。天下山水。明媚者易得。而奇絕者不易得。至若金洞。眞天下之奇絕也。今觀之。果然。其峰巒皆拔地巉立。

撼

字句長短。全倣周茂源遊巀倉山歌。

輈

純骨無肉。與他山絕異。豈造化之初。神氣所融結而成。其奇秀固如是歟。將數千年前。爲疾雷暴雨所震撼。山崩崖圻。土沙消剝而精骨獨存。以爲峰巒。爲門闕歟。安得就山靈而叩之。

遊妙義金洞山歌　　安積信

眞宰鍾淑靈。　茲山爲誰設。
置之遐僻門。　煙雪閟秀傑。
王侯不獲通華輈。　側身西望徒搔頭。
乃知造化經綸非無意。　欲使吾儕獨作汗漫游。
紅塵揮手去。　蘿葛勞攀援。

仙豪

磵磴磨軋

縹紗

紫府蓬山

塵寰

崒嵂

所聞眞不濫。靈壤太奇軒。
仙豪昔乘白牛至。驅役神鬼闢乾坤。
幽絕非人境。古洞白日昏。
上有劒鋩排空之疊嶂。下有鵬翼垂天之石門。
細路崎嶇緣一髮。磵磴與身相磨軋。
縹紗忽出最上頭。群峰突兀露純骨。
入紫府。凌蓬山。
天風吹袂。嵐翠撲顏。
神魂頓飛動。浩然隘塵寰。
下瞰大壑千尋崒嵂無涯際。

苯䔿

青林萬樹森蔚苯䔿如麻纇。
夕陽時來照。金碧爛相輝。
雲靄忽開闔。光怪弄化機。
何料人間有此靈異境。
宜哉仙豪避世抗迹掩巖扉。
冥搜更入峻谷裡。絕巘奇峰互飛起。
壁立無階不可升。樛木倒懸纏壽藟。
石橋蜿蜒架虹霓。天台之梁何足擬。
云是山靈所棲居。烈風暴雨定如何。
崖崩石落猛獸震。時有天鼓鞳鞺振林墟。

深夜聞擊鼓聲震山林。不知爲何物。

恍惚

虞夏

資治通鑑。宋司馬光撰。

二子。謂劉琦劉琮。

奧區多神異。恍惚誠叵測。
誰爲獨往人。縋幽窮勝迹。
吁嗟乎人間富貴功名如雲烟。
蠻觸相爭殊可憐。鳳不鳴兮虞夏遠。
不如來此結茅椽。

赤壁之戰 一（資治通鑑）　司馬光

初。魯肅聞劉表卒。言於孫權曰。荊州與國鄰接。江山險固。沃野萬里。士民殷富。若據而有之。此帝王之資也。今劉表新亡。二子不協。軍中諸將各有彼此。劉備天下梟雄。與操有隙。寄寓於表。表惡其能而不能用

殷勤

劉備。先爲豫州牧。孫權。爲討虜大將軍。

也。若備與彼協心。上下齊同。則宜撫安與結盟好。如有離違。宜別圖之以濟大事。肅請得奉命。弔表二子。幷慰勞其軍中用事者。及說備使撫表衆。同心一意。共治曹操。備必喜而從命。如其克諧。天下可定也。今不速往。恐爲操所先。權卽遣肅行。到夏口。聞操已向荊州。晨夜兼道。比至南郡。而琮已降。備南走。肅徑迎之。與備會于當陽長坂。肅宣權旨。論天下事勢。致殷勤之意。且問備曰。豫州今欲何至。備曰。與蒼梧太守吳巨有舊。欲往投之。肅曰。孫討虜聰明仁惠。敬賢禮士。江表英豪。咸歸附之。已據有六郡。兵精糧多。足以

芟夷

立事。今爲君計。莫若遣腹心自結於東。以共濟世業。而欲投呉巨。巨是凡人。偏在遠郡。行將爲人所併。豈足託乎。備甚悅。肅又謂諸葛亮曰。我子瑜友也。卽共定交。子瑜者亮兄瑾也。避亂江東。爲孫權長史。備用肅計。進住鄂縣之樊口。曹操自江陵將順江東下。諸葛亮謂劉備曰。事急矣。請奉命求救於孫將軍。遂與魯肅俱詣孫權。亮見權於柴桑。說權曰。海內大亂。將軍起兵江東。劉豫州收衆漢南。與曹操共爭天下。今操芟夷大難。略已平矣。遂破荊州。威震四海。英雄無用武之地。故豫州遁逃至此。願將軍量力而處之。若

抗衡

漢高祖時。齊田橫義不臣於漢。

受制於人

能以呉越之衆。與中國抗衡。不如蚤與之絕。若不能。何不按兵束甲。北面而事之。今將軍外託服從之名。而內懷猶豫之計。事急而不斷。禍至無日矣。權曰。苟如君言。劉豫州何不遂事之乎。亮曰。田橫齊之壯士耳。猶守義不辱。況劉豫州王室之冑。英才蓋世。衆士慕仰。若水之歸海。若事之不濟。此乃天也。安能復爲之下乎。權勃然曰。吾不能舉全呉之地。十萬之衆。受制於人。吾計決矣。非劉豫州莫可以當曹操者。然豫州新敗之後。安能抗此難乎。亮曰。豫州軍雖敗於長坂。今戰士還者。及關羽水軍。精甲萬人。劉琦合江夏

強弩之末勢不能穿魯縞

孫子云。百里而趨利者蹶上將。

鼎足之勢

旌麾

戰士亦不下萬人。曹操之衆遠來疲敝。聞追豫州。輕騎一日一夜。行三百餘里。此所謂強弩之末勢不能穿魯縞者也。故兵法忌之。曰。必蹶上將軍。且北方之人。不習水戰。又荊州之民附操者。偪兵勢耳。非心服也。今將軍誠能命猛將。統兵數萬。與豫州協規同力。破操軍必矣。操軍敗必北還。如此則荊呉之勢強。鼎足之形成矣。成敗之機。在於今日。權大悅。與其群下謀之。

赤壁之戰二（資治通鑑）　司馬光

是時。曹操遺權書曰。近者奉辭伐罪。旌麾南指。劉琮

蒙衝鬪艦

束手。今治水軍八十萬衆。方與將軍會獵於呉。權以示臣下。莫不響震失色。長史張昭等曰。曹公豺虎也。挾天子以征四方。動以朝廷爲辭。今日拒之。事更不順。且將軍大勢可以拒操者長江也。今操得荊州。奄有其地。劉表治水軍。蒙衝鬪艦。乃以千數。操悉浮以沿江。兼有步兵。水陸俱下。此爲長江之險。已與我共之矣。而勢力衆寡。又不可論。愚謂大計不如迎之。魯肅獨不言。權起更衣。肅追於宇下。權知其意。執肅手曰。卿欲何言。肅曰。向察衆人之議。專欲誤將軍。不足與圖大事。今肅可迎操耳。如將軍不可也。何以言之。

下曹從事。諸曹從事之最下者。

今肅迎操。操當以肅還付鄉黨。品其名位。猶不失下曹從事。乘犢車。從吏卒。交游士林。累官故不失州郡也。將軍迎操。欲安所歸乎。願早定大計。莫用衆人之議也。權歎息曰。諸人持議。甚失孤望。今卿廓開大計。正與孤同。時周瑜受使至番陽。肅勸權召瑜還。瑜至。謂權曰。操雖託名漢相。其實漢賊也。將軍以神武雄才。兼仗父兄之烈。割據江東。地方數千里。兵精足用。英雄樂業。當橫行天下。爲漢家除殘去穢。況操自送死。而可迎之邪。請爲將軍籌之。今北土未平。馬超韓遂尙在關西。爲操後患。而操舍鞍馬。仗舟楫。與吳越

爭衡

二袁。謂袁術袁紹。

爭衡。今又盛寒。馬無藁草。驅中國士衆。遠涉江湖之間。不習水土。必生疾病。此數者。用兵之患也。而操冒行之。將軍禽操。宜在今日。瑜請得精兵數萬人。進住夏口。保爲將軍破之。權曰。老賊欲廢漢自立久矣。徒忌二袁呂布劉表與孤耳。今數雄已滅。惟孤尙存。孤與老賊。勢不兩立。君言當擊。甚與孤合。此天以君授孤也。因拔刀斫前奏案。曰。諸將吏敢復有言當迎操者。與此案同。乃罷會。

赤壁之戰 三 (資治通鑑)

司馬光

是夜。瑜復見權曰。諸人徒見操書言水步八十萬。而

周瑜字公瑾。張昭字子布。秦松字文表。文原作元。恐誤。

魯肅字子敬。程公。程普也。

邂逅

各恐懾。不復料其虛實。便開此議。甚無謂也。今以實校之。彼所將中國人。不過十五六萬。且已久疲。所得表衆。亦極七八萬耳。尙懷狐疑。夫以疲病之卒。御狐疑之衆。衆數雖多。甚未足畏。瑜得精兵五萬。自足制之。願將軍勿慮。權撫其背曰。公瑾。卿言至此。甚合孤心。子布文表諸人。各顧妻子。挾持私慮。深失所望。獨卿與子敬。與孤同耳。此天以卿二人贊孤也。五萬兵難卒合。已選三萬人。船糧戰具俱辦。卿與子敬程公。便在前發。孤當續發人衆。多載資糧。爲卿後援。卿能辨之者誠決。邂逅不如意。便還就孤。孤當與孟德決

曹操字孟德

邏吏

委署。委。弃也。署。置也。屈威。謂能自屈其威而來見

愧喜

之。遂以周瑜程普。爲左右督。將兵與備幷力逆操。以魯肅。爲贊軍校尉。助畫方略。劉備在樊口。日遣邏吏於水次。候望權軍。吏望見瑜船。馳往白備。備遣人慰勞之。瑜曰。有軍任。不可得委署。儻能屈威。誠副其所望。備乃乘單舸往見瑜曰。今拒曹公。深爲得計。戰卒有幾。瑜曰。三萬人。備曰。恨少。瑜曰。此自足用。豫州但觀瑜破之。備欲呼魯肅等共會語。瑜曰。受命不得妄委署。若欲見子敬。可別過之。備深愧喜。進與操遇於赤壁。時操軍衆已有疾疫。初一交戰。操軍不利。引次江北。瑜等在南岸。瑜部將黃蓋曰。今寇衆我寡。難與

漢獻帝建安十三年。

營落

持久。操軍方連船艦。首尾相接。可燒而走也。乃取蒙衝鬪艦十艘。載燥荻枯柴。灌油其中。裹以帷幕。上建旌旗。豫備走舸。繫於其尾。先以書遺操。詐云欲降。時東南風急。蓋以十艦最著前。中江擧帆。餘船以次俱進。操軍吏士。皆出營立觀。指言蓋降。去北軍二里餘。同時發火。火烈風猛。船往如箭。燒盡北船。延及岸上營落。頃之。煙炎張天。人馬燒溺。死者甚衆。瑜等率輕銳。繼其後。雷鼓大震。北軍大壞。操引軍從華容道步走。遇泥濘。道不通。天又大風。悉使羸兵負艸塡之。騎乃得過。羸兵爲人馬所蹈藉。陷泥中死者甚衆。劉備

袁枚字子才。號簡齋。又隨園。清朝詩人。

周瑜嘗以劉備比蛟龍。

周瑜。水陸並進。追操至南郡。時操軍兼以飢疫。死者大半。操乃留征南將軍曹仁。橫野將軍徐晃。守江陵。折衝將軍樂進。守襄陽。引軍北還。

赤壁　袁枚

一面東風百萬軍。當年此處定三分。
漢家火德終燒賊。池上蛟龍竟得雲。
江水自流秋渺渺。漁燈猶照荻紛紛。
我來不共吹簫客。烏鵲寒聲靜夜聞。

壇浦行　賴襄

畿甸之山如龍尾。蜿蜒曳海千餘里。

膺

兜鍪

直到長門伏復起。隔海豐山呼欲膺。
帆檣林立北岸市。吾自平安來。
行循山勢與之偕。驚看海門潮勢如奔雷。
屈曲與山相擊排。南望豫山青一髮。
海水漸狹如囊括。想見九郎驅敵來。
平氏如魚源氏獺。岸蹙水淺誰得脫。
海鹿吹波鼓聲死。稗龍出沒狂瀾紫。
敗鱗蔽海春風腥。蒼溟變作桃花水。
獨有介蟲喚姓平。沙際至今尙橫行。
兜鍪貂蟬兩一夢。唯見海山蒼蒼連神京。

鬼武。源右大將小字。

羅紈

山日落。海如墨。
何物遮船夜啾唧。吾語寃魂且休哭。
汝不聞鬼武之鬼亦不免餒。
身後豚犬交相食。

望廬山瀑布　李白

日照香鑪生紫烟。遙看瀑布挂長川。
飛流直下三千尺。疑是銀河落九天。

夏日作　白居易

葛衣疏且單。紗帽輕復寬。一衣與一帽。
可以過炎天。止於便吾體。何必被羅紈。

笋筍同。　腥膻　天閼

宿雨林笋嫩。晨露園葵鮮。烹葵炮嫩笋。
可以備朝餐。止於適吾口。何必飲腥膻。
飯訖盥漱已。捫腹方果然。婆娑庭前步。
安穩窓下眠。外養物不費。内歸心不煩。
不費用難盡。不煩神易安。庶幾無天閼。
得以終天年。

登嶽記

松島坦

己亥之夏。余寓昌平黌。暑甚。几研無聊。諷誦殆廢。偶上含雪樓。望富嶽於西南之際。如白髮老翁於烟雲中。招余以清風者。壯心爲之勃興。遂決策而遊。發以

倩　華表　牧豎　仄

七月初八。抵上吉田。投祝史家。主人曰。嶽高五千餘仭。周廻三百六十里。登道呼十里爲一合。每合設屋以憩。登者自合至升而止。從之至第一舍。三十里而遙。路稍稍仰。幸有農馬。可以備困憊也。十一日詰旦。倩嚮道。出喬木離立閒。有華表。樓門華整。嶽神祠在焉。結構壯麗。奉香火者。陸續相屬。過祠則牧豎繫馬而俟。乃跨而行。麓野曠濶。草花種種盛開。有茅店。賣菓餠。曰回馬。登山者至此下馬而徒。路始崎嶇。漸抵二合。險仄難步。購杖以行。忽入林莽。古木僵仆。土中往往見炭。堅如石。寶永年閒所焚者也。抵五合。童然

磬折　禹蟲也。　石蘇草名。　捫持也。

草木不生。其峻寒可知。右得一華表。扁曰小御嶽。磬折而入三四里許。老樹陰森。有祠。亦宏麗。祀役小角。以開山也。左折而登。潰砂錯錯。一前一却。惟跟導者之迹而進。直上數里。燒石如禹餘糧。碎破散布。隨步墮墜。雖巖角或可援攀者。觸輒壓倒。警不敢近。有禽班鴿類鶉。磔磔啄石蘇。見人則穿雲飛。土人呼爲天鳥。抵七合。天色晦冥。暴風驟雨。颯颯雺雺。自脚底捲上。咫尺不辨。衣袂悉濕。晡時投八合石室。就火燎衣。沽酒禦寒。夜將三更。雲收月出嶽背。暉光倒射。夜色凉蒼。星斗熒熒可捫。彷彿如聞河漢聲。終宵凄然。不

交睫　磊砢　繚纏也、縈收卷也。　駮　旭曦

能交睫。翌日昧早起。霜露大降。候如隆冬。添衣而發。逕極險峻。磊砢崩下。後者頭接前者踵。各角健而登。未百步輒息。息復登。余欲仆者數。困頓息迫。踞休歇。下有混濛不可名狀者。須臾天向曉。蒙蒙回旋。如鎔銀。忽如散綿。良久風收。渾成一片。則輪囷如靈芝駢頭叢生。所謂雲海也。俄而風吹。蓬蓬然如白練搖曳于空中。少焉繚黃縈紫。紅線閃爍。雲駮霧解。旭曦踊躍。回出于海。曈曨如鏡。暉光映發。目眩不可正視。實宇宙閒一大奇觀也。於是氣暖體伸。仰見石燈。謂絕頂既近。喜不自勝。抃躍鼓勇而進。不覺達于巓。則兩

壯佼　斫　偃蹇　崱屴　螘　鬪鰲

耳六葉。如人肺狀。所謂八朶峯也。中央有陷窪。似水虎頭。深二三十仭。側身臨見。冰雪皚皚玉堆。壯佼鋸斫之。又遇荷擔者。試嚼之。齒牙爽冽。蓋懸之爐上。融釋滴瀝。以盤受之。匝窪外凡十里。風常迅。勢如奔馬。動爲所捲去。是日天朗無風。遠眺極佳。左迤而行。導者指曰。雄峻奇聳。如筆格者。信之八嶽也。偃蹇肩隨。而爭譎詭狀者。甲之駒嶽也。岝崿崱屴如覆簣者。稜峭孤立。如文筆者。信濃御嶽與越中劒峰也。秀拔而玲瓏者。賀之白山也。其餘如髻。如螺。如螘。如垤。如廈屋。高下起伏。如萬里波濤。如魚鬪水。如鰲負山。攢簇

傴僂　欹　谺谺　浮黛

沓蹙。不可指名。而皆富嶽之兒孫。環膝下者。加之涵湖點綴。水色沈碧。亦一種之觀也。陟降轉回。傴僂而行。一巒突出。如附疣者。爲寶永山。路徐夷。而左絕壑。右陷窪。宛如行馬鬣上。欹足而過。則巉巖嶄峭。中開階梯通路。攀而躋。疊石爲井。井水瑩徹。掬飮凜冽。名曰金銀水。愈右則大石螺砢。巨石蹲其上。嶸立四五丈。岌乎欲墮。其隙通人處僅尺。谺谺若不容。蝸附而往。龜伏而出。則豁然開明。南方諸山。胚胎于雲堆中。其決裂處。或露頂。或見腰。時三穗松林。接港而斜出。如象鼻。其洲渚與薩陲山趾交袵。浮黛蒼翠。縹緲如

跏趺　礙輆　九閽　御風躡虛

畫圖。此際列置銅佛。跏趺相望。頗礙目輆足。甚可厭。廻復來路。天風漸起。冷冷吹髮。眼界有小天下之意。既而余題石曰。天保十年七月中浣。備後福山人。江木戩。豐前中津人。藤木煥。信濃諏訪人。松島坦朝山。導者曰。宜穿重鞋。扶杖而下。乃輕裝從之。沙礫磊砢。與身轉下。石齒稜峭。芒發嚙足。傷痛欲止。而勢急捷。不可須臾佇。佇瞬息五十里。忽至半腹。自覺此身凌五千餘仭之巓。聽號鷄於九閽。觀浴日於半霄。翛然生翰羽。御風躡虛。企然下下界也。余初以爲富嶽蟠于三州。高不稱其麓。而及登嶽。則知麓稱其高也。噫

靖獻遺言。淺見安正編。安正號綱齋。近江人。正德元年歿。年六十。　臥龍

嘻。磅地摩天。巍巍乎秀于千古者。自非有此麓。曷能爲此高哉。

諸葛亮 一（靖獻遺言）　淺見安正

亮字孔明。瑯琊人。寓居襄陽隆中。躬耕隴畝。時漢室衰亂。四海分裂。姦賊相爭。涿郡劉備者。景帝子中山靖王之後也。自以王室之胄。由微賤起兵。以圖興復。是爲昭烈皇帝。在荊州未得志。訪士於襄陽司馬徽。徽以亮答。徐庶亦謂昭烈曰。諸葛孔明臥龍也。將軍豈願見之乎。昭烈曰。君與俱來。庶曰。此人可就見。不可屈致也。將軍宜枉駕顧之。昭烈由是詣亮。凡三往

簞食壺漿

僭號

乃見昭烈。因曰。漢室傾頽。姦臣竊命。孤不度德量力。欲信大義於天下。計將安出。亮爲畫策而曰。將軍既帝室之胄。信義著於四海。百姓孰敢不簞食壺漿以迎將軍者乎。誠如是則漢室可興矣。昭烈善之。亮自是從昭烈。履險竭力以相之。約吳破曹。遂定荊蜀。以爲興復之基矣。既而曹丕廢獻帝。簒位僭號。蜀中傳言。帝已遇害。於是昭烈發喪制服。遂自漢中王即皇帝位。改元。以亮爲丞相。委國事。繼昭烈討吳。還于永安。病篤。乃命亮輔太子禪。謂亮曰。君必能終定大事。嗣子可輔輔之。如其不可。君可自取。亮涕泣曰。臣敢

勑飭同。

不竭股肱之力。效忠貞之節。繼之以死。昭烈又詔勑禪曰。勿以惡小而爲之。勿以善小而不爲。惟賢惟德。可以服人。汝與丞相從事。事之如父。遂崩。亮既受遺詔。奉喪還成都。禪即位。是稱後帝。時年十七。封亮爲武鄉侯。政事咸取決焉。亮乃約官職。修法制。發教群下。以求直言。以必攘除姦凶。興復漢室。爲己任。既討雍闓等。定南中。建興五年。率諸軍。出屯漢中。以圖中原。臨發上表云。

前出師表

諸葛亮

先帝創業未半。而中道崩殂。今天下三分。益州疲弊。

菲薄

宮中禁中也府中大將軍幕府

臧否

此誠危急存亡之秋也。然侍衛之臣。不懈於內。忠志之士。忘身於外者。蓋追先帝之殊遇。欲報之於陛下也。誠宜開張聖聽。以光先帝遺德。恢弘志士之氣。不宜妄自菲薄。引喩失義。以塞忠諫之路也。宮中府中俱爲一體。陟罰臧否。不宜異同。若有作姦犯科及爲忠善者。宜付有司。論其刑賞。以昭陛下平明之理。不宜偏私。使內外異法也。侍中侍郎郭攸之。費禕董允等。此皆良實。志慮忠純。是以先帝簡拔。以遺陛下。愚以爲宮中之事。事無大小。悉以咨之。然後施行。必能裨補闕漏。有所廣益。將軍向寵。性行淑均。曉暢軍事。

侍中尚書陳震長史參軍蔣琬

傾覆指操敗備于當陽長坂

試用於昔日。先帝稱之曰能。是以衆議擧寵爲督。愚以爲營中之事。悉以咨之。必能使行陳和睦。優劣得所。親賢臣。遠小人。此先漢所以興隆也。親小人。遠賢臣。此後漢所以傾頽也。先帝在時。每與臣論此事。未嘗不歎息痛恨於桓靈也。侍中尚書長史參軍。此悉端良死節之臣也。願陛下親之信之。則漢室之隆。可計日而待也。臣本布衣。躬耕南陽。苟全性命於亂世。不求聞達於諸侯。先帝不以臣卑鄙。猥自枉屈。三顧臣於草廬之中。諮臣以當世之事。由是感激。遂許先帝以驅馳。後値傾覆。受任於敗軍之際。奉命於危難

大事

瀘。水名。出牂牁郡。

不毛

之間。爾來二十有一年矣。先帝知臣謹愼。故臨崩。寄臣以大事也。受命以來。夙夜憂歎。恐託付不效。以傷先帝之明。故五月渡瀘。深入不毛。今南方已定。甲兵已足。當奬率三軍。北定中原。庶竭駑鈍。攘除姦凶。興復漢室。還于舊都。此臣所以報先帝而忠陛下之職分也。至於斟酌損益進盡忠言。則攸之褘允之任也。願陛下託臣以討賊興復之效。不效則治臣之罪。以告先帝之靈。責攸之褘允等之慢。以章其咎。陛下亦宜自謀以諮諏善道。察納雅言。深追先帝遺詔。臣不勝受恩感激。今當遠離。臨表涕零。不知所言。

按

甄

諸葛亮二（靖獻遺言）　淺見安正

亮已上前表。率大軍伐魏。戎陳整齊。號令明肅。於是天水南安安定。皆擧郡應亮。關中響震。魏使將軍張郃拒之。亮使參軍馬謖督諸軍。與郃戰于街亭。謖違亮節度敗績。亮還漢中。謂羣下曰。今欲明罰思過按變通之道於將來。自今已後。諸有忠慮於國。但勤攻吾之闕。則事可定。賊可死矣。於是考微勞。甄烈壯。引咎責躬。布所失於天下。厲兵講武。以爲後圖。戎士簡練。民忘其敗矣。建興六年冬。復欲出兵伐魏。羣臣多以爲疑。亮又上表。言于帝。如此。遂引兵出散關。自是

巾幗

後。屢出伐魏。拔郡斬將數矣。魏將司馬懿。憚亮威名。登山掘營。不肯戰。亮。於是息民休士三年。復悉大衆而出。進據武功五丈原。與懿對陣於渭水之南。亮以前者數出。皆糧運不繼。使己志不伸。乃分兵屯田。爲久駐之基。耕者雜於渭濱居民之間。而百姓安堵。軍無私焉。亮數挑戰。至遺以巾幗婦人之服。懿終畏不敢出。尋亮病篤。乃處分後事。從容精整。終卒于軍。年五十四。遺命葬漢中定軍山。因山爲墳。冢足容棺。斂以時服。不須餘物云。初亮自表後帝曰。臣成都有桑八百株薄田十五頃。子孫衣食自有餘饒。臣在外任。

儀軌

爲左衽

無別調度。隨身衣食悉仰於官。不別治生以長尺寸。若臣死之日。不使內有餘帛外有贏財。以負陛下。至是訖如其言。亮諸事精鍊。所至營壘井竈藩籬障塞。皆應繩墨。嘗推演兵法。作八陣圖。及其已卒。楊儀等整軍而還。懿不敢偪。案行其營壘。歎曰。天下奇才也。其治國也。撫百姓。示儀軌。開誠心。布公道。賞不遺遠。罰不阿近。爵不可以無功取。刑不可以貴勢免。廖立李平。皆有罪。嘗爲亮廢。及聞亮卒。立垂泣曰。吾終爲左衽矣。平亦爲之發病死。亮子瞻嗣爵。至鄧艾破蜀。誘瞻曰。若降者必表爲琅琊王。瞻怒斬艾使。遂戰臨

陣死。瞻子尙歎曰。父子荷國重恩。用生何爲。亦策馬赴敵軍而死。

後出師表

諸葛亮

先帝深慮。以漢賊不兩立。王業不偏安。故託臣以討賊也。以先帝之明。量臣之才。固當知臣伐賊才弱敵彊也。然不伐賊王業亦亡。惟坐而待亡。孰與伐之。是故託臣而弗疑也。臣受命之日。寢不安席。食不甘味。思惟北征。宜先入南。故五月渡瀘。深入不毛。并日而食。臣非不自惜也。顧王業不可得偏全於蜀都。故冒危難以奉先帝之遺意也。而議者謂爲非計。今賊適

髣髴

疲於西。又務於東。兵法乘勞。此進趨之時也。謹陳其事如左。高帝明並日月。謀臣淵深。然涉險被創。危然後安。今陛下未及高帝。謀臣不如良平。而欲以長計取勝坐定天下。此臣之未解一也。劉繇。王朗。各據州郡。論安言計。動引聖人。羣疑滿腹。衆難塞胸。今歲不戰。明年不征。使孫策坐大。遂并江東。此臣之未解二也。曹操智計殊絕於人。其用兵也。髣髴孫吳。然困於南陽。險於烏巢。危於祁連。偪於黎陽。幾敗伯山。殆死潼關。然後僞定一時耳。況臣才弱而欲以不危而定之。此臣之未解三也。曹操五攻昌覇不下。四越巢湖

不成。任用李服而李服圖之。委任夏侯而夏侯敗亡。先帝每稱操爲能。猶有此失。況臣駑下。何能必勝。此臣之未解四也。自臣到漢中。中間朞年耳。然喪趙雲。陽群。馬玉。閻芝。丁立。白壽。劉郃。鄧銅等及曲長屯將七十餘人。突將無前賨叟。青羌。散騎。武騎。一千餘人。此皆數十年之內所糾合四方之精鋭。非一州之所有。若復數年。則損三分之二也。當何以圖敵。此臣之未解五也。今民窮兵疲。而事不可息。事不可息。則住與行勞費正等。而不及蚤圖之。欲以一州之地與賊持久。此臣之未解六也。夫難平者事也。昔先帝敗軍

拊　逆　滂沱　阿瞞操字。仲謀權字。

於楚。當此時。曹操拊手謂天下已定。然後先帝東連吳越。西取巴蜀。擧兵北征。夏侯授首。此操之失計。而漢事將成也。然後吳更違盟。關羽毀敗。秭歸蹉跌。曹丕稱帝。凡事如是。難可逆見。臣鞠躬盡力。死而後已。至於成敗利鈍。非臣之明所能逆覩也。

武侯墓

竹添進一郎

三弔忠魂泣湊河。　定軍山下又滂沱。
人生勿作讀書子。　到處不堪感涙多。

又

阿瞞仲謀草竊耳。　高臥南陽不肯起。

契如魚水
壺漿
炎運

龍孫三顧何頻煩。君臣相契如魚水。
率土誰非漢家臣。鞠躬誓欲掃風塵。
蠻酋七擒伏天討。出師二表泣鬼神。
北風不競我武揚。中原父老爭壺漿。
俗儒安知王者師。漫言用兵非所長。
星殞郿原炎運蹙。一家熱血殲綿竹。
家國存亡終始同。惠陵無人杜鵑哭。
山色千年猶如故。老柏深藏丞相墓。
眼中一掬英雄淚。灑向定軍山下路。

諸葛亮三（靖獻遺言）　淺見安正

張栻。宋朝碩學。與朱熹同志。
逆
挽回
汨

張栻曰。漢相傳四百餘年。而曹氏簒漢。諸葛武侯當此時間關百爲。左右昭烈父子。立國於蜀。明討賊之義。不以强弱利害二其心。蓋凜凜乎三代之佐也。侯之言曰。漢賊不兩立。王業不偏安。又曰。臣鞠躬盡力。死而後已。至於成敗利鈍。非臣之明所能逆睹。嗟呼。誦味斯言。則侯之心可見矣。雖不幸功業未究。中道而殞。然其扶皇極正人心。挽回先王仁義之風。垂之萬世。與日月同其光明可也。夫有天地則有三綱。中國之所以異於夷狄。人類之所以別於庶物者。以是故耳。若汨於利害之中。而亡夫天理之正。則雖有天

雲擾
高臥
姑息

下。不能一朝居。此侯所以不敢斯須而忘討賊之義。盡其心力至死不悔者也。方天下雲擾之初。侯獨高臥。昭烈以帝室之胄。三顧其廬而後起從之。則夫出處之際。固已有大過人者。其治國立經。陳紀而不爲近圖。其用兵正義明律。而不以詭計。凡其所爲悉本大公。曾無纖毫姑息之意。類皆非後世所可及。至讀其將沒自表之辭。則知天下物欲。擧不足以動之。所養者深。則所發者大。理固然也。曾子曰。士不可以不弘毅。若侯者。其所謂弘且毅者歟。孟子曰。富貴不能淫。貧賤不能移。威武不能屈。此之謂大丈夫。若侯者。

宋蘇轍。字子由。

所謂大丈夫非耶。朱子曰。君子行法以俟命而已矣。是理也。三代以降。惟董子嘗言之。而諸葛武侯言於其君。有曰臣鞠躬盡力死而後已。至於成敗利鈍。非臣之明所能逆睹也。程子語其門人。有曰。今容貌必端。言語必正。非欲獨善其身。以求知於人。但天理當然。亦曰循之而已矣。此三言者。所指雖殊。要皆行法俟命之意。此外則寂寥而無聞矣。

三國論　蘇轍

天下皆怯而獨勇。則勇者勝。皆闇而獨智。則智者勝。勇而遇勇。則勇者不足恃也。智而遇智。則智者不足

兩虎相捽　飄忽震蕩

恃也。夫唯智勇之不足以定天下。是以天下之難。蜂起而難平。蓋嘗聞之。古者英雄之君。其遇智勇也。以不智不勇。而後眞智大勇。乃可得而見也。悲夫。世之英雄。其處於世。亦有幸不幸邪。漢高祖唐大宗。是以智勇獨過天下而得之者也。曹公孫劉。是以智勇相遇而失之者也。以智攻智。以勇擊勇。此譬如兩虎相捽。齒牙氣力。無以相勝。其勢足以相擾。而不足以相斃。當此之時。惜乎無有以漢高帝之事制之者也。昔者項籍乘百戰百勝之威。而執諸侯之柄。咄嗟叱咤。奮其暴怒。西向以逆高祖。其勢飄忽震蕩。如風雨之

椎魯　耗竭　逡巡

至天下之人。以爲遂無漢矣。然高帝以其不智不勇之身。橫塞其衝。徘徊而不得進。其頑鈍椎魯。足以爲笑於天下。而卒能摧折項氏。而待其死。此其故何也。夫人之勇力。用而不已。則必有所耗竭。而其智慮久而無成。則亦必有所倦怠而不舉。彼欲用其所長。以制我於一時。而我閉門而拒之。使之失其所求。逡巡求去而不能去。而項籍固已憊矣。今夫曹公孫權劉備。此三人者。皆知以其才相取。而未知以不才取人也。世之言者曰。孫不如曹。而劉不如孫。劉備唯智短而勇不足。故有所不若於二人者。而不知因其所不

勢勝之地　猖狂之勢

足以求勝。則亦已惑矣。蓋劉備之才。近似於高祖。而不知所以用之之術。昔高祖之所以自用其才者。其道有三焉耳。先據勢勝之地。以示天下之形。廣收信越出奇之將。以自輔其所不逮。有果銳剛猛之氣。而不用。以深折項籍猖狂之勢。此三事者。三國之君。其才皆無有能行之者。獨有一劉備。近之而未至。其中猶有翹然自喜之心。欲爲椎魯而不能純。欲爲果銳而不能達。二者交戰於中。而未有所定。是故所爲而不成。所欲而不遂。棄天下而入巴蜀。則非地也。用諸葛孔明治國之才。而當紛紜征伐之衝。則非將也。不

黛色　岐嶷　拖

忍忿忿之心。犯其所短。而自將以攻人。則是其氣不足尙也。嗟夫方其奔走於二袁之間。困於呂布而狼狽於荊州。百敗而其志不折。不可謂無高祖之風矣。而終不知所以自用之方。夫古之英雄。唯漢高帝爲不可及也夫。

南遊往反。數望金剛山。想楠河州公之事。慨然有作。

頼襄

山勢自東來。　如鳥開雙翼。　遙夾大江流。
相望列黛色。　南者金剛山。　挿天最岐嶷。
拖尾抵海垠。　蜿蜒盡南域。　隱與城郭似。

豫章公
鬼蜮
宕。愛宕山。叡。比叡山。武庫。武庫山。在攝津。
扶植
踣

擁護天王國。　想見豫章公。　孤壘扞羣賊。
合圍百萬兵。　陣雲繞麓黑。　臣豈不自惜。
受託由面勅。　灑泣誓吾旅。　爲君鏖鬼蜮。
果然七尺軀。　自有回天力。　宕叡連武庫。
隔江對正北。　公死實在彼。　在公盡臣職。
所惜壞長城。　寧支大厦仄。　吾行歷泉紀。
往反緣大麓。　顧瞻山海間。　慷慨三大息。
丈夫有勁節。　天地賴扶植。　悠悠六百載。
姦雄迭起踣。　一時塗人眼。　難洗史書墨。
仰見山色蒼。　萬古淨如拭。

佐久間啓。字子明。號象山。信濃人。元治元年。爲刺客所殺。
帝賚
濺
嵽嶫
僦

題楠公像　佐久間啓

楠公本帝賚。　何必說傳說。　眇軀唱大義。
皇運開日月。　惜無高宗賢。　歲旱未霑渴。
和羹失鹽梅。　舟楫亦摧裂。　雖知大事去。
所許終不折。　臨死留其子。　遺戒衞帝闕。
三朝扞蛇豕。　正統繫一髮。　終始爲朝家。
濺盡闔門血。　生爲萬夫雄。　死爲古今烈。
至今金剛山。　行人仰嵽嶫。

下筑後河有感。　賴襄

文政之元十一月。　吾下筑水僦舟筏。

筏
己亥。正平十四年。
擅鴟張
菊池武光。
龍種

水流如矢萬雷吼。　過之使人豎毛髮。
居民何記正平際。　行客長思己亥歲。
當時國賊擅鴟張。　七道望風助豺狼。
勤王諸將前後沒。　西陲僅存臣武光。
遺詔哀痛猶在耳。　擁護龍種同生死。
大擧來犯彼何人。　誓剪滅之報天子。
河亂軍聲代銜枚。　刀戟相摩八千師。
馬傷冑破氣益奮。　斬敵取冑奪馬騎。
被箭如蝟目眥裂。　六萬賊軍終挫折。
歸來河水笑洗刀。　血迸奔湍噴紅雪。

征西將軍。懷良親王。
棣蕚
恭獻。足利義滿謚號。
順逆
我國。一名扶桑。又有

四世全節誰儔侶。　九國逡巡征西府。
棣蕚未肯向北風。　殉國劍傳自乃父。
嘗郤明使壯本朝。　豈與恭獻同日語。
丈夫要貴知順逆。　少貳大友何狗鼠。
河流滔滔去不還。　遙望肥嶺嚮南雲。
千載姦黨骨亦朽。　獨有苦節傳芳芬。
聊弔鬼雄歌長句。　猶覺河聲激餘怒。

拜織田右府塑像引　賴襄

日出處日墜地。　鯨鰐食人飛生翅。
扶桑大樹安在哉。　紫垣縱橫萬骼胔。

瑞穗之稱。
北郭寺。指紫野大德寺。
帳龕
兩頰下殺
金閣寺。等持院。共在洛北。存足利氏像。
奕世

祖宗有靈生英雄。　手挽狂瀾扶瑞穗。
大事垂成身顚躓。　遺像空留北郭寺。
寺門深嚴老木青。　吾來肅謁弔英靈。
粉墨剝落帳龕暗。　檐過霰聲寒日冥。
欲歸雲陰忽解駁。　面鬚可窺稍隱躍。
雙眉中蹙見性急。　兩頰下殺知福薄。
唯見隆鼻洞睛爛巖電。　英爽襲人難仰看。
金閣寺等持院。　曾識奕世將軍面。
豈有一個堪敵戰。　嗚呼不如此。
何以定禍亂。　想見群雄盡膝行。

醢烹
畜狗。指明智光秀。
反噬
奴。指豐臣秀吉。
倩
我國。一名蜻蜓洲。
母夢日輪入懷生豐公。
加藤清正。小字夜叉若。後改名虎之助。
讋

狼顧脅息懼醢烹。　畜狗反噬奴復仇。
威愛之報兩分明。　君不見後覇匡國。
誰不師君者。　王國藩屏皆部下。
唯見猴郎侍其左。　願倩塑工盡貌其餘。
豐頤大耳森列坐。

重謁加藤肥州廟引　賴襄

腥風吹裂蜻蜓羽。　誰能五指爲綴補。
金烏跳入老婆腹。　聯翩雄傑皆肺腑。
中有阿虎猛於虎。　食牛氣讋萬貔貅。
軍中喧傳鐵槍名。　何知將材任旗鼓。

皸剖
挾纊　彍弩
頰頤

雞林軍鋒如風雨。　可恨同事是賈豎。
段凝結黨排彥章。　畫地自訴幸霽怒。
後來蔚山更勤苦。　城壘未成敵蟻聚。
捍禦幾旬軍無糧。　食馬馬盡乃嚙土。
大雪壓城城欲俯。　凍鎧黏膚皸且剖。
將軍一呼勞諸軍。　士如挾纊起彍弩。
蘇武歸國哭孝武。　六尺遺孤誰相輔。
唯覩白鬚存頰頤。　誰知赤心滿腹肚。
猶幸泉路見舊主。　不論堂構愧乃父。
猛似夜叉怖兒童。　慈如菩薩感俘虜。

郊塢
箕尾之騎
蓬勃軒騰
六五緯四三台。三台星名。

祠廟翼翼倚郊塢。　吾曾兩度拜廊廡。
祠樹缺處見熊城。　想見君親督百堵。

加藤公像贊　鹽谷世弘

勇蓋三軍。忠奉一姓。不以衆寡動氣。不爲盛衰改行。剏復治兵濟寬猛。立德該智仁。措勝在手。量敵如神。豈唯一槍之雄。寔是百將之冠。所以殊域異類。畏之如夜叉。愛之如慈親。奈何宗祀二葉而殄。威靈千載獨新。猗嗟浩氣之塞。凝爲神祇。偉人之精。箕尾之騎。若公之靈。其莫有蓬勃軒騰。六五緯而四三台矣哉。

狩虎歌　鹽谷世弘

征韓之役。豐公下命薩侯曰。欲得虎肉以資藥。須獵以貢之。書以文祿四年正月至軍。時積雪埋山。不可得而獵焉。三月八日。薩侯與世子。乘船於唐嶋。至昌原。明日勒隊圍山。終日無所見。其翌披荊棘。躋險阻。深入數里。列卒數千。分曹吶喊。峯巒爲震。俄而雨降。烟霧濛密。有虎走出。將突圍。安田次郎兵衞者。嶋津守右衞尉彰久之臣也。舞刀逐之。虎還顧迎噉。安田刺其口殪之。須臾二虎跳躍飛走。直逼麾下。世子恐其迫父也。將身當之。舍人上野權右衞門。揮刄邀擊。虎蜚騰咥之。牙投可五步。

負嵎大嘷。帖佐六七。急鷙斫頭。刀三下。虎怒噬其股。側有老松。枝條下垂。福永助十郎。捽尾纏枝。極力逆曳。永野助七郎。進擊斃之。其一遂遁。六七亦病瘡死。於是薩侯狀其事。獻獲于肥前行臺。豐公大悅。下手書褒賞。世傳之以爲虎狩云。夫暴虎馮河。夫子以警子路。袒裼暴虎。詩人以危共叔。皆戒其誇力冒危也。若薩士。奉君命以狩。與敵愾赴戰。無以異焉。其猛毅趫捷。足立懦振怠者。千古豈有偉於此者哉。舊有薩人所作虎狩文。余更歌之以詩。曰。

豐公眼孔宇宙高。　旌旗十萬蹴壯濤。
欲呑朝鮮噬明國。　汝王我犬虎是猫。
就中薩軍尤精悍。　投石超距氣麃麃。
時惟三月雪方釋。　圍山三匝隊幾曹。
鼓鼙動天天欲坼。　老虎驚駴循谷逃。
逐之者誰安田氏。　一閃忽見鮮血澆。
須臾雙虎踴躍出。　嗚牙來迫中軍旄。
以身蔽君其名權。　泰山一擲輕鴻毛。
三士繼之相犄角。　一攬虎尾一相邀。
無是常山長蛇勢。　一正一奇符兵韜。

驍武兼見忠與智。　何比馮婦鄉曲豪。
吾讀虎狩文。拔劍起呼號。當時奇勇人人是。
四夷八蠻視如猱。　萬里橫行無抗敵。
天地那邊留氛妖。　嗚呼太陽攸初照。
生氣何時不熇熇。　勿謂世降兵鋒鈍。
千秋不磨日本刀。

日本刀歌　　司馬光

昆吾道遠不復通。　世傳切玉誰能窮。
寶刀近出日本國。　越賈得之滄海東。
魚皮裝貼香木鞘。　黃白閒雜鍮與銅。

徐福　槎

百金傳入好事手。　佩服可以攘妖凶。
傳聞其國居大島。　土壤沃饒風俗好。
其先徐福詐秦民。　採藥淹留童丱老。
百工五種與之俱。　至今器玩皆精巧。
前朝貢獻屢往來。　士人往往工辭藻。
徐福行時書未焚。　逸書百篇今尙存。
令嚴不許傳中國。　擧世無人識古文。
嗟予乘槎欲往學。　蒼波浩蕩無通津。
令人感歎坐流涕。　鏽澁短刀何足云。

顏眞卿一（靖獻遺言）　淺見安正

廥廩

眞卿字淸臣。玄宗朝。爲平原太守。初知安祿山將反。因霖雨修城壕。儲廥廩。祿山既反。牒眞卿。將兵防河津。眞卿遣使。間道奏之。玄宗始聞河北郡縣皆從賊。歎曰。二十四郡曾無一人義士耶。及奏至。大喜曰。朕不識顏眞卿作何狀。乃能如是。眞卿又使親客密懷購賊牒。詣諸郡。及召募勇士。諭以擧兵討祿山。繼以涕泣。士皆感憤。祿山使其黨齎先陷東京時。死節臣李燈。盧奕。蔣淸三人之首。徇河北諸郡。至平原。眞卿執使。斬以徇。取三首。結芻續體。棺斂葬之。爲位祭哭。由是諸郡多殺賊相應。共推眞卿爲盟主。時眞卿從

羯

兄常山太守杲卿。亦方起兵討賊。會眞卿自平原遣潛告杲卿。欲連兵斷祿山歸路。以緩其西入。杲卿乃以謀擒斬賊將等。遂散井陘之敵。解饒陽之圍。於是河北響應。凡十七郡。同日皆歸朝廷。祿山方欲攻潼關。聞之。不能進而還。時杲卿起兵纔八日。守備未完。賊將史思明等。卒引兵至城下。杲卿晝夜拒戰。鄰郡守將。擁兵不救。糧盡矢竭。城遂陷。賊執杲卿。送祿山。祿山數之曰。我奏汝爲官。何負於汝而反。杲卿罵曰。汝本營州牧羊羯奴。天子擢汝爲三道節度使。恩幸無比。何負於汝而反。我世爲唐臣。祿位皆唐有。雖爲

咼　蠟丸

汝所奏。豈從汝反耶。我爲國討賊。恨不斬汝。何謂反也。臊羯狗。何不速殺我。祿山大怒。縛而咼之。比死罵不絕口。賊鉤斷其舌。顏氏死者三十餘人。繼眞卿。又破賊拔郡。軍聲大振。平盧軍將劉客奴等遣使。與眞卿相聞。請自効。眞卿惟一子。才十餘歲。使踰海詣客奴爲質。軍中固請留之。不從。尋潼關失守。玄宗出奔蜀。而賊遂陷長安矣。於是太子亨卽位于靈武。是爲肅宗。眞卿自河北以蠟丸達表於靈武。肅宗加官眞卿。幷致赦書。眞卿卽頒下諸軍。又遣人頒於河南江淮。由是諸道徇國之心益堅。未幾。廣平王俶。郭子儀

卹

等。收復兩京。光弼又屢敗思明等。賊勢大衂。而唐朝再興焉。

顏眞卿二（靖獻遺言）　淺見安正

眞卿復朝爲御史大夫。方朝廷草昧不暇給。而綱治如平日。百官肅然。宰相厭其言出之。尋召爲刑部侍郎。時李輔國方藉勢。貳間兩宮。而玄宗遂遷西內。眞卿首帥百寮上表。請問玄宗起居。輔國惡之。又奏貶之。代宗自陝還也。眞卿時爲尙書右丞。請先謁陵廟而即宮。宰相元載以爲迂。眞卿怒曰。朝廷事豈堪公再破壞邪。載啣之。載時專權。多引私黨。恐奏事者攻

陵夷

鉗口

訐其私。乃紿請百官論事皆先白宰相。然後奏聞。眞卿上疏曰。諫官御史陛下之耳目。今使論事者先白宰相。是自掩其耳目也。李林甫爲相。深疾言者。下情不通。卒成幸蜀之禍。陵夷至於今日。其所從來者漸矣。夫人主大開不諱之路。群臣猶莫敢盡言。況今宰相大臣裁而抑之。則陛下所聞見者。不過三數人耳。天下之士。從此鉗口結舌。陛下見無復言者。以爲天下無事可論。是林甫復起於今日也。陛下儻不早寤。漸成孤立。後雖悔之。亦無及矣。載復誣貶之。至德宗朝。楊炎當國。時眞卿還在朝。亦以直不容。及盧杞爲

希烈使元平說眞卿。眞卿叱之曰。爾受國任。不能致命。顧吾無兵戮汝。尙說我邪。

相。益惡眞卿。欲復出之。會李希烈反陷汝州。德宗問計於杞。杞曰。誠得儒雅重臣。爲陳禍福。可不勞軍旅而服。顏眞卿三朝舊臣。忠直剛決。名重海內。人所信服。眞其人也。眞卿時爲太子太師。乃詔遣眞卿宣慰希烈。擧朝聞之失色。眞卿乘驛至東都。留主止之曰。往必不免。宜少留須後命。眞卿曰君命也。將焉避之。遂行。既至欲宣詔旨。希烈使兵環繞慢罵。拔刃擬之。眞卿色不變。希烈乃麾衆令退。就眞卿館。逼使上疏雪己。眞卿不從。眞卿每與諸子書。但戒嚴奉家廟恤諸孤。訖無它語。希烈欲遣眞卿還。會降將李元平在

都統。即希烈官。

座。眞卿責之。元平慙。密言希烈留眞卿不還。

顏眞卿三（靖獻遺言）　淺見安正

時朱滔等四人。僭王號。各遣使詣希烈勸進。希烈示之眞卿曰。四王見推。不謀而同。眞卿曰。此乃四凶。何謂四王。公不自保功業。爲唐忠臣。乃與亂臣賊子相從。求與之同覆滅邪。他日四使同在坐。謂眞卿曰。都統將稱大號。而太師適至。是天以宰相賜都統也。眞卿叱曰。汝等知有罵安祿山而死者顏杲卿乎。乃吾兄也。吾年且八十。官太師。知守節而死耳。豈受汝曹誘脅乎。諸賊失色。希烈乃拘眞卿。守以甲士。掘方丈

坎
三文顏集不載
僭號

坎於庭云。將阬之。眞卿怡然曰。死生已定。何必多端。亟以一劍相與。豈不快公心事邪。希烈乃謝。荊南節度使張伯儀。與希烈兵戰敗。亡其所持旌節。希烈使人以旌節及首級示眞卿。眞卿號慟投地。絕而復蘇。自是不復言。會希烈黨周曾等。謀襲希烈。奉眞卿爲帥。事洩曾死。希烈乃拘送眞卿蔡州。眞卿度必死。作遺表墓誌祭文。指寢室西壁下曰。此吾殯所也。希烈謀稱帝。遣使問儀。眞卿曰。老夫嘗爲禮官。所記惟諸侯朝天子禮耳。希烈遂僭號。遣其將辛景臻謂之曰。不能屈節。當自焚。積薪灌油於其庭。眞卿趨赴火。景

宋祁
偃蹇
林之奇

臻遽止之。久之希烈卒遣人殺眞卿。終死焉。年七十六。眞卿大節。功業已偉然。而立朝正色。剛而有禮。非公言直道。不萠於心。嘗封魯郡公。天下不以姓名稱。而獨曰魯公云。宋祁曰。當祿山反。哮噬無前。魯公獨以烏合嬰其鋒。功雖不成。其志有足稱者。晩節偃蹇。爲姦臣所擠。見殞賊手。毅然之氣。折而不沮。可謂忠矣。詳觀其行事。當時亦不能盡信於君。及臨大節。蹈之無貳色。何耶。彼忠臣誼士。寧以未見信望于人。要返諸己得其正。而後慊於中而行之也。嗚呼雖于五百歲。其英烈言言如嚴霜烈日。可畏而仰哉。林之奇

燕將樂毅破齊聞畫邑人王蠋賢令軍中環畫邑無入使人謂蠋曰齊人多高子義吾以子爲將封子萬家蠋固謝燕人不聽軍屠畫邑蠋曰忠臣不事二君貞女不更二夫齊王不聽吾諫故退耕於野國既破亡吾不能存今又劫之以兵爲君將是助桀爲暴也與其生而無義固不如烹遂經其

曰。燕伐齊七十餘城。皆爲燕有。初未聞忠臣義士有發憤之氣也。及王蠋死節。義不北面於燕。然後齊士靡然從之。七十餘城復爲齊有。蓋天下之人。豈無忠義之心。苟其艱難之際。有一爲倡。則聞風之人。孰不從之。祿山煽亂。河北二十四郡莫不失守。及眞卿首倡忠義。而諸郡由是多應。然則唐室中興。雖郭子儀李光弼之功。而其實則眞卿爲之倡也。

秋涼閑臥　白居易

殘暑晝猶長。早涼秋尙嫩。露荷散淸香。
風竹含疎韻。幽閑竟日臥。衰病無人問。

頸於樹枝自奮絕脰而死齊亡大夫聞之曰王蠋布衣也義不北面於燕況在位食祿者乎乃相聚求王子立之是爲襄王遂復齊
露荷
疎韻
槐
捐舍細故
推輓
疎放

薄暮宅門前　槐花深一寸

上菅茶山先生　賴襄

賴襄謹再拜。白菅先生座下。日承尊諭。藩議欲襄就官。待以好爵重俸。襄朽廢人也。而蒙收錄焉。不可不謂之知己者也。覆而考之。不知襄者矣。襄唯不欲仕也。是以在此。使襄欲仕。則有父母之邦在。邦君仁恕。捐舍細故。加之推輓有人。則使襄欲仕乎。脩飾身言。顧慮毀譽。凡可以干祿者。何不爲也。夫父母之邦。義所當仕。不得謂不欲之也。而有所不能爲。襄天質多病。疎放爲習。不能整衣裳。不能久坐。不能屈伸。不能

躕嚅　右文

時起臥。不能從而入。從而出。至路跙蹰嚅。爲不情之言。以相應答。尤所不能也。饒令少忍或不異恒人。久忍之。則結蓄其氣。無所發洩。必喪心病狂。身家兩敗。而無益於國。是亦何取於仕也。天下之士。誰不被其國恩。若襄則可謂最重矣。襄之家。非有先登斬首之功也。非有積日累歲之勞也。及家翁之身。遭遇右文。起布衣。上朝班。遂至忝師範之任。撫存待遇。無所不至。襄常見其感激思報。蹇蹇不懈。爲襄者安可不竭力致身。以繼其志哉。抑人各有能。有不能。自量所能。要之於終。雖身之不列於朝。或足以圖尺寸之報。是

燕息　委贄　蹁躚

襄所以燕息度年也。今乃顧通籍委贄於他邦。是胡爲哉。使襄禽獸則可。苟亦人也。則何心處之。亦何面目以見天下之人乎。襄之出國。已誓於心。雖百喙交說。斷斷乎不遷矣。不知襄者亦曰。彼不欲事於小也。襄特以其義耳。義已不可爲。使有賀薩來聘。不就也。況其有所不能乎。有養鶴者於此。憐其病而不能蹁躚也。開籠放之。羽翮摧殘。飮於潦。啄於藻。或者欲收諸彩籠。飼以稻粱。而鶴不願也。出籠入籠。彼烏願乎。使鶴甘於籠。則何必辭故主。辭故主以往。凌雲沖霄。皆其賜也。今襄亦將全其賜焉。至議使襄姑捨其姓。

岫　倏

則不獨不知襄。乃不知先生所以畜襄之意也。果然。何以自稱於士林哉。夫人以好來。襄不以好報。必大傷其意。先生愛人憐才。量如江海。必不怒於盡言。是以冒昧至此。唯先生恕亮之。襄謹白。

日光山行記（節錄）一　　佐藤坦

十五。陰。路岐爲二。東奥州。北日光。抵東鯨驛。山圍三面。雲冉冉出岫。余佇看久之。乃謂。兩山皆雲。山不可見。晴山無雲。山不成態。但雲烟流動。倏顯倏隱。始爲活景耳。抵大澤驛。聞北入三里。爲絹川。有籠巖者。因迂路往觀。經平原者二。涉大谷川。又經一

舴艋　黷

原。出於大渡驛。得絹川。兩岸盤石疊出。高者如厦屋。平者如牀笫。隆起者如象背。中陷者如舴艋。縱橫亂整。各逞其態。是爲籠巖。溪水爲其所盤束。奔放成龍蛇勢。衝激噴雪。溪北見三螺髻。爲月山。爲釋迦峰。爲鷄嶽。溪西紅葉爛然者。爲閼迦擲山。景佳。乃出縮遠鏡望之。徘徊移刻。出於今市驛。薄暮至日光山。寓於　法王殿廡。是夕月朗。溪聲淙然。

十六。霽。早起。沐浴更服。拜觀閟宮。欲記而止。不敢黷也。午後野裝出。從宮西五層浮屠下過。右仰相輪樘。行數百武。得一宇。曰新宮。陟石磴。得三本杉。舊

樹既槁。代以新株。左見小飛泉。呼曰素麪瀑。詣瀧尾祠。有鐵造多寶塔。又有摩尼酒池。塔鐵色極古。相傳源追捕掘地所得。不識然否。池掬而飲之。有酒氣。一老衲謂。農夫來禱多以粟報賽。積年久。自成釀爾。乃復舊路。至素麪瀑。有岐。崖下不測。閼迦擲山北聳。既爛紅。外山近在眉睫。猶葱鬱。山盡處見。如白龍奔者。稻荷川也。余初疑閼迦擲。山深霜寒。故早爛。過樵夫質之。謂石山樹皆早染。土山則否。余始釋然。右見老杉。字曰飯盛杉。飯盛蓋山怪名。人懼不敢近。二生逼抱之。大餘五抱。又得一碑。

瘞

在荒榛中。曰神馬碑。戎馬嘗馭於關原者。死瘞於此。有文漫漶不可讀。可惜路出於宮東。昏黑歸寓。雨點。

日光山行記（節錄）二

佐藤坦

十七。陰翳。雨點間至。大祭自巳牌始。神輿出遊。儀衛極嚴。拜觀如堵。皆俯伏道旁。亦不記。不可讀也。過午以沙彌爲導。過淨土院。有安達藤九郎盛長墓。相傳。追捕源公愛此山。及薨盛長分其火化骨。盛諸壺。來埋於山麓。遂留奉香花以終身。埋骨處在今二王門地。至營閟宮時。發掘寘諸常行堂。壺骨

透邐蛇行

横木渡水曰彴

今尙存。及盛長沒。亦葬於此。碑高五尺餘。屋而扉之。去訪妙道院。有承應殉死諸公墓。使人悽然。遂將觀寂光瀑。沿溪透邐蛇行。度略彴。登石路。四顧皆山。山皆爛紅。至稍平處。左仰一峰聳峙。名曰牙峰。前行數百武。有二老杉。徑通於其間。登石級。有祠。爲寂光權現。左下側徑。石屏峭立。瀑從樹間瀉下。幽邃可愛。人呼曰七瀑。而余未得其所以爲七者。因欲窮其源。從祠後入山。山深源遠。遇樵夫問之。曰。此水發源於鉢山南谷。來此成瀑。又流里餘。過田母澤村。合大谷川。所謂七瀑在瀧尾山北數

狻猊

迅流滮滮

劖

蠵頭龜趺

里。七派並懸。稻荷川之源即是。山極深極靈。不易可到。故人姑假冒稱此瀑耳。余瞠然。乃復來路。又赴憾䃧潭。抵大谷川。度橋右折。是爲潭。兩岸皆奇石怪巖。如下飮之牛羊。如群浴之狻猊。而迅流滮滮。鎔碧瑠璃。景正與籠巖相類。但境小可恨。臨潭有護摩壇遺趾。亭之對岸石壁嵌一大字。梵體不可讀。俗傳。空海擲筆自現。可笑。臺僧語余曰。梵文。譯即憾䃧。劖此者爲晃海。晃海乃天海之弟子。土人以音近誤爲空海。其言信矣。沿溪又百餘武。途窮處見如石窟者。爲納骨堂。頂有碑。蠵頭龜趺。羅

搨　嘖嘖　崔嵬　略彴

山先生文。余欲搨。頂高。且薄暮不能搨。使二生度其大。長六尺四寸。濶二尺二寸。厚一尺有奇。字方一寸五分。

日光山行記（節錄）三

佐藤坦

十八。雨間止。欲觀中禪寺湖。約伴若干人。既定。不敢爲雨廢。沿大谷川。可半里。抵大日堂。土人嘖嘖稱其園池。及過觀。則盆景不足賞。余笑曰。巖棲人狎視名山。不知其爲美。反以人工小園爲佳耶。匆匆去。行半里。得清瀧祠。祠背巖懸小泉。又一里。面前崔嵬。曰馬回。山險如名。過棧道者五。度略彴者三。

窈然

山愈深。景愈奇。見兩巖對峙。屹然者。過則得一砠。曰劒峰。架棧下臨不測。棧北有二瀑。各出巖頂。斜相對。在右而遠者。曰方等瀑。在左而近者。曰般若瀑。山皆霜葉。如行彩雲中。而男體戴雪。矗然高更一層。如寶白根又峙其側。雨方霽。殘雲來往於紅樹間。殆如與我相後先者。過橋右。躋石路。遙聞隱隱有響。知是華巖瀑不遠。左入側徑。愈近愈轟。既至。薛崖峭絕處乃見。一巨瀑。直下五十餘丈。勢躍玉龍。響奔鐵騎。使人目眩氣奪。俯瞰之。窈然雲深。底竟不可得見。遂攀援樹根至瀑口。即流不甚急。

壖

掬飲極清。別自一幽境也。復前路。左折數十百步。濶然得大湖。湖壖有梵刹。即中禪寺。一境之勝萃焉。湖大南北餘三里。東西半之。男體聳在寺背。如寶白根諸山。高低環擁。倒影鏡中。有嶼鬱然。曰上野島。寺背有華表。即男體麓。不許人常登。側有勝道上人碑。釋空海文。繚石欄。不得近。一境靜寂。人籟都絕。間聞山鳥與梵磬。使人悅然如造異境。徙倚耽戀。不能回踵。及晡時乃去。比抵劒峰。則雲絲縷縷出谷。須臾膚合。鞋下皆白。嚮者紅葉化爲烟海。雨驟至。疾走下山。稍霽。聞阿含瀑不遠。欲過觀

爇　掀　欻

之。既黃昏。衆皆有難色。余作氣先之。抵荒澤。則日沒。爇炬。認瀑聲爲導。竭蹶行。此瀑以觀背得名。絕壁架棧直瀑背。乃躡亂石。下窄蹊。上則巖溜滴。下則雨水注。惴惴乎。惟懼足蹈而炬滅。遂造棧。掀炬觀之。但見一片大玉簾而已。既而簾中欻現一巨丈夫。勢欲攫人。衆皆怖。徐而察之。炬火在背後。丈夫即我耳。可謂奇絕矣。蓋至奇絕處。即至危險處也。夜半歸寓。憊甚。

靜夜思

李白

牀前看月光。　疑是地上霜。
擧頭望山月。

黃鸝
金龍山。淺草寺。
墨田河。昔爲武總之堺。故稱其橋曰兩國橋。

低頭思故鄕。

秋思　李白

春陽如昨日。碧樹鳴黃鸝。蕪然蕙草暮。
颯爾涼風吹。天秋木葉下。月冷莎雞悲。
坐愁群芳歇。白露凋華滋。

夜下墨水　服部元喬

金龍山畔江月浮。江搖月湧金龍流。
扁舟不住天如水。兩岸秋風下二州。

上筑波山記（節錄）　佐藤坦

念四。朝雨開霽。自下館至筑波。四里而遠。有間道。由

此則可三里。到椎尾。椎尾坂寄。皆筑波支山。在北麓。山成三層。下爲椎尾。次爲坂寄。上即筑波陽峰。乃從間道。登椎尾。有藥師堂。山多獼猴。進登坂寄。皆石。無樹無水。純鍔峻絕。不能目導而脚從。登者往往摩窔額鼻。或呼曰額摩。渴輙嚼草以取潤耳。頂稍平。可踞息。又進登陽峰。多老樹。可攀援。既極最高頂。雲鳥皆在眼下。累石安男體權現祠。東下數百步。有坦夷處。寘二三小店。鬻餌以待客。稍南有泉竅。潺潺流注。即美那濃川發源處。淸冽可掬飮。又登陰峰。亦累石安女體權現祠。眺觀益豁。近

培塿蟻垤
烟雲縹渺
竇
棧梯

則足尾。加波。皆可俯撮其髻。遠則高原。日光。秩父諸山。聯延綿亘。高低起伏。而不二山獨巍巍然。坐於坤位。太山。箱根。如趨聽使令者。當不二之麓。見一泓如盆池。則浦賀內洋也。加納山。鋸山。亦如培塿蟻垤。而外洋一白曳練。摩房總諸山頂。東趨連於注子水戶。其間殘山剩水。重抹輕掃。烟雲縹渺。丹碧點綴。可謂關左八大州一幅活全圖也哉。乃一周下南麓。石間無路。有竇穴可出入者三處。絕壁峭立。有棧梯可上下者一處。石滑趾不能駐。有鐵索下垂。可援以升降者七八處。山腹有古鐘。不

藤田彪。字斌卿。號東湖。水戶人。任彰考館編修。後班要職。安政二年殁。

知何世鑄造。何人移置。此山雖不比日光之靈淑奧深。而危險則不啻十倍。至於眺觀。亦關以東無出此右者矣。黃昏投宿南麓。

東湖說　藤田彪

水戶城之南。有仙波湖。湖西北岸爲梅巷。巷之東隅。三面皆高。隣里相接。竹樹相圍。獨東面臨谷。谷奔而湖開。湖究而山峙。奔者若引而迎。峙者若推而送。於是乎。仙湖之勝。宛有几案之間。東湖子居之。以其東仙湖。嘗自號焉。夫仙波爲湖。方不盈里。名不堪聞。而有取於斯者。亦有所寓云。既而東湖子。東西遷徙。不

遑寧處。梅巷之廬。託諸故人。遂來江戶。居礫川邸舍。而東湖之號自若也。客難之曰。子今爲都會之人。東湖之號。無乃失其實乎。東湖子曰。否不然。居余語子。余觀士之來於都會者。其始也。樸茂洒落。有山林江湖之氣。其終也。油滑佮俐。不失其本然者殆希。適有一不然者。擧世誹之。不齒於衆。其人亦稍醜其故態。務倣輕薄。唯恐都人之所笑。蓋如是。則富貴可擧。利達可攫。若反之。則往往困阨流離。至於無依。嗟呼。山林江湖之士。欲全質於都會風塵之中。或亦難矣。顧余何人。豈不知富貴利達。可以益身家哉。而資質魯

狷介

鈍。既不能逐時好。性亦狷介。深愧倣彼悠悠者之爲。常誓以爲丈夫之仕。苟得仗大義以行正道。則万里官游。終身去家。復何辭焉。誠不能然。則日夕歸於東湖之上。去劇就閑。以養我天眞耳。安能以樸茂洒落之氣。爲佮俐油滑之態。較區區得失於道義之外乎哉。蓋自余之去鄉。五年於茲。未嘗能一日忘東湖。豈忍獨棄其號邪。且夫天下之湖。莫大於琵琶湖。而在京師之東。常陸之湖。莫大於蒜湖。而在州之東。由是言之。琵琶湖者。天下之東湖。而蒜湖者。一國之東湖也。若仙湖者。亦爲一鄉之東湖。則東湖號。大之天下。

鍾　大瀛水　鍪　熊羆　好仇

小之一國一鄉。將無所施而不可。余亦何往。而失其實。凡物有指小通大者。有言近而旨遠者。何唯東湖。後之言東湖者。以爲仙湖乎。爲蒜湖乎。將以爲琵琶之湖乎。後世之論。雖東湖亦不能自知也。客唯唯而退。遂書以爲說。

正氣歌

藤田彪

天地正大氣。粹然鍾神州。秀爲不二嶽。
巍巍聳千秋。注爲大瀛水。洋洋環八州。
發爲萬朶櫻。衆芳難與儔。凝爲百鍊鐵。
鋭利可斷鍪。藎臣皆熊羆。武夫盡好仇。

六合　瞿曇　胡氛

神州孰君臨。萬古仰天皇。皇風洽六合。
明德侔太陽。不世無汚隆。正氣時放光。
乃參大連議。侃侃排瞿曇。乃助明主斷。
燄燄焚伽藍。中郎嘗用之。宗社磐石安。
清丸嘗用之。妖僧肝膽寒。忽揮龍口劍。
虜使頭足分。忽起西海颶。怒濤殲胡氛。
志賀月明夜。陽爲鳳輦巡。芳野戰酣日。
又代帝子屯。或投鎌倉窟。憂憤正愪愪。
或伴櫻井驛。遺訓何慇懃。或守伏見城。
一身當萬軍。或殉天目山。幽囚不忘君。

承平二百歲。斯氣常獲伸。然當其鬱屈。
生四十七人。乃知人雖亡。英靈未嘗泯。
長在天地閒。凜然敍彝倫。孰能扶持之。
卓立東海濱。忠誠尊皇室。孝敬事天神。
修文兼奮武。誓欲清胡塵。一朝天步艱。
邦君身先淪。頑鈍不知機。罪戾及孤臣。
孤臣困葛藟。君冤向誰陳。孤子遠墳墓。
何以報先親。荏苒二周星。獨有斯氣隨。
嗟予雖萬死。豈忍與汝離。屈伸付天地。
生死又何疑。生當雪君冤。復見張綱維。

彝倫　胡塵　葛藟

死爲忠義鬼。極天護皇基。

述懷　藤田彪

三決死矣而不死。二十五回渡刀水。
五乞閒地不得閒。三十九年七處徙。
邦家隆替非偶然。人生得失豈徒爾。
自驚塵垢盈皮膚。猶餘忠義塡骨髓。
嫖姚定遠不可期。丘明馬遷空自企。
苟明大義正人心。皇道奚患不興起。
斯心奮發誓神明。古人有云斃後已。

刀水　隆替　霍去病。字嫖姚。　班超。字定遠。　左丘明。司馬遷。

張巡一（靖獻遺言）　淺見安正

安祿山既反。譙郡太守降之。逼眞源令張巡。使迎賊。巡帥吏民。哭於玄元皇帝廟。起兵討賊。至雍丘。拒賊將令狐潮。力戰却之。潮復引兵數萬。奄至城下。巡乃開門突出。身先士卒。直衝賊陣。積六十餘日。大小三百餘戰。帶甲而食。裹瘡復戰。潮與巡有舊。於城下相勞苦如平日。潮因說巡曰。天下事去矣。足下堅守危城。欲誰爲乎。巡曰。足下平生以忠義自許。今日之擧忠義何在。潮慚而退。圍守久之。朝廷聲問不通。潮又以書招巡。巡大將六人。白巡以兵勢不敵。且上存亡莫知。不如降也。巡陽許諾。明日。堂上設天子畫像。帥

將士朝之。人人皆泣。巡引六將於前。責以大義斬之。士心益勸。巡使其將雷萬春於城上與潮相聞。語未絕。賊弩射之。面中六矢而不動。潮疑其木人。使諜問之。乃大驚。遙謂巡曰。向見雷將軍。方知足下軍令矣。然其如天道何。巡曰。君未識人倫。焉知天道。賊苦攻數月。兵常數萬。而巡衆纔千餘。每戰輒克。終不下。賊將襲寧陵以斷巡後。巡遂守寧陵以待之。始與睢陽太守許遠相見。是日賊亦至。巡遠與戰大破走之。賊將尹子奇。又益兵來攻。巡督勵將士。晝夜苦戰。擒將殺卒甚衆。於是遠謂巡曰。公智勇兼濟。遠爲公守。公

椎

爲遠戰。遠位本在巡上。至是授之柄而處其下。無所疑忌。居中調軍糧。修戰具。而戰鬪籌畫一出于巡。巡所獲車馬牛羊。悉分軍士。秋毫無入其家。謂將士曰。吾受國恩。所守正死耳。但念諸君捐軀力戰。而賞不酧勛。以此痛心耳。將士皆激勵請奮。巡乃椎牛饗士。盡軍復出戰。晝夜數十合。屢摧敵鋒。而賊攻彌鋭。城中食盡。襍米以茶紙樹皮爲食。士卒消耗。飢疲皆不堪鬪。乃更修守具禦之。賊盡攻擊之術。而巡隨方拒破。所爲皆應機立辦。賊服其智不敢復攻。於城外穿壕立柵以守。巡亦於其內作壕以拒之。

淋漓

張巡二（靖獻遺言）　淺見安正

時在近諸將。觀望莫肯救。賀蘭進明在臨淮。巡令其將南霽雲犯圍而出告急。進明嫉巡遠聲績出己上。不肯出兵。且愛霽雲勇壯强留之。具食作樂延之坐。霽雲忼慨語曰。昨出睢陽時。士不粒食月餘日。霽雲雖欲獨食。義不忍。雖食且不下咽。大夫坐擁彊兵。曾無分災救患之意。豈忠臣義士之所爲乎。因拔所佩刀斷一指。血淋漓以示進明曰。霽雲既不能達主將之意。請留一指以爲信。一坐大驚。皆爲感激泣下。霽雲知進明終無出師意。卽馳去。又冒圍入城。賊圍益

急。或議棄城走。巡遠議以。睢陽江淮之保障。若棄之去。則是無江淮也。不如堅守以待救。巡士多餓死。巡出愛妾曰。諸君經年乏食。而忠義不少衰。吾恨不割肌以啖衆。寧惜一妾而坐視士飢。乃殺以大饗。坐者皆泣。巡彊令食之。茶紙既盡。遂食馬。馬盡。羅雀掘鼠。雀鼠又盡。至煮鎧弩以食。城中知必死。而莫有畔者。所餘纔四百人。賊登城。將士病不能戰。巡西向再拜曰。臣力竭矣。生既無以報陛下。死當爲厲鬼以殺賊。城遂陷被執。子奇問曰。聞君每督戰大呼輒眥裂血面嚼齒皆碎。何至是。巡曰。吾志呑逆賊。但力不能耳。

南八之八。行也。

子奇怒。以刀抉視之。齒所餘纔三四。巡罵曰。我爲君父死爾。附賊乃犬彘也。安得久。子奇服其節。將釋之。乃以刄脅降。巡不屈。又降霽雲。未應。巡呼曰。南八。男兒死爾。不可爲不義屈。霽雲笑曰。欲將有爲也。公知我者。敢不死。亦不肯降。乃與遠及萬春等皆死之。巡年四十九。且死起旋。其衆同斬者見之。或起或泣。巡曰安之。死乃命也。衆泣不能仰視。巡顏色不亂。陽陽如平常焉。初虢王巨引兵東走也。巡有姊嫁陸氏。遮巨勸勿行。巨不納。賜百縑。弗受。爲巡補縫行間。軍中號陸家姑。先巡死之。巡長七尺餘。鬚髯如神。氣志高

貲

廝養

邁。所交必大人長者。不與庸俗合。時人叵知也。出爲清河令。治績最而負節義。或以困阨歸者。傾貲振護無吝。秩滿還都。時楊國忠方專國。權勢可炙。或勸一見且顯用。巡答曰。是乃爲國怪祥。朝宦不可爲也。更調眞源令。土多豪猾。大吏華南金。樹威恣肆。巡下車。以法誅之。餘黨莫不改行。爲政簡約。民甚宜之。其守睢陽也。士卒居人一見問姓名。其後無不識。待人無所疑。賞罰信。與衆共甘苦寒暑。雖廝養必整衣見之。以故下爭致死力。能以少擊衆。未嘗敗也。議者皆謂。巡蔽遮江淮沮賊勢。天下不亡其功也。睢陽自是祠

雷萬春當作南霽雲。

遠後死於偃師。巡子上疏乞削遠官爵。

享巡遠。號爲雙廟云。

張中丞傳後序　　韓　愈

元和二年。四月十三日夜。愈與吳郡張籍。閱家中舊書。得李翰所爲張巡傳。翰以文章自名。爲此傳頗詳密。然尚恨有闕者。不爲許遠立傳。又不載雷萬春事首尾。遠雖材若不及巡者。開門納巡。位本在巡上。授之柄而處其下。無所疑忌。竟與巡俱守死。成功名。城陷而虜。與巡死先後異耳。兩家子弟材智下。不能通知二父志。以爲巡死而遠就虜。疑畏死而辭服於賊。遠誠畏死。何苦守尺寸之地。食其所愛之肉。以與賊

蚍蜉蟻子

媿恥

抗而不降乎。當其圍守時。外無蚍蜉蟻子之援。所欲忠者。國與主耳。而賊語以國亡主滅。遠見救援不至。而賊來益衆。必以其言爲信。外無待而猶死守。人相食且盡。雖愚人亦能數日而知死處矣。遠之不畏死亦明矣。烏有城壞其徒俱死。獨蒙媿恥求活。雖至愚者不忍爲。嗚呼。而謂遠之賢而爲之邪。說者又謂。遠與巡分城而守。城之陷。自遠所分始。以此詬遠。此又與兒童之見無異。人之將死。其臟腑必有先受其病者。引繩而絕之。其絕必有處。觀者見其然。從而尤之。其亦不達於理矣。小人之好議論。不樂成人之美。如

淫辭

是哉。如巡遠之所成就。如此卓卓。猶不得免。其他則又何說。當二公之初守也。寧能知人之卒不救。棄城而逆遁。苟此不能守。雖避之他處何益。及其無救而且窮也。將其創殘餓羸之餘。雖欲去必不達。二公之賢。其講之精矣。守一城捍天下。以千百就盡之卒。戰百萬日滋之師。遮蔽江淮。沮遏其勢。天下之不亡。其誰之功也。當是時。棄城而圖存者。不可一二數。擅强兵。坐而觀者相環也。不追議此而責二公以死守。亦見其自比於逆亂。設淫辭而助之攻也。愈嘗從事於汴徐二府。屢道於兩府間。親祭於其所謂雙廟者。其

老人往往說巡遠時事。云。南霽雲之乞救於賀蘭也。賀蘭嫉巡遠之聲威功績出己上。不肯出師救。愛霽雲之勇且壯。不聽其語。强留之。具食與樂。延霽雲坐。霽雲慷慨語曰。雲來時。睢陽之人。不食月餘日矣。雲雖欲獨食。義不忍。雖食且不下咽。因拔所佩刀。斷一指。血淋漓。以示賀蘭。一座大驚。皆感激爲雲泣下。雲知賀蘭終無爲雲出師意。卽馳去。將出城。抽矢射佛寺浮圖。矢著其上甎半箭。曰。吾歸破賊。必滅賀蘭。此矢所以志也。愈貞元中過泗州。船上人猶指以相語。城陷。賊以刄脅降巡。巡不屈。卽牽去將斬之。又降霽

雲。雲未應。巡呼雲曰。南八。男兒死耳。不可爲不義屈。雲笑曰。欲將以有爲也。公有言。雲敢不死。卽不屈。張籍曰。有于嵩者。少依於巡。及巡起事。嵩常在圍中。籍大歷中。於和州烏江縣見嵩。嵩時年六十餘矣。以巡初嘗得臨渙縣尉。好學無所不讀。籍時尚小。粗問巡遠事。不能細也。云。巡長七尺餘。鬚髯若神。嘗見嵩讀漢書。謂嵩曰。何爲久讀此。嵩曰。未熟也。巡曰。吾於書讀不過三遍。終身不忘也。因誦嵩所讀書。盡卷不錯一字。嵩驚。以爲巡偶熟此卷。因亂抽他帙以試。無不盡然。嵩又取架上諸書。試以問巡。巡應口誦無疑。嵩

訟理

從巡久。亦不見巡常讀書也。爲文章。操紙筆立書。未嘗起草。初守睢陽時。士卒僅萬人。城中居人。戶亦且數萬。巡因一見問姓名。其後無不識者。巡怒。鬚髯輒張。及城陷。賊縛巡等數十人坐。且將戮。巡起旋。其衆見巡起。或起或泣。巡曰。汝勿怖。死命也。衆泣不能仰視。巡就戮時。顏色不亂。陽陽如平常。遠寬厚長者。貌如其心。與巡同年生。月日後於巡。呼巡爲兄。死時年四十九。嵩貞元初。死於亳宋間。或傳嵩有田在亳宋間。武人奪而有之。嵩將詣州訟理。爲所殺。嵩無子。張籍云。

芳菲　槃跚

晉李密。字令伯。父早亡。母再醮。密爲祖母所育。以孝聞鄕里。及蜀平。晉武帝徵爲太子洗馬。密上表陳情。帝嘉其誠。賜奴婢。祖母卒。遷漢中太守。

險釁　閔凶

送母路上短歌　賴襄

東風迎母來。北風送母還。
來時芳菲路。忽爲霜雪寒。
聞雞卽裹足。侍輿足槃跚。
不言兒足疲。唯計母輿安。
獻母一杯兒亦飮。初陽滿店霜已乾。
五十兒有七十母。此福人間得應難。
南去北來人如織。誰人如我兒母歡。

陳情表　李密

臣密言。臣以險釁。夙遭閔凶。生孩六月。慈父見背。行

朞功。謂大功小功。祚
朞功親。
煢煢孑立
奉聖朝。謂蜀亡歸秦也。
逋慢

年四歲。舅奪母志。祖母劉愍臣孤弱。躬親撫養。臣少多疾病。九歲不行。零丁孤苦。至于成立。既無伯叔。終鮮兄弟。門衰祚薄。晩有兒息。外無朞功彊近之親。內無應門五尺之童。煢煢孑立。形影相弔。而劉夙嬰疾病。常在牀蓐。臣侍湯藥。未嘗廢離。逮奉聖朝。沐浴清化。前太守臣逵。察臣孝廉。後刺史臣榮。舉臣秀才。臣以供養無主。辭不赴。會詔書特下。拜臣郎中。尋蒙國恩。除臣洗馬。猥以微賤。當侍東宮。非臣隕首所能上報。臣具以表聞。辭不就職。詔書切峻。責臣逋慢。郡縣逼迫。催臣上道。州司臨門。急於星火。臣欲奉詔奔馳。

密。少年嘗仕於蜀。
盤桓

則以劉病日篤。欲苟順私情。則告訴不許。臣之退進。實爲狼狽。伏惟聖朝以孝治天下。凡在故老。猶蒙矜育。況臣孤苦。特爲尤甚。且臣少事僞朝。歷職郎署。本圖宦達。不矜名節。今臣亡國賤俘。至微至陋。過蒙拔擢。寵命優渥。豈敢盤桓。有所希冀。但以劉日薄西山。氣息奄奄。人命危淺。朝不慮夕。臣無祖母。無以至今日。祖母無臣。無以終餘年。母孫二人。更相爲命。是以區區不能廢遠。臣密今年四十有四。祖母劉今年九十有六。是臣盡節於陛下之日長。報劉之日短也。烏鳥私情。願乞終養。臣之辛苦。非獨蜀之人士。及二州

僥倖
反哺

牧伯所見明知。皇天后土。實所共鑒。願陛下矜愍愚誠。聽臣微志。庶劉僥倖。卒保餘年。臣生當隕首。死當結草。臣不勝犬馬怖懼之情。謹拜表以聞。

慈烏夜啼　白居易

慈烏失其母。啞啞吐哀音。晝夜不飛去。
經年守故林。夜夜夜半啼。聞者爲沾襟。
聲中如告訴。未盡反哺心。百鳥豈無母。
爾獨哀怨深。應是母慈重。使爾悲不任。
昔有吳起者。母歿喪不臨。哀哉若此輩。
其心不如禽。慈烏復慈烏。鳥中之曾參。

南宋陸游。字務觀。號放翁。
高適。字達夫。一字仲武。盛唐詩人。
景光
飛蠓

冬初出遊　陸游

蹇驢渺渺涉烟津。十里山村發興新。
青旆酒家黃葉寺。相逢俱是畫中人。

除夜作　高適

旅館寒燈獨不眠。客心何事轉悽然。
故鄉今夜思千里。霜鬢明朝又一年。

除夕有感　菅晉鄕

弱冠始讀書。蒲質病已嬰。倏忽近中年。
自顧何所成。景光眞可惜。況乃病中經。
飛蠓春檐樹。雨意天冥冥。今日亦既夜。

虵尾
荀卿。戰國時人。

又當減殘齡。　鈴聲過驛濕。　燭影向人青。
聊且繫虵尾。　留客酒一瓶。

讀書　　賴襄

吾生千載後。　而求聖賢心。　聖賢亦人耳。
肝腸無古今。　其言本平易。　傳者故鑿深。
坦坦亨衢内。　故生荊棘林。　安得嬴皇火。
重除蕪穢侵。　泥沙若不淘。　烏能覩精金。

題鞭駘錄　　鹽谷世弘

駑馬可致千里耶。曰。可。何以知其可也。吾聞之荀卿氏。曰。騏驥一日而千里。駑馬十駕則亦及之矣。使荀

帖耳乎阜櫪之間
唐柳宗元。字子厚。雋傑廉悍。踔厲風發。出入經史百家。名聲壓一時。

卿妄人耶。則已。苟荀卿之非妄人耶。則必不敢欺後人也。然則十駕之術如何。曰。鞭之。鞭之而又鞭。今日行十里。明日行十里。行行不息。百年如一。必至所志。斃而後已。其是庶幾及之歟。予駑駘也。而有志於千里。以古人爲鞭。揮之以氣。以追騏驥之風。寧中道而斃。不願蠢蠢然帖耳乎阜櫪間也。

種樹郭橐駝傳　　柳宗元

郭橐駝。不知始何名。病僂。隆然伏行。有類橐駝者。故鄕人號之駝。駝聞之曰。甚善。名我固當。因捨其名。亦自謂橐駝云。其鄕曰豐樂鄕。在長安西。駝業種樹。凡

窺伺傚慕
孳
碩茂

長安豪富人。爲觀游。及賣果者。皆爭迎取養視。駝所種樹。或移徙。無不活。且碩茂。蚤實以蕃。他植者雖窺伺傚慕。莫能如也。有問之。對曰。橐駝非能使木壽且孳也。能順木之天。以致其性焉爾。凡植木之性。其本欲舒。其培欲平。其土欲故。其築欲密。既然已。勿動勿慮。去不復顧。其蒔也若子。其置也若棄。則其天者全。而其性得矣。故吾不害其長而已。非有能碩茂之也。不抑耗其實而已。非有能蚤而蕃之也。他植者則不然。根拳而土易。其培之也。若不過焉則不及。苟能有反是者。則又愛之太恩。憂之太勤。旦視而暮撫。已去

驗
勗
飱饔

而復顧。甚者爪其膚以驗其生枯。搖其本以觀其疎密。而木之性日以離矣。雖曰愛之。其實害之。雖曰憂之。其實讎之。故不我若也。吾又何能爲哉。問者曰。以子之道。移之官理可乎。駝曰。我知種樹而已。理非吾業也。然吾居鄕。見長人者好煩其令。若甚憐焉。而卒以禍。旦暮吏來而呼曰。官命促爾耕。勗爾植。督爾穫。蚤繰而緒。蚤織而縷。字而幼孩。遂而雞豚。鳴鼓而聚之。擊木而召之。吾小人輟飱饔以勞吏者。且不得暇。又何以蕃吾生而安吾性耶。故病且怠。若是則與吾業者。其亦有類乎。問者嘻曰。不亦善夫。吾問養樹得

仲平通稱。名衡。號息軒。日向人。爲飫肥侯侍讀。明治九年歿。

養人術。傳其事以爲官戒也。

送安井仲平東遊序　　鹽谷世弘

嘗觀於當今之學徒。其在庠校孜孜勸苦者有矣。及退庠則倦焉。退庠而不倦者有矣。及畜妻子則衰焉。畜妻子而不衰者有矣。及獲祿位則廢焉。獲祿位而不廢者有矣。逢一患嬰一災則挫焉。蓋其退庠而倦者。其志小者也。畜妻子而衰者。其器狹者也。獲祿位而廢者。其意滿者也。逢一患嬰一災而挫者。其氣不剛者也。吾觀於當今之學徒衆矣。其能退庠而不倦。畜妻子而不衰。獲祿位而不廢。逢災患而不沮不挫。

覲　日向飫肥。文政七年甲申。祗役　天保九年戊戌。

若我安井仲平者。未多覲也。仲平飫肥人。眇然小丈夫。狀寢陋甚。歲之甲申。來入昌平學。居三年。砣砣不少懈。讀書眼透紙背。識慮高卓。議論出人意表。余深畏事之。歸鄉後。歲數次必有書至。大率激憤慷慨。以僻壤乏師友爲言。其藩士之來于東者。僉曰。仲平少時。孤介短於容人。今則直而平。方而恕。接衆諧和。事長有禮。闔藩敬信。至參預國事。致身奉公。所建白皆切時務。有著績可傳述。而講學則益勤矣。間從其君。祗役江戶。所居舍。湫隘樸陋。塵埃滿席。而讀書之燈常烱烱。時從師友。出其新得。輒即驚人。戊戌歲。遂辭

桑梓　格致

官。挈家來就學於江戶。居無幾而逢火。資財蕩燼。未踰年。季女又病痘夭。仲平自降祿爵。離桑梓。孑然僑居乎三千里外。竄突未黔。累逢不虞之難。人倫之變。皆人所不能堪。而志氣不少撓。讀書日必盈寸。作文年可以囊計。齡垂五十。俛焉刻厲。不知頭之將蒼。此豈今世之士哉。仲平巧心計。自言。吾於數術。不學而能焉。以予觀之。其禀於天者。於智特深。古人云。性敏者多不好學。仲平以最敏之質。嗜學甚於食色。故格致日新。識度日躋。治家善審出入之計。不虞之變。待之有備。推而至邦國天下。其於利病得失。確有成算。

矒　棲棲　涓埃　經綸　衣川安倍貞任所據。高館源義經居城。　世襄名君贊。號松陽。

咸可施行。謂之非今世之士。非譽也。予賦性鈍。百事皆拙。而於算最矒。以故治產無檢。終歲棲棲。精神殆乎耗。自有妻孥。業覺日退。而事君無狀。未能涓埃益乎國。居恒觀於仲平以自勵。然惟恐其終身不能及也。今茲季夏。仲平欲濟刀根川。登日光山。還軼北總。遊于水府。觀名公賢佐之所經綸。然後東入陸奧。縱覽金華松洲之勝。與衣川高館之陳蹟。壯其意氣。以益進學之資。其驚人者。將滋不可測也。嗚呼。可畏也哉。

送岡永世襄序　　安井衡

世襄其字。東都人。爲久留米藩文學。

戚戚。

揮毫

安政元年甲寅。

唯無家也。故四海無非其家。唯無財也。故萬物無非其財也。人皆營營。而我獨晏晏。人皆戚戚。而我獨悠悠。意適則止。興盡則去。擧天下之物。無足以累其心。世襄之於斯世。何其綽然有餘裕也。予與世襄交二十年。觀其所遇。昔劇而今閒。昔羸而今健。昔富貴而今貧困。今之勝於昔者二。豈非以其勞於形而逸於心邪。而杖履所到。文人韻士爭延之。相與哦詩揮毫。品水評山。欣歡暢適。不知飢寒之迫其後。則其一者。亦不足爲世襄憂。宜矣。其能超然於事物之外也。甲寅七月。世襄從關西來曰。與予別三年。請竭一夕之

軒昂

歡。予喜其淡於名利。而厚於故舊也。援而止之。而世襄爲予止九閱月。頃者。卒然來告曰。時氣調矣。禽鳥和鳴。而埋沒於車轍馬蹄之間。恐江山笑人。我將北。吾踵。予不能復止。出送之門曰。靑山無盡。江湖之水湛然。徃矣。世襄。北地雖僻乎。必有與子同是樂者。惜予未能從子而放浪於江山之間也。

祭石丈山文　柴野邦彥

進而厲義勇於三軍。退激高風於百代。其生而軒昂崢嶸。百鍊不碎。其死豈其霧散電滅澌盡而水逝乎。意其高潔昭昭者。不騎星辰入天門。並日月而永存。

文采煥散

殽香

帝㬎。度宗之嗣。

則將其英毅剛果之氣。聳爲山岳。含爲洞壑。發爲雷霆風雨。攝百鬼役彪虎。以威福于此土乎。不然。其文采煥散。絪縕醲郁。爲霜露。爲煙霞。爲風水之聲。爲草木之英華。徘徊眷戀乎此土而不去。以娛遊者。日與之盤桓婆娑乎。雖其英靈變化。不可得而知也。然其可知者。方寸千載。旦暮相照。雖以彥等之庸陋。抑亦吟風嘯月。不可謂不涉其流者也。恐在所不外矣。殽香酒烈。神尙髣髴乎其來饗。

文天祥一（靖獻遺言）　淺見安正

天祥字宋瑞。帝㬎德祐初。元兵已渡江。東下勢日迫

社稷

臨安。宋南渡以後所都。

矣。勤王詔下。重臣宿將率縮頸駭汗。天祥時知贛州。慨然發。郡中豪傑。提孤兵獨赴。其友止之曰。是何異驅群羊而搏猛虎。天祥曰。吾亦知其然也。第國家養育臣庶。三百餘年。一旦有急徵兵。無一人一騎入關者。吾深恨於此。故不自量力。而以身徇之。天下忠臣義士。將有聞風而起者。如此則社稷猶可保也。旣至。上疏言抗敵之策。時議以爲迂闊。不報。已而諸路州縣。屠陷降遁相繼。而元兵旣至臨安北關矣。天祥前頻請與敵血戰。以死衞宗廟。至是。又請己帥衆背城一戰。右丞相陳宜中不聽。而遂白太皇太后。遣監察

理宗之后謝氏。帝㬎即位。尊曰太皇太后。

御史楊應奎。奉傳國璽以降元。元將伯顏受之。而欲執政來面議。遣使召宜中。宜中先已夜遁。太后乃以天祥爲右丞相兼樞密使。使往。天祥辭官不拜。遂挺身奉命如元軍。與伯顏抗議爭辨。伯顏大怒。羣起呵斥。天祥益自奮。伯顏顧其擧動不常。留之不還。天祥怒數言歸。伯顏不聽。伯顏屬將唆都。從容說天祥曰。大元將興學校立科擧。丞相大宋爲狀元宰相。今爲大元宰相無疑。丞相常稱。國亡與亡。此男子心。今天下一統。爲大元宰相。豈是易事。國亡與亡四字。願公勿言。天祥哭而拒之。繼又以賈餘慶爲右丞相。充祈

皇太后。度宗之后。

請使如元軍。嘗與天祥同坐。天祥面斥餘慶賣國。且責伯顏失信。降將呂文煥。從旁諭解之。天祥幷斥文煥及其姪師孟。父子兄弟受國厚恩。不能以死報國。乃合族爲逆尚何言。文煥等慚恚。伯顏遂不遣天祥。拘之使北。尋伯顏入臨安城。取帝及太皇太后皇太后北去。而度宗二子益王昰廣王昺。留在浙東。元兵方追之。天祥尚欲奉之以圖恢復。及至鎭江。與其客杜滸等密謀脫。滸曰。不幸謀泄當死。死有怨乎。天祥指心自誓曰。死靡悔。且辦匕首。事懼不濟。挾以自殺。遂與滸等十二人夜潛出。至眞州城下。城主苗再成

環堵

糝羹

蕢

是爲端宗。

出迎。喜泣延之入城。與議國事。時揚州守將。疑天祥爲敵作間。使再成亟殺之。再成識天祥忠義。以兵道之。抵楊州城下。方備天祥甚急。衆相顧吐舌。天祥乃變姓名東出。道遇元兵。伏環堵中得免。然饑莫能起。從樵者乞得餘糝羹。行而元兵又至。衆伏叢篠中。二樵者以蕢荷天祥去得脫。更轉汎海以求二王。時益王已卽位于福州。而天祥遂至矣。卽以爲樞密使同都督諸路軍司馬。招豪傑募兵士。開府經略以規進取。時屬將吳浚既降元。因來說天祥降。天祥責以大義斬之。遂敗元軍。及復數州縣。而諸路將帥亦屢報

勛

寒促弒夏后相。相子少康奔虞。有田一成。衆一旅。能布其德。以收夏衆。遂誅促。復禹舊績。

改元祥興。

捷。軍勢稍振。大勛垂集。而興國之戰不利。至空坑兵盡潰。妻子幕僚等皆被執。天祥尚收拾散亡。以謀後擧。而未幾。端宗亦崩。羣臣多欲散去。丞相陸秀夫曰。度宗皇帝一子尚在。將焉置之。古人有以一旅一成中興者。天若未欲絕宋。此豈不可爲國邪。乃與衆共立衛王。年八歲。天祥聞王卽位。上表自劾。詔加少保信國公。會軍中大疫。士卒多死。天祥母亦病沒。長子復亡而家屬皆盡。大勢已不可支。天祥尚會諸將。討劇盜等于潮陽。破之。而殘賊又導元兵來。倉猝突至。衆不及戰。天祥遂被執。呑腦子不死。

揞

文天祥二（靖獻遺言）

淺見安正

及至潮陽。元將張弘範見之。左右命之拜。揞以戈。不屈。弘範乃釋其縛。以客禮之。天祥固請死。弘範不許。處之舟中。尋厓山戰敗。宋亡矣。於是。弘範等置酒大會。謂天祥曰。國亡丞相忠孝盡矣。能改心以事宋者事今。將不失爲宰相也。天祥泫然出涕曰。國亡不能救。爲人臣者死有餘罪。況敢逃其死而貳其心乎。弘範又曰。國已亡矣。殺身以忠。誰復書之。天祥曰。商非不亡。夷齊自不食周粟。人臣自盡其心。豈論書與不書。弘範爲改容。乃遣使護送赴燕。道經吉州痛恨。卽

天祥卽吉州廬陵人。

祖禰

供張

絶不食。意擬。至廬陵得瞑目長往含笑入地。卽爲告墓文。遣人馳歸白之祖禰。其辭云。烏乎。自古危亂之世。忠臣義士孝子慈孫。其事之不能兩全也久矣。吾生不辰。罹此百凶。求仁得仁。抑又何怨。幽明死生一理也。父子祖孫一氣也。冥漠有知尚哀監之。至八日猶生。天祥以爲既過鄕州。失初望矣。委命荒濱。則立節不白。盍少從容以就義乎。乃復飲食。既至燕。館人供張甚盛。天祥不寢處。坐達旦。遂移兵馬司。設卒守之。元丞相博羅等見天祥。天祥入長揖。欲使跪之。天祥曰。南之揖。北之跪。予南人行南禮。可贅跪乎。博羅

此以宜中餘慶等獻國降元。誣詰天祥耳。故天祥所答如後云。

逃謂自鎭江脫歸也。

去亦謂脫歸。餘慶至燕留館中。

景炎。端宗年號。

叱左右曳之地。或抑項。或扼其背。天祥不屈。仰首與之抗言。博羅曰。自古有以宗廟土地與人而復逃者乎。天祥曰。奉國與人。是賣國之臣也。賣國者。有所利而爲之。必不去。去者必非賣國者也。予前除宰相不拜。奉使軍前。尋被拘執。已而有賊臣獻國。國亡當死。所以不死者。以度宗二子在浙東。老母在廣故耳。博羅曰。棄德祐嗣君。而立二王。忠乎。天祥曰。當此之時。社稷爲重。君爲輕。吾別立君。爲宗廟社稷計也。博羅語塞。忽曰。晉元帝宋高宗皆有所受命。二王不以正。是簒也。天祥曰。景炎乃度宗長子。德祐親兄。尚可謂

不正。登極于德祐去位之後。不可謂簒。博羅等皆無辭。但以無受命爲解。天祥曰。雖無傳受之命。推戴擁立。亦何不可。博羅怒曰。爾立二王竟成何功。天祥曰。立君以存宗社。存一日則盡臣子一日之責。何功之有。曰。既知其不可。何必爲。天祥曰。父母有疾。雖不可爲。無不下藥之理。盡吾心焉。不可救則天命也。今日天祥至此有死而已。何必多言。博羅欲殺之。元主不可。乃囚之。坐臥一小樓。足不履地。作正氣歌以述己志焉。會中山有狂人。自稱宋主。欲取丞相。元主疑丞相爲天祥。乃召天祥諭之曰。汝移所以事宋者事我。

衣帶中自贊後出。

豐下

所祠鄉先生有胡銓。南宋高宗時上封事。大諫與金媾和之非。

當以汝爲相矣。天祥曰。天祥爲宋宰相。安事二姓。願賜之一死足矣。遂殺之於都城之柴市。天祥臨刑。殊從容謂吏卒曰。吾事畢。南向再拜死。年四十七。是贊即其衣帶中所有也。其妻歐陽氏收其屍。面如生焉。尋義士張千載。負其骨歸葬吉州。適家人自廣東奉其母曾夫人之柩。同日至。人以爲忠孝所感云。

文天祥三（靖獻遺言）

淺見安正

文天祥。爲人豐下。英姿俊爽。兩目烱然。自爲童子時。見學宮所祠鄉先生像皆謚忠。即欣然慕之曰。沒不俎豆其間。非夫也。甫弱冠。奉廷對。陳君道之大本經

俎豆

世之急務。文思神發。萬言立就。每與賓客僚佐語及時事。輙撫几曰。樂人之樂者憂人之憂。食人之食者死人之事。聞者爲之感動。性豪華。平生自奉甚厚。及勤王詔至。奉之涕泣。痛自抑損。罄家貲爲軍費。起兵以來。斷斷焉殫力竭謀。扶顚持危。以興復爲己任。鞠躬激厲。獨行其志。雖遭讒逢憂。崎嶇間關百挫千折。有進而無退。屢躓而愈奮。故軍日敗勢日蹙。而歸附日衆。從之者亡家沈族而不顧。開督府置僚屬。一時知名者四十餘人。而遙請號令。稱幕府文武士者不可悉數。皆一念向正。至死而靡悔。厓山之戰。張弘範

零丁洋詩後出。

送款

有文筆峰。天祥居其下。因以文山自號。

數使人招張世傑。世傑死守不從。歷數古忠臣以答之。弘範乃令天祥爲書招之。天祥曰。吾不能扞父母。乃教人叛父母可乎。固命之。天祥遂書所過零丁洋詩與之。其末有云。人生自古誰無死。留取丹心照汗青。弘範笑而置之。竟不能逼。已北居獄四年。忠義之氣一著於詩歌。累數十百篇。至是兵馬司籍所存上之。觀者無不流涕悲慟。有得其一履者。亦寶藏之云。

薛瑄曰。當宋室垂亡之秋。其守帥憑堅城握强兵。望風送款。投戈屈膝者相望也。而文山以狀元宰相。奮孤忠以報國。誓將返濛汜之日於中天。提疲卒當勍

流離顚沛

炳燿軒轟

敵。雖流離顚沛困苦艱危。脫身死亡之餘。而憤憤興復之志。猶庶幾於萬一。及赤手起兵。雖苦戰不支以歸。而長揖元之君相不拜。蓋此身可韲可粉。而志不可以威武屈。卒之從容就死以成仁。其大節炳燿軒轟宇宙間。凛凛乎立萬世君臣之大義。回視棄滅天常之降臣叛將。曾犬豕之不如。則其忠賢冠絕千古。豈人之所能及哉。

衣帶中自贊

文天祥

孔曰成仁。孟曰取義。惟其義盡。所以仁至。讀聖賢書。所學何事。而今而後。庶幾無愧。

蒸漚歷瀾
倉腐寄頓
雜遝
腥臊汙垢
圊溷

正氣歌 並其序

文天祥

序曰。予囚北庭。坐一土室。廣八尺。深可四尋。單扉低小。白間短窄。汙下而幽暗。當此夏日。諸氣萃然。雨潦四集。浮動牀几。時則爲水氣。塗泥半朝。蒸漚歷瀾時。則爲土氣。乍晴暴熱。風道四塞時。則爲日氣。簷陰薪爨。助長炎虐時。則爲火氣。倉腐寄頓。陳陳逼人時。則爲米氣。駢肩雜遝。腥臊汙垢時。則爲人氣。或圊溷。或死屍。或腐鼠。惡氣雜出時。則爲穢氣。疊是數氣。當之者。鮮不爲厲。而予以孱弱。俛仰其間。于茲二年矣。嗟呼。是殆有養致然爾。亦安知所養何哉。孟子曰。吾

蒼溟
齊崔杼弑莊公。太史書曰。崔杼弑其君。杼殺之。其弟嗣書。而死者二人。其弟又書。乃舍之。南史氏聞太史盡死。執簡以往。聞既書矣。乃還。
晉靈公不君。趙盾極諫。公欲殺之。盾出奔。

善養吾浩然之氣。彼氣有七。吾氣有一。以一敵七。吾何患焉。況浩然者。乃天地之正氣也。歌曰。

天地有正氣。雜然賦流形。下則爲河嶽。
上則爲日星。於人曰浩然。沛乎塞蒼溟。
皇路當清夷。含和吐明庭。時窮節乃見。
一一垂丹青。在齊太史簡。在晉董狐筆。
在秦張良椎。在漢蘇武節。爲嚴將軍頭。
爲嵇侍中血。爲張睢陽齒。爲顏常山舌。
或爲遼東帽。清操厲氷雪。或爲出師表。
鬼神泣壯烈。或爲渡江楫。慷慨吞胡羯。

盾昆弟穿弑公。太史董孤書曰。盾弑其君。
張良以鐵椎擊始皇。不中。
蘇武前出。
晉成都王穎反。惠帝徵侍中嵇紹。紹詣行在。扈衛乘輿。已而官軍不利。百官侍御皆散。紹朝服登輦。以身衛帝。賊兵引紹斬之。血濺帝衣。
張巡顏杲卿。共前出。
漢室衰。天下亂。管寧

或爲擊賊笏。逆豎頭破裂。是氣所磅礴。
凛冽萬古存。當其貫日月。生死安足論。
地維賴以立。天柱賴以尊。三綱實繫命。
道義爲之根。嗟予遘陽九。隷也實不力。
楚囚纓其冠。傳車送窮北。鼎鑊甘如飴。
求之不可得。陰房闃鬼火。春院閟天黑。
牛驥同一皁。鷄栖鳳凰食。一朝蒙霧露。
分作溝中瘠。如此再寒暑。百沴自辟易。
哀哉沮洳場。爲我安樂國。豈有他繆巧。
陰陽不能賊。顧此耿耿在。仰觀浮雲白。

以操尚稱。廬於遼東三十七年。後魏以寧爲大中大夫。不受。又爲光祿大夫。不受。年八十四卒。常著皂帽布襦袴布裙。坐一木榻云。
諸葛亮上出師表。前出。
晉室大亂。胡羯種族乘間。祖逖欲復中原。將部曲渡江。中流擊楫曰。不能清中原而復濟者。有如大江。進走後趙兵。爲取河北之計而聞。

悠悠我心憂。蒼天曷有極。哲人日已遠。
典刑在夙昔。風簷展書讀。古道照顏色。

零丁洋詩

文天祥

辛苦遭逢起一經。干戈落落四周星。
山河破碎水漂絮。身世浮沈風打萍。
皇恐灘邊說皇恐。零丁洋裏歎零丁。
人生自古誰無死。留取丹心照汗青。

照鏡見白髮

張九齡

宿昔青雲志。蹉跎白髮年。誰知明鏡裏。
形影自相憐。

將有內難。激憤發病。卒。　唐德宗時。朱泚反。段秀實以笏擊泚。中其額。濺血灑地。泚衆前殺秀實。　磅礴　凜冽　鼎鑊　闃　皁　百沴　沮洳場　耿耿　丹心　汗青　張九齡。初唐詩人。　蹉跎　鄉薦　汚衊　擿

謝枋得（靖獻遺言）

淺見安正

枋得字君直。信州人。寶祐中。以鄉薦試中禮部高等。比對力詆時宰閹宦。奮不顧前後。既歸。江東西宣撫使趙葵辟。枋得爲屬。尋除禮兵部架閣。令募兵援江上。枋得給錢粟。得信撫義士數千人。以應之。時賈似道當國忌功。欲汚衊一時閫臣。遣官會計邊費。會計者至信。枋得曰。不可以累宣撫。毀家自償。由是坐廢。景定末。元兵壓江上。宋社日替。而江東漕司猶試士較藝。枋得考試。憤似道竊政柄。害忠良。誤國毒民。發策十問。擿其姦。極言天心怒。地氣變。民心離。人才壞。

鐫　逆旅

國有亡證。辭甚剴切。似道親其藁大怒。竟劾其騰謗。鐫秩竄之。後又以史館召。枋得曰。似道餌我也。不赴。德祐初。爲江西招諭使知信州。元兵寇江東。枋得迎戰于安仁。矢盡而敗。妻子皆被執。枋得遂易服負母。入建寧唐石山。寓逆旅中。日麻衣躡屨。東鄉而哭。人不識之。以爲被病也。又去賣卜建陽市中。有來卜者。惟取米屨而已。委以錢。悉謝不納。遂居閩中。宋已亡。元至元末。元主遣其臣程文海。訪求江南人才。文海薦宋遺士三十餘人。以枋得爲首。枋得時方居母喪。遺書文海曰。某所以不死者。以九十三歲之母在耳。

韓信以兵數萬。欲擊趙。廣武君李左車。爲趙王歇及陳餘。謀取信等之策。不用。信乃引兵大破趙軍。斬餘禽歇。信令軍中。購廣武君千金。而獲之。信解其縛。師事之。問計。廣武君辭謝曰。臣聞。敗軍之將。不可以言勇。亡國之大夫。不可以圖存。今臣敗亡之虜。何足以權大事乎。　夢炎。理宗朝爲狀元。

先妣以今年二月考終。某自今無意人間事矣。亡國之大夫不可與圖存。李左車猶能言之。況稍知詩書。頗識義理者乎。既而元丞相忙兀台將旨召之。執手相勉勞。枋得不敢赴。宋降相留夢炎。亦力薦之。枋得遺書夢炎。辨論凡數千百言。卒不行。福建參知政事魏天祐。又欲薦枋得爲功。使其友來言。枋得罵之。天祐乃誘召入城。與之言。枋得又傲岸。坐而不對。或嫚言無禮。天祐不能堪。乃讓曰。封疆之臣當死封疆。安仁之敗何不死。枋得曰。程嬰公孫杵臼二人。皆忠于趙。一存孤。一死節。一死於十五年之前。一死於十五

帝㬎朝爲左丞相。及元兵日急。遂遁去。降元。　傲岸　嫚言　晉屠岸賈。殺趙朔。朔妻有遺腹。後生男。賈索之。朔客杵臼曰。立孤與死孰難。朔友程嬰曰。死易。立孤難耳。杵臼曰。子強爲難者。吾爲其易者。乃謀取他人兒。匿山中。嬰出謬曰。吾告趙氏孤處。發師隨嬰。攻杵臼。遂殺杵臼與

年之後。萬世之下。皆不失爲忠臣。王莽簒漢十四年。龔勝乃餓死。亦不失爲忠臣。韓退之云。蓋棺事始定。司馬子長云。死有重於泰山。輕於鴻毛。參政豈足知此。天祐曰。強辭。枋得曰。昔張儀語蘇秦舍人云。當蘇君時。儀何敢言。今日乃參政之時。枋得復何言。天祐怒逼之北行。枋得以死自誓。爲詩別其門人故友。時貧苦已甚。衣結屨穿。行雪中。有嘗德之者。賙以兼金重裘。辭不受。自離嘉興。即不食。臥眠簥中。二十餘日不死。乃復食。既渡采石。惟茹少蔬果。積數月困殆。及至燕。問太后攢所。再拜慟哭。疾甚。遷憫忠寺。見壁間

宮兒。然趙氏眞孤反在。嬰卒與匿山中。居十五年。韓厥具以實告景公。趙孤名曰武。景公乃召武嬰攻賈。滅其族。復與武田邑如故。及武冠。嬰謂武曰。昔下宮之戰。我非不能死。我思立趙氏後。今武既立爲成人。我將下報趙宜孟與公孫杵臼。武啼泣固請。願苦筋骨以報子。嬰曰。彼以我爲能成事。故先我死。今我不

曹娥碑。泣曰。少女子猶爾。吾豈不汝若哉。夢炎使盥持藥雜米飲進之。枋得怒曰。吾欲死。汝乃欲我生耶。擲之於地。不食。五日死。子定之護骸骨歸葬信州。定之亦賢。累薦不起。妻李氏被執送獄。有賊師欲妻之。一夕自縊死。

初到建寧賦詩 並序　謝枋得

魏參政執拘投北。行有期死有日。詩別妻子良友良朋。

雪中松柏愈青青。扶植綱常在此行。
天下久無龔勝潔。人間何獨伯夷清。

報。是以我事爲不成。遂自殺。宣孟朔諡也。

唐韓愈字退之。

漢司馬遷字子長。

蓋棺事始定

賜

茹

攢所謂殯也。枋得北行之前五年。謝大后（理宗后）卒於燕。

義高便覺生堪捨。禮重方知死甚輕。
南八男兒終不屈。皇天上帝眼分明。

卻聘書　謝枋得

夷齊雖不事周。食西山之薇。亦當知武王之恩。四皓雖不仕漢。茹商山之芝。亦當知高帝之恩。況蒸藜含糲于大元之名地乎。大元之赦某屢矣。某受大元之恩亦厚矣。若效魯仲連蹈東海而死。則不可。今既爲大元之游民矣。莊子曰。呼我爲馬者。應之以爲馬。呼我爲牛者。應之以爲牛。世之人。有呼我爲宋之逋播臣者。亦可。呼我爲大元遊惰民者。亦可。呼我爲宋頑

漢孝女曹娥者會稽人。父於縣江泝濤溺死。不得屍骸。娥年十四。沿江號哭。晝夜不絕聲。旬有七日。遂投江死。後縣長度尚。改葬娥於江南道傍。爲立碑。

福建參知政事魏天祐前出。

綱常

南八南霽雲也。前出。

夷齊

四皓

民者。亦可。呼我爲大元之逸民者。亦可。爲輪爲彈。與化徃來。蟲臂鼠肝。隨天付予。若貪戀官爵。昧于一行。縱大元仁恕天涵地容。哀憐孤臣。不忍加戮。某有何面目見大元乎。某與大平草木同沾聖朝之雨露。生稱善士。死表于道。曰宋處士謝某之墓。雖死之日。而生之年。感恩感德。天實臨之。司馬子長有言。人莫不有一死。死或重於泰山。或輕于鴻毛。先民廣其說曰。慷慨赴死易。從容就義難。公亦可以察某之心矣。

雜說　韓愈

世有伯樂。然後有千里馬。千里馬常有。而伯樂不常

蔾

糲

魯仲連

逋播之臣

祇

鴻鵠

鷃

枋楡

揶揄

有。故雖有名馬。祇辱於奴隸人之手。駢死於槽櫪之間。不以千里稱也。馬之千里者。一食或盡粟一石。食馬者。不知其能千里而食也。是馬也。雖有千里之能。食不飽。力不足。才美不外見。且欲與常馬等。不可得。安求其能千里也。策之不以其道。食之不能盡其材。鳴之而不能通其意。執策而臨之曰。天下無馬。嗚呼。其眞無馬邪。其眞不知馬也。

感遇　安積信

鴻鵠飛千里。小大相懸絕。
鷃雀翔枋楡。可笑反揶揄。
丈夫有遠志。邈與古爲徒。

窮通
屠沽兒
錮
遷
鑠

磊磊軒天地。窮通安足吁。鄙哉屠沽兒。所見惟利途。蠅蚋逐臭腐。廉恥毫髮無。得之何所用。徒爲守錢奴。

自誨　白居易

樂天樂天。來與汝言。汝宜拳拳。終身行焉。物有萬類。錮人如鎖。事有萬感。爇人如火。萬類遷來。鑠汝形骸。使汝未老。形枯如柴。萬感遷至。火汝心懷。使汝未死。心化爲灰。樂天樂天。可不大哀。汝胡不懲往而念來。人世百歲七十稀。設使與汝七十期。汝今年已四

遑遑
贈劉中允。以廬山高名篇。蓋以廬山比中允之高節。

十四。却後二十六年能幾時。汝不思二十五六年來事。疾速倏忽如一寐。往日來日皆瞥然。胡爲自苦於其間。樂天樂天可不大哀。而今而後汝宜飢而食渴而飲。晝而興夜而寢。無浪喜。無浪憂。病則臥。死則休。此中是汝家。此中是汝鄉。汝何捨此而去。自取其遑遑。遑遑兮欲安住哉。樂天樂天歸去來。

廬山高　歐陽修

廬山高哉幾千仭兮。根盤幾百里。截然屹立乎長江。長江西來走其下。是爲揚瀾左里兮。洪

鴻龐
旛幢
缸
世俗不辨

濤巨浪日夕相舂撞。雲消風止水鏡淨。泊舟登岸而遠望兮。上摩青蒼以晻靄。下壓后土之鴻龐。試往造乎其間兮。攀緣石磴窺空谾。千巖萬壑響松檜。懸崖巨石飛流淙。水聲聒聒亂人耳。六月飛雪灑石矼。仙翁釋子亦往往而逢。吾嘗惡其學幻而言哤。但見丹霞翠壁遠近映樓閣。晨鐘暮鼓杳靄羅旛幢。幽花野草不知其名兮。風吹霧濕香澗谷。時有白鶴飛來雙。幽尋遠去不可極。便欲絕世遺紛厖。羨君買田築室老其下。插秧盈疇兮釀酒盈缸。欲令浮嵐曖翠

珉與玒。謂世俗不識中允之爲人。
青雲白石。謂有深趣。中允有隱君子之節操。
兀硉
杠。旗竿也。

千萬狀。坐臥常對乎軒窓。君懷磊砢有至寶。世俗不辨珉與玒。策名爲吏二十載。青衫白首困一邦。寵榮聲利不可以苟屈。自非青雲白石有深趣。其意兀硉何由降。丈夫壯節似君少。嗟我欲說安得巨筆如長杠。

漢文讀本卷四　終

明治三十七年十二月九日印刷
明治三十七年十二月十二日發行

定價 卷一、金貳拾錢 卷二、三、四、五、各貳拾五錢

不許複製

著者 法貴慶次郎
東京市青山南町三丁目五十二番地

發行者 元元堂書房
東京市京橋區銀座四丁目十五番地
右代表者 中村銀次郎

印刷者 石川金太郎
東京市京橋區西紺屋町廿六七番地

印刷所 株式會社秀英舍
東京市京橋區西紺屋町廿六七番地

發兌元 元元堂書房
東京市京橋區銀座四丁目十五番地

東京帝國大學文科大學教授文學博士服部宇之吉校閲
東京高等師範學校教諭兼助教授 法貴慶次郎編纂

漢文讀本

袁勵準題簽

東京 元元堂書房發行

漢文讀本卷五目次

漢文讀本卷五目次　終

漢文讀本卷五

獨樂園記

司馬光

迂叟平日讀書。上師聖人。下友羣賢。窺仁義之原。探禮樂之緒。自未始有形之前。暨四達無窮之外。事物之理。舉集目前。可者學之。未至夫可。何求於人。何待於外哉。志倦體疲。則投竿取魚。執衽采藥。決渠灌花。操斧剖竹。濯熱盥水。臨高縱目。逍遙徜徉。惟意所適。明月時至。清風自來。行無所牽。止無所柅。耳目肺腸。卷爲己有。踽踽焉。洋洋焉。不知天壤之間。復有何樂

徜徉　踽踽

可以代此也。因合而命之曰獨樂。

司馬溫公獨樂園

蘇軾

青山在屋上。流水在屋下。中有五畝園。
花竹秀而野。花香襲杖屨。竹色侵盞斝。
樽酒樂餘春。棊局消長夏。洛陽古多士。
風俗猶爾雅。先生臥不出。冠蓋傾洛社。
雖云與衆樂。中有獨樂者。才全德不形。
所貴知我寡。先生獨何事。四海望陶冶。
兒童誦君實。走卒知司馬。持此欲何歸。
造物不我捨。名聲逐我輩。此病天所赭。

宋蘇軾。字子瞻。號東坡。　屨斝　棊局　冠蓋　老子云。知我者希。則我貴。　造物　言四海蒼生。望司馬執政。譏相非其人。新法不便也。

宋王安石。字介甫。

許渾。晩唐詩人。周大

撫掌笑先生。年來效喑啞。

勸學文　王安石

讀書不破費。讀書萬倍利。書顯官人才。
書添君子智。有卽起書樓。無卽致書櫃。
窗前看古書。燈下尋書義。貧者因書富。
富者因書貴。愚者得書賢。賢者因書利。
只見讀書榮。不見讀書墜。賣金買書讀。
讀書買金易。好書卒難逢。好書眞難致。
奉勸讀書人。好書在心記。

洛陽城　許渾

夫行役過故宮。見盡爲禾黍。作詩。詩曰。彼黍離離。東周後漢。皆都洛。市朝。市街也。史記云。周靈王太子。名晉。遊緱山。夜吹笙。作鳳音。鳳至。乃乘鳳升仙。山在洛陽。

螭頭

禾黍離離半野蒿。昔人城此豈知勞。
水聲東去市朝變。山勢北來宮殿高。
鴉噪暮雲歸古堞。雁迷寒雨下空濠。
可憐緱嶺登仙子。猶自吹笙醉碧桃。

三條橋行　賴襄

三條橋分七道路。六十洲人來如鶩。
鴨河暴漲厓欲裂。此橋屹倚盤石固。
見道石柱之礎入地深五尋。
螭頭不朽精銅護。誰其造者曰豐臣。
天正十八歲庚寅。維春正月乃成役。

雕蛟鼉

楛矢

雕銘十行字如新。迸流抉出蛟鼉窟。
鞭石出血誰逡巡。按史正在其三月。
公實奉敕事東伐。元戎此處方啓行。
鯨背如拭受旌鉞。騎步十有五万兵。
鎧仗映日太鮮明。想見假鬚助威容。
縱觀擁橋九陌傾。目中時已無八國。
驅率群雄如奴僕。久矣蜻洲路不通。
手執節刀剪荊棘。
然後熊皮楛矢皆聚橋之東側。
君不見整頓乾坤有數公。

提挈

杜牧。字牧之。號樊川。晩唐詩人。

提挈同成太平功。長城漢倚秦皇帝。
汴壘宋賴周世宗。興代不沒前世績。
不然銘文毀已空。如何俗儒小人腹。
希世偏要罵織豐。誰肯著眼讀銘辭。
唯見蹄輪日西東。吾來摩挲暫延佇。
觸杜水聲與我語。

春夜　蘇軾

春宵一刻直千金。花有清香月有陰。
歌管樓臺聲寂寂。鞦韆院落夜沈沈。

漢江　杜牧

戟
鈇鉞

溶溶漾漾白鷗飛。　綠淨春日好染衣。
南去北來人自老。　夕陽長送釣船歸。

孫子兵法（史記）　司馬遷

孫子武者。齊人也。以兵法見於吳王闔廬。闔廬曰。子之十三篇。吾盡觀之矣。可以小試勒兵乎。對曰。可。闔廬曰。可試以婦人乎。曰。可。於是許之。出宮中美女。得百八十人。孫子分爲二隊。以王之寵姬二人。各爲隊長。皆令持戟。令之曰。汝知而心與左右手背乎。婦人曰。知之。孫子曰。前則視心。左視左手。右視右手。後即視背。婦人曰。諾。約束既布。乃設鈇鉞。即三令五申之。於

規矩繩墨

是鼓之右。婦人大笑。孫子曰。約束不明。申令不熟。將之罪也。復三令五申而鼓之左。婦人復大笑。孫子曰。約束不明。申令不熟。將之罪也。既已明而不如法者。吏士之罪也。乃欲斬左右隊長。吳王從臺上觀。見且斬愛姬。大駭。趣使使下令曰。願勿斬也。孫子曰。臣既已受命爲將。將在軍。君命有所不受。遂斬隊長二人。以徇。用其次爲隊長。於是復鼓之。婦人左右前後跪起。皆中規矩繩墨。無敢出聲。於是孫子使使報王曰。兵既整齊。王可試下觀之。唯王所欲用之。雖赴水火。猶可也。吳王曰。將軍罷休就舍。寡人不願下觀。孫子

曰。王徒好其言。不能用其實。於是闔廬知孫子能用兵。卒以爲將。西破彊楚。入郢。北威齊晉。顯名諸侯。孫子與有力焉。孫武既死。後百餘歲。有孫臏。臏生阿鄄之間。臏亦孫武之後世子孫也。孫臏嘗與龐涓俱學兵法。龐涓既事魏。得爲惠王將軍。而自以爲能不及孫臏。乃陰使召孫臏。臏至。龐涓恐其賢於己。疾之。則以法刑斷其兩足。而黥之。欲隱勿見。齊使者如梁。孫臏以刑徒陰見說齊使。齊使以爲奇。竊載與之齊。齊將田忌善而客待之。忌數與齊諸公子馳逐重射。孫子見其馬足不甚相遠。馬有上中下輩。於是孫子謂

控捲
批亢擣虛

田忌曰。君第重射。臣能令君勝。田忌信然之。與王及諸公子。逐射千金。及臨質。孫子曰。今以君之下駟。與彼上駟。取君上駟。與彼中駟。取君中駟。與彼下駟。既馳三輩畢。而田忌一不勝而再勝。卒得王千金。於是忌進孫子於威王。威王問兵法。遂以爲師。其後魏伐趙。趙急請救於齊。齊威王欲將孫臏。臏辭謝曰。刑餘之人不可。於是乃以田忌爲將。而孫子爲師。居輜車中。坐爲計謀。田忌欲引兵之趙。孫子曰。夫解雜亂紛糾者不控捲。救鬬者不搏撠。批亢擣虛。形格勢禁。則自爲解耳。今梁趙相攻。輕兵銳卒。必竭於外。老弱罷

百里而趨利者蹶上將

於內。君不若引兵疾走大梁。據其街路。衝其方虛。彼必釋趙而自救。是我一擧解趙之圍。而收弊於魏也。田忌從之。魏果去邯鄲。與齊戰於桂陵。大破梁軍。後十五年。魏與趙攻韓。韓告急於齊。齊使田忌將而往。直走大梁。魏將龐涓聞之。去韓而歸。齊軍既已過而西矣。孫子謂田忌曰。彼三晉之兵。素悍勇而輕齊。齊號爲怯。善戰者。因其勢而利導之。兵法百里而趨利者。蹶上將。五十里而趨利者。軍半至。使齊軍入魏地爲十萬竈。明日爲五萬竈。又明日爲三萬竈。龐涓行三日。大喜曰。我固知齊軍怯。入吾地三日。士卒亡者

鑽火

過半矣。乃棄其步軍。與其輕銳。倍日幷行逐之。孫子度其行。暮當至馬陵。馬陵道狹。而旁多阻隘。可伏兵。乃斫大樹。白而書之曰。龐涓死于此樹之下。於是令齊軍善射者。萬弩夾道而伏。期曰。暮見火擧而俱發。龐涓果夜至斫木下。見白書。乃鑽火燭之。讀其書未畢。齊軍萬弩俱發。魏軍大亂。相失。龐涓自知智窮兵敗。乃自剄曰。遂成豎子之名。齊因乘勝。盡破其軍。虜魏太子申以歸。孫臏以此名顯天下。世傳其兵法。

孟嘗君（史記）　司馬遷

齊湣王二十五年。復卒使孟嘗君入秦。昭王即以孟

抵

以狐之白毛爲裘。謂之集狐毛。言狐腋美而難得者。

更改也。改封傳。而易姓名也。今之封傳驛券也。

關在陝州桃林縣西南。

嘗君爲秦相。人或說秦昭王曰。孟嘗君賢。而又齊族也。今相秦。必先齊而後秦。秦其危矣。於是秦昭王乃止。囚孟嘗君。謀欲殺之。孟嘗君使人抵昭王幸姬求解。幸姬曰。妾願得君狐白裘。此時孟嘗君有一狐白裘直千金。天下無雙。入秦獻之昭王。更無他裘。孟嘗君患之。徧問客莫能對。最下坐有能爲狗盜者。曰。臣能得狐白裘。乃夜爲狗以入秦宮藏中。取所獻狐白裘至。以獻秦王幸姬。幸姬爲言昭王。昭王釋孟嘗君。孟嘗君得出即馳去。更封傳變名姓以出關。夜半至函谷關。秦昭王後悔出孟嘗君。求之已去。即使人馳

屩音脚。草履也。

傳舍。幸舍。及代舍。並當上中下三等之客所舍之名耳。

蒯草名。茅之類。緱謂

傳逐之。孟嘗君至關。關法。雞鳴而出客。孟嘗君恐追至。客之居下坐者。有能爲雞鳴。而雞盡鳴。遂發傳出。出如食頃。秦追果至關。已後孟嘗君出。乃還。始孟嘗君列此二人於賓客。賓客盡羞之。及孟嘗君有秦難。卒此二人拔之。自是之後客皆服。

初有馮驩者。聞孟嘗君好客。躡屩而見之。孟嘗君曰。先生遠辱。何以敎文也。馮驩曰。聞君好士。以貧身歸于君。孟嘗君置傳舍十日。孟嘗君問傳舍長曰。客何所爲。答曰。馮先生甚貧。猶有一劍耳。又蒯緱。彈其劍而謌曰。長鋏歸來乎。食無魚。孟嘗君遷之幸舍。食有

把劍之物。言其劍無物可裝。但以蒯繩纏之。故云蒯緱也。長鋏

與猶還也。息猶利也。

伎能

魚矣。五日。又問傳舍長。荅曰。客復彈劍而歌曰。長鋏歸來乎。出無輿。孟嘗君遷之代舍。出入乘輿車矣。五日。孟嘗君復問傳舍長。舍長荅曰。先生又嘗彈劍而歌曰。長鋏歸來乎。無以爲家。孟嘗君不悅。居朞年。馮驩無所言。孟嘗君時相齊。封萬戶於薛。其食客三千人。邑入不足以奉客。使人出錢於薛。歲餘不入。貸錢者。多不能與其息。客奉將不給。孟嘗君憂之。問左右。何人可使取債於薛者。傳舍長曰。代舍客馮公。形容狀貌甚辯。長者無他伎能。宜可令收債。孟嘗君乃進馮驩而請之曰。賓客不知文不肖。幸臨文者三千餘人。

酣

燔

邑入不足以奉賓客。故出息錢于薛。薛歲不入。民頗不與其息。今客食恐不給。願先生責之。馮驩曰。諾。辭行至薛。召取孟嘗君錢者。皆會。得息錢十萬。乃多釀酒。買肥牛。召諸取錢者。能與息者皆來。不能與息者亦來。皆持取錢之券書合之。齊爲會日。殺牛置酒。酒酣。乃持券如前合之。能與息者。與爲期。貧不能與息者。取其券而燒之曰。孟嘗君所以貸錢者。爲民之無者。以爲本業也。所以求息者。爲無以奉客也。今富給者以要期。貧窮者燔券書以捐之。諸君彊飯食。有君如此。豈可負哉。坐者皆起再拜。孟嘗君聞馮驩燒券

書。怒而使使召驩。驩至。孟嘗君曰。文食客三千人。故貸錢於薛。文奉邑少。而民尚多不以時與其息。客食恐不足。故請先生收責之。聞先生得錢。即以多具牛酒。而燒券書。何。馮驩曰。然。不多具牛酒。即不能畢會。無以知其有餘不足。有餘者爲要期。不足者雖守而責之十年。息愈多。急即以逃亡。自捐之。若急終無以償。上則爲君好利。不愛士民。下則有離上抵負之名。非所以厲士民彰君聲也。焚無用虛債之券。捐不可得之虛計。令薛民親君。而彰君之善聲也。君有何疑焉。孟嘗君乃拊手而謝之。齊王惑於秦楚之毀。以爲

軾靷

孟嘗君名高其主。而擅齊國之權。遂廢孟嘗君。諸客見孟嘗君廢皆去。馮驩曰。借臣車一乘可以入秦者。必令君重於國。而奉邑益廣。可乎。孟嘗君乃約車幣而遣之。馮驩乃西說秦王曰。天下之游士。憑軾結靷。西入秦者。無不欲彊秦而弱齊。憑軾結靷。東入齊者。無不欲彊齊而弱秦。此雄雌之國也。勢不兩立爲雄。雄者得天下矣。秦王跽而問之曰。何以使秦無爲雌而可。馮驩曰。王亦知齊之廢孟嘗君乎。秦王曰。聞之。馮驩曰。使齊重於天下者。孟嘗君也。今齊王以毀廢之。其心怨必背齊。背齊入秦。則齊國之情。人事之誠。

盡委之秦。齊地可得也。豈直爲雄也。君急使使載幣。陰迎孟嘗君。不可失時也。如有齊覺悟復用孟嘗君。則雌雄之所在。未可知也。秦王大悅。乃遣車十乘。黃金百鎰。以迎孟嘗君。馮驩辭以先行。至齊說齊王曰。天下之游士。憑軾結靷東入齊者。無不欲彊齊而弱秦者。憑軾結靷。西入秦者。無不欲彊秦而弱齊者。夫秦齊雄雌之國。秦彊則齊弱矣。此勢不兩雄。今臣竊聞秦遣使車十乘。載黃金百鎰。以迎孟嘗君。孟嘗君不西則已。西入相秦。則天下歸之。秦爲雄而齊爲雌。雌則臨淄即墨危矣。王何不先秦使之未到。復孟嘗

君。而益與之邑。以謝之。孟嘗君必喜而受之。秦雖彊國。豈可以請人相而迎之哉。折秦之謀。而絕其霸彊之略。齊王曰善。乃使人至境候秦使。秦使車適入齊境。使還馳告之。王召孟嘗君。而復其相位。而與其故邑之地。又益以千戶。秦之使者。聞孟嘗君復相齊。還車而去矣。自齊王毀廢孟嘗君。諸客皆去。後召而復之。馮驩迎之。未到。孟嘗君太息歎曰。文常好客。遇客無所敢失。食客三千有餘人。先生所知也。客見文一日廢。皆背文而去。莫顧文者。今賴先生。得復其位。客亦有何面目。復見文乎。如復見文者。必唾其面而大

市之行列有如朝位因言市朝

言日暮物盡故掉臂不顧也

辱之。馮驩結轡下拜。孟嘗君下車接之曰。先生爲客謝乎。馮驩曰。非爲客謝也。爲君之言失。夫物有必至。事有固然。君知之乎。孟嘗君曰。愚不知所謂也。曰。生者必有死。物之必至也。富貴多士。貧賤寡友。事之固然也。君獨不見夫朝趨市者乎。明旦側肩爭門而入。日暮之後。過市朝者。掉臂而不顧。非好朝而惡暮。所期物忘其中。今君失位。賓客皆去。不足以怨士。而徒絕賓客之路。願君遇客如故。孟嘗君再拜曰。敬從命矣。聞先生之言。敢不奉教焉。

函谷關

竹添進一郎

軋

控

嵎眈眈

屈原字平。楚之同姓。爲懷王左徒。博聞彊志。有令名。同列爭寵。者害其能。讒之王。王怒而疏平。平憂愁不措。遂投汨羅。

憔悴

枯槁

峰峰疊如夏雲起。　中通一綫不方軌。
重關已扼百二雄。　形勝更控黃河水。
憶昔秦人擅富強。　祖龍威暴乃虎狼。
負嵎眈眈牙磨劍。　六國如醉六王狂。
珠履金印爭延賓。　憑軾結靷來往頻。
寧知扶危自有道。　堪笑鷄鳴狗盜人。

漁父辭

屈原

屈原既放。游於江潭。行吟澤畔。顏色憔悴。形容枯槁。漁父見而問之曰。子非三閭大夫與。何故至於斯。屈原曰。擧世皆濁。我獨清。衆人皆醉。我獨醒。是以見放。

歠　釃　枻　纓　晉陶潛字淵明。　塵網

漁父曰。聖人不凝滯於物。而能與世推移。世人皆濁。何不淈其泥而揚其波。衆人皆醉。何不餔其糟而歠其釃。何故深思高擧。自令放爲。屈原曰。吾聞之。新沐者必彈冠。新浴者必振衣。安能以身之察察。受物之汶汶者乎。寧赴湘流。葬於江魚之腹中。安能以皓皓之白。而蒙世俗之塵埃乎。漁父莞爾而笑。鼓枻而去。乃歌曰。滄浪之水清兮。可以濯吾纓。滄浪之水濁兮。可以濯吾足。遂去不復與言。

歸田園居

陶潛

少無適俗韻。性本愛丘山。誤落塵網中。

楡　樊籠　田園種豆。在於去穢。草如朝廷用賢。在於去小人。

一去二十年。羈鳥戀舊林。池魚思故淵。
開荒南野際。守拙歸園田。方宅十餘畝。
草屋八九間。楡柳蔭後簷。桃李羅堂前。
曖曖遠人村。依依墟里煙。狗吠深巷中。
鷄鳴桑樹顚。戸庭無塵雜。虚室有餘閑。
久在樊籠裏。復得反自然。

又

種豆南山下。草盛豆苗稀。侵晨理荒穢。
帶月荷鋤歸。道狹草木長。夕露沾我衣。
衣沾不足惜。但使願無違。

潛爲彭澤令。時郡主遣督郵至。吏白當束帶見之。嘆曰。吾安能爲五斗米折腰向鄕里小兒邪。即日解印綬歸去。遂作此辭以明其志。　以心爲形役　惆悵　衡宇　寄傲　盤桓

歸去來辭。

陶潛

歸去來兮。田園將蕪。胡不歸。既自以心爲形役。奚惆悵而獨悲。悟已往之不諫。知來者之可追。寔迷途其未遠。覺今是而昨非。舟搖搖以輕颺。風飄飄而吹衣。問征夫以前路。恨晨光之熹微。乃瞻衡宇。載欣載奔。僮僕歡迎。稚子候門。三徑就荒。松菊猶存。携幼入室。有酒盈樽。引壺觴以自酌。眄庭柯以怡顏。倚南窗以寄傲。審容膝之易安。園日涉以成趣。門雖設而常關。策扶老以流憩。時矯首而遐觀。雲無心以出岫。鳥倦飛而知還。景翳翳以將入。撫孤松而盤桓。歸去來兮。

窈窕　涓涓　皇皇　乘化以歸盡

請息交以絶遊。世與我而相違。復駕言兮焉求。悅親戚之情話。樂琴書以消憂。農人告余以春及。將有事于西疇。或命巾車。或棹孤舟。既窈窕以尋壑。亦崎嶇而經邱。木欣欣以向榮。泉涓涓而始流。善萬物之得時。感吾生之行休。已矣夫。寓形宇内復幾時。曷不委心任去留。胡爲乎皇皇欲何之。富貴非吾願。帝鄕不可期。懷良辰以孤往。或植杖而耘耔。登東皐以舒嘯。臨清流而賦詩。聊乘化以歸盡。樂夫天命復奚疑。

桃花源記

陶潛

晉太元中。武陵人捕魚爲業。緣溪行。忘路之遠近。忽

落英繽紛

阡陌

黃髮垂髫

逢桃花林。夾岸數百步。中無雜樹。芳草鮮美。落英繽紛。漁人甚異之。復前行欲窮其林。林盡水源。便得一山。山有小口。髣髴若有光。便捨船從口入。初極狹。纔通人。復行數十步。豁然開朗。土地平曠。屋舍儼然。有良田美池桑竹之屬。阡陌交通。鷄犬相聞。其中往來種作。男女衣著。悉如外人。黃髮垂髫。並怡然自樂。見漁人乃大驚。問所從來。具答之。便要還家。設酒殺雞作食。村中聞有此人。咸來問訊。自云。先世避秦時亂。率妻子邑人。來此絕境。不復出焉。遂與外人間隔。問今是何世。乃不知有漢。無論魏晉。此人一一爲具言

歎惋

劉子驥。太守劉歆。

荒唐

時韓愈爲禮部郎中。

所聞。皆歎惋。餘人各復延至其家。皆出酒食。停數日辭去。此中人語云。不足爲外人道。既出。得其船。便扶向路。處處誌之。及郡下。詣太守說如此。太守卽遣人隨其往。尋向所誌。遂迷不復得路。南陽劉子驥高尚士也。聞之欣然親往。未果尋病終。後遂無問津者。

桃源圖　韓愈

神仙有無何渺茫。桃源之說誠荒唐。
流水盤廻山百轉。生綃數幅垂中堂。
武陵太守好事者。題封遠寄南宮下。
南宮先生忻得之。波濤入筆驅文辭。

恍惚

嬴秦。劉漢。地拆天分。謂晉魏之分亂。

物色

漢紀云。高祖拔劍斬蛇。蛇有一老嫗夜哭曰。吾子白帝子也。今爲赤帝子斬之。晉書云。元帝卽位。童謠云。五馬

文工畫妙各臻極。異境恍惚移於斯。
架巖鑿谷開宮室。接屋連墻千萬日。
嬴顚劉蹶了不聞。地拆天分非所恤。
種桃處處惟開花。川原遠近蒸紅霞。
初來猶自念鄕邑。歲久此地還成家。
漁舟之子來何所。物色相猜更問語。
大蛇中斷喪前主。群馬南渡開新主。
聽終辭絕共悽然。自說經今六百年。
當時萬事皆眼見。不知幾許猶流轉。
爭持牛酒來相饋。禮數不同樽俎異。

渡江。一馬化爲龍。

流轉。

樽俎。

火輪。日也。

秦趙高欲爲亂。恐群臣不聽。乃先設驗。持鹿獻於二世曰。馬也。二世笑曰。丞相誤耶。指鹿爲馬。問諸左右。或言或默。舜典云。重華協于帝。謂後世不

月明伴宿玉堂空。骨冷魂清無夢寐。
夜半金雞啁哳鳴。火輪飛出客心驚。
人間有累不可住。依然離別難爲情。
船開棹進一回顧。萬里蒼茫煙水暮。
世俗寧知僞與眞。至今傳者武陵人。

桃源行　王安石

望夷宮中鹿爲馬。秦人半死長城下。
避時不獨商山翁。亦有桃源種桃者。
一來種桃不記春。采花食實枝爲薪。
兒孫生長與世隔。知有父子無君臣。

復見堯舜之治天下。紛紛擾擾。經歷幾代。如亡秦之亂世也。

逆旅　煙景

古詩。晝短苦夜長。何不秉燭遊。莊子云。大塊假我以形。大塊卽天地也。

漁郎放舟迷遠近。　花間忽見驚相問。
世上空知古有秦。　山中豈料今爲晉。
聞道長安吹戰塵。　東風回首一沾巾。
重華一去寧復得。　天下紛紛經幾秦。

春夜宴桃李園序　李白

夫天地者萬物之逆旅。光陰者百代之過客。而浮生若夢。爲歡幾何。古人秉燭夜遊。良有以也。況陽春召我以煙景。大塊假我以文章。會桃李之芳園。序天倫之樂事。羣季俊秀。皆爲惠連。吾人詠歌。獨慚康樂。幽賞未已。高談轉淸。開瓊筵以坐花。飛羽觴而醉月。不

謝靈運之弟曰惠連。靈運襲封康樂侯。羽觴。三斗爲罰。出世說。

惆悵

劉庭芝。初唐詩人。

有佳作。何伸雅懷。如詩不成。罰依金谷酒數。

惜春　蘇軾

花正開時天不晴。　晴時滿樹綠陰成。
闌干倚遍空惆悵。　靜聽黃鸝一兩聲。

代悲白頭翁　劉庭芝

洛陽城東桃李花。飛來飛去落誰家。洛陽女兒惜顏色。行逢落花長歎息。今年花落顏色改。明年花開復誰在。已見松柏摧爲薪。更聞桑田變成海。古人無復洛城東。今人還對落花風。年年歲歲花相似。歲歲年年人不同。寄言全盛紅顏子。應憐半死白頭翁。此翁

公子王孫。推敬辭。漢王根爲光祿大夫。池畔構樓臺。臺上敷錦繡。將軍梁冀。樓上畫神仙。宛轉。美好光澤之貌。

樂翁公。松平定信。文政十二年己丑歿。庚寅。翌天保元年也。

白頭眞可憐。伊昔紅顏美少年。公子王孫芳樹下。淸歌妙舞落花前。光祿池臺開錦繡。將軍樓閣畫神仙。一朝臥病無相識。三春行樂在誰邊。宛轉蛾眉能幾時。須臾鶴髮亂如絲。但看古來歌舞地。惟有黃昏鳥雀悲。

祭樂翁公文　賴襄

歲在庚寅。夏五月十有八日。爲故少將樂翁公周忌之辰。布衣賴襄。私用宋民祭司馬溫公之例。焚香遙拜。不敢用淸酌庶羞之奠。而用文祭之。曰。人有貴賤之相懸。如天地之隔。而知遇之無間。出意念之外者。

恂懼

況昔之所目仰。而今之神契焉。昔在吾童穉。天明之季。寛政之始。聞信岳之發火。灰被七道之二。閭里之氓。號饑待斃。起爲盜賊。蟻聚蜂萃。三都之市。白晝閉肆。官吏來捕。罵詈不忌。曰。欲啖汝肉。寧汝之畏。有大於汝。來與吾對。吾雖童心。恂懼不寐。況天下之心。如以敗船。坐海。洪波逆風。不知所底。已而聞。有越公者出。躬宗親之懿。任付託之密。宣其賞罰。變凶爲吉。每一令發。人之望之。如出暗夜而覩日月也。其聽之也。如將潰之卒。得良將而聞其呵喝也。其或畏忌而謗訕之也。如狡奴黠僕之不便家宰之聰察也。七年之

茅茹
鰥生
媟瀆

中。百弊盡撥。乞骸骨於方壯之年。而舍權勢於得意之日。消經世濟民之精於集古玩物之末。濟我君事。願息吾肩。政如畫一。吾建吾觀。才如茅茹。代吾輔君。以身繫安危。三十有九年。老而令終。於公就安。而天下之所爲患也。而吾鰥生。何與己關。抑自幼及强。聞公立海內。望公如在天際。忽徵潛夫之一書。蓋去今之四歲。懼其媟瀆。乃辱嘉誨。汝之紀事適繁簡。論事見兆會。後之論者云何。吾知其大矣。一言之重於九鼎。足以取信於百世。自顧孤寒。擧世所背。而何以獨得公之愛乎。抱感激之異衆。而悼報答之無期。爰遇

黼扆
鬼䰠
虞淵日
卽墨雲
睢陽
李郭

忌辰。聊盡吾私。嗚呼哀哉。而不敢望其饗。

謁楠河州墳有作　賴襄

東海大魚奮鬣尾。蹴起黑波汙黼扆。
隱嶋風雲重慘毒。六十餘州總鬼䰠。
誰將隻手排妖氛。身當百萬哮闞群。
揮戈擬回虞淵日。執弭同斷卽墨雲。
關西自有男子在。東向寧爲降將軍。
旋乾轉坤答値遇。洒掃輦道迎鑾輅。
論功睢陽最有力。謾稱李郭安天步。
出將入相位未班。前狼後虎事復艱。

逶迤

獻策帝閽不得達。決志軍務豈生還。
且餘兒輩繼微志。全家血肉殲王事。
非有南柯存舊根。偏安北闕向何地。
攝山逶迤海水碧。吾來下馬兵庫驛。
想見訣兒呼弟來戰此。刀折矢盡臣事畢。
北向再拜天日陰。七生人間滅此賊。
碧血痕化五百歲。茫茫春蕪長大麥。
君不見君臣相圖骨肉相呑。
九葉十三世何所存。
何如忠臣孝子萃一門。

伊藤長胤。號東涯。仁齋長子。博聞强記。沈靜寡默。紀伊侯厚幣聘之。不應。臺閣之公卿多執弟子之禮。所著作甚多。元文元年歿。年六十七。私諡曰紹述。
盈虧
翡翠
五陵
鈿鞍
韉

萬世之下一片石。留無數英雄之淚痕。

江上花月歌　伊藤長胤

勸君莫看江上月。江月促年容易流。
勸君莫賞江上花。江花飛飛春又秋。
江花江月太無情。盈虧開落不肯休。
君不見翡翠帳中金鑿落。
滿堂絲竹陸海羞。看月賞花度年年。
不信人間有底愁。
又不見五陵年少氣如虹。
鈿鞍寶馬錦繡韉。看月賞花出日日。

丹丘
朱門
楚人卞和氏之璧。

東阡南陌取次遊。　富貴無常人易老。
人間何處有丹丘。　朱門人去掩黃土。
綠鬢時換急白頭。　白頭黃土無人問。
月白花紅自悠悠。　悠悠宇宙人如蟻。
誰將姓名宇宙留。

廉頗藺相如（史記）

司馬遷

廉頗者。趙之良將也。趙惠文王十六年。廉頗爲趙將。伐齊大破之。取晉陽。拜爲上卿。以勇氣聞於諸侯。藺相如者。趙人也。爲趙宦者令繆賢舍人。趙惠文王時。得楚和氏璧。秦昭王聞之。使人遺趙王書。願以十五

肉袒
質。鑕也。古者斬人加於鑕上而斫之也。

城請易璧。趙王與大將軍廉頗諸大臣謀。欲予秦。秦城恐不可得。徒見欺。欲勿予。即患秦兵之來。計未定。求人可使報秦者。未得。宦者令繆賢曰。臣舍人藺相如可使。王問。何以知之。對曰。臣嘗有罪。竊計欲亡走燕。臣舍人相如止臣曰。君何以知燕王。臣語曰。臣嘗從大王與燕王會境上。燕王私握臣手曰。願結友。以此知之。故欲往。相如謂臣曰。夫趙彊而燕弱。而君幸於趙王。故燕王欲結於君。今君乃亡趙走燕。燕畏趙。其勢必不敢留君。而束君歸趙矣。君不如肉袒伏斧質請罪。則幸得脫矣。臣從其計。大王亦幸赦臣。臣竊

瑕

以爲其人勇士。有智謀。宜可使。於是王召見。問藺相如曰。秦王以十五城請易寡人之璧。可予不。相如曰。秦彊而趙弱。不可不許。王曰。取吾璧。不予我城。奈何。相如曰。秦以城求璧。而趙不許。曲在趙。趙予璧。而秦不予趙城。曲在秦。均之二策。寧許以負秦曲。王曰。誰可使者。相如曰。王必無人。臣願奉璧往使。城入趙而璧留秦。城不入。臣請完璧歸趙。趙王於是遂遣相如。奉璧西入秦。秦王坐章臺見相如。相如奉璧奏秦王。秦王大喜。傳以示美人及左右。左右皆呼萬歲。相如視秦王無意償趙城。乃前曰。璧有瑕。請指示王。王授

布衣
驩
弄臣

璧。相如因持璧却立倚柱。怒髮上衝冠。謂秦王曰。大王欲得璧。使人發書至趙王。趙王悉召群臣議。皆曰。秦貪負其彊。以空言求璧。償城恐不可得。議不欲予秦璧。臣以爲布衣之交。尚不相欺。況大國乎。且以一璧之故。逆彊秦之驩不可。於是趙王乃齋戒五日。使臣奉璧拜送書於庭。何者。嚴大國之威。以修敬也。今臣至。大王見臣列觀。禮節甚倨。得璧傳之美人。以戲弄臣。臣觀大王無意償趙王城邑。故臣復取璧。大王必欲急臣。臣頭今與璧俱碎於柱矣。相如持其璧睨柱。欲以擊柱。秦王恐其破璧。乃辭謝固請。召有司案

賓擯也。設擯者九人。
謂文物大備也。
廣成。傳舍之名。

圖。指從此以往十五都予趙。相如度秦王特以詐佯爲予趙城。實不可得。乃謂秦王曰。和氏璧。天下所共傳寶也。趙王恐不敢不獻。趙王送璧時。齋戒五日。今大王亦宜齋戒五日。設九賓於廷。臣乃敢上璧。秦王度之。終不可彊奪。遂許齋五日。舍相如廣成傳舍。相如度秦王雖齋。決負約不償城。乃使其從者衣褐。懷其璧。從徑道亡。歸璧于趙。秦王齋五日後。乃設九賓禮於廷。引趙使者藺相如。相如至。謂秦王曰。秦自繆公以來二十餘君。未嘗有堅明約束者也。臣誠恐見欺於王而負趙。故令人持璧歸。間至趙矣。且秦彊而

湯鑊之刑
嘻

趙弱。大王遣一介之使至趙。趙立奉璧來。今以秦之彊。而先割十五都予趙。趙豈敢留璧而得罪於大王乎。臣知欺大王之罪當誅。臣請就湯鑊。唯大王與群臣熟計議之。秦王與群臣相視而嘻。左右或欲引相如去。秦王因曰。今殺相如。終不能得璧也。而絕秦趙之驩。不如因而厚遇之。使歸趙。趙王豈以一璧之故欺秦邪。卒廷見相如。畢禮而歸之。相如既歸。趙王以爲賢大夫使不辱於諸侯。拜相如爲上大夫。秦亦不以城予趙。趙亦終不予秦璧。

廉破藺相如二（史記）　司馬遷

澠池。在西河之南。故云外。
缻。瓦器。盛酒漿。秦人鼓之以節歌。

其後秦伐趙。拔石城。明年。復攻趙。殺二萬人。秦王使使者告趙王。欲與王爲好會於西河外澠池。趙王畏秦。欲毋行。廉頗藺相如計曰。王不行。示趙弱且怯也。趙王遂行。相如從。廉頗送至境。與王訣曰。王行。度道里會遇之禮畢。還不過三十日。三十日不還。則請立太子爲王。以絕秦望。王許之。遂與秦王會澠池。秦王飲酒酣。曰。寡人竊聞趙王好音。請奏瑟。趙王鼓瑟。秦御史前書曰。某年月日。秦王與趙王會飲。令趙王鼓瑟。藺相如前曰。趙王竊聞秦王善爲秦聲。請奉盆缻秦王。以相娛樂。秦王怒不許。於是相如前進缻。因跪

濺

請秦王。秦王不肯擊缻。相如曰。五步之內。相如請得以頸血濺大王矣。左右欲刃相如。相如張目叱之。左右皆靡。於是秦王不懌。爲一擊缻。相如顧召趙御史書曰。某年月日。秦王爲趙王擊缻。秦之群臣曰。請以趙十五城爲秦王壽。藺相如亦曰。請以秦之咸陽爲趙王壽。秦王竟酒。終不能加勝於趙。趙亦盛設兵以待秦。秦不敢動。既罷歸國。以相如功大。拜爲上卿。位在廉頗之右。廉頗曰。我爲趙將。有攻城野戰之大功。而藺相如徒以口舌爲勞。而位居我上。且相如素賤人。吾羞。不忍爲之下。宣言曰。我見相如。必辱之。相如

荆。楚也。可以爲鞭。

聞。不肯與會。相如每朝時。常稱病。不欲與廉頗爭列。已而相如出望見廉頗。相如引車避匿。於是舍人相與諫曰。臣所以去親戚而事君者。徒慕君之高義也。今君與廉頗同列。廉君宣惡言。而君畏匿之。恐懼殊甚。且庸人尚羞之。況於將相乎。臣等不肖請辭去。藺相如固止之曰。公之視廉將軍孰與秦王。曰。不若也。相如曰。夫以秦王之威。而相如廷叱之。辱其群臣。相如雖駑。獨畏廉將軍哉。顧吾念之。彊秦之所以不敢加兵於趙者。徒以吾兩人在也。今兩虎共鬬。其勢不俱生。吾所以爲此者。以先國家之急而後私讎也。廉

刎頸之交

頗聞之。肉袒負荊。因賓客至藺相如門謝罪曰。鄙賤之人。不知將軍寬之至此也。卒相與驩。爲刎頸之交。

趙奢父子（史記） 司馬遷

趙奢者。趙之田部吏也。收租稅。而平原君家不肯出。趙奢以法治之。殺平原君用事者九人。平原君怒。將殺奢。奢因說曰。君於趙爲貴公子。今縱君家而不奉公。則法削。法削則國弱。國弱則諸侯加兵。諸侯加兵。是無趙也。君安得有此富乎。以君之貴。奉公如法。則上下平。上下平則國彊。國彊則趙固。而君爲貴戚。豈輕於天下邪。平原君以爲賢。言之於王。王用之治國

武安。地名。

國。指趙都邯鄲。

賦。國賦太平。民富而府庫實。秦伐韓。軍於閼與。王召廉頗而問曰。可救不。對曰。道遠險狹難救。又召樂乘而問焉。樂乘對如廉頗言。又召問趙奢。奢對曰。其道遠險狹。譬之猶兩鼠鬬於穴中。將勇者勝。王乃令趙奢將救之。兵去邯鄲三十里。而令軍中曰。有以軍事諫者死。秦軍軍武安西。秦軍鼓譟勒兵。武安屋瓦盡振。軍中候有一人言急救武安。趙奢立斬之。堅壁留二十八日不行。復益增壘。秦間來入。趙奢善食而遣之。間以報秦將。秦將大喜曰。夫去國三十里。而軍不行。乃增壘。閼與非趙地也。趙奢既已遣秦間。乃卷甲

鈇質之誅

而趨之。二日一夜至。令善射者去閼與五十里而軍。軍壘成。秦人聞之。悉甲而至。軍士許歷請以軍事諫。趙奢曰。內之。許歷曰。秦人不意趙師至此。其來氣盛。將軍必厚集其陣以待之。不然必敗。趙奢曰。請受令。許歷曰。請就鈇質之誅。趙奢曰。胥後令邯鄲。許歷復請諫曰。先據北山上者勝。後至者敗。趙奢許諾。卽發萬人趨之。秦兵後至。爭山不得上。趙奢縱兵擊之。大破秦軍。秦軍解而走。遂解閼與之圍而歸。趙惠文王賜奢號爲馬服君。以許歷爲國尉。趙奢於是與廉頗藺相如同位。後四年。趙惠文王卒。子孝成王立。七年

膠柱而鼓瑟

秦與趙兵相距長平。時趙奢已死。而藺相如病篤。趙使廉頗將攻秦。秦數敗趙軍。趙軍固壁不戰。秦數挑戰。廉頗不肯。趙王信秦之間。秦之間言曰。秦之所惡。獨畏馬服君趙奢之子趙括爲將耳。趙王因以括爲將。代廉頗。藺相如曰。王以名使括。若膠柱而鼓瑟耳。括徒能讀其父書傳。不知合變也。趙王不聽。遂將之。趙括自少時學兵法。言兵事。以天下莫能當。嘗與其父奢言兵事。奢不能難。然不謂善。括母問奢其故。奢曰。兵死地也。而括易言之。使趙不將括卽已。若必將之。破趙軍者必括也。及括將行。其母上書言於王曰。

括不可使將。王曰。何以。對曰。始妾事其父。時爲將。身所奉飯飲而進食者以十數。所友者以百數。大王及宗室所賞賜者。盡以予軍吏士大夫。受命之日。不問家事。今括一旦爲將。東向而朝。軍吏無敢仰視之者。王所賜金帛。歸藏於家。而日視便利田宅可買者買之。王以爲何如其父。父子異心。願王勿遣。王曰。母置之。吾已決矣。括母因曰。王終遣之。卽有如不稱。妾得無隨坐乎。王許諾。趙括既代廉頗。悉更約束。易置軍吏。秦將白起聞之。縱奇兵。佯敗走。而絕其糧道。分斷其軍爲二。士卒離心。四十餘日。軍餓。趙括出銳卒自

搏戰。秦軍射殺趙括。括軍敗。數十萬之衆遂降秦。秦悉阬之。趙前後所亡凡四十五萬。明年。秦兵遂圍邯鄲。歲餘。幾不得脫。賴楚魏諸侯來救。乃得解邯鄲之圍。趙王亦以括母先言。竟不誅也。

相如贊（史記）　司馬遷

太史公曰。知死必勇。非死者難也。處死者難。方藺相如引璧睨柱。及叱秦王左右。勢不過誅。然士或怯懦而不敢發。相如一奮其氣。威信敵國。退而讓頗。名重太山。其處智勇。可謂兼之矣。

題藺相如奉璧圖　安井衡

眇然小丈夫而已矣。力不足以維雞。貌不足以加人。而英氣一發。滿堂慴伏。以秦政之暴。不得少折其節。終完璧以還。甚矣氣之能伸萬物之上也。然氣生於志。志奮於義。義苟失矣。匹夫猶且侮之。安能逞於虎狼之秦哉。相如唯知此義也。故他日屈於廉頗。如四體無骨。亦能使頗肉袒謝罪。而趙國賴以安。世之悻悻者。獨知其折秦。而不知其所以能折之。則別有在焉。抑末矣。

鎭西八郎歌　賴襄

兩日爭天天無光。　吾射一日墮扶桑。

羿
桀狗吠堯
起語。言保元之役。源爲朝獻策不用也。伯指義朝。學豺狼。
言殺爲義朝。爲朝在琉球娶婦生子曰舜天王。
春誦秋嘗
乃姪指賴朝。十郎指行家。姪孫指島津氏始封之祖。

誰掣吾肘不得發。　黑風壓城劍折鋩。
堂堂源家第八郎。　射可凌羿猿臂長。
桀狗吠堯豈得已。　猶勝伯也學豺狼。
琉球彈丸不足當吾大羽箭。
聊且弋取救死亡。　蠻酋納女留將種。
羆熊入夢啼喤喤。　膂力類父好身手。
誅賊有國眞天王。　賴生南遊薩山陽。
偶與蠻客同夜航。　爲語太廟祀始祖。
春誦秋嘗簇冠裳。　憶公一官唾不顧。
絕海雲浪自龍驤。　縱使公助乃姪起。

天潢
女牛

何異十郎自郎當。　雞口牛後公所擇。
一鏑破得南天荒。　郤有姪孫開封疆。
隔海魯衞竝永昌。　一宗慶澤何洋溢。
非緣源泉分天潢。　唯恨封册由殊俗。
使公有知醎眼張。　作歌屬客客已睡。
女牛低地海茫茫。

毛遂（史記）　司馬遷

秦之圍邯鄲。趙使平原君求救。合從于楚。約與食客門下。有勇力文武備具者二十人偕。平原君曰。使文能取勝則善矣。文不能取勝。則歃血於華屋之下。必

贊。告也。
穎。錐鋩也。

得定從而還。士不外索。取於食客門下足矣。得十九人。餘無可取者。無以滿二十人。門下有毛遂者。前自贊於平原君曰。遂聞君將合從於楚。約與食客門下二十人偕。不外索。今少一人。願君即以遂備員而行矣。平原君曰。先生處勝之門下幾年於此矣。毛遂曰。三年於此矣。平原君曰。夫賢士之處世也。譬若錐之處囊中。其末立見。今先生處勝之門下。三年於此矣。左右未有所稱誦。勝未有所聞。是先生無所有也。先生不能。先生留。毛遂曰。臣乃今日請處囊中耳。使遂蚤得處囊中。乃穎脫而出。非特其末見而已。平原君

竟與毛遂偕。十九人相與目笑之。而未廢也。毛遂比至楚。與十九人論議。十九人皆服。平原君與楚合從。言其利害。日出而言之。日中不決。十九人謂毛遂曰。先生上。毛遂按劍歷階而上。謂平原君曰。從之利害。兩言而決耳。今日出而言從。日中不決何也。楚王謂平原君曰。客何爲者也。平原君曰。是勝之舍人也。楚王叱曰。胡不下。吾乃與而君言。汝何爲者也。毛遂按劍而前曰。王之所以叱遂者。以楚國之衆也。今十步之內。王不得恃楚國之衆也。王之命懸于遂手。吾君在前。叱者何也。且遂聞湯以七十里之地。王天下。文

白起秦將也。

盟之所用牲。貴賤不同。天子用牛及馬。諸侯以犬及豭。大夫已下用雞。今此總言盟之用血。故云取雞狗馬之血來耳。

王以百里之壤。而臣諸侯。豈其士卒衆多哉。誠能據其勢。而奮其威。今楚地方五千里。持戟百萬。此霸王之資也。以楚之彊。天下弗能當。白起小豎子耳。率數萬之衆。興師以與楚戰。一戰而擧鄢郢。再戰而燒夷陵。三戰而辱王之先人。此百世之怨。而趙之所羞。而王弗知惡焉。合從者爲楚。非爲趙也。吾君在前。叱者何也。楚王曰。唯唯。誠若先生之言。謹奉社稷而以從。毛遂曰。從定乎。楚王曰。定矣。毛遂謂楚王之左右曰。取雞狗馬之血來。毛遂奉銅盤。而跪進之楚王曰。王當歃血而定從。次者吾君。次者遂。遂定從於殿上。毛

九鼎大呂。國之寶器。言毛遂至楚。使趙重於九鼎大呂。大呂周廟大鍾也。

筑似琴。有絃。用竹擊之。取以爲名。

遂左手持盤血。而右手招十九人曰。公相與歃此血於堂下。公等錄錄。所謂因人成事者也。平原君已定從而歸。歸至於趙曰。勝不敢復相士。勝相士多者千人。寡者百數。自以爲不失天下之士。今乃於毛先生而失之也。毛先生一至楚。而使趙重於九鼎大呂。毛先生以三寸之舌。彊於百萬之師。勝不敢復相士。遂以爲上客。

荊軻 一（史記）　　司馬遷

荊軻既至燕。愛燕之狗屠及善擊筑者高漸離。荊軻嗜酒。日與狗屠及高漸離飲於燕市。酒酣以往。高漸

酒人。飲酒之人。

離擊筑。荊軻和而歌於市中。相樂也。已而相泣。旁若無人者。荊軻雖游於酒人乎。然其爲人沈深好書。其所游諸侯。盡與其賢豪長者相結。其之燕。燕之處士田光先生亦善待之。知其非庸人也。居頃之。會燕太子丹質秦亡歸燕。燕太子丹者。故嘗質於趙。而秦王政生於趙。其少時與丹驩。及政立爲秦王。而丹質於秦。秦王之遇燕太子丹不善。故丹怨而亡歸。歸而求爲報秦王者。國小力不能。其後秦日出兵山東。以伐齊楚三晉。稍蠶食諸侯。且至於燕。燕君臣皆恐禍之至。太子丹患之。問其傅鞠武。武對曰。秦地徧天下。威

以北。謂燕國。批謂觸擊之。逆鱗

委肉當餓虎之蹊。振救也。言禍大而不可救也。

脅韓魏趙氏。北有甘泉谷口之固。南有涇渭之沃。擅巴漢之饒。右隴蜀之山。左關殽之險。民衆而士厲。兵革有餘。意有所出。則長城之南。易水以北。未有所定也。奈何以見陵之怨。欲批其逆鱗哉。丹曰。然則何由。對曰。請入圖之。居有間。秦將樊於期得罪於秦王。亡之燕。太子受而舍之。鞠武諫曰。不可。夫以秦王之暴。而積怒於燕。足爲寒心。又況聞樊將軍之所在乎。是謂委肉當餓虎之蹊也。禍必不振矣。雖有管晏。不能爲之謀也。願太子疾遣樊將軍入匈奴。以滅口。請西約三晉。南連齊楚。北購於單于。其後迺可圖也。太子

曠日彌久

曰。太傅之計。曠日彌久。心惛然。恐不能須臾。且非獨於此也。夫樊將軍。窮困於天下。歸身於丹。丹終不以迫於彊秦。而棄所哀憐之交。置之匈奴。是固丹命卒之時也。願太傅更慮之。鞠武曰。夫行危欲求安。造禍而求福。計淺而怨深。連結一人之後交。不顧國家之大害。此謂資怨而助禍矣。夫以鴻毛。燎於爐炭之上。必無事矣。且以鵰鷙之秦。行怨暴之怒。豈足道哉。燕有田光先生。其爲人。智深而勇沈。可與謀。太子曰。願因太傅。而得交於田先生。可乎。鞠武曰。敬諾。出見田先生。道太子願圖國事於先生也。田光曰。敬奉教。乃

蔽。一作撥。猶拂也。

騏驥

俛

僂行

造焉。太子逢迎。却行爲導。跪而蔽席。田光坐定。左右無人。太子避席而請曰。燕秦不兩立。願先生留意也。田光曰。臣聞。騏驥盛壯之時。一日而馳千里。至其衰老。駑馬先之。今太子聞光盛壯之時。不知臣精已消亡矣。雖然。光不敢以圖國事。所善荊卿可使也。太子曰。願因先生。得結交於荊卿。可乎。田光曰。敬諾。即起趨出。太子送至門。戒曰。丹所報。先生所言者。國之大事也。願先生勿泄也。田光俛而笑曰。諾。僂行見荊卿曰。光與子相善。燕國莫不知。今太子聞光壯盛之時。不知吾形已不逮也。幸而教之曰。燕秦不兩立。願先

節俠

案。無父稱孤。時燕王尚在。而丹稱孤者。或

先生留意也。光竊不自外。言足下於太子也。願足下過太子於宮。荊軻曰。謹奉教。田光曰。吾聞之。長者爲行。不使人疑之。今太子告光曰。所言者國之大事也。願先生勿泄。是太子疑光也。夫爲行而使人疑之。非節俠也。欲自殺以激荊卿。曰。願足下急過太子。言光已死。明不言也。因遂自刎而死。荊軻遂見太子。言田光已死。致光之言。太子再拜而跪。膝行流涕。有頃而後言曰。丹所以誡田先生毋言者。欲以成大事之謀也。今田先生以死明不言。豈丹之心哉。荊軻坐定。太子避席頓首曰。田先生不知丹之不肖。使得至前。敢

記者失辭。或諸侯嫡子。時亦僭稱孤也。

合從

闚。視也。言以利誘之也。

有所道。此天之所以哀燕而不棄其孤也。今秦有貪利之心。而欲不可足也。非盡天下之地。臣海內之王者。其意不厭。今秦已虜韓王。盡納其地。又擧兵南伐楚。北臨趙。王翦將數十萬之衆距漳鄴。而李信出太原雲中。趙不能支秦。必入臣。入臣。則禍至燕。燕小弱。數困於兵。今計擧國不足以當秦。諸侯服秦。莫敢合從。丹之私計。愚以爲誠得天下之勇士使於秦。闚以重利。秦王貪。其勢必得所願矣。誠得劫秦王。使悉反諸侯侵地。則大善矣。則不可。因而刺殺之。彼秦大將擅兵於外。而內有亂。則君臣相疑。以其間諸侯得合

從。其破秦必矣。此丹之上願。而不知所委命。唯荊卿留意焉。久之。荊軻曰。此國之大事也。臣駑下恐不足任使。太子前頓首。固請毋讓。然後許諾。於是尊荊卿爲上卿。舍上舍。太子日造門下。供太牢具異物。恣荊軻所欲。以順適其意。

荊軻二（史記）　司馬遷

久之。荊軻未有行意。秦將王翦破趙。虜趙王。盡收入其地。進兵北略地。至燕南界。太子丹恐懼。乃請荊軻曰。秦兵旦暮渡易水。則雖欲長侍足下。豈可得哉。荊軻曰。微太子言。臣願謁之。今行而毋信。則秦未可親

督亢。膏腴之地。

揕謂以劍刺其胸也。

也。夫樊將軍。秦王購之金千斤。邑萬家。誠得樊將軍首。與燕督亢之地圖。奉獻秦王。秦王必說見臣。臣乃得有以報。太子曰。樊將軍窮困來歸丹。丹不忍以己之私。而傷長者之意。願足下更慮之。荊軻知太子不忍。乃遂私見樊於期曰。秦之遇將軍。可謂深矣。父母宗族皆爲戮沒。今聞將軍首金千斤。邑萬家。將奈何。於期仰天。太息流涕曰。於期每念之。常痛於骨髓。顧計不知所出耳。荊軻曰。今有一言可以解燕國之患。報將軍之仇者。何如。於期乃前曰。爲之奈何。荊軻曰。願得將軍之首。以獻秦王。秦王必喜而見臣。臣左手把

勇者奮厲。必先以左手扼右腕也。

切齒。齒相磨切也。腐爛也。猶今人事不可忍云腐爛。然皆奮怒之意。

徐姓。夫人名。謂男子也。

焠謂以毒藥染劍鍔也。

血濡云云。言以匕首試人。人血出足以沾濡絲縷。便立死也。

不敢忤視。言人畏之甚也。

其袖。右手揕其匈。然則將軍之仇報。而燕見陵之愧除矣。將軍豈有意乎。樊於期偏袒搤腕而進曰。此臣之日夜切齒腐心也。乃今得聞教。遂自剄。太子聞之。馳往伏屍而哭極哀。既已不可奈何。乃遂盛樊於期首函封之。於是。太子豫求天下之利匕首。得趙人徐夫人匕首。取之百金。使工以藥焠之。以試人。血濡縷人無不立死者。乃裝爲遣荊卿。燕國有勇士秦舞陽。年十三殺人。人不敢忤視。乃令秦舞陽爲副。荊軻有所待欲與俱。其人居遠未來。而爲治行。頃之未發。太子遲之。疑其改悔。乃復請曰。日已盡矣。荊卿豈有意

豎子。指舞陽。

徵

易水在幽州。

羽

哉。丹請得先遣秦舞陽。荊軻怒叱太子曰。何太子之遣。往而不反者豎子也。且提一匕首。入不測之彊秦。僕所以留者。待吾客與俱。今太子遲之。請辭決矣。遂發。太子及賓客知其事者。皆白衣冠以送之。至易水之上。既祖取道。高漸離擊筑。荊軻和而歌。爲變徵之聲。士皆垂淚涕泣。又前而歌曰。風蕭蕭兮易水寒。壯士一去兮不復還。復爲羽聲忼慨。士皆瞋目。髮盡上指冠。於是荊軻就車而去。終已不顧。遂至秦。持千金之資幣物。厚遺秦王寵臣中庶子蒙嘉。嘉爲先言於秦王曰。燕王誠振怖大王之威。不敢擧兵以逆軍吏。

設文物大備。即謂九賓。

匣亦函也。

振慴

願擧國爲內臣。比諸侯之列。給貢職如郡縣。而得奉守先王之宗廟。恐懼不敢自陳。謹斬樊於期之頭。及獻燕督亢之地圖。函封。燕王拜送于庭。使使以聞大王。唯大王命之。秦王聞之大喜。乃朝服設九賓。見燕使者咸陽宮。荊軻奉樊於期頭函。而秦舞陽奉地圖匣。以次進至陛。秦舞陽色變振恐。羣臣怪之。荊軻顧笑舞陽。前謝曰。北蕃蠻夷之鄙人。未嘗見天子。故振慴。願大王少假借之。使得畢使於前。秦王謂軻曰。取舞陽所持地圖。軻既取圖奏之。秦王發圖。圖窮而匕首見。因左手把秦王之袖。而右手持匕首揕之。未至

室謂鞘也。

諸郎中宿衞之官。

擿與擲同。

身。秦王驚自引而起。袖絕。拔劍。劍長。操其室。時惶急。劍堅。故不可立拔。荊軻逐秦王。秦王環柱而走。羣臣皆愕卒起不意。盡失其度。而秦法。羣臣侍殿上者。不得持尺寸之兵。諸郎中執兵。皆陳殿下。非有詔召。不得上。方急時。不及召下兵。以故荊軻乃逐秦王。而卒惶急。無以擊軻。而以手共搏之。是時。侍醫夏無且。以其所奉藥囊提荊軻也。秦王方環柱走。卒惶急不知所爲。左右乃曰。王負劍。負劍。遂拔以擊荊軻。斷其左股。荊軻廢。乃引其匕首。以擿秦王。不中。中桐柱。秦王復擊軻。軻被八創。軻自知事不就。倚柱而笑。箕倨以

秋山儀。字子羽。號玉山。寶曆十三年歿。

罵曰。事所以不成者。以欲生刧之。必得約契。以報太子也。於是左右既前殺軻。秦王不怡者良久。已而論功賞羣臣。及當坐者各有差。而賜夏無且黃金二百鎰曰。無且愛我。乃以藥囊提荊軻也。

渡易水

竹添進一郎

悲歌擊筑尋無迹。綠樹蒼茫連隴麥。
風不蕭蕭水不寒。一腔詩思入秦客。

詠史

秋山儀

片言生羽翼。一諾賭心肝。握中利匕首。
秦王骨已寒。

嶢嶢

餔啜

鵠形藍面

蹩躠

俠客行

安積信

妙義山高青嶢嶢。狂峰怪巖劍鋩列。
山下相接數百村。土瘠田确色如涅。
旻天胡爲降凶饑。長夏淫霖冷淅淅。
九穀不登百蔬萎。生民何處得餔啜。
鵠形藍面骨柴立。病不能行足蹩躠。
哭聲震野天亦悲。餓莩橫途羇旅絕。
爰有俠客尚氣義。憂憤槌胸齒牙齧。
三尺寶刀挾腰間。叩門遍向富豪說。
我瀝心血爾其聽。今年闔國罹災孽。

麩屑　羅紈　梁梲　仳離　畛畷　饕餮　遺孑

汝家僮僕餘粱肉。　窮民不得饜麩屑。
汝家婢妾被羅紈。　窮民身上衣百結。
汝家積金拄北斗。　貨寶磊落溢梁梲。
窮民不能名一錢。　夫妻仳離成永訣。
汝輩豪奢是誰恩。　四海無虞兵塵滅。
風俗自靡人自懈。　便得乘時逞黠桀。
驅役良民爲奴僮。　頃田占奪連畛畷。
貿遷何唯什一利。　價如嵩邱極饕餮。
汝家千百筐篋物。　盡是億萬生靈血。
天道好還榮豈久。　他年藉沒無遺孑。

門闑　縲紲　寥廓

何不於今行陰德。　賑散金穀救涸轍。
汝若冥頑不肯聽。　我將試此腰間鐵。
猛氣如虎聲如雷。　怒髮森竪雙眦裂。
富商豪農面成灰。　鼠伏哀請吝心折。
捧出黃白爛如花。　微笑提之出門闑。
傳呼窮民悉揮霍。　三千金鈑盡一瞥。
富人喧呶訴豪奪。　縣吏偵察將縲紲。
窮民感恩相保護。　神出鬼沒不可掣。
一朝去爲雲水身。　鴻翔寥廓誰能綴。
但見妙義高巉嶻。　天風吹人冷如雪。

唐太宗兄建成嫉弟太宗卽位。太宗聞建成部下擁建成有異志。命魏徵鎮之。魏徵受命出函谷關時作此詩。後漢班超投筆嘆曰。當建功異域以取封侯。安能久事筆硯。蘇張縱横之策。後漢鄧禹仗策追劉秀。前漢終軍使南越乞長纓願羈南越王。前漢酈食其憑軾下齊七十餘

述懷　魏徵

中原還逐鹿。　投筆事戎軒。　縱橫計不就。
慷慨志猶存。　仗策謁天子。　驅馬出關門。
請纓繫南粤。　憑軾下東藩。　鬱紆陟高岫。
出沒望平原。　古木鳴寒鳥。　空山啼夜猿。
既傷千里目。　還驚九折魂。　豈不憚艱險。
深懷國士恩。　季布無二諾。　侯嬴重一言。
人生感意氣。　功名誰復論。

感興　白居易

吉凶禍福有來由。　但要深知不要憂。

城。史記云。季布任俠有名。楚人諺曰。得黃金百斤。不如得季布一諾。史記云。魏夷門監者侯嬴。自到而不背約言。

琮琤　磥嵬

只見火光燒潤屋。　不聞風浪覆虛舟。
名爲公器無多取。　利是身災合少求。
雖異匏瓜難不食。　大都食足且宜休。

澗中魚　白居易

海水桑田欲變時。　風濤飜覆沸天池。
鯨吞蛟鬭波成血。　深澗遊魚樂不知。

詣榛名山記　安積信

廿一日。詣榛名山。山下溪水琮琤。老杉蔽翳。仰不見曦景。石壁聳天者二。其一巉巉如削成。其一盤據如堂皇。路傍皆大石。磥嵬。人自其隙過。隙不能以

竦峙　斷齶　巘錡

龕

咫。懍懍懼其壓。俯瞰溪谷間。巨石數十硑躍。皆成怒態。如壯士攘臂相撲。骨格奮張。互相壓而少遜避者。苔蘚被之。皴駁可愛。崖腹有紅閣。其下朱欄橋。長可二丈。橋左奇礧側立。如剖大甕。水涓涓下注。兩崖石壁竦峙。斷齶巘錡。不知所窮。其西紅欄翠甍。縹緲樹杪。石磴鱗次而上。廟塔門樓。翬飛輪奐。極土木之勝。都下所罕覯。此山香火之盛可知矣。廟左大石。嶄然獨聳。二十丈許。頭侈頸縮。腰腹宏偉。中鑿巨龕。棲不動明王像。甚奇怪。廟後盤石如簷阿。可庇十數人。喬杉滿山。幽翠逼人。有徑可

觱沸

禜

造。巔平時不許輒登。下磴清泉觱沸。掬飲極甘洌。曰萬年泉。有碑。元文中崎樂平君舒撰文。苔蝕不可悉讀。泝溪而北。二石離立。高可二十丈。方者。圓者。隋者。累累相疊。若塔上相輪。危欲飛墜。覽者吐舌。土人云。徃昔地震。其頂一石烏地。山靈大怒。呵百神使鎭定。故此山至今無震。其說荒誕。溪廻路轉。十五里。造天神嶺。仍是榛名山中。有湖。周廻三十里。水色沈碧。相傳靈物所蟠。旱歲禜雨必驗。東岸一峰。逼肖岳蓮。曰小富士。北岸山高而偏。曰烏帽岳。與烏帽並峙者。曰冠岳。西岸一峰。立石數丈

彌漫

相倚。類碧玉硯屏。曰硯岳。皆有草無樹。儼然天地一大名園池也。予酷愛之。欲縱覽以攬其勝。乃循湖東行。過富士峰下。細草如剪。杳無人迹。信意而步。湖水下注成渠。深淺不測。徙倚之間。見巨柳橫其上。乃扳援踰之。境益幽邃。山益清秀。相顧恍然。疑與世隔。徐觀以至烏帽岳下。有兩石筍。高十餘丈。屹然對峙。左右怪巖錯出。若怒猊相噬。尤爲奇觀。遂遶湖一周。復抵富士峰下。忽有雲氣縷縷生峰頂。諸峰相繼。蓬勃鬱興。須臾彌漫。成兜羅綿世界。咫尺不辨。雨隨至。神骨冷冷、然。如御風躡虛而

轟豗

鱗差

喧闐

無所依。茲觀奇偉。眞冠平生矣。遲遲下山。雨漸晴。雲亦歛。赤城山盤礴數十里內。秀色可餐。又下數里。有大壑。水聲轟豗。據樹根狼顧而視。斷岸千尺。湍流峻盪。激石雲洄。心目俱眩。乃遽去。下坂度橋。則伊香保。以溫泉著。樓屋鱗差。人烟頗稠。輿疾來浴者。日以千百數。雖無疾者。亦托之以遊。故山谷間。致此喧闐。每家置一槽。槽四周以板。溫泉自筧中灌輸。湯氣和柔。尤宜羸弱者。予投某氏。樓屋頗宏。分爲數十房。浴者各占一房。予試浴。肢體融暢。連日道途之勞洒然。夜暴風雨。極冷。

堵牆　菡萏

登榛名天神嶺歌

安積信

危巘三十里。登躋凌崎嶇。
不意此山最高處。忽見渺渺之大湖。
亭渟黛畜深不測。乃是蜿蜒靈物所蟄居。
我聞斯水驅瘧鬼。一滴入喉沈痾起。
又聞旱歲投靈符。須臾沛澤洽遠邇。
湖外群峰如堵牆。宛然烏帽碧硯相低昂。
就中一峰尤秀靈。菡萏倒披映鏡光。
忽疑巨靈子。擘山雙掌張。
又疑夜半有力者。負戴岳蓮移一方。

環玦　澎湃　瀛洲員嶠　淮王雞 南山豹　懾

逸輿盤旋叫快絕。清灣曲渚如環玦。
茅葦沒人異禽鳴。層巖削成千丈鐵。
無乃犯神靈。白日忽晦冥。
玄雲澎湃亘大地。涷雨紛飛怪風腥。
我顧僮僕啞然笑。遊覽如斯最神妙。
茫茫雲海排銀濤。如凌瀛洲升員嶠。
何數淮王雞。便是南山豹。
偉觀可喜不可懾。天欲開我混沌竅。

九十九里濱記

安積信

九十九里。古里程也。有新開古所諸村。總謂曰九十

涯涘　迢曠　空灝相涵　晃漾

九里。大約準今十五里。壹碑所記及七里濱。亦皆類之。按輿地圖。此海東絕無邦國。所謂大瀛海者。出東金數里。已聞澎湃轒轄之聲。至則雲濤茫無涯涘。神魂飛動。欲往觀而二翁謂。月將墮。須待明朝。予不能自禁。獨馳去。平沙迢曠。鳧雁翔集。魚莊蜑舍。隱見青松白葦之間。波濤洶湧。來如奔馬。去如游龍。立如翠壁。崩如雪山。響激萬雷。意恢胸豁。不知身在何境。眞天下之偉觀也。洋中無島嶼。無礁石。惟水與天。空灝相涵。忽見布帆向東過。當是數千斛舟。而小如蘆葉。遠霞晃漾。輕烟浮動。疑有蜃樓仙山。出沒其間。心目

徘徊　烟靄 結蜃

爲之搖奪。信足而步。不覺失來路。將還。有川橫前。不得津逮。暮色蒼然。予素豪。於是不能無悸。見蜑子拾蛤。就詢之。便前導從下流涉。雖不深。而距海咫尺。雪浪噴薄。益悸。僅達彼岸。雨霏霏下。及歸逆旅。已昏黃矣。二翁待久。亟呼酒滌悸。酒美魚鮮。頹然徑醉。夜雨益甚。

詠九十九里

安積信

雲海茫茫望壯哉。平沙薄暮獨徘徊。
似蘆船接九天去。如屋波從萬里來。
烟靄合邊疑結蜃。雪山崩處激奔雷。

金烏　宋元豊四年　明月之詩　詩月出窈窕之章　關雎篇　詩月出篇　月出皎兮　佼人僚兮　舒窈糾兮　本刺好色　謂在位不好德　斗牛北斗　牽牛　秋水清見　底月在水　中謂之空　明月光與　波俱動謂　之流光搖

直連東極終無地。唯有金烏往復回。

前赤壁賦

蘇軾

壬戌之秋。七月既望。蘇子與客泛舟。遊於赤壁之下。清風徐來。水波不興。擧酒屬客。誦明月之詩。歌窈窕之章。少焉月出於東山之上。徘徊於斗牛之間。白露横江。水光接天。縱一葦之所如。凌萬頃之茫然。浩浩乎如馮虛御風。而不知其所止。飄飄乎如遺世獨立。羽化而登仙。於是飲酒樂甚。扣舷而歌之。歌曰。桂棹兮蘭槳。擊空明兮泝流光。渺渺兮予懷。望美人兮天一方。客有吹洞簫者。倚歌而和之。其聲鳴鳴然。如怨。

槳曰擊逆　水曰泝　羽化　蘭槳　嫠婦寡婦　也　美人謂同　朔君子　孀婦　曹操字孟　德是爲魏　武帝　魏武帝短　歌行月明　星稀烏鵲　南飛遶樹　三匝無枝　可依　曹操之詩　譏劉備之　奔走周瑜　吳人呼周　周郎爲　釃酒也　蜉蝣　遨遊

如慕。如泣如訴。餘音嫋嫋。不絶如縷。舞幽壑之潛蛟。泣孤舟之嫠婦。蘇子愀然。正襟危坐。而問客曰。何爲其然也。客曰。月明星稀。烏鵲南飛。此非曹孟德之詩乎。西望夏口。東望武昌。山川相繆。鬱乎蒼蒼。此非孟德之困於周郎者乎。方其破荊州。下江陵。順流而東也。舳艫千里。旌旗蔽空。釃酒臨江。横槊賦詩。固一世之雄也。而今安在哉。況吾與子。漁樵于江渚之上。侶魚鰕而友麋鹿。駕一葉之扁舟。擧匏樽以相屬。寄蜉蝣於天地。眇滄海之一粟。哀吾生之須臾。羨長江之無窮。挾飛仙以遨遊。抱明月而長終。知不可乎驟得。

狼藉

託遺響于悲風。蘇子曰。客亦知夫水與月乎。逝者如斯。而未嘗往也。盈虛者如彼。而卒莫消長也。蓋將自其變者而觀之。則天地曾不能以一瞬。自其不變者而觀之。則物與我皆無盡也。而又何羨乎。且夫天地之間。物各有主。苟非吾之所有。雖一毫而莫取。惟江上之清風。與山間之明月。耳得之而爲聲。目遇之而成色。取之無禁。用之不竭。是造物者之無盡藏也。而吾與子之所共適。客喜而笑。洗盞更酌。肴核既盡。杯盤狼藉。相與枕藉乎舟中。不知東方之既白。

憎蒼蠅賦

歐陽脩

宋歐陽脩。字永叔。　蚊虻　砧几　榱　燠　煩歊　孔子曰吾不復夢見

蒼蠅蒼蠅。吾嗟爾之爲生。既無蜂蠆之毒尾。又無蚊虻之利觜。幸不爲人之畏。胡不爲人之喜。爾形至眇。爾欲易盈。盃盂殘瀝。砧几餘腥。所希秒忽。過則難勝。苦何求而不足。乃終日而營營。逐氣尋香。無處不到。頃刻而集。誰相告報。其在物也雖微。其爲害也至要。若乃華榱廣廈。珍簟方牀。炎風之燠。夏日之長。神昏氣蹙。流汗成漿。委四肢而莫擧。眊兩目其茫洋。惟高枕之一覺。冀煩歊之暫忘。念於爾而何負。乃於吾之見殃。尋頭撲面。入袖穿裳。或集眉端。或沿眼睚。目欲瞑而復警。臂已痺而猶攘。於此之時。孔子何由見周

周公。
莊子。夢爲胡蝶。栩栩然胡蝶也。不知周也。俄然覺。則蘧蘧然周也。
蒼頭了髻
醇酎
身青者能敗物。巨者頭如火。
絡繹
王衍手揮玉塵尾終日淸談。
賈誼上書曰。可爲痛哭者三。可爲長大息者六。
醯醢

公於髣髴。莊生安得與蝴蝶而飛揚。徒使蒼頭了髻巨扇揮颺。或垂頭而腕脫。或立寐而顚僵。此其爲害一也。又如峻宇高堂。嘉賓上客。沽酒市脯。鋪筵設席。聊娛一日之餘閒。奈爾衆多之莫敵。或集器皿。或屯几格。或醉醇酎。因之投溺。或投熱羹。遂喪其魄。諒雖死而不悔。亦可戒夫貪得。尤忌赤頭。號爲景迹。一有霑汙。人皆不食。奈何引類呼朋。搖頭鼓翼。聚散倏忽。往來絡繹。方其賓主獻酬。衣冠儼飾。使吾揮手頓足。改容失色。於此之時。王衍何暇於淸談。賈誼堪爲之太息。此其爲害者二也。又如醯醢之品。醬臡之制。及

餅罌
胾
詩青蠅大夫刺幽王也。營營青蠅。止于棘。讒人罔極。交亂四國。
宋蘇洵字明允。

時月而收藏。謹餅罌之固濟。乃衆力而攻鑽。極百端窺覘。至於大胾肥牲。嘉殽美味。蓋藏稍露。於罅隙守者或時而假寐。纔少怠於防嚴。已輒遺其種類。莫不養息蕃滋。淋漓敗壞。使親朋卒至。索爾以無歡。臧獲懷憂。因之而得罪。此其爲害者三也。是皆大者。餘悉難名。嗚呼止棘之詩。垂之六經。於此見詩人之博物比興之爲精。宜乎以爾刺讒人之亂。誠可嫉而可憎。

六國論　　蘇洵

六國破滅。非兵不利戰不善。弊在賂秦。賂秦而力虧。破滅之道也。或曰。六國互喪。率賂秦耶。曰。不賂者以

厭
抱薪救火

賂者喪。蓋失強援。不能獨完。故曰弊在賂秦也。秦以攻取之外。小則獲邑。大則得城。較秦之所得。與戰勝而得者。其實百倍。諸侯之所亡。與戰敗而亡者。其實亦百倍。則秦之所大欲。諸侯所大患。固不在戰矣。思厥先祖父。暴霜露。斬荊棘。以有尺寸之地。子孫視之不甚惜。擧以與人。如棄草芥。今日割五城。明日割十城。然後得一夕安寢。起視四境。而秦兵又至矣。然則諸侯之地有限。暴秦之欲無厭。奉之彌繁。侵之愈急。故不戰而強弱勝負已判矣。至於顚覆。理固宜然。古人云。以地事秦。猶抱薪救火。薪不盡。火不滅。此言得

嬴
洎及也。

之。齊人未嘗賂秦。終繼五國遷滅。何哉。與嬴而不助五國也。五國既喪。齊亦不免矣。燕趙之君。始有遠略。能守其土。義不賂秦。是故燕雖小國而後亡。斯用兵之效也。至丹以荊卿爲計。始速禍焉。趙嘗五戰於秦。二敗而三勝。後秦擊趙者再。李牧連却之。洎牧以讒誅。邯鄲爲郡。惜其用武而不終也。且燕趙處秦革滅殆盡之際。可謂智力孤危。戰敗而亡。誠不得已。向使三國各愛其地。齊人勿附於秦。刺客不行。良將猶在。則勝負之數。存亡之理。當與秦相較。或未易量。嗚呼以賂秦之地。封天下之謀臣。以事秦之心。禮天下之

奇才。并力西嚮。則吾恐秦人食之不得下咽也。悲夫。有如此之勢。而爲秦人積威之所劫。日削月割。以趨於亡。爲國者。無使爲積威之所劫哉。夫六國與秦皆諸侯。其勢弱於秦。而猶有可以不賂而勝之之勢。苟以天下之大。而從六國破亡之故事。是又在六國下矣。

項羽起兵（史記）

司馬遷

項籍者。下相人也。字羽。初起時。年二十四。其季父項梁。梁父卽楚將項燕。爲秦將王翦所戮者也。項氏世世爲楚將。封於項。故姓項氏。項籍少時。學書不成。去

逮。謂有罪相連及。
鄿。櫟陽。皆縣名。
抵
扛

學劍。又不成。項梁怒之。籍曰。書足以記名姓而已。劍一人敵。不足學。學萬人敵。於是項梁乃教籍兵法。籍大喜。略知其意。又不肯竟學。項梁嘗有櫟陽逮。乃請鄿獄掾曹咎書。抵櫟陽獄掾司馬欣。以故事得已。項梁殺人。與籍避仇於吳中。吳中賢士大夫。皆出項梁下。每吳中有大繇役及喪。項梁常爲主辦。陰以兵法部勒賓客及子弟。以是知其能。秦始皇帝游會稽。渡浙江。梁與籍俱觀。籍曰。彼可取而代也。梁掩其口曰。毋妄言。族矣。梁以此奇籍。籍長八尺餘。力能扛鼎。才氣過人。雖吳中子弟。皆已憚籍矣。秦二世元年七月。

通。姓殷氏。
眴

陳涉等起大澤中。其九月。會稽守通謂梁曰。江西皆反。此亦天亡秦之時也。吾聞先卽制人。後則爲人所制。吾欲發兵。使公及桓楚將。是時。桓楚亡在澤中。梁曰。桓楚亡。人莫知其處。獨籍知之耳。梁乃出。誡籍持劍居外待。梁復入。與守坐。曰。請召籍。使受命召桓楚。守曰。諾。梁召籍入。須臾。梁眴籍曰。可行矣。於是。籍遂拔劍斬守頭。項梁持守頭。佩其印綬。門下大驚擾亂。籍所擊殺數十百人。一府中皆慴伏。莫敢起。梁乃召故所知豪吏。諭以所爲起大事。遂擧吳中兵。使人收下縣。得精兵八千人。梁部署吳中豪傑。爲校尉候司

陳涉起鄿至陳。爲陳王。
上柱國。上卿官。若今相國也。
東陽。縣名。
蒼頭特起

馬。有一人不得用。自言於梁。梁曰。前時某喪。使公主某事。不能辦。以此不任用公。衆乃皆伏。於是。梁爲會稽守。籍爲裨將。徇下縣。廣陵人召平。於是爲陳王徇廣陵。未能下。聞陳王敗走。秦兵又且至。乃渡江矯陳王命。拜梁爲楚王上柱國。曰。江東已定。急引兵西擊秦。項梁乃以八千人。渡江而西。聞陳嬰已下東陽。使使與連和。俱西。陳嬰者。故東陽令史。居縣中。素信謹。稱爲長者。東陽少年殺其令。相聚數千人。欲置長。無適用。乃請陳嬰。嬰謝不能。遂彊立嬰爲長。縣中從者。得二萬人。少年欲立嬰便爲王。異軍蒼頭特起。陳嬰

布姓英。嘗以罪被黥。故改姓黥。蒲將軍史失名。下邳縣名。天門山在越州。夾大江東西兩峰對峙如門。故有此

母謂嬰曰。自我爲汝家婦。未嘗聞汝先古之有貴者。今暴得大名。不祥。不如有所屬。事成猶得封侯。事敗易以亡。非世所指名也。嬰乃不敢爲王。謂其軍吏曰。項氏世世將家。有名於楚。今欲擧大事。將非其人不可。我倚名族。亡秦必矣。於是衆從其言。以兵屬項梁。項梁渡淮。黥布。蒲將軍亦以兵屬焉。凡六七萬人。軍下邳。

望天門山　李白

天門中斷楚江開。碧水東流至北廻。
兩岸青山相對出。孤帆一片日邊來。

名。王翰。初唐詩人。執金吾。漢官名。吾杖也。以金飾其末。昔魯陽公。與韓戰。日暮。援戈而揮之。日爲反三舍。單于汗朱輪　耆老

古長城吟　王翰

長安少年無遠圖。一生惟羨執金吾。
麒麟殿前拜天子。走馬爲君西擊胡。
胡沙獵獵吹人面。漢虜相逢不相見。
遙聞鐘鼓動地來。傳道單于夜猶戰。
此時顧恩寧顧身。爲君一行摧萬人。
壯士揮戈回白日。單于濺血汗朱輪。
回來飮馬長城窟。長城道傍多白骨。
問之耆老何代人。云是秦王築城卒。
黃昏塞北無人煙。鬼哭啾啾聲沸天。

徭　秦使蒙恬北築長城。以防胡。不知亡秦者乃太子胡亥。項羽入秦。燒咸陽宮。三月火不滅。秦不復再都咸陽。李由。李斯之子。

無罪見誅功不賞。孤魂流落此城邊。
當昔秦王按劍起。諸侯膝行不敢視。
富國强兵二十年。築怨興徭九千里。
秦王築城何太愚。天實亡秦非北胡。
一朝禍起蕭牆內。渭水咸陽不復都。

項羽破秦軍（史記）　司馬遷

項梁使沛公及項羽別攻城陽。屠之。西破秦軍濮陽東。秦兵收入濮陽。沛公。項羽乃攻定陶。定陶未下去。西略地至雝丘。大破秦軍。斬李由。還攻外黃。外黃未下。項梁起東阿。西北至定陶。再破秦軍。項羽等又斬

宋義。故楚令尹。顯。名也。高陵。縣名。項梁自稱武信君。項梁軍敗。當作武信君軍敗。

李由。益輕秦。有驕色。宋義乃諫項梁曰。戰勝而將驕卒惰者敗。今卒少惰矣。秦兵日益。臣爲君畏之。項梁弗聽。乃使宋義使於齊。道遇齊使者高陵君顯。曰。公將見武信君乎。曰。然。曰。臣論武信君軍必敗。公徐行卽免死。疾行則及禍。秦果悉起兵益章邯。擊楚軍大破之定陶。項梁死。沛公。項羽去外黃。攻陳留。陳留堅守。不能下。沛公。項羽相與謀曰。今項梁軍破。士卒恐。乃與呂臣軍俱引兵而東。呂臣軍彭城東。項羽軍彭城西。沛公軍碭。章邯已破項梁軍。則以爲楚地兵不足憂。乃渡河擊趙大破之。當此時。趙歇爲王。陳餘爲

甬道

將張耳爲相。皆走入鉅鹿城。章邯令王離涉間圍鉅鹿。章邯軍其南。築甬道而輸之粟。陳餘爲將。將卒數萬人。而軍鉅鹿之北。此所謂河北之軍也。楚兵已破於定陶。懷王恐。從盱台之彭城。併項羽呂臣軍自將之。以呂臣爲司徒。以其父呂靑爲令尹。以沛公爲碭郡長。封爲武安侯。將碭郡兵。初宋義所遇齊使者高陵君顯在楚軍。見楚王曰。宋義論武信君之軍必敗。居數日。軍果敗。兵未戰而先見敗徵。此可謂知兵矣。王召宋義與計事而大說之。因置以爲上將軍。項羽爲魯公。爲次將。范增爲末將。救趙。諸別將皆屬宋義。號爲

卿子。時人相褒尊之辭也。上將。故言冠軍。

蝱喩秦。蝨喩章邯等。言小大不同。勢欲滅秦。當寬邯等。

猛如虎云云。暗指項羽。高會。大會也。

卿子冠軍。行至安陽。留四十六日不進。項羽曰。吾聞秦軍圍趙王鉅鹿。疾引兵渡河。楚擊其外。趙應其內。破秦軍必矣。宋義曰。不然。夫搏牛之蝱。不可以破蟣蝨。今秦攻趙。戰勝則兵罷。我承其敝。不勝則我引兵鼓行而西。必擧秦矣。故不如先鬪秦趙。夫被堅執銳。義不如公。坐而運策。公不如義。因下令軍中曰。猛如虎。狠如羊。貪如狼。彊不可使者。皆斬之。乃遣其子宋襄相齊。身送之至無鹽。飮酒高會。天寒大雨。士卒凍飢。項羽曰。將戮力而攻秦。久留不行。今歲饑民貧。士卒食芋菽。軍無見糧。乃飮酒高會。不引兵渡河。因趙

國兵新破。謂項梁戰死定陶。

社稷之臣

枝梧

未得懷王命。故爲假。

食。與趙併力攻秦。乃曰。承其敝。夫以秦之彊。攻新造之趙。其勢必擧趙。趙擧而秦彊。何敝之承。且國兵新破。王坐不安席。掃境內而專屬於將軍。國家安危在此一擧。今不恤士卒而徇其私。非社稷之臣。項羽晨朝上將軍宋義。卽其帳中。斬宋義頭。出令軍中曰。宋義與齊謀反楚。楚王陰令羽誅之。當是時。諸將皆慴服。莫敢枝梧。皆曰。首立楚者。將軍家也。今將軍誅亂。乃相與共立羽爲假上將軍。使人追宋義子。及之齊殺之。使桓楚報命於懷王。懷王因使項羽爲上將軍。當陽君。蒲將軍皆屬項羽。項羽已殺卿子冠軍。威震

秦軍。卽章邯之軍也。

轅相向爲門。

楚國。名聞諸侯。乃遣當陽君。蒲將軍。將卒二萬。渡河救鉅鹿。戰少利。陳餘復請兵。項羽乃悉引兵渡河。皆沈船。破釜甑。燒廬舍。持三日糧。以示士卒必死。無一還心。於是至則圍王離。與秦軍遇。九戰絕其甬道。大破之。殺蘇角。虜王離。涉間不降楚。自燒殺。當是時。楚兵冠諸侯。諸侯軍救鉅鹿下者十餘壁。莫敢縱兵。及楚擊秦。諸將皆從壁上觀。楚戰士無不一以當十。楚兵呼聲動天。諸侯軍無不人人惴恐。於是已破秦軍。項羽召見諸侯將。入轅門。無不膝行而前。莫敢仰視。項羽由是始爲諸侯上將軍。諸侯皆屬焉。章邯軍棘

司馬門　宮之外門。
鄢郢　竝地名。
馬服　馬服君趙奢之子趙括也。
陽周　縣名。

原。項羽軍漳南。相持未戰。秦軍數却。二世使人讓章邯。章邯恐。使長史欣請事。至咸陽。留司馬門三日。趙高不見。有不信之心。長史欣恐。還走其軍。不敢出故道。趙高果使人追之。不及。欣至軍報曰。趙高用事於中。下無可爲者。今戰能勝。高必疾妬吾功。戰不能勝。不免於死。願將軍熟計之。陳餘亦遺章邯書曰。白起爲秦將。南征鄢郢。北阬馬服。攻城略地。不可勝計。而竟賜死。蒙恬爲秦將。北逐戎人。開楡中地數千里。竟斬陽周。何者。功多秦不能盡封。因以法誅之。今將軍爲秦將三歲矣。所亡失以十萬數。而諸侯竝起滋益

伏鈇質
候　軍候。始成。姓名。
三戸　津名。

多。彼趙高素諛日久。今事急。亦恐二世誅之。故欲以法誅將軍以塞責。使人更代將軍。以脫其禍。夫將軍居外久。多內郤。有功亦誅。無功亦誅。且天之亡秦。無愚智皆知之。今將軍內不能直諫。外爲亡國將。孤特獨立而欲常存。豈不哀哉。將軍何不還兵與諸侯爲從。約共攻秦。分王其地。南面稱孤。此孰與身伏鈇質。妻子爲僇乎。章邯狐疑。陰使候始成使項羽欲約。約未成。項羽使蒲將軍日夜引兵渡三戸。軍漳南。與秦戰。再破之。項羽悉引兵擊秦軍汙水上。大破之。章邯使人見項羽欲約。項羽召軍吏謀曰。糧少。欲聽其約。

殷虛

軍吏皆曰。善。項羽乃與期洹水南殷虛上。已盟。章邯見項羽而流涕。爲言趙高。項羽乃立章邯爲雍王。置楚軍中。使長史欣爲上將軍。將秦軍爲前行。到新安。諸侯吏卒。異時故繇使屯戍過秦中。秦中吏卒。遇之多無狀。及秦軍降諸侯。諸侯吏卒乘勝。多奴虜使之。輕折辱秦吏卒。秦吏卒多竊言曰。章將軍等詐吾屬降諸侯。今能入關破秦大善。即不能。諸侯虜吾屬而東。秦必盡誅吾父母妻子。諸將微聞其計。以告項羽。項羽乃召黥布蒲將軍計曰。秦吏卒尙衆。其心不服。至關中不聽。事必危。不如擊殺之。而獨與章邯長史

欣都尉翳入秦。於是楚軍夜擊阬秦卒二十餘萬人新安城南。行略定秦地。

鴻門之會（史記）　司馬遷

函谷關有兵守關。不得入。又聞沛公已破咸陽。項羽大怒。使當陽君等擊關。項羽遂入。至于戲西。沛公軍霸上。未得與項羽相見。沛公左司馬曹無傷使人言於項羽曰。沛公欲王關中。使子嬰爲相。珍寶盡有之。項羽大怒曰。旦日饗士卒。爲擊破沛公軍。當是時。項羽兵四十萬。在新豐鴻門。沛公兵十萬。在霸上。范增說項羽曰。沛公居山東時。貪於財貨。好美姬。今入關。

財物無所取。婦女無所幸。此其志不在小。吾令人望其氣。皆爲龍虎。成五采。此天子氣也。急擊勿失。楚左尹項伯者。項羽季父也。素善留侯張良。張良是時從沛公。項伯乃夜馳之沛公軍。私見張良。具告以事。欲呼張良與俱去。曰毋從俱死也。張良曰。臣爲韓王送沛公。沛公今事有急。亡去不義。不可不語。良乃入具告沛公。沛公大驚曰。爲之奈何。張良曰。誰爲大王爲此計者。曰鯫生說我曰。距關毋內諸侯。秦地可盡王也。故聽之。良曰。料大王士卒。足以當項王乎。沛公默然。曰固不如也。且爲之奈何。張良曰。請往謂項伯言

巵酒

倍

沛公不敢背項王也。沛公曰。君安與項伯有故。張良曰。秦時與臣游。項伯殺人。臣活之。今事有急。故幸來告良。沛公曰。孰與君少長。良曰。長於臣。沛公曰。君爲我呼入。吾得兄事之。張良出要項伯。項伯卽入見沛公。沛公奉巵酒爲壽。約爲婚姻。曰吾入關。秋毫不敢有所近。籍吏民。封府庫。而待將軍。所以遣將守關者。備他盜之出入與非常也。日夜望將軍至。豈敢反乎。願伯具言臣之不敢倍德也。項伯許諾。謂沛公曰。旦日不可不蚤自來謝項王。沛公曰。諾。於是項伯復夜去。至軍中。具以沛公言報項王。因言曰。沛公不先破

亞。次也。亞父。尊稱也。

玉玦

項莊。項羽從弟。

關中。公豈敢入乎。今人有大功。而擊之。不義也。不如因善遇之。項王許諾。沛公旦日從百餘騎。來見項王。至鴻門。謝曰。臣與將軍戮力而攻秦。將軍戰河北。臣戰河南。然不自意能先入關破秦。得復見將軍於此。今者有小人之言。令將軍與臣有郤。項王曰。此沛公左司馬曹無傷言之。不然。籍何以至此。項王卽日因留沛公與飮。項王項伯東嚮坐。亞父南嚮坐。亞父者范增也。沛公北嚮坐。張良西嚮侍。范增數目項王。擧所佩玉玦。以示之者三。項王默然不應。范增起。出召項莊。謂曰。君王爲人不忍。若入前爲壽。壽畢請以劍

跽

舞。因擊沛公於坐殺之。不者。若屬皆且爲所虜。莊則入爲壽。壽畢。曰。君王與沛公飮。軍中無以爲樂。請以劍舞。項王曰。諾。項莊拔劍起舞。項伯亦拔劍起舞。常以身翼蔽沛公。莊不得擊。於是張良至軍門。見樊噲。樊噲曰。今日之事何如。良曰。甚急。今者項莊拔劍舞。其意常在沛公也。噲曰。此迫矣。臣請入與之同命。噲卽帶劍擁盾入軍門。交戟之衞士。欲止不內。樊噲側其盾。以撞衞士仆地。噲遂入。披帷西嚮立。瞋目視項王。頭髮上指。目眥盡裂。項王按劍而跽曰。客何爲者。張良曰。沛公之參乘樊噲者也。項王曰。壯士。賜之巵

酒。則與斗巵酒。噲拜謝起。立而飲之。項王曰。賜之彘肩。則與一生彘肩。樊噲覆其盾於地。加彘肩上。拔劍切而啗之。項王曰。壯士。能復飲乎。樊噲曰。臣死且不避。巵酒安足辭。夫秦王有虎狼之心。殺人如不能擧。刑人如恐不勝。天下皆叛之。懷王與諸將約曰。先破秦入咸陽者王之。今沛公先破秦入咸陽。毫毛不敢有所近。封閉宮室。還軍霸上。以待大王來。故遣將守關者。備他盜出入與非常也。勞苦而功高如此。未有封侯之賞。而聽細說。欲誅有功之人。此亡秦之續耳。竊爲大王不取也。項王未有以應。曰。坐。樊噲從良坐。

大行不顧
細謹
大禮不辭
小讓

坐須臾。沛公起如厠。因招樊噲出。沛公已出。項王使都尉陳平召沛公。沛公曰。今者出未辭也。爲之奈何。樊噲曰。大行不顧細謹。大禮不辭小讓。如今人方爲刀俎。我爲魚肉。何辭爲。於是遂去。乃令張良留謝。良問曰。大王來。何操。曰。我持白璧一雙。欲獻項王。玉斗一雙。欲與亞父。會其怒。不敢獻。公爲我獻之。張良曰。謹諾。當是時。項王軍在鴻門下。沛公軍在霸上。相去四十里。沛公則置車騎。脫身獨騎。與樊噲夏侯嬰靳彊紀信等四人。持劍盾步走。從酈山下。道芷陽間行。沛公謂張良曰。從此道至吾軍。不過二十里耳。度我

至軍中。公乃入。沛公已去。間至軍中。張良入謝曰。沛公不勝桮杓。不能辭。謹使臣良奉白璧一雙。再拜獻大王足下。玉斗一雙。再拜奉大將軍足下。項王曰。沛公安在。良曰。聞大王有意督過之。脫身獨去。已至軍矣。項王則受璧置之坐上。亞父受玉斗置之地。拔劍撞而破之曰。唉。豎子不足與謀。奪項王天下者。必沛公也。吾屬今爲之虜矣。沛公至軍。立誅殺曹無傷。居數日。項羽引兵西屠咸陽。殺秦降王子嬰。燒秦宮室。火三月不滅。收其貨寶婦女而東。人或說項羽曰。關中阻山河四塞。地肥饒。可都以霸。項王見秦宮室皆

衣繡夜行
沐猴而冠
韓生
驀地

以燒殘破。又心懷思欲東歸。曰。富貴不歸故鄕。如衣繡夜行。誰知之者。說者曰。人言楚人沐猴而冠耳。果然。項王聞之。烹說者。

鴻門　　竹添進一郞

重瞳視近不視遠。　沐猴而冠韓生哂。
誰道大王性不忍。　不忍可忍忍不忍。
劍舞雙雙白日寒。　眞龍低首慘無神。
驀地一捲風雲起。　玉斗撞碎泣謀臣。
君不見新安白骨高於岡。
冤氣于今草不蒼。　忍阬秦卒二十萬。

屠見指樊噲。

五諸侯。韓。魏。趙。齊。衡山也。

不忍俎上一漢王。

鴻門高

秋山儀

鴻門高。高且雄。天曆數。指顧中。

謀臣不語目屢動。劍舞雙雙鬭白虹。

屠兒一入四坐傾。巵酒彘肩腥風生。

君不見俎上之肉飛生翼。

却望天際成五色。

漢楚相戰（史記）

司馬遷

春。漢王部五諸侯兵。凡五十六萬人。東伐楚。項王聞之。卽令諸將擊齊。而自以精兵三萬人。南從魯出胡

轂泗水。二水名。

擠

窈冥晝晦

孝惠皇帝。魯元公主。

陵。四月。漢皆已入彭城。收其貨寶美人。日置酒高會。項王乃西從蕭。晨擊漢軍。而東至彭城。日中大破漢軍。漢軍皆走。相隨入轂泗水。殺漢卒十餘萬人。漢卒皆南走山。楚又追擊至靈壁東睢水上。漢軍却。爲楚所擠。多殺漢卒。十餘萬人皆入睢水。睢水爲之不流。圍漢王三匝。於是大風從西北而起。折木發屋。揚沙石。窈冥晝晦。逢迎楚軍。楚軍大亂壞散。而漢王乃得與數十騎遁去。欲過沛收家室而西。楚亦使人追之沛取漢王家。家皆亡。不與漢王相見。漢王道逢得孝惠。魯元。乃載行。楚騎追漢王。漢王急。推墮孝惠。魯元

滕公。夏侯嬰也。此時爲參乘。

周呂侯。名澤。

下邑。縣名。

車下。滕公常下收載之。如是者三。曰。雖急不可以驅。奈何棄之。於是遂得脫。求太公。呂后。不相遇。審食其從太公。呂后。間行求漢王。反遇楚軍。楚軍遂與歸報項王。項王常置軍中。是時。呂后兄周呂侯爲漢將兵居下邑。漢王間往從之。稍稍收其士卒。至滎陽。諸敗軍皆會。蕭何亦發關中老弱未傅。悉詣滎陽。復大振。楚起於彭城。常乘勝逐北。與漢戰滎陽南京索間。漢敗楚。楚以故不能過滎陽而西。項王之救彭城。追漢王至滎陽。田橫亦得收齊。立田榮子廣爲齊王。漢王之敗彭城。諸侯皆復與楚而背漢。漢軍滎陽。築甬道。

秦時置倉於敖山。名敖倉。

太牢

賜骸骨歸卒伍

屬之河。以取敖倉粟。漢之三年。項王數侵奪漢甬道。漢王食乏。恐。請和。割滎陽以西爲漢。項王欲聽之。歷陽侯范增曰。漢易與耳。今釋弗取。後必悔之。項王乃與范增急圍滎陽。漢王患之。乃用陳平計。間項王。項王使者來。爲太牢具。擧欲進之。見使者。佯驚愕曰。吾以爲亞父使者。乃反項王使者。更持去。以惡食食項王使者。使者歸報項王。項王乃疑范增與漢有私。稍奪之權。范增大怒曰。天下事大定矣。君王自爲之。願賜骸骨歸卒伍。項王許之。行未至彭城。疽發背而死。漢將紀信說漢王曰。事已急矣。請爲王誑楚爲王。王

黃屋車 纛

可以間出。於是漢王夜出女子滎陽東門。被甲二千人。楚兵四面擊之。紀信乘黃屋車。傅左纛。曰。城中食盡。漢王降。楚軍皆呼萬歲。漢王亦與數十騎從城西門出走成皐。項王見紀信。問漢王安在。信曰。漢王已出矣。項王燒殺紀信。漢王使御史大夫周苛。樅公。魏豹守滎陽。周苛樅公謀曰。反國之王。難與守城。乃共殺魏豹。楚下滎陽城。生得周苛。項王謂周苛曰。爲我將。我以公爲上將軍。封三萬戶。周苛罵曰。若不趣降漢。漢今虜若。若非漢敵也。項王怒烹周苛。幷殺樅公。漢王之出滎陽。南走宛葉。得九江王布。行收兵。復入

淮陰侯韓信。

廣武。澗名。

保成皐。漢之四年。項王進兵圍成皐。漢王逃。獨與滕公出成皐北門。渡河走修武。從張耳韓信軍。諸將稍稍得出成皐。從漢王。楚遂拔成皐。欲西。漢使兵距之鞏。令其不得西。是時彭越渡河。擊楚東阿。殺楚將軍薛公。項王乃自東擊彭越。漢王得淮陰侯兵。欲渡河南。鄭忠說漢王。乃止壁河內。使劉賈將兵佐彭越。燒楚積聚。項王東擊破之。走彭越。漢王則引兵渡河。復取成皐。軍廣武。就敖倉食。項王已定東海。來西與漢俱臨廣武而軍。相守數月。當此時。彭越數反梁地。絕楚糧食。項王患之。爲高俎。置太公其上。告漢王曰。今

桮羹

秪

決雌雄

樓煩。人善騎射。謂士爲樓煩。取其稱耳。未必樓煩人也。

不急下。吾烹太公。漢王曰。吾與項羽俱北面受命懷王。曰。約爲兄弟。吾翁卽若翁。必欲烹而翁。則幸分我一桮羹。項王怒。欲殺之。項伯曰。天下事未可知。且爲天下者不顧家。雖殺之無益。秪益禍耳。項王從之。楚漢久相持未決。丁壯苦軍旅。老弱罷轉漕。項王謂漢王曰。天下匈匈數歲者。徒以吾兩人耳。願與漢王挑戰決雌雄。毋徒苦天下之民父子爲也。漢王笑謝曰。吾寧鬭智。不能鬭力。項王令壯士出挑戰。漢有善騎射者樓煩。楚挑戰三合。樓煩輒射殺之。項王大怒。乃自被甲持戟挑戰。樓煩欲射之。項王瞋目叱之。樓煩

目不敢視。手不敢發。遂走還入壁。不敢復出。漢王使人間問之。乃項王也。漢王大驚。於是項王乃卽漢王。相與臨廣武間而語。漢王數之。項王怒。欲一戰。漢王不聽。項王伏弩射中漢王。漢王傷。走入成皐。項王聞淮陰侯已擧河北。破齊趙。且欲擊楚。乃使龍且往擊之。淮陰侯與戰。騎將灌嬰擊之。大破楚軍。殺龍且。韓信因自立爲齊王。項王聞龍且軍破。則恐。使盱台人武涉往說淮陰侯。淮陰侯弗聽。是時彭越復反。下梁地。絕楚糧。項王乃謂海春侯大司馬曹咎等曰。謹守成皐。則漢欲挑戰。愼勿與戰。毋令得東而已。我十五

日必誅彭越。定梁地。復從將軍。乃東行擊陳留外黃。外黃不下。數日已降。項王怒。悉令男子年十五已上詣城東。欲阬之。外黃令舍人兒年十三。往說項王曰。彭越彊劫外黃。外黃恐。故且降待大王。大王至。又皆阬之。百姓豈有歸心。從是以東。梁地十餘城。皆恐莫肯下矣。項王然其言。乃赦外黃當阬者。東至睢陽。聞之皆爭下項王。漢果數挑楚軍戰。楚軍不出。使人辱之五六日。大司馬怒。渡兵汜水。士卒半渡。漢擊之。大破楚軍。盡得楚國貨賂。

秋懷　陸游

宋陸游。字務觀。號放翁。

園丁傍架摘黃瓜。　村女沿籬采碧花。
城市尚餘三伏熱。　秋光先到野人家。

新秋　白居易

西風飄一葉。　庭前颯已涼。　風池明月水。
衰蓮白露房。　其奈江南夜。　緜緜自此長。

項羽亡（史記）　司馬遷

漢王使侯公往說項王。約和。請太公。

匿弗肯復見五字。與上下文不接。疑後人依注竄入。

項王乃與漢約。中分天下。割鴻溝以西者爲漢。鴻溝而東者爲楚。項王許之。卽歸漢王父母妻子。軍皆呼萬歲。漢王乃封侯公。爲平國君。匿弗肯復見。曰。此天下辯士。所居傾國。故號爲平國君。項王已約。乃引兵

養虎自遺憂。

諸侯。指韓信彭越等。

解而東歸。漢欲西歸。張良陳平說曰。漢有天下大半。而諸侯皆附之。楚兵罷食盡。此天亡楚之時也。不如因其機而遂取之。今釋弗擊。此所謂養虎自遺患也。漢王聽之。漢五年。漢王乃追項王。至陽夏南。止軍。與淮陰侯韓信。建成侯彭越期。會而擊楚軍。至固陵。而信越之兵不會。楚擊漢軍大破之。漢王復入壁。深塹而自守。謂張子房曰。諸侯不從約。爲之奈何。對曰。楚兵且破。信越未有分地。其不至固宜。君王能與共分天下。今可立致也。卽不能事未可知也。君王能自陳以東傅海。盡與韓信。睢陽以北至穀城。以與彭越。使

垓。堤名。

各自爲戰。則楚易敗也。漢王曰善。於是乃發使者。告韓信彭越曰。幷力擊楚。楚破。自陳以東傅海。與齊王。睢陽以北至穀城。與彭相國。使者至。韓信彭越皆報曰。請今進兵。韓信乃從齊往。劉賈軍從壽春並行。屠城父。至垓下。大司馬周殷叛楚。以舒屠六。舉九江兵。隨劉賈彭越。皆會垓下。詣項王。項王軍壁垓下。兵少食盡。漢軍及諸侯兵圍之數重。夜聞漢軍四面皆楚歌。項王乃大驚曰。漢皆已得楚乎。是何楚人之多也。項王則夜起飮帳中。有美人。名虞。常幸從。駿馬名騅。常騎之。於是項王乃悲歌忼慨。自爲詩曰。力拔山兮

闋

氣蓋世。時不利兮騅不逝。騅不逝兮可奈何。虞兮虞兮。奈若何。歌數闋。美人和之。項王泣數行下。左右皆泣。莫能仰視。於是項王乃上馬騎。麾下壯士騎從者。八百餘人。直夜潰圍南出馳走。平明。漢軍乃覺之。令騎將灌嬰以五千騎追之。項王渡淮。騎能屬者。百餘人耳。項王至陰陵。迷失道。問一田父。田父紿曰。左。左乃陷大澤中。以故漢追及之。項王乃復引兵而東。至東城。乃有二十八騎。漢騎追者數千人。項王自度不得脫。謂其騎曰。吾起兵至今八歲矣。身七十餘戰。所當者破。所擊者服。未嘗敗北。遂霸有天下。然今卒困

赤泉侯。楊喜也。

辟易

於此。此天之亡我。非戰之罪也。今日固決死。願爲諸君決戰。必三勝之。爲諸君潰圍斬將刈旗。令諸君知天亡我。非戰之罪也。乃分其騎以爲四隊。四嚮。漢軍圍之數重。項王謂其騎曰。吾爲公取彼一將。令四面騎馳下。期山東爲三處。於是項王大呼馳下。漢軍皆披靡。遂斬漢一將。是時。赤泉侯爲騎將。追項王。項王瞋目而叱之。赤泉侯人馬倶驚。辟易數里。與其騎會爲三處。漢軍不知項王所在。乃分軍爲三。復圍之。項王乃馳。復斬漢一都尉。殺數十百人。復聚其騎。亡其兩騎耳。乃謂其騎曰。何如。騎皆伏曰。如大王言。於是

南方人謂整船向岸曰檥。

以故人故難視斫之。故背之面。不正視也。

項王乃欲東渡烏江。烏江亭長檥船待。謂項王曰。江東雖小。地方千里。衆數十萬人。亦足王也。願大王急渡。今獨臣有船。漢軍至無以渡。項王笑曰。天之亡我。我何渡爲。且籍與江東子弟八千人。渡江而西。今無一人還。縱江東父兄憐而王我。我何面目見之。縱彼不言。籍獨不愧於心乎。乃謂亭長曰。吾知公長者。吾騎此馬五歲。所當無敵。嘗一日行千里。不忍殺之。以賜公。乃令騎皆下馬步行。持短兵接戰。獨籍所殺漢軍數百人。項王身亦被十餘創。顧見漢騎司馬呂馬童曰。若非吾故人乎。馬童面之。指王翳曰。此項王也。

周生。漢時儒者。姓周。

五諸侯。趙。齊。燕。魏。韓。五王也。

項王乃曰。吾聞漢購我頭千金。邑萬戶。吾爲若德。乃自刎而死。王翳取其頭。餘騎相蹂踐爭項王。相殺者數十人。

項羽贊（史記）

司馬遷

太史公曰。吾聞之周生。曰。舜目蓋重瞳子。又聞項羽亦重瞳子。羽豈其苗裔邪。何興之暴也。夫秦失其政。陳涉首難。豪傑蠭起。相與並爭。不可勝數。然羽非有尺寸。乘勢起隴畝之中。三年遂將五諸侯滅秦。分裂天下。而封王侯。政由羽出。號爲霸王。位雖不終。近古以來未嘗有也。及羽背關懷楚。放逐義帝而自立。怨

矜功伐
揣摩

王侯叛已。難矣。自矜功伐。奮其私智。而不師古。謂覇
王之業。欲以力征。經營天下。五年卒亡其國。身死東
城。尙不覺寤。而不自責過矣。乃引天亡我非用兵之
罪也。豈不謬哉。

大風歌　漢高祖

大風起兮雲飛揚。　威加海內兮歸故鄕。
安得猛士兮守四方。

高祖論　蘇洵

漢高祖挾數用術。以制一時之利害。不如陳平。揣摩
天下之勢。擧指搖目。以劫制項羽。不如張良。微此二

木强
周勃。漢名臣。劉漢本姓。太尉掌兵柄。
呂氏。呂后之一族。
武王殺紂。立其子武庚。而使管叔蔡叔霍叔監之。後

人。則天下不歸漢。而高帝乃木强之人而止耳。然天
下已定。後世子孫之計。陳平張良智之所不及。則高
帝常先爲之規畫處置。使夫後世之所爲。曉然如目
見其事而爲之者。蓋高帝之智。明於大而暗於小。至
於此而後見也。帝嘗語呂后曰。周勃重厚少文。然安
劉氏者必勃也。可令爲太尉。方是時。劉氏安矣。勃又
將誰安耶。故吾之意曰。高帝之以太尉屬勃也。知有
呂氏之禍也。雖然其不去呂后。何也。勢不可也。昔者
武王沒。成王幼而三監叛。帝意百歲後。將相大臣及
諸侯王。有如武庚祿父。而無有以制之也。獨計以爲

三監與武庚反
譙。責也。
噲。呂后之妹婿也。戚氏。戚夫人。平勃。陳平。周勃。

家有主母。而豪奴悍婢。不敢與弱子抗。呂氏佐帝定
天下。爲諸將大臣素所畏服。獨此可以鎭壓其邪心。
以待嗣子之壯。故不去呂后者。爲惠帝計也。呂后既
不可去。故削其黨以損其權。使雖有變而天下不搖。
是故以樊噲之功。一旦遂欲斬之而無疑。嗚呼彼獨
於噲不仁耶。且噲與帝偕起。拔城陷陣。功爲不少。方
亞夫嗾項莊時。微噲譙羽。則漢之爲漢未可知也。一
旦人有惡噲欲滅戚氏者。時噲出伐燕。立命平勃即
軍中斬之。夫噲之罪未形也。惡之者誠僞未必也。且
帝之不以一女子斬天下功臣亦明矣。彼其娶於呂

產祿。皆呂氏。
菫。毒藥也。
椎埋屠狗。指樊噲。

氏。呂氏之族。若產祿輩皆庸才不足卹。獨噲豪健。諸
將所不能制。後世之患。無大於此者矣。夫高帝之視
呂后。猶醫者之視菫也。使其毒可以治病。而不至於
殺人而已。噲死則呂氏之毒將不至於殺人。高帝以
爲是足以死而無憂矣。彼平勃者遺其憂者也。噲之
死於惠帝之六年。天也。使其尙在。則呂祿不可紿。太
尉不得入北軍矣。或謂噲於高帝最親。使之尙在。未
必與產祿叛。夫韓信黥布盧綰。皆南面稱孤。而綰又
最爲親幸。然及高祖之未亡也。皆相繼以逆誅。誰謂
百歲之後。椎埋屠狗之人。見其親戚得爲帝王。而不

咸陽。秦都。

捲土重來

宋曾鞏。字子固。

欣然從之耶。吾故曰。彼平勃者遺其憂者也。

咸陽懷古　劉滄

經過此地無窮事。一望凄然感廢興。
渭水故都秦二世。咸陽秋草漢諸陵。
天空絕塞聞邊雁。葉盡孤村見夜燈。
風景蒼蒼多少恨。寒山半出白雲層。

題烏江亭　杜牧

勝敗兵家事不期。包羞忍恥是男兒。
江東子弟多才俊。捲土重來未可知。

虞美人草　曾鞏

鴻門玉斗粉如雪。十萬降兵夜流血。
咸陽宮殿三月紅。霸業已隨煙燼滅。
剛强必死仁義王。陰陵失道非天亡。
英雄本學萬人敵。何用屑屑悲紅粧。
三軍散盡旌旗倒。玉帳佳人坐中老。
香魂夜逐劒光飛。青血化爲原上草。
芳心寂寞寄寒枝。舊曲聞來似斂眉。
哀怨徘徊愁不語。恰如初聽楚歌時。
滔滔逝水流今古。漢楚興亡兩丘土。
當年遺事久成空。慷慨樽前爲誰舞。

唐李華。字遐叔。

敻

曛

徭戍

腷臆

耗斁

弔古戰場文　李華

浩浩乎平沙無垠。敻不見人。河水縈帶。羣山糾紛。黯兮慘悴。風悲日曛。蓬斷艸枯。凛若霜晨。鳥飛不下。獸挺亡羣。亭長告余曰。此古戰場也。常覆三軍。往往鬼哭。天陰則聞。傷心哉。秦歟漢歟。將近代歟。吾聞夫齊魏徭戍。荊韓召募。萬里奔走。連年暴露。沙艸晨牧。河冰夜渡。地濶天長。不知歸路。寄身鋒刃。腷臆誰訴。秦漢而還。多事四夷。中州耗斁。無世無之。古稱戎夏不抗王師。文教失宣。武臣用奇兵。有異於仁義。王道迂濶而莫爲。嗚呼噫嘻。吾想夫北風振漢。胡兵伺便。主

組練

踟蹰　繒纊

將驕敵。期門受戰。野豎旌旗。川回組練。法重心駭。威尊命賤。利鏃穿骨。驚沙入面。主客相搏。山川震眩。聲折江河。勢崩雷電。至若窮陰凝閉。凛冽海隅。積雪沒脛。堅冰在鬚。鷙鳥休巢。征馬踟蹰。繒纊無溫。墮指裂膚。當此苦寒。天假强胡。憑陵殺氣。以相剪屠。徑截輜重。橫攻士卒。都尉新降。將軍復沒。屍塡巨港之岸。血滿長城之窟。無貴無賤。同爲枯骨。可勝言哉。鼓衰兮力盡。矢竭兮弦絕。白刃交兮寶刀折。兩軍蹙兮生死決。降矣哉終身夷狄。戰矣哉骨暴沙礫。鳥無聲兮山寂寂。夜正長兮風淅淅。魂魄結兮天沈沈。鬼神聚兮雲

李牧。爲趙將。破胡。

左隱公五年。三年治兵。入而振旅。歸而飲至。以數軍實。

朱血色久則殷。

冪冪。日光寒兮艸短。月色苦兮霜白。傷心慘目有如是耶。吾聞之。牧用趙卒。大破林胡。開地千里。遁逃匈奴。漢傾天下。財殫力痛。任人而已。其在多乎。周逐玁狁。北至太原。旣城朔方。全師而還。飮至策勳。和樂且閒。穆穆棣棣。君臣之間。秦起長城。竟海爲關。荼毒生靈。萬里朱殷。漢擊匈奴。雖得陰山。枕骸遍野。功不補患。蒼蒼烝民。誰無父母。提携捧負。畏其不壽。誰無兄弟。如足如手。誰無夫婦。如賓如友。生也何恩。殺之何咎。其存其沒。家莫聞知。人或有言。將信將疑。悁悁心目。寢寐見之。布奠傾觴。哭望天涯。天地爲愁。艸木淒

胡笳。樂府曲名。唐開元中。爲監察御史。眞卿使河隴。使在河西隴右。故作胡笳歌送之。岑參。盛唐詩人。

樓蘭。胡國名。

蕭關。秦北關也。

悲。弔祭不至。精魂無依。必有凶年。人其流離。嗚呼噫嘻。時耶命耶。從古如斯。爲之奈何。守在四夷。

胡笳歌送顏眞卿使赴河隴　岑參

君不聞胡笳聲最悲。紫髯綠眼胡人吹。
吹之一曲猶未了。愁殺樓蘭征戍兒。
涼秋八月蕭關道。北風吹斷天山艸。
崑崙山南月欲斜。胡人向月吹胡笳。
胡笳怨兮將送君。秦山遙望隴山雲。
邊城夜夜多愁夢。向月胡笳誰喜聞。

楓橋。在蘇州府西。臨水有楓樹。

張繼。唐詩人。

賈至。盛唐詩人。

千皺洋

楓橋夜泊　張繼

月落烏啼霜滿天。江楓漁火對愁眠。
姑蘇城外寒山寺。夜半鐘聲到客船。

再楓橋夜泊　張繼

白髮重來一夢中。青山不改舊時容。
烏啼月落江村寺。欹枕猶聽夜半鐘。

泛洞庭湖　賈至

楓岸紛紛落葉多。洞庭秋水晩來波。
乘興輕舟無近遠。白雲明月弔湘娥。

舟過千皺洋遇大風浪　賴襄

艕艭

鯨鼉

囊簏

蒙茸　樸樕

賴子發碕港。八月念六。便道赴東肥。
臨岸買艕艭。說是千皺洋。波紋如細縠。
解纜未半時。雲行稍捷速。指點溫岳巓。
黑氣如蓋笠。須臾海水立。盲風撼坤軸。
柁工强談笑。護短諱敗衄。風力愈狂驕。
鯨鼉交怒蹴。濤勢吳越來。萬里一沓蹙。
舟爲之掀翻。繫泊欲向孰。舟人腕欲脫。
搖櫓達嶋隩。叩門懇吏胥。僦丁負囊簏。
崎嶇踰磯礁。蒙茸過樸樕。漫白見崩沙。
深黑瞰絕谷。照昏有炬火。救饑無饘粥。

羊膓
燀 腒鱐
悚恧
王維。盛唐詩人。
茱萸

勉旃度羊膓。 猶勝葬魚腹。 遠火認宿所。
弛擔漁人屋。 燀湯洗脚跟。 下餌燒腒鱐。
驚定方成笑。 痛覺卻欲哭。 遠道胡爲來。
非宦非販鬻。 汗漫自取苦。 反顧眞悚恧。
作詩抽囊筆。 鯨燈伴單獨。

九月九日憶山中兄弟　王維

獨在異鄕爲異客。 每逢佳節倍思親。
遙知兄弟登高處。 遍插茱萸少一人。

阿房宮賦　杜牧

六王畢。四海一。蜀山兀。阿房出。覆壓三百餘里。隔離

簷牙高啄
鉤心鬭角
宮人歌唱時則煖響。舞袖時則如風淒。此所以氣候不定也。
媵嬙
曉鬟
椒蘭

天日。驪山北構而西折。直走咸陽。二川溶溶。流入宮墻。五步一樓。十步一閣。廊腰縵廻。簷牙高啄。各抱地勢。鉤心鬭角。盤盤焉。囷囷焉。蜂房水渦。矗不知其幾千萬落。長橋臥波。未雲何龍。複道行空。不霽何虹。高低冥迷。不知西東。歌臺煖響。春光融融。舞殿冷袖。風雨淒淒。一日之內。一宮之閒。而氣候不齊。妃嬪媵嬙。王子皇孫。辭樓下殿。輦來于秦。朝歌夜絃。爲秦宮人。明星熒熒。開粧鏡也。綠雲擾擾。梳曉鬟也。渭流漲膩。棄脂水也。煙斜霧橫。焚椒蘭也。雷霆乍驚。宮車過也。轆轆遠聽。杳不知其所之也。一肌一容。盡態極妍。縵

視鼎如鐺。視玉如石。
邐迤。旁行連延之貌。
錙銖
庾。藏也。
瓦縫參差
嘔啞

立遠視。而望幸焉。有不得見者。三十六年。燕趙之收藏。韓魏之經營。齊楚之精英。幾世幾年。取掠其人。倚疊如山。一旦不能有。輸來其閒。鼎鐺玉石。金塊珠礫。棄擲邐迤。秦人視之。亦不甚惜。嗟夫。一人之心。千萬人之心也。秦愛紛奢。人亦念其家。奈何取之。盡錙銖。用之如泥沙。使負棟之柱。多於南畝之農夫。架梁之椽。多於機上之工女。釘頭磷磷。多於在庾之粟粒。瓦縫參差。多於周身之帛縷。直欄橫檻。多於九上之城郭。管絃嘔啞。多於市人之言語。使天下之人。不敢言。而敢怒。獨夫之心。日益驕固。戍卒叫。函谷擧。楚人一

憐
彭城。楚都。
疽

炬。可憐焦土。嗚呼。滅六國者。六國也。非秦也。族秦者。秦也。非天下也。嗟夫。使六國各愛其人。則足以拒秦。秦復愛六國之人。則遞三世。可至萬世而爲君。誰得而族滅也。秦人不暇自哀。而後人哀之。後人哀之。而不鑑之。亦使後人復哀後人也。

范增論　蘇軾

漢用陳平計。閒疎楚君臣。項羽疑范增與漢有私。稍奪其權。增大怒曰。天下事大定矣。君王自爲之。願賜骸骨歸卒伍。歸未至彭城。疽發背死。蘇子曰。增之去善矣。不去。羽必殺增。獨恨其不蚤耳。然則當以何事

易繫辭傳、
詩小雅頍弁篇。

去。增勸羽殺沛公。羽不聽。終以此失天下。當於是去耶。曰。否。增之欲殺沛公。人臣之分也。羽之不殺。猶有君人之度也。增曷爲以此去哉。易曰。知幾其神乎。詩曰。相彼雨雪。先集維霰。增之去。當於羽殺卿子冠軍時也。陳涉之得民也。以項燕扶蘇。項氏之興也。以立楚懷王孫心。而諸侯叛之也。以弑義帝。且義帝之立。增爲謀主矣。義帝之存亡。豈獨爲楚之盛衰。亦增之所與同禍福也。未有義帝亡。而增獨能久存者也。羽之殺卿子冠軍也。是弑義帝之兆也。其弑義帝。則疑增之本也。豈必待陳平哉。物必先腐也。而後蟲生之。

關。關中。
稠人
比肩

人必先疑也。而後讒入之。陳平雖智。安能間無疑之主哉。吾嘗論義帝天下之賢主也。獨遣沛公入關。而不遣項羽。識卿子冠軍於稠人之中。而擢以爲上將。不賢而能如是乎。羽既矯殺卿子冠軍。義帝必不能堪。非羽弑帝。則帝殺羽。不待智者而後知也。增始勸項梁立義帝。諸侯以此服從。中道而弑之。非增之意也。夫豈獨非其意。將必力爭而不聽也。不用其言。而弑其所立。羽之疑增必自是始矣。方羽殺卿子冠軍。增與羽比肩而事義帝。君臣之分未定也。爲增計者。力能誅羽則誅之。不能則去之。豈不毅然大丈夫也

枚如箸。軍士銜之禁其語。
鏦音窻。

哉。增年已七十。合則留。不合則去。不以此時明去就之分。而欲依羽以成功名。陋矣。雖然增高帝之所畏也。增不去項羽不亡。嗚呼增亦人傑也哉。

秋聲賦

歐陽修

歐陽子方夜讀書。聞有聲自西南來者。悚然而聽之。曰。異哉。初淅瀝以蕭颯。忽奔騰而砰湃。如波濤夜驚。風雨驟至。其觸於物也。鏦鏦錚錚。金鐵皆鳴。又如赴敵之兵。銜枚疾走不聞號令。但聞人馬之行聲。予謂童子。何聲也。汝出視之。童子曰。星月皎潔。明河在天。四無人聲。聲在樹間。予曰。噫嘻悲哉。此秋聲也。胡爲

以石刺病曰砭。
秋官。司寇。專掌邦國之刑。秋官。大司馬中秋敎治兵。
行
義者成。成者方。故秋爲矩也。天地肅殺。此天地之義氣也。秋曰素商。應西方金行之氣。孟秋之

乎來哉。蓋夫秋之爲狀也。其色慘淡。煙霏雲斂。其容淸明。天高日晶。其氣慄冽。砭人肌骨。其意蕭條。山川寂寥。故其爲聲也。淒淒切切。呼號奮發。豐艸綠縟而爭茂。佳木葱籠而可悅。艸拂之而色變。木遭之而葉脫。其所以摧敗零落者。乃一氣之餘烈。夫秋刑官也。於時爲陰。又兵象也。於行爲金。是謂天地之義氣。常以肅殺而爲心。天之於物。春生秋實。故其在樂也。商聲主西方之音。夷則爲七月之律。商傷也。物既老而悲傷。夷戮也。物過盛而當殺。嗟夫艸木無情。有時飄零。人爲動物。惟物之靈。百憂感其心。萬事勞其形。有

月律中夷則。
黟於脂反。
星星猶點點。
末段謂人之憂感自少至老猶物之受變自春而秋凜乎悲秋之意溢於言表。
蘇子得廢圃于東坊而作堂號曰雪堂。
臨皐亭名。蘇子寓于此。
殽。

動乎中。必搖其情。而況思其力之所不及。憂其智之所不能。宜其渥然丹者爲槁木。黟然黑者爲星星。奈何非金石之質。欲與艸木而爭榮。念誰爲之戕賊。亦何恨乎秋聲。童子莫對。垂頭而睡。但聞四壁蟲聲唧唧。如助予之歎息。

後赤壁賦

蘇軾

是歲十月之望。步自雪堂。將歸于臨皐。二客從予。過黃泥之坂。霜露既降。木葉盡脫。人影在地。仰見明月。顧而樂之。行歌相答。已而歎曰。有客無酒。有酒無殽。月白風清。如此良夜何。客曰。今者薄暮。擧網得魚。巨

蒙茸草木茂也。
虎豹。石類虎豹之狀者。
虯龍
鶻
馮夷河伯。

口細鱗。狀似松江之鱸。顧安所得酒乎。歸而謀諸婦。婦曰。我有斗酒。藏之久矣。以待子不時之需。於是攜酒與魚。復遊於赤壁之下。江流有聲。斷岸千尺。山高月小。水落石出。曾日月之幾何。而江山不可復識矣。予乃攝衣而上。履巉巖。披蒙茸。踞虎豹。登虯龍。攀棲鶻之危巢。俯馮夷之幽宮。蓋二客不能從焉。劃然長嘯。草木震動。山鳴谷應。風起水湧。予亦悄然而悲。肅然而恐。凜乎其不可留也。反而登舟。放於中流。聽其所止而休焉。時夜將半。四顧寂寥。適有孤鶴。橫江東來。翅如車輪。玄裳縞衣。戛然長鳴。掠予舟而西也。須

蹁躚
泐

臾客去。予亦就睡。夢一道士。羽衣蹁躚。過臨皐之下。揖予而言曰。赤壁之遊樂乎。問其姓名。俛而不答。嗚呼噫嘻。我知之矣。疇昔之夜。飛鳴而過我者。非子也耶。道士顧笑。予亦驚悟。開戶視之。不見其處。

題赤壁圖後

安積信

天下何地無月。何處無風。而赤壁獨以風月聞者。非以有蘇子文章耶。夫文章非有金石之堅也。非有山嶽之重也。發諸心形諸言。著諸篇翰爾矣。而金石可泐。山嶽可崩。惟文章赫赫然照映于宇宙之間。月爲之加明。風爲之加清。江山爲之加雄壯。所謂不朽之

西條山謙信所屯。

盛事者非歟。彼周郎竭智力。以精兵三萬。破曹瞞數十萬之衆。可謂千古奇功矣。而蘇子乃提三寸不律。詠風月於盃酒談笑之間。使百世之下。讀其文。想見其人。吟諷賛嘆之不已。而善畫者。又模寫之以傳。則蘇子三寸不律之功。反出于周郎精兵三萬之上矣。文章之盛如此。況聖賢君子道德之懿。照映于宇宙者哉。

川中島戰歌

安積信

秋風蕭颯旌旆寒。　殺氣夜襲西條山。
山城猛將人中虎。　獨立危樓白雲間。

墉

信玄在海津城

白韓

謙信潛度筑摩川

世稱車懸陣

是日曉霧滿野甲軍不覺謙信至

槊

呴

曹公

壯膽如斗眼如電。看破遠墉颺炊煙。
便知分兵扼前後。還思出奇擒老姦。
精鑒入微鬼應哭。妙算不數白與韓。
下樓叱咤號令肅。輕裝疾發何神速。
馬皆結舌人啣枚。惟聞鐵甲鳴簌簌。
萬騎渡河波無聲。堅陣衝營如轉轂。
煙霧茫茫天未明。敵人安知几上肉。
煙消霧收乾坤清。旌旗蔽野森刀槊。
甲軍震駭粗氣呴。唯謂神兵從天降。
軍中宿將天下傑。智權何敢讓曹公。

獨眼龍山本勘助晴行

晉王

戈鋋

旄幢

和泉柹崎和泉守

駿河宇佐美駿河守

因幡柴田因幡守

關張

豐後諸角豐後守

廟算雖遠曾不懼。豹韜鬱勃羅心胸。
拒敵欲待前軍返。帳下傳呼獨眼龍。
獨眼籌略類晉王。幾回斫樹收窮龐。
急勒士衆更布陣。戈鋋雪白建旄幢。
指揮纔定鋒已接。礮響箭飛塵濛濛。
越州將士皆精悍。鐵騎馳突勢甚雄。
和泉駿河暨因幡。神勇殆與關張同。
疾雷破山濤翻海。血染原野盡成紅。
一隊兩隊竹迎刄。三甄四甄草偃風。
時有饒將稱豐後。憤激舞槍相格鬭。

典廐武田左馬頭信繁

軼

左馬頭中飛丸豐後守爲高松源四郎所刺

山本勘助稱道鬼

咆勃

鷇

勘助爲本庄左馬助所刺

飲富飲富三良兵衛

信玄冑名諏訪法性

擢陷勝兵叱敗卒。凜如獅子驅百獸。
英姿颯爽人馬靡。誰其繼者卽典廐。
風節不惟軼古人。英武斬敵迅霆驟。
可憐兩將竝殉國。飛鋋洞腋戈貫脰。
陳雲益暗戰益苦。裹瘡輿尸迭躪蹂。
道鬼奮槊夜叉怒。猛氣咆勃刺左右。
越兵僵屍積成丘。有似蒼鷹擘雀鷇。
哀哉忠魂委綠苔。萬槍攢刺人不救。
此時甲軍半已崩。捍禦尤壯惟飯富。
中軍如山屹未動。銀毛耀日諏訪冑。

謙信駿馬放生月毛

謙信著紺縢甲戴金星冑

飛黃

原大隅守刺謙信馬

周郎神武

鷸蚌相持

越主積年憤怨盈。直將奮激決輸贏。
霜蹄蹴空月題躍。紺甲金鍪聲錚錚。
一鞭直衝中軍入。龍怒虎吼天地轟。
三尺寶刀飛白虹。危哉鐵扇相支撐。
姦雄已爲彀中翼。何物擧槍擊飛黃。
飛黃騰驤踰河去。至今遺恨淚沾纓。
二州兵士萬骨枯。兩雄性命一髮輕。
迂儒讀史空激切。曠古無此戰鬭烈。
周郎赤壁未可奇。神武邙山何足說。
翻惜鷸蚌久相持。十年力爭智勇屈。

猴面郎。
楊烱。初唐詩人。
牙璋 建章宮東。有鳳闕。
龍城匈奴所築地。有龍形。故有此名。
李益。中唐詩人。

不知嫌和略天下。　徒據一方競雄傑。
君不見奴儓起身猴面郎。
臨陣未曾揮刀槍。　惟解揔覽英雄心。
赤手捧日呑扶桑。

從軍行　楊烱

烽火照西京。　心中自不平。　牙璋辭鳳闕。
鐵騎繞龍城。　雪暗凋旗畫。　風多雜鼓聲。
寧爲百夫長。　勝作一書生。

從軍北征　李益

天山雪後海風寒。　橫笛偏吹行路難。

行路難。曲名。
陂陁
魯侯
吳王
全忠

磧裏征人三十萬。　一時回首月中看。

弔今川義元文　齊藤正謙

鳴海驛東里餘。岡阜陂陁。此間號曰桶峽。有碑立於榛莽之墟。云是今川義元戰死處。余往來其下者數矣。乃作文弔之曰。嗟吁公業承父祖。威震東西。踐富嶽爲壘。據天龍爲池。美哉山河之固。偉矣霸王之基。用之攻人。何敵敢禦。用之自守。何敵敢窺。何遽擧三州之地。乃換此數尺之碑。天不可怨。公實自災。古不云乎。見小敵而不侮。臨大事而懼。魯侯之失冑。盲史刺其無豫。吳王之傷指。腐令譏其不虞。全忠之大被

本初
螳螂當轍
箠
龍且
麗涓
公之先人

亞兒族滅。本初之强。遭阿瞞剪除。豈不察胡雛嘯門有猾夏之相。虎子落地有食牛之氣歟。夫蜂蠆有毒。智士畏之。螳螂當轍。英君避之。唯驕者不然。或欲投鞭斷江流。或欲折箠擊賊帥。擧足之高。侮彼有謀。處心之粗。致我無備。是以龍且濟河。陷怯夫之計。麗涓入險。成豎子之名。公無耳乎。不聞既往之敗。公無目乎。不見將然之形。豈無長槍與大劍。豈無壯馬與强兵。唯公之視不遠。公之鑒不明。其如之何哉。公之先人有云。文學不通。武道無利。公忽棄而不省。惡在其爲孫子也。嗚呼山阿寂寞。誰慰公魂。露泠泠兮喚鶴。

論蜀道之險阻。托興世道人心之危險也。
蜀王蠶叢祠。今呼爲靑衣神。蠶叢氏敎人養蠶。蜀後爲魚鳧氏。
西方正當

雲漠漠兮鳴猿。弔公而不及。書以警後昆。

行路難　張轂

湘東行人長歎息。十年離家歸未得。敝裘羸馬苦難行。僮僕盡飢少筋力。君不見牀頭黃金盡。壯士無顏色。龍蟠泥中未有雲。不能生彼昇天翼。

蜀道難　李白

噫嘘嚱危乎高哉。蜀道之難。難於上靑天。蠶叢及魚鳧。開國何茫然。爾來四萬八千歲。不與秦塞通人煙。西當太白有鳥道。可以橫絕峨嵋巓。地崩山摧壯士死。然後天梯石棧相勾連。上有橫河斷海之浮雲。下

太白星分野。有鳥道、至狹至高。

昔蜀中無路入秦。秦惠王聞蜀有壯士。乃以鐵作牛、詐稱其牛糞金。蜀侯使壯士開山作道取牛。後蜀爲秦所滅。

喧豗

府城呼爲錦官城。以江山明麗錯雜如錦也。按唐書房琯杜甫。

有衝波逆折之回川。黃鶴之飛尚不能過。猿猱欲度愁攀緣。青泥何盤盤。百步九折縈岩巒。捫參歷井仰脅息。以手撫膺坐長歎。問君西遊何當還。畏途巉岩不可攀。但見悲鳥號古木。雄飛呼雌遶林閒。又聞子規啼夜月愁空山。蜀道之難難於上青天。使人聽此凋朱顏。連峰去天不盈尺。枯松倒掛倚絕壁。飛湍瀑流爭喧豗。砯崖轉石萬壑雷。其險也如此。嗟爾遠道之人。胡爲乎來哉。劍閣崢嶸而崔嵬。一夫當關萬夫莫開。所守或匪親。化爲狼與豺。朝避猛虎。夕避長蛇。磨牙吮血。殺人如麻。錦城雖云樂。不如早還家。蜀道

仕於蜀。時嚴武爲師。屢欲殺之。李白作此篇爲房與杜危之也。

畫甍

柴荊

衰皺

銓衡

蜮

聲鑑

彤弓

岐嶷

三善清行勸公乞退。公不納。遂及於禍。

之難難於上青天。側身西望長咨嗟。

謁菅右府祠廟有作　賴襄

都府樓唯看瓦色。觀音寺獨聽鐘聲。相公此句燥髮誦。今日始向此際行。想見傑搆堆畫甍。華鯨雄吼法王城。宰帥盧名實閑廢。思罪卻掃掩柴荊。儒生衰皺眞罕事。久矣銓衡論門地。洞知沈痼須良藥。銳意蟠根試利器。酬知何暇恤人言。奮搏自折凌雲翅。爲鬼爲蜮奚足尤。群雞一鶴宜相忌。國瘁天數豈與公。聲鑑已矣又彤弓。世態幾回浮雲變。獨有威德傳無窮。寢廟棟宇彌岐嶷。祀典于今群兆億。顧視府樓空斷

上擢公以抑相家之權。相家所不欲。非唯同列者忌也。

孟子云。聖人百世之師也。

詩維嶽降神生甫及申。嶽四嶽也。甫呂一也。

傳說相殷高宗。莊子云。傳說得之以相武丁。奄有天下。乘東維。騎箕尾。而比列星。

尋常

良張良。平陳平。皆漢

礎。寺餘數椽亦傾仄。行人田閒拾缺瓦。猶存相公看時色。

潮州韓文公廟碑　蘇軾

匹夫而爲百世師。一言而爲天下法。是皆有以參天地之化。關盛衰之運。其生也有自來。其逝也有所爲。故申呂自嶽降。而傅說爲列星。古今所傳。不可誣也。孟子曰。我善養吾浩然之氣。是氣也。寓於尋常之中。而塞乎天地之間。卒然遇之。則王公失其貴。晉楚失其富。良平失其智。賁育失其勇。儀秦失其辯。是孰使之然哉。其必有不依形而立。不恃力而行。不恃生而

高祖臣。

賁孟賁。育夏育。皆古之勇士。

儀張儀。秦蘇秦。皆戰國辯士。

貞觀太宗年號。開元玄宗年號。房房玄齡。杜杜如晦。二人太宗之臣。姚姚元之。宋宋璟。二人玄宗之臣。八代謂東漢魏晉宋齊梁陳隋也。

易曰。信及豚魚。

開衡山之雲。永貞元年。愈爲江陵掾。營委

存。不隨死而亡者矣。故在天爲星辰。在地爲河嶽。幽則爲鬼神。而明則復爲人。此理之常。無足怪者。自東漢以來。道喪文敝。異端並起。歷唐貞觀開元之盛。輔以房杜姚宋。而不能救。獨韓文公起布衣。談笑而麾之。天下靡然從公。復歸於正。蓋三百年於此矣。文起八代之衰。道濟天下之溺。忠犯人主之怒。而勇奪三軍之帥。此豈非參天地。關盛衰。浩然而獨存者乎。蓋嘗論天人之辨。以謂人無所不至。惟天不容僞。智可以欺王公。不可以欺豚魚。力可以得天下。不可以得匹夫匹婦之心。故公之精誠。能開衡山之雲。而不能

舟湘流往觀南嶽。其詩云。噴雲泄霧藏半腹。雖有絕頂誰能窮。我來正逢秋雨節。陰氣晦昧無清風。潛心默禱如有應。豈非正直能感通。須臾靜掃衆峯出。仰見突兀撐青空。
君子學道二句出于論語。
元祐哲宗年號。

回憲宗之惑。能馴鱷魚之暴。而不能弭皇甫鎛李逢吉之謗。能信乎南海之民。廟食百世。而不能使其身一日安於朝廷之上。蓋公之所能者天也。所不能者人也。始潮人未知學。公命進士趙德爲之師。自是潮之士。皆篤於文行。延及齊民。至於今號稱易治。信乎孔子之言。君子學道則愛人。而小人學道則易使也。潮人之事公也。飲食必祭。水旱疾疫。凡有求必禱焉。而廟在刺史公堂之後。民以出入爲艱。前太守欲請諸朝作新廟。不果。元祐五年。朝散郎王君滌來守是邦。凡所以養士治民者。一以公爲師。民既悅服。則出

僅七月在潮。
焄蒿悽愴
元豐宋神宗年號。
雲漢天河也。天孫織女。咸池日所浴。扶桑日所拂。

令曰。願新公廟者聽。民讙趨之。卜地於州城之南七里。期年而廟成。或曰。公去國萬里。而謫於潮。不能一歲而歸。沒而有知。其不眷戀於潮也審矣。軾曰。不然。公之神在天下者。如水之在地中。無所往而不在也。而潮人獨信之深。思之至。焄蒿悽愴。若或見之。譬如鑿井得泉。而曰水專在是。豈理也哉。元豐七年。詔封公昌黎伯。故榜曰昌黎伯韓文公之廟。潮人請書其事於石。因作詩以遺之。使歌以祀公。其辭曰。

公昔騎龍白雲鄕。手抉雲漢分天章。
天孫爲織雲錦裳。飄然乘風來帝旁。

張籍皇甫湜俱韓愈弟子也。
九疑山名。有舜陵二女墓。堯以二女妻舜。曰娥皇曰女英。舜南狩死三苗之道。從衡湘之間。
祝融神名。海若海神。
巫陽女也。名巫陽。謂天帝降招韓愈。

下與濁世掃粃糠。　西游咸池略扶桑。
草木衣被昭回光。　追逐李杜參翺翔。
汗流籍湜走且僵。　滅沒倒景不得望。
作書詆佛譏君王。　要觀南海窺衡湘。
歷舜九疑弔英皇。　祝融先驅海若藏。
約束鮫鱷如驅羊。　鈞天無人帝悲傷。
謳吟下招遣巫陽。　犦牲雞卜羞我觴。
於粲荔丹與蕉黃。　公不少留我涕滂。
翩然被髮下大荒。

左遷至藍關示姪孫湘　韓愈

一封指佛骨表。九重
秦嶺山名。在潮州。藍關地名。
是州永州。僇人
隟

一封朝奏九重天。　夕貶潮州路八千。
欲爲聖明除弊事。　肯將衰朽惜殘年。
雲橫秦嶺家何在。　雪擁藍關馬不前。
知汝遠來應有意。　好收吾骨瘴江邊。

始得西山宴游記　柳宗元

自余爲僇人。居是州。恒惴慄。其隟也。則施施而行。漫漫而游。日與其徒。上高山。入深林。窮迴溪。幽泉怪石。無遠不到。到則披草而坐。傾壺而醉。醉則更相枕以臥。臥而夢。意有所極。夢亦同趣。覺而起。起而歸。以爲凡是州之山水。有異態者。皆我有也。而未始知西山

茅茷　箕踞遨　縈繚　培塿　灝氣　心凝形釋

之怪特。今年九月二十八日。因坐法華西亭望西山。始指異之。遂命僕人過湘江。緣染溪。斫榛莽。焚茅茷。窮山之高而止。攀援而登。箕踞而遨。則凡數州之土壤。皆在衽席之下。其高下之勢。岈然洼然。若垤若穴。尺寸千里。攢蹙累積。莫得遯隱。縈青繚白。外與天際。四望如一。然後知是山之特出。不與培塿爲類。悠悠乎與灝氣俱。而莫得其涯。洋洋乎與造物者游。而不知其所窮。引觴滿酌。頽然就醉。不知日之入。蒼然暮色自遠而至。至無所見。而猶不欲歸。心凝形釋。與萬化冥合。然後知吾嚮之未始游。游於是乎始。故爲之

元和。唐憲宗年號。　宋范仲淹。字希文。慶曆。宋仁宗年號。　巴陵。　巫峽。山名。　瀟湘。二水名。遷客騷人

文以志。是歲元和四年也。

岳陽樓記　　范仲淹

慶曆四年春。滕子京謫守巴陵郡。越明年。政通人和。百廢俱興。乃重修岳陽樓。增其舊制。刻唐賢今人詩賦于其上。屬予作文以記之。予觀夫巴陵勝狀。在洞庭一湖。銜遠山。呑長江。浩浩湯湯。横無際涯。朝暉夕陰。氣象萬千。此則岳陽樓之大觀也。前人之述備矣。然則北通巫峽。南極瀟湘。遷客騷人。多會於此。覽物之情。得無異乎。若夫霪雨霏霏。連月不開。陰風怒號。濁浪排空。日星隱曜。山岳潛形。商旅不行。檣傾檝摧。

薄暮冥冥。虎嘯猿啼。登斯樓也。則有去國懷郷。憂讒畏譏。滿目蕭然。感極而悲者矣。至若春和景明。波瀾不驚。上下天光。一碧萬頃。沙鷗翔集。錦鱗游泳。岸芷汀蘭。郁郁青青。而或長煙一空。皓月千里。浮光躍金。靜影沈璧。漁歌互答。此樂何極。登斯樓也。則有心曠神怡。寵辱皆忘。把酒臨風。其喜洋洋者矣。嗟夫。予嘗求古仁人之心。或異二者之爲。何哉。不以物喜。不以己悲。居廟堂之高。則憂其民。處江湖之遠。則憂其君。是進亦憂。退亦憂。然則何時而樂耶。其必曰。先天下之憂而憂。後天下之樂而樂歟。噫微斯人。吾誰與歸。

浩。字浩然。襄陽人。

登岳陽樓　　杜甫

昔聞洞庭水。今上岳陽樓。呉楚東南坼。
乾坤日夜浮。親朋無一字。老病有孤舟。
戎馬關山北。憑軒涕泗流。

早寒江上有懷　　孟浩

木落雁南渡。北風江上寒。我家襄水曲。
遥隔楚雲端。郷涙客中盡。孤帆天際看。
迷津欲有問。平海夕漫漫。

耶馬溪圖卷記　　賴襄

余嘗讀昔人畫。疑其山貌甚奇峭。恐非天壤間所有。

攢竦
筍

畫人一時興到。鼓舞其筆墨耳。及覩豐耶馬溪。乃知造物奇怪。畫手亦有寫不到者也。歲戊寅。遊鎮西。過海南。望彥山於雲際。已覺其有異矣。既經二肥薩隅。還寓豐後隈邑。臘月五日。入豐前。過一水北來。蓋發源彥山者。沿焉而東數十里。昏黑覺左右峰巒皆非凡。山溪相迫處。鑿山腹爲道。又穿牖取明。余買炬以入。過牖窺見月在溪水朗然。宿民家。翌大霧。待霽乃發。復沿溪東。愈東愈奇。群峰夾水攢竦。如春筍矗出。有土戴石者。石挾土者。全石者。全石破裂成洞穴者。兩石相鬪。其一欲介者。石數層累成夏雲狀者。而樹

槎牙瘦古
倪黃
王叔明
燖

自石罅橫生縱生倒生而上指。叢生蔽石。如與石爭勢而欲勝之。石又自樹中奮躍而出。而石陰皆苔。紫綠相間。或沒石半面。或沒全身。又如援樹攻石者。大抵峰勢石皴。如董巨刻意圖。時窮冬。多老木葉脫。槎牙瘦古。皆倪黃筆法。而苔枯蘚蒼渴者。王叔明也。古人筆墨不吾欺也。至柿坂。憩孤店。店面石壁數丈。飛泉懸焉。仰則更有高峯。不知其幾十丈。余急釋所佩酒瓢。命燖之。竈突蕭然。會一獵師新獵豪豬。割而羹之。肪脆如水。連引數大白。又行溪又數曲。隨峰勢上下。或激雷噴雪。或渟膏凝碧。峰影爲之或碎或全。似

塍

水姤山而亂其影也。至屈智林。溪稍開。有小村。過一橋。自此行溪北。開者益開。數十里。詣古城正行寺。寺主含公。余故人。娭余既久。余先詫曰。君州山水大奇。含公曰。更有奇者。使子目之。居二日。與含公南行。田塍間。至仙人巖。巖石突立山頂。含公指示余。余不甚賞。其明又徑田塍。至羅漢寺。寺据山鑿山作洞竅。橋梁狀。安五百像。余復不甚賞。宿寺前逆旅。挑燈而談。余曰。山不得水。不生動。石不得樹。不蒼潤。所以余賞馬溪。而不賞仙巖。至於羅漢。則人工耳。然皆馬溪之支裔矣。且馬溪溪山相迫。無田塍礙目。而其路坦

轎

夷。眞可遊也。然爲二豐通道。過者慣看。況公等生長此土。宜不覺其奇也。余則再遊不可期。將復溯之以諦觀之。含公奮袂與偕。早發。過一水。北出馬溪口。峰容樹色。忽覺迴別。自淺入深。自平入奇。泝前數曲者。一曲奇於一曲。比諸前遊。更可喜也。復至絕壁下孤店。店主識余面。驚曰。是前喫猪客也。有何幹。再來此耶。余曰。欲看山耳。曰。山有何好看。吾不禁。子看也。遂席溪畔。與含公傾瓢一醉。宿山寺。明雨。借轎西還。山峰得雨皆變幻作態。或前以爲一山者。分成數峯。如群仙騈肩。露其半身。萬松振鬣鼓濤於雪中。又如卄

胠

五菩薩奏樂而至也。還至屈智林。含公慮吾酒盡。預戒家僮。馱樽於馬來。取醉。宿阿保村。翌。歸寺。又三日辭去。踰海東歸。自海雲中。顧望鎭西山岳。其屬豐前者。皆有別態。彥山。其尤大者。耶馬山脈水理。蓋皆自彥山發。故獨絕耳。余足跡幾半海内。弱冠東遊。得妙義山。以爲無雙。今馬溪百里。如妙義者。不知幾十峰。謂之海内第一。或不誣也。已卯之臘。胠囊。得爾時寫山彩本數紙。戲以意接屬之。爲橫長一卷。又記其由。併錄所得詩九首。余詩文笨拙。不足狀其髣髴。況畫乎。後有能者如董巨倪黄之流者。蹋其境而補成之。

鹽虀

庶幾不負此山水。然目此山水。爲海内第一者。乃自賴子成始。圖爲含公取去。備後故友橋元吉亦好山水。請爲寫一本。諾而未果。今茲已丑。護母至尾路。留旬日。乃踐前約。而舊圖不在。尋諸胸臆。冥搜默運。覺山情水神。或來助我。遂能成此。屈指已十三年矣。憶當時歸帆外。豐山依依如相送者。今猶在目中也。

畫像自贊　　賴　襄

躬傴臥一室。而心關百代之失得。弗恤己鹽虀。而憂人家國。文章滿腹。不濟乎饑。曲尺直尋。則所不爲。噫是何物迂拙男兒乎。雖然。烏知無念此迂拙者之時

瀼灣　朱頓

漓

哉。

此膝不屈於諸侯。聊答故君之德。此眼竭之群籍。不虛先人之囑。此脚侍母輿。二躋芳山。五踔大湖。十上下瀼灣。而未曾踵朱頓之門。此口不能舐殘杯冷炙。而此手欲援黔黎之寒饑也。

超然臺記　　蘇　軾

凡物皆有可觀。苟有可觀。皆有可樂。非必怪奇偉麗者也。餔糟啜漓。皆可以醉。果蔬草木。皆可以飽。推此類也。吾安往而不樂。夫所爲求福而辭禍者。以福可喜而禍可悲也。人之所欲無窮。而物之可以足吾欲

雕牆之美

者有盡。美惡之辨戰乎中。而去取之擇交乎前。則可樂者常少。而可悲者常多。是謂求禍而辭福。夫求禍而辭福。豈人之情也哉。物有以蓋之矣。彼游於物之内。而不游於物之外。物非有大小也。自其内而觀之。未有不高且大者也。彼挾其高大以臨我。則我常眩亂反覆。如隙中之觀鬭。又焉知勝負之所在。是以美惡橫生。而憂樂出焉。可不大哀乎。予自錢塘移守膠西。釋舟楫之安。而服車馬之勞。去雕牆之美。而庇采椽之居。背湖山之觀。而行桑麻之野。始至之日。歲比不登。盜賊滿野。獄訟充斥。而齋厨索然。日食杞菊。人

安邱。高密。俱地名。

盧敖、秦博士。

師尚父、即呂尚也。

固疑予之不樂也。處之期年。而貌加豐。髮之白者。日以反黑。予既樂其風俗之淳。而其吏民亦安予之拙也。於是治其園圃。潔其庭宇。伐安邱高密之木。以修補破敗。爲苟完之計。而園之北。因城以爲臺者舊矣。稍葺而新之。時相與登覽。放意肆志焉。南望馬耳常山。出沒隱見。若近若遠。庶幾有隱君子乎。而其東則盧山。秦人盧敖之所從遁也。西望穆陵。隱然如城郭。師尚父齊桓公之遺烈。猶有存者。北俯濰水。慨然太息。思淮陰之功。而弔其不終。臺高而安。深而明。夏涼而冬溫。雨雪之朝。風月之夕。予未嘗不在。客未嘗不

檟

秫酒

淪

子由名轍。

陵

從。檟園蔬。取池魚。釀秫酒。淪脫粟而食之曰。樂哉遊乎。方是時。予弟子由。適在濟南。聞而賦之。且名其臺曰超然。以見予之無所往而不樂者。蓋遊於物之外也。

雜咏　一

伊藤長胤

貴者常陵賤。富者必笑貧。二者無常態。推移如轉輪。貴冑陷氓隷。賤族齒縉紳。富室鬻第宅。窮門殖財珍。融通百年事。宛如環斯循。何執一時命。自誇又自嗔。不見自古人。有時登紫宸。入爲家大祖。生爲時良臣。佞者窺其睫。諂者望其塵。子孫不守儉。失宦忽沈淪。

楊茂

平康

甚者當其世。榮替常相隣。朝翺黃閣上。夕配下土濱。貴賤既如此。貧富亦復均。昏者昧此理。得時意津津。自誇門地華。凌厲蔑衆人。何況陷下流。賣族說世親。不見殷阿衡。本是商野民。致君成大業。于今稱有莘。從來才與德。不隨時而泯。太上或不及。要須守斯身。

雜咏　二

伊藤長胤

南隣有富商。仍世名膏粱。殖產業日廣。營利門年昌。金珠盈匱櫝。粒米委稟倉。一旦身先死。驕子主肯堂。遽革儉嗇習。俄入繁華場。千金購揚茂。百兩擲平康。須臾門戶隳。典賣失園莊。轉變窮又窮。白日適四方。

三輔

北隣有貧子。夫妻賃一房。傭作爲人勤。終年只空囊。傲睨向人說。富者常必亡。何侶我曹輩。辛苦却自長。忽遭三輔飢。失業去家鄉。熟觀二人狀。始悟天道常。古來家與國。未有終不亡。誇富國可厭。傲貧亦何臧。貧富業雖異。畢竟不免僵。三世或五世。隨時有興喪。事業必勿曠。聲色必勿荒。只務當年幹。自得後來祥。

雜咏　三

伊藤長胤

世人願家富。君子欲子賢。欲賢固可貴。得失亦系天。堯舜萬世聖。其子不堪傳。瞽鯀天下惡。其後還興焉。一是上智才。固不因習遷。一是下愚質。天賦本不全。

苑文正公之貶。歐陽修等亦見逐。群邪目爲黨人。及文正公與修復用。乃進此論。

適値者事變。聖賢免無緣。必然者常理。今古常不忒。吾觀世間狀。兼驗先哲篇。賢愚係習尙。教訓蓋勉旃。家肅教禮法。子孫不忝先。勤苦守世業。不爲外事牽。雖時有盛衰。祚胤常綿延。門奢事惰遊。子孫多愚孱。黠者或豪侈。浮躁必慧儇。雖暫如繁鬧。終也必墜湮。中才性相近。習故大相懸。請告世君子。謹習祈永年。

朋黨論　歐陽修

臣聞。朋黨之說。自古有之。惟幸人君辨其君子小人而已。大凡君子與君子。以同道爲朋。小人與小人。以同利爲朋。此自然之理也。然臣謂。小人無朋。惟君子

四人。共工。驩兜。三苗。鯀也。

則有之。其故何哉。小人所好者。祿利也。所貪者。財貨也。當其同利之時。暫相黨引以爲朋者。僞也。及其見利而爭先。或利盡而交疎。則反相賊害。雖其兄弟親戚。不能相保。故臣謂。小人無朋。其暫爲朋者。僞也。君子則不然。所守者道義。所行者忠信。所惜者名節。以之修身。則同道而相益。以之事國。則同心而共濟。終始如一。此君子之朋也。故爲人君者。但當退小人之僞朋。用君子之眞朋。則天下治矣。堯之時。小人共工。驩兜等四人爲一朋。君子八元八凱。十六人爲一朋。舜佐堯。退四凶小人之朋。而進元凱君子之朋。堯之

元善也。凱和也。八元。蒼舒。隤敳。檮戭。大臨。尨降。庭堅。仲容。叔達。八元。伯奮。仲堪。叔獻。季仲。伯虎。仲熊。凱豹。季貍。皐。皐陶。后稷。名棄。

書泰誓篇。

漢黨錮有三君八俊八顧八及八尉。有張儉范滂李膺郭泰等。爲之魁。

天下大治。及舜自爲天子。而皐夔稷契等二十二人。並列於朝。更相稱美。更相推讓。凡二十二人爲一朋。而舜皆用之。天下亦大治。書曰。紂有臣億萬。惟億萬心。周有臣三千。惟一心。紂之時。億萬人各異心。可謂不爲朋矣。然紂以亡國。周武王之臣。三千人爲一大朋。而周用以興。後漢獻帝時。盡取天下名士囚禁之。目爲黨人。及黃巾賊起。漢室大亂。後方悔悟。盡解黨人而釋之。然已無救矣。唐之晩年。漸起朋黨之論。及昭宗時。盡殺朝之名士。咸投之黃河。曰。此輩清流。可投濁流。而唐遂亡矣。夫前世之主。能使人人異心不

齊桓公。晉文公。皆覇諸侯者也。

爲朋。莫如紂。能禁絶善人爲朋。莫如漢獻帝。能誅戮清流之朋。莫如唐昭宗之世。然皆亂亡其國。更相稱美推讓而不自疑。莫如舜之二十二臣。舜亦不疑而皆用之。然而後世不誚舜爲二十二人朋黨所欺。而稱舜爲聰明之聖者。以能辨君子與小人也。周武之世。擧其國之臣。三千人共爲一朋。自古爲朋之多且大。莫如周。然周用此以興者。善人雖多而不厭也。夫興亡治亂之迹。爲人君者。可以鑒矣。

牽牛（孟子）

齊宣王問曰。齊桓晉文之事。可得聞乎。孟子對曰。仲

胡齕。齊臣也。

釁

觳觫

尼之徒。無道桓文之事者。是以後世無傳焉。臣未之聞也。無以則王乎。曰。德何如則可以王矣。曰。保民而王。莫之能禦也。曰。若寡人者。可以保民乎哉。曰。可。曰。何由知吾可也。曰。臣聞之胡齕曰。王坐於堂上。有牽牛而過堂下者。王見之曰。牛何之。對曰。將以釁鐘。王曰。舍之。吾不忍其觳觫若無罪而就死地。對曰。然則廢釁鐘與。曰。何可廢也。以羊易之。不識有諸。曰。有之。曰。是心足以王矣。百姓皆以王爲愛也。臣固知王之不忍也。王曰。然。誠有百姓者。齊國雖褊小。吾何愛一牛。卽不忍其觳觫若無罪而就死地。故以羊易之也。

詩。小雅巧言之篇。

戚戚

曰。王無異於百姓之以王爲愛也。以小易大。彼惡知之。王若隱其無罪而就死地。則牛羊何擇焉。王笑曰。是誠何心哉。我非愛其財。而易之以羊也。宜乎百姓之謂我愛也。曰。無傷也。是乃仁術也。見牛未見羊也。君子之於禽獸也。見其生。不忍見其死。聞其聲。不忍食其肉。是以君子遠庖廚也。王說曰。詩云。他人有心。予忖度之。夫子之謂也。夫我乃行之。反而求之。不得吾心。夫子言之。於我心有戚戚焉。此心之所以合於王者何也。曰。有復於王者。曰。吾力足以舉百鈞。而不足以舉一羽。明足以察秋毫之末。而不見輿薪。則王

今恩以下。又孟子之言也。

泰山在齊。北海。所謂渤海也。

詩。大雅思齊之篇。

許之乎。曰。否。今恩足以及禽獸。而功不至於百姓者。獨何與。然則一羽之不舉。爲不用力焉。輿薪之不見。爲不用明焉。百姓之不見保。爲不用恩焉。故王之不王。不爲也。非不能也。曰。不爲者。與不能者之形。何以異。曰。挾泰山以超北海。語人曰。我不能。是誠不能也。爲長者折枝。語人曰。我不能。是不爲也。非不能也。故王之不王。非挾泰山以超北海之類也。王之不王。是折枝之類也。老吾老。以及人之老。幼吾幼。以及人之幼。天下可運於掌。詩云。刑于寡妻。至于兄弟。以御于家邦。言舉斯心。加諸彼而已。故推恩足以保四海。不

權度

便嬖

秦。楚。皆大國。

推恩。無以保妻子。古之人所以大過人者無他焉。善推其所爲而已矣。今恩足以及禽獸。而功不至於百姓者。獨何與。權。然後知輕重。度。然後知長短。物皆然。心爲甚。王請度之。抑王興甲兵。危士臣。構怨於諸侯。然後快於心與。王曰。否。吾何快於是。將以求吾所大欲也。曰。王之所大欲。可得聞與。王笑而不言。曰。爲肥甘不足於口與。輕煖不足於體與。抑爲采色不足視於目與。聲音不足聽於耳與。便嬖不足使令於前與。王之諸臣。皆足以供之。而王豈爲是哉。曰。否。吾不爲是也。曰。然則王之所大欲可知已。欲辟土地。朝秦楚。

鄒。小國。楚大國。蓋。與盍通。

莅中國而撫四夷也。以若所爲求若所欲。猶緣木而求魚也。王曰。若是其甚與。曰。殆有甚焉。緣木求魚。雖不得魚。無後災。以若所爲求若所欲。盡心力而爲之。後必有災。曰。可得聞與。曰。鄒人與楚人戰。則王以爲孰勝。曰。楚人勝。曰。然則小固不可以敵大。寡固不可以敵衆。弱固不可以敵彊。海內之地。方千里者九。齊集有其一。以一服八。何以異於鄒敵楚哉。蓋亦反其本矣。今王發政施仁。使天下仕者皆欲立於王之朝。耕者皆欲耕於王之野。商賈皆欲藏於王之市。行旅皆欲出於王之塗。天下之欲疾其君者。皆欲赴愬於

樂歲

贍

王。其如是孰能禦之。王曰。吾惽不能進於是矣。願夫子輔吾志。明以教我。我雖不敏。請嘗試之。曰。無恒產。而有恒心者。惟士爲能。若民則無恒產。因無恒心。苟無恒心。放辟邪侈。無不爲已。及陷於罪。然後從而刑之。是罔民也。焉有仁人在位。罔民而可爲也。是故明君制民之產。必使仰足以事父母。俯足以畜妻子。樂歲終身飽。凶年免於死亡。然後驅而之善。故民之從之也輕。今也制民之產。仰不足以事父母。俯不足以畜妻子。樂歲終身苦。凶年不免於死亡。此惟救死而恐不贍。奚暇治禮義哉。王欲行之。則盍反其本矣。五

趙氏云。八口之家。次上農夫也。

頒白

公都子。孟子弟子。

書。虞書大禹謨也。

營窟

畝之宅。樹之以桑。五十者可以衣帛矣。雞豚狗彘之畜。無失其時。七十者可以食肉矣。百畝之田。勿奪其時。八口之家可以無飢矣。謹庠序之教。申之以孝悌之義。頒白者不負戴於道路矣。老者衣帛食肉。黎民不飢不寒。然而不王者。未之有也。

豈好辯哉（孟子）

公都子曰。外人皆稱夫子好辯。敢問何也。孟子曰。予豈好辯哉。予不得已也。天下之生久矣。一治一亂。當堯之時。水逆行氾濫於中國。蛇龍居之。民無所定。下者爲巢。上者爲營窟。書曰。洚水警余。洚水者洪水也。

奄。東方之國。助紂爲虐者也。飛廉。紂幸臣也。五十國。皆紂黨虐民者也。

書。周書君牙之篇。

使禹治之。禹掘地而注之海。驅蛇龍而放之菹。水由地中行。江淮河漢是也。險阻既遠。鳥獸之害人者消。然後人得平土而居之。堯舜既沒。聖人之道衰。暴君代作。壞宮室以爲汙池。民無所安息。棄田以爲園囿。使民不得衣食。邪說暴行又作。園囿汙池沛澤多而禽獸至。及紂之身。天下又大亂。周公相武王。誅紂。伐奄。三年討其君。驅飛廉於海隅而戮之。滅國者五十。驅虎豹犀象而遠之。天下大悅。書曰。丕顯哉文王謨。丕承哉武王烈。佑啓我後人。咸以正無缺。世衰道微。邪說暴行有作。臣弑其君者有之。子弑其父者有之。

公明儀。子張弟子也。或曰、曾子弟子。

孔子懼作春秋。春秋天子之事也。是故孔子曰、知我者其惟春秋乎。罪我者其惟春秋乎。聖王不作、諸侯放恣。處士橫議。楊朱墨翟之言盈天下。天下之言、不歸楊則歸墨。楊氏爲我。是無君也。墨氏兼愛。是無父也。無父無君。是禽獸也。公明儀曰、庖有肥肉。廐有肥馬。民有飢色。野有餓莩。此率獸而食人也。楊墨之道不息。孔子之道不著。是邪說誣民。充塞仁義也。仁義充塞、則率獸食人。人將相食。吾爲此懼。閑先聖之道。距楊墨。放淫辭。邪說者不得作。作於其心、害於其事。作於其事、害於其政。聖人復起、不易吾言矣。昔者禹

詖行

抑洪水。而天下平。周公兼夷狄。驅猛獸。而百姓寧。孔子成春秋。而亂臣賊子懼。詩云、戎狄是膺。荊舒是懲。則莫我敢承。無父無君。是周公所膺也。我亦欲正人心。息邪說。距詖行。放淫辭。以承三聖者。豈好辯哉。予不得已也。能言距楊墨者。聖人之徒也。

魚我所欲（孟子）

孟子曰、魚我所欲也。熊掌亦我所欲也。二者不可得兼。舍魚而取熊掌者也。生亦我所欲也。義亦我所欲也。二者不可得兼。舍生而取義者也。生亦我所欲。所欲有甚於生者。故不爲苟得也。死亦我所惡。所惡有

嘑爾
萬鍾

甚於死者。故患有所不辟也。如使人之所欲莫甚於生、則凡可以得生者何不用也。使人之所惡莫甚於死者、則凡可以辟患者何不爲也。由是則生而有不用也。由是則可以辟患而有不爲也。是故所欲有甚於生者。所惡有甚於死者。非獨賢者有是心也。人皆有之。賢者能勿喪耳。一簞食、一豆羹、得之則生、弗得則死。嘑爾而與之、行道之人弗受。蹴爾而與之、乞人不屑也。萬鍾則不辨禮義而受之。萬鍾於我何加焉。爲宮室之美、妻妾之奉、所識窮乏者得我與。鄕爲身死而不受。今爲宮室之美爲之。鄕爲身死而不受。今

禎祥。福之兆。妖孽。禍之萌。蓍。所以筮。龜。所以卜。

爲妻妾之奉爲之。鄕爲身之死而不受。今爲所識窮乏者得我而爲之。是亦不可以已乎。此之謂失其本心。

至誠之道（中庸）

至誠之道、可以前知。國家將興、必有禎祥。國家將亡、必有妖孽。見乎蓍龜。動乎四體。禍福將至、善必先知之。不善必先知之。故至誠如神。誠者自成也。而道自道也。誠者物之終始。不誠無物。是故君子誠之爲貴。誠者非自成己而已也。所以成物也。成己仁也。成物知也。性之德也。合內外之道也。故時措之宜也。故至

誠無息。不息則久。久則徵。徵則悠遠。悠遠則博厚。博厚則高明。博厚所以載物也。高明所以覆物也。悠久所以成物也。博厚配地。高明配天。悠久無疆。如此者。不見而章。不動而變。無爲而成。天地之道。可一言而盡也。其爲物不貳。則其生物不測。天地之道。博也。厚也。高也。悠也。久也。今夫天斯昭昭之多。及其無窮也。日月星辰繫焉。萬物覆焉。今夫地一撮土之多。及其廣厚。載華嶽而不重。振河海而不洩。萬物載焉。今夫山一卷石之多。及其廣大。艸木生之。禽獸居之。寶藏興焉。今夫水一勺之多。及其不測。黿鼉鮫龍魚

詩周頌維天之命篇。穆深遠也。

峻　優優

道由也。溫故知新

詩大雅烝民之篇。

鼈生焉。貨財殖焉。詩云。維天之命。於穆不已。蓋曰天之所以爲天也。於乎不顯。文王之德之純。蓋曰文王之所以爲文也。純亦不已。大哉聖人之道。洋洋乎發育萬物。峻極于天。優優大哉。禮儀三百。威儀三千。待其人而後行。故曰。苟不至德。至道不凝焉。故君子尊德性而道問學。致廣大而盡精微。極高明而道中庸。溫故而知新。敦厚以崇禮。是故居上不驕。爲下不倍。國有道。其言足以興。國無道。其默足以容。詩曰。既明且哲。以保其身。其此之謂與。

至誠之道（中庸）

祖述　憲章　覆幬　蠻貊

仲尼祖述堯舜。憲章文武。上律天時。下襲水土。辟如天地之無不持載。無不覆幬。辟如四時之錯行。如日月之代明。萬物竝育而不相害。道竝行而不相悖。小德川流。大德敦化。此天地之所以爲大也。唯天下至聖。爲能聰明睿知。足以有臨也。寬裕溫柔。足以有容也。發强剛毅。足以有執也。齊莊中正。足以有敬也。文理密察。足以有別也。溥博淵泉。而時出之。溥博如天。淵泉如淵。見而民莫不敬。言而民莫不信。行而民莫不說。是以聲名洋溢乎中國。施及蠻貊。舟車所至。人力所通。天之所覆。地之所載。日月所照。霜露所隊。凡

配天　經綸　大經。五品之人倫也。　肫肫。懇至貌。　浩浩　詩國風衛碩人。褧。絅同。襌衣也。尙。加也。　詩小雅正月之篇。無惡於志。無愧於心也。　詩大雅抑之篇。　屋漏。室西北隅也。

有血氣者。莫不尊親。故曰配天。唯天下至誠。爲能經綸天下之大經。立天下之大本。知天地之化育。夫焉有所倚。肫肫其仁。淵淵其淵。浩浩其天。苟不固聰明聖知達天德者。其孰能知之。詩曰。衣錦尙絅。惡其文之著也。故君子之道。闇然而日章。小人之道。的然而日亡。君子之道。淡而不厭。簡而文。溫而理。知遠之近。知風之自。知微之顯。可與入德矣。詩云。潛雖伏矣。亦孔之昭。故君子內省不疚。無惡於志。君子之所不可及者。其唯人之所不見乎。詩曰。相在爾室。尙不愧于屋漏。故君子不動而敬。不言而信。詩曰。奏假無言。時

詩。商頌。烈祖之篇。假。奏言。進而感格於神明也。詩。周頌。烈文之篇。詩。大雅。皇矣之篇。詩。大雅。烝民之篇。輶。輕也。載。事也。

親民。新民也。

靡有爭。是故君子不賞而民勸。不怒而民威於鈇鉞。詩曰。不顯惟德。百辟其刑之。是故君子篤恭而天下平。詩云。予懷明德。不大聲以色。子曰。聲色之於以化民末也。詩曰。德輶如毛。毛猶有倫。上天之載。無聲無臭。至矣。

大學之道（大學）

大學之道。在明明德。在親民。在止於至善。知止而后有定。定而后能靜。靜而后能安。安而后能慮。慮而后能得。物有本末。事有終始。知所先後。則近道矣。古之欲明明德於天下者。先治其國。欲治其國者。先齊其

格

康誥。周書。諟。詳也。帝典。堯典。盤。沐浴之盤也。詩。大雅。文王之篇。周國雖舊。至於文王。能新其德。

家。欲齊其家者。先脩其身。欲脩其身者。先正其心。欲正其心者。先誠其意。欲誠其意者。先致其知。致知在格物。物格而后知至。知至而后意誠。意誠而后心正。心正而后身脩。身脩而后家齊。家齊而后國治。國治而后天下平。自天子以至於庶人。壹是皆以脩身爲本。其本亂而末治者否矣。其所厚者薄。而其所薄者厚。未之有也。康誥曰。克明德。大甲曰。顧諟天之明命。帝典曰。克明峻德。皆自明也。湯之盤銘曰。苟日新。日日新。又日新。康誥曰。作新民。詩曰。周雖舊邦。其命惟新。是故君子。無所不用其極。詩云。邦畿千里。惟民所

詩。商頌。玄鳥之篇。詩。小雅。綿蠻之篇。緡蠻。鳥聲。丘隅。岑蔚之處。詩。文王之篇。穆穆。深遠之意。

詩。衛風。淇澳之篇。淇。水名。澳。隈也。猗猗。美盛貌。斐。文貌。諠。忘也。恂慄。詩。周頌。烈文之篇。

止。詩云。緡蠻黃鳥。止于丘隅。子曰。於止知其所止。可以人而不如鳥乎。詩云。穆穆文王。於緝熙敬止。爲人君止於仁。爲人臣止於敬。爲人子止於孝。爲人父止於慈。與國人交止於信。詩云。瞻彼淇澳。綠竹猗猗。有斐君子。如切如磋。如琢如磨。瑟兮僩兮。赫兮喧兮。有斐君子。終不可諠兮。如切如磋者。道學也。如琢如磨者。自脩也。瑟兮僩兮者。恂慄也。赫兮喧兮者。威儀也。有斐君子。終不可諠兮者。道盛德至善民之不能忘也。詩云。於戲前王不忘。君子賢其賢而親其親。小人樂其樂而利其利。此以沒世不忘也。子曰。聽訟。吾猶

此謂知之至也之上。別有闕文。此句特其結語耳。

謙。快也

揜

心廣體胖

懥。忿也。

人也。必也使無訟乎。無情者不得盡其辭。大畏民志。此謂知本。此謂知之至也。

大學之道（大學）

所謂誠其意者。毋自欺也。如惡惡臭。如好好色。此之謂自謙。故君子必愼其獨也。小人閒居。爲不善。無所不至。見君子而后。厭然揜其不善。而著其善。人之視己。如見其肺肝然。則何益矣。此謂誠於中形於外。故君子必愼其獨也。曾子曰。十目所視。十手所指。其嚴乎。富潤屋。德潤身。心廣體胖。故君子必誠其意。所謂脩身在正其心者。心有所忿懥。則不得其正。有所恐

辟

碩

懼。則不得其正。有所好樂。則不得其正。有所憂患。則不得其正。心不在焉。視而不視。聽而不聞。食而不知其味。此謂脩身在正其心。所謂齊其家在脩其身者。人之其所親愛而辟焉。之其所賤惡而辟焉。之其所畏敬而辟焉。之其所哀矜而辟焉。之其所敖惰而辟焉。故好而知其惡。惡而知其美者。天下鮮矣。故諺有之曰。人莫知其子之惡。莫知其苗之碩。此謂身不脩不可以齊其家。所謂治國必先齊其家者。其家不可教。而能教人者無之。故君子不出家。而成教於國。孝者所以事君也。弟者所以事長也。慈者所以使衆也。

詩周南桃夭之篇。夭夭少好貌。蓁蓁美盛貌。歸嫁也。

僨

詩小雅蓼蕭之篇。

詩曹風鳲鳩之篇。忒差也。

康誥曰。如保赤子。心誠求之。雖不中不遠矣。未有學養子而后嫁者也。一家仁。一國興仁。一家讓。一國興讓。一人貪戾。一國作亂。其機如此。此謂一言僨事。一人定國。堯舜帥天下以仁。而民從之。桀紂帥天下以暴。而民從之。其所令反其所好。而民不從。是故君子有諸己。而后求諸人。無諸己。而后非諸人。所藏乎身不恕。而能喩諸人者。未之有也。故治國在齊其家。詩云。桃之夭夭。其葉蓁蓁。之子于歸。宜其家人。宜其家人。而后可以教國人。詩云。宜兄宜弟。宜兄宜弟而后可以教國人。詩云。其儀不忒。正是四國。其爲父子兄

三詩皆以詠歎上文之事。

絜度也。矩所以爲方也。

詩小雅南山有臺之篇。

詩小雅節南山之篇。節截然高大貌。

師尹周大師也。

僇與戮同。

詩文王之篇。師衆也。

弟足法。而后民法之也。此謂治國在齊其家。所謂平天下在治其國者。上老老而民興孝。上長長而民興弟。上恤孤而民不倍。是以君子有絜矩之道也。所惡於上。毋以使下。所惡於下。毋以事上。所惡於前。毋以先後。所惡於後。毋以從前。所惡於右。毋以交於左。所惡於左。毋以交於右。此之謂絜矩之道。詩云。樂只君子。民之父母。民之所好好之。民之所惡惡之。此謂民之父母。詩云。節彼南山。維石巖巖。赫赫師尹。民具爾瞻。有國者不可以不愼。辟則爲天下僇矣。詩云。殷之未喪師。克配上帝。儀監于殷。峻命不易。道得衆則得

儀宜也。監視也。峻大也。不易言難保也。道言也。

悖

楚書楚語。

舅犯晉文公舅狐偃。

亡人文公爲公子出亡在外也。

秦誓周書。

斷斷誠一之貌。

彥美士也。聖通也。

媢忌也。違拂戾也。

國。失衆則失國。是故君子先愼乎德。有德此有人。有人此有土。有土此有財。有財此有用。德者本也。財者末也。外本內末。爭民施奪。是故財聚則民散。財散則民聚。是故言悖而出者。亦悖而入。貨悖而入者。亦悖而出。康誥曰。惟命不于常。道善則得之。不善則失之矣。楚書曰。楚國無以爲寶。惟善以爲寶。舅犯曰。亡人無以爲寶。親仁以爲寶。秦誓曰。若有一介臣。斷斷兮無他技。其心休休焉。其如有容焉。人之有技。若己有之。人之彥聖。其心好之。不啻若自其口出。寔能容之。以能保我子孫黎民。尚亦有利哉。人之有技。媢疾以

迸。屏也。

菑。古災字。

孟獻子。魯之賢大夫。

惡之。人之彥聖。而違之俾不通。寔不能容。以不能保我子孫黎民。亦曰殆哉。唯仁人放流之。迸諸四夷。不與同中國。此謂唯仁人爲能愛人。能惡人。見賢而不能擧。擧而不能先。怠也。見不善而不能退。退而不能遠。過也。好人之所惡。惡人之所好。是謂拂人之性。菑必逮夫身。是故君子有大道。必忠信以得之。驕泰以失之。生財有大道。生之者衆。食之者寡。爲之者疾。用之者舒。則財恒足矣。仁者以財發身。不仁者以身發財。未有上好仁。而下不好義者也。未有好義其事不終者也。未有府庫財非其財者也。孟獻子曰。畜馬乘

畜馬乘。士初試爲大夫者。伐氷之家。卿大夫以上喪祭用氷者也。百乘之家。有采地者也。小人之使爲國家。之上有闕文。

不察於雞豚。伐冰之家。不畜牛羊。百乘之家。不畜聚斂之臣。與其有聚斂之臣。寧有盜臣。此謂國不以利爲利。以義爲利也。長國家而務財用者。必自小人矣。小人之使爲國家。菑害並至。雖有善者。亦無如之何矣。此謂國不以利爲利。以義爲利也。

漢文讀本卷五　終

明治三十七年十二月九日印刷
明治三十七年十二月十二日發行

定價　卷一、金貳拾錢　卷二、三、四、五、各貳拾五錢

著者　東京市青山南町三丁目五十二番地　法貴慶次郎

發行者　東京市京橋區銀座四丁目十五番地　元元堂書房　右代表者　中村銀次郎

印刷者　東京市京橋區西紺屋町廿六七番地　石川金太郎

印刷所　東京市京橋區西紺屋町廿六七番地　株式會社秀英舍

發兌元　東京市京橋區銀座四丁目十五番地　元元堂書房

明治三十八年二月十五日
文部省檢定濟

東京高等師範學校教授　文學士宇野哲人編

新撰漢文讀本

東京　學海指針社發行

新撰漢文讀本

凡例

一、本書は專ら中學校の漢文教科書として編輯せり。全部五冊より成り、毎學年一卷づつを講じて、五學年を以て修了せしめんとす。

一、本書に載せたる教材は、主として倫理文學歷史地理に關せるものを取り、兼ねて理化博物等に及ぼし、務めて各章の聯絡を謀れり。

一、本書に載せたる諸家の文は務めて其舊に從ひたれど、或は新に題を加へ、或は刪修改訂して便宜に從へり。

一、講讀は務めて國文典の語格と一致せしめ、凡て舊來の誤讀を正し、「雖」を「トモ」、「而」を「テ」「シテ」、「則」を「バ」「レバ」、「爲。所。」を「セラル」と讀むが如くせり。

一、本書は各章の始に文章中難解の字句を抽出して、解釋を加へ、講讀及び書取の便に供したり。又句には(。)を用ひ讀には(、)を用ひ引用語及び對話には符號「」『』を加へ、地名には右傍に雙線＝を加へ、官名には左傍に單線―を加へ、人名には右傍に單線―を加ふ。元來は地名官名なりしものも、人を呼ぶに用ふるとき、及び雅號、諡號は凡て人名に準ふ。肖像地圖器物の圖を加へたるは講讀の助とせんが爲なり。

一、本書卷一には始に句例を擧げて、主語説明語客語補足語の用法を示し、國文と異り返り點を生ずる所以を知らしめ、次に簡單なる文章を擧ぐ。卷二以下漸次易より難に入り、單より複に至り、卷四には返り點を除きたる文をも加へ、卷五に至りて簡易なる白文をも加へ置きたり。

明治三十七年十月　編者識

新撰漢文讀本卷一

目次

新撰漢文讀本卷一目次終

新撰漢文讀本卷一

句例　一

鳥飛ぶ。　鳥飛。

獸走る。　獸走。

水流る。　水流。

魚游ぐ。　魚游。

天下泰平なり。　天下泰平。

草木繁茂す。　草木繁茂。

雪消えて草生ず。　雪消草生。

秋風起りて白雲飛ぶ。　秋風起白雲飛。

演習　一

左の漢文を講讀せよ。

一、鳥鳴。

二、魚躍。

三、氷融。

四、雨降。

五、國家安康。

六、春去、夏來。
七、梅花開、黃鳥歌。
八、我軍奮戰、敵軍敗走。

句例 二

山高し。　山高。
月明なり。　月明。
柳綠なり。　柳綠。
花紅なり。　花紅。
草色青青たり。　草色青青。

溪水清冷なり。　溪水清冷。
砂白く松青し。　砂白、松青。
天空く海濶し。　天空、海濶。

演習 二

左の漢文を講讀せよ。

一、水深。
二、月清。
三、風凉。
四、花美。

五、品行方正。
六、桃紅、李白。
七、天長、地久。

句例 三

我行く。　我行。
彼來る。　彼來。
君坐す。　君坐。
僕立つ。　僕立。
汝遊ぶ。　汝遊。

予勤む。　予勤。
足下長大なり。　足下長大。
小生短小なり。　小生短小。

演習 三

左の漢文を講讀せよ。

一、彼去。
二、汝來。
三、君歌。
四、僕笑。

五、彼喜此憂。

六、足下優美。

七、小子強壯。

句例　四

是は馬なり。　是馬也。

彼は牛なり。　彼牛也。

汝は中學生なり。　汝中學生也。

孝は百行の本なり。　孝百行之本也。

楠正成は忠臣なり。　楠正成忠臣也。

新高山は我邦第一の高山なり。　新高山我邦第一之高山也。

演習　四

左の漢文を講讀せよ。

一、是鹿也。

二、彼羊也。

三、我大日本國民也。

四、人萬物之靈也。

五、大石良雄義士也。

六、石狩川我邦第一之長流也。

七、孔子釋迦耶蘇世界三聖也。

句例　五

書を讀む。　讀書。

字を寫す。　寫字。

水を飲む。　飲水。

狗を打つ。　打狗。

猫鼠を捕ふ。　猫捕鼠。

牛羊草を食ふ。　牛羊食草。

白雲山を掩ふ。　白雲掩山。

學生書籍を購ふ。　學生購書籍。

演習　五

左の漢文を講讀せよ。

一、汲水。

二、觀月。

三、修德磨智。

四、重義輕死。

五、童兒追犬。

六、月照陣營。

七、學生講讀漢文。

八、加藤清正讀論語。

句例　六

露霜と爲る。　露爲霜。

落花雪の如し。　落花如雪。

門は山に對す。　門對山。

高樓水に臨む。　高樓臨水。

人花の下に立つ。　人立於花下。

魚淵に躍る。　魚躍于淵。

犬門の傍に眠る。　犬眠於門傍。

演習　六

左の漢文を講讀せよ。

一、水爲氷。

二、霜似雪。

三、光陰如矢。

四、草堂臨流。

五、余遊于東京。

六、廣瀬武夫戰死于旅順口。

句例　七

志士力を國家に盡くす。

父は子に書を與ふ。　父與子書。

父は書を子に與ふ。　父與書子。

謙信鹽を敵軍に贈る。　謙信贈鹽敵軍。

謙信敵軍に鹽を贈る。　謙信贈敵軍鹽。

賴朝兵を伊豆に擧ぐ。　賴朝擧兵伊豆。

陶淵明菊を東籬の下に採る。

陶淵明採菊于東籬之下。

余嘗て花を嵐山に賞しき。　余嘗賞花于嵐山。

演習　七

左の漢文を講讀せよ。

一、子弟質疑先生。

二、人載物車。

人載車物。

三、賴朝與銀猫西行。

頼朝與西行銀猫。

四、劉備訪孔明于隆中。

五、蘇東坡泛舟於赤壁之下。

六、余嘗賞月于湖上。

句例　八

智者は惑はず、勇者は懼れず。

智者不惑、勇者不懼。

其文は觀るべし、其行は賞するに足らず。

其文可觀、其行不足賞。

孝と謂ふべし。

可謂孝矣。

己が欲せざる所は、人に施す勿れ。

己所不欲、勿施於人。

難に臨みては苟も免るる毋れ。

臨難毋苟免。

能くせざるに非ず、爲さざるなり。

非不能也、不爲也。

演習　八

左の漢文を講讀せよ。

一、飢者弗食、勞者弗息。

二、三軍可奪帥也、匹夫不可奪志也。

三、一言一動、不可不愼。

四、父母之年、不可不知也。一則以喜、一則以懼。

五、無友不如己者。過則勿憚改。

六、非禮勿視、非禮勿聽、非禮勿言、非禮勿動。

句例　九

我將に出てんとす。

我將出。

日且に暮れんとす。

日且暮。

汝宜しく勉勵すべし。

汝宜勉勵。

恩は當に報ずべし、怨は宜しく忘るべし。

恩當報、怨宜忘。

吾未だ之を聞かず。

吾未聞之。
吾未之聞。

汝須らく學問の要を知るべし。

汝須知學問之要。

盍ぞ各其志を言はざる。

盍各言其志。

演習　九

左の漢文を講讀せよ。

一、我將行。

二、兩軍且戰。

三、老幼宜厚遇焉。

四、爲學當以立志爲先。

五、吾未見眞勇者。

六、讀書須成誦。

七、盍反其本矣。

句例　十

孝子賞せらる。

孝子被賞。
孝子見賞。
孝子爲賞。

彼は父母に愛せらる。

彼愛于父母。
彼愛於父母。
彼愛乎父母。

義元は信長に滅ぼさる。

義元爲信長所滅。
義元滅於信長。

義元見滅於信長。

演習　十

左の漢文を講讀せよ。

一、善人被賞、惡人被罰。

二、其將見擒、士卒盡爲虜。

三、反身不誠、不悅於親矣。

四、匹夫見辱、拔劍而起。

五、先卽制人、後則爲人所制。

六、勞心者治人、勞力者治於人。

句例　十一

天皇楠正成に詔して賊を討たしむ。

天皇詔楠正成討賊。

父母兒女をして書を讀ましむ。

父母敎兒女讀書。

賴朝義經をして平氏を伐たしむ。

賴朝遣義經伐平氏。
賴朝令義經伐平氏。

信長家康をして武田氏に當らしむ。

信長使家康當武田氏。

演習　十一

左の漢文を講讀せよ。

一、帝使藤房往召正成。

二、天皇詔義貞奉太子赴越前。

三、一谷之役範頼令諸軍迫東門。

四、信長令秀吉大擧以伐毛利氏。

五、秀吉遣使告光秀曰、明日會戰于山崎。

六、世子家光嘗見屋上乳雀、命近臣往捕之。

七、天草時定據島原作亂。將軍遣板倉重昌討之。

句例　十二

吾豈に報を望まんや。　　吾豈望報乎。

學んで時に之を習ふ、亦悅ばしからずや。　　學而時習之、不亦悅乎。

嗚呼哀しいかな。　　嗚呼哀哉。

彼は年少なれども、其言は聽くに足る。　　彼雖年少、其言足聽矣。

彼必らず怒らず。　　彼必不怒。

彼必らずしも怒らず。　　彼不必怒。

彼常に來らず。　　彼常不來。

彼常には來らず。　　彼不常來。

演習　十二

左の漢文を講讀せよ。

一、吾豈知之乎。

二、舜何人乎。予何人乎。

三、吾日三省吾身。爲人謀而不忠乎。與朋友

交而不信乎。傳不習乎。

四、嗚呼忠臣楠子之墓。

五、事父母能竭其力、事君能致其身、與朋友交言而有信、雖曰未學、吾必謂之學矣。

六、愚者必不貴。賢者不必貴。

七、弱者常不勝強。多者不常勝寡。

(一)惜陰

貝原篤信

講學　講音カウ、訓シラブル、ナラハス
勤業　勤音キン　訓ツトム
曠日　音クワウ　訓空と同じ、ムナシ

學者之講學、勤業、皆以時日之力。故志士惜日短。今日不重來。是以學者最要惜時日。今人作無益害有益、而廢時曠日、可惜哉。

(二)勸學文

朱熹

勿謂今日不學而有來日。勿謂今年不學而有來年。日月逝矣。歲不我延。嗚呼老矣、是誰

之愆。

(三)格言三則

一、吾嘗終日不食、終夜不寢、以思無益。不如學也。　論語

二、百年無再生之我。其可曠度乎。　言志後錄

三、大禹聖人、乃惜寸陰。至於衆人、當惜分陰。　小學

(四)徂徠惜分陰。

原善

簷際　音エン　訓檐と同じ、ノキバ
齋　音サイ　訓ヘヤ

率　音シツ　訓オホムネ
辨　音ベン　訓ワキマヘル

物徂徠看書、向暮則出就簷際。簷際亦不可辨字、則入對齋中燈火。故自旦及深夜、手無釋卷之時。其平生惜分陰者、率此類也。

(五)螢光

(日記故事)

恭勤　ウヤウヤシク、ツトメルと訓す
練囊　音レン、ノウ　訓ネリ絹の袋
博覽　音ハク、ラン　訓ヒロク、ミル

晉車胤字武子。南平人。幼恭勤博覽。貧不常得油。夏月以練囊盛數十螢火、照書讀之、以

夜繼日。後官至尚書郎。今人以書窓爲螢窓、由此也。

(六)窓雪

(日記故事)

清介　音カイ　訓堅固なり、孤立なり
交游　訓マジハリ、アソブ、友人のこと
書案　音ショ、アン　訓机のこと

晉孫康京兆人。少清介、交游不雜。家貧無油、嘗映雪讀書。後官至御史大夫。今人以書案爲雪案、由此也。

(七)狄仁傑　(日記故事)

詰問　音キツ、モン　訓ナジリ、トフ
聖賢　音セイ、ケン　訓聖人、賢人
黄卷　書物のこと　黄表紙の巻物
丞相　音ジヤウ、シヤウ　訓宰相と同じ、大臣のこと

唐狄仁傑字懷英。大原人也。爲兒時、門下有被害者。吏至、詰其故。衆爭辯對。仁傑誦書不置。吏責其不對。答曰、「黄卷中、方與聖賢對。何暇相對俗吏語耶。」後爲丞相。有功于唐。封梁公。

(八)孟母斷機　劉向

斷機　機音キ、訓ハタのこと　織りかけたる布をたちきる
中道而廢學　廢音ハイ、ステル、ヤメル　中道にて學問をやめる

孟軻三歲喪父。母仇氏有賢德。軻長、既學而歸。母問曰、「汝學何所至矣。」軻曰、「如舊。」母乃以刀斷機。軻懼問其故。母曰、「汝中道而廢學、若吾斷斯機也。」軻乃旦夕勤學不息。受業子思之門人。遂成大賢。

(九)格言

身體　音シン、タイ　訓カラダ
髮膚　音ハツ、フ　訓カミ、ハダ

毀傷　音キ、シヨウ　訓ソコナヒ、ヤブル
揚名　音ヤウ　訓アグル

身體髮膚、受之父母。不敢毀傷、孝之始也。立身行道、揚名於後世、以顯父母、孝之終也。　孝經

(一〇)宮崎筠圃　角田簡

灸背　音キウ　訓灸をスエル
孱弱　音セン、ジヤク　訓ヨワク、ヨワシ
稟性　音リン、セイ　訓生れ付

筠圃幼時。母灸其背。泣焉。母曰、「痛乎。」曰、「否。童子聞之、『身體髮膚、不敢毀傷、孝之始也。』而稟

性孱弱、不攻則疾。是所以泣也。」

(一一)傷足憂色　(日記故事)

傷瘳　音レウ　訓イユ
夫子　先生といふこと

周樂正子春下堂而傷其足。數月不出門。弟子曰、「夫子之足瘳矣。猶有憂色何也。」子春曰、「君子一舉足而不敢忘父母。一出言而不敢忘父母。今予忘孝之道。是以有憂色。」

(一二)格言

樹欲靜而風不止矣。子欲養而親不待矣。　韓

詩外傳

(一三)風樹之歎

服部元喬

流涕 音テイ 訓ナミダ

巻帙 音チツ 訓書物をつゝむもの、巻帙は書物のこと

沾濡 音テン、ジュ 訓ウルホフ、ヌルル

山田古嗣幼喪母。嘗讀書、至於「樹欲靜而風不止。子欲養而親不在。」流涕不禁、巻帙為之沾濡。

(一四)徐積

(日記故事)

晨昏 音シン、コン 訓アケ、クレ

匍匐 音ホ、フク 訓ハフこと

怵然 音ヂユツ 訓イタム、カナシム

宋徐積楚州人。生三歳、父卒。晨昏匍匐床下、求其父甚哀。及長、以父諱石、平生不用石器、遇石則避而不踐。或曰「天下遇石多矣。必避之為孝、他日山行奈何。」答曰「吾豈固避之哉。遇之、怵然傷吾心、乃思吾親、不忍加足其上也。」

(一五)格言

國以簡賢為務。賢以孝行為首。求忠臣必於孝子之門。　後漢書

(一六)三種神寶

舍人親王

八坂瓊曲玉　八咫鏡

草薙劍

天壤 音ジヤウ 訓天地と同じ

寶祚 音ホウ、ソ 訓天子の御位のこと

天照大神、賜天津彦火瓊瓊杵尊八坂瓊曲玉及八咫鏡、草薙劍三種寶物。因勅皇孫曰、「葦原千五百秋之瑞穂國、是吾子孫可王之

地。爾皇孫宜就而治焉。行矣。寶祚之隆、當與天壤無窮者矣。」

(一七)菅公忠愛

青山延于

五朝 清和、陽成、光孝、宇多、醍醐の五朝なり

親任 音シン、ニン 訓シタシミ、マカセル

遊獵 音レウ 訓カリの遊び

獻替 音ケン、テイ(タイ) 替は廢なり。善をすゝめ惡をやむること

匡救 音キヤウ 訓タヾス

謫居 音タク 訓トガメ、咎を受け官をおとされ、遠方にうつされて居る

無憀 音レウ 訓たよる所無く心さびし

重陽 陰暦九月九日 菊の節句なり

菅原道眞歷事五朝、尤爲宇多帝所親任。帝嘗好遊獵。道眞諫止之。隨事獻替、多所匡救。及被配、閉門不出、託文墨自遣。雖謫居無憀、未嘗忘忠愛之意。一日遇重陽、賦詩曰、

去年今夜侍清涼。秋思詩篇獨斷腸。
恩賜御衣尙在此。捧持毎日拜餘香。

聞者莫不感歎。

清涼　朝廷の御殿の名

（一八）長幼之序

會澤安

長幼之道主序。凡人有兄弟、則必有長幼。而其次序自備者、自然之道也。身者親之枝、而兄弟者如一木有兩枝、一氣之分體也。故恩愛之意、如一身相助相救、當如左右之手矣。孩提之童、知愛其親、及稍長、知敬其兄者、是自然之人情也。故兄愛弟、弟敬兄、如小枝附從大枝、是自然之等差、而即長幼之序也。

孩提　音ガイ、テイ、訓ミドリコ、チノミゴ、孩は生れて少しく月を經てはじめて笑ふこと、提は手にさげるほどの子
等差　段等、差別

（一九）北條泰時

青山延壽

北條泰時與諸弟友愛殊敦。寛喜中、泰時在評定所、聞盜襲弟朝時家、即馳赴之。衆皆從之。會朝時不在。家衆禦盜殺之。泰時途聞之、廼還。平盛綱曰、「君任太重。縱有大寇、猶當遣使偵探、然後命僕等禦之。今何自輕至此。」泰時曰、「人之在世、所恃惟親族。弟若爲賊所殺、而兄不暇救、恥孰大焉。故賊攻吾弟、在佗人則爲小事、在我則一家大變。不減建保、承久之難。」朝時聞之感喜、贈誓書曰、「吾子孫世世事兄子孫、無敢有貳。」

友愛　兄弟相愛するを友といふ
評定所　北條氏の時、天下の政治を議せし役所の名
偵探　音テイ、タン　訓サグリ、サグル

（二〇）司馬溫公

（小學）

司馬溫公與其兄伯康友愛尤篤。伯康年將八十。公奉之如嚴父、保之如嬰兒。毎食少頃、則問曰、「得無饑乎。」天少冷則拊其背曰、「衣得

嚴父　音ゲン　訓カシコミ、尊むべき父
嬰兒　音エイ　訓ミドリコ

無薄乎。」

(二二)李勣　（小學）

僕射 音ボク、エキ 訓官名宰相のこと
僕妾 下男下女
煮粥 音シユク 訓カユ

唐李勣貴為僕射。其姉病、必親為燃火煮粥。火焚其鬚。姉曰、「僕妾多矣。何為自苦如此。」勣曰、「豈為無人耶。顧今姉年老、勣亦老。雖欲數為姉煮粥、復可得乎。」

(二三)格言三則

一、桃李不言、下自為蹊。史記

二、獨學而無友、則固陋而寡聞。禮記

三、益者三友。損者三友。友直、友諒、友多聞、益矣。友便辟、友善柔、友便佞、損矣。論語

(二三)人行有長短　（世範）

人之性行雖有所短、必有所長。與人交游、若常見其短而不見其長、則時日不可同處。若常念其長而不顧其短、雖終身與之交游可也。

(二四)朋友　張載

善柔 ヤサシイのみにて、誠實の心無きもの。
拍肩執袂 肩を打ち袂をとり、極めて親しく隔なき様子なり

今之朋友、擇其善柔、以相與拍肩執袂、以為氣合。一言不合、怒氣相加。朋友之際、欲其相下不倦。故於朋友之間、主其敬者、日相親與、得效最速。

(二五)擇友　貝原篤信

直信 正直にて信義なること
知慮 知慧、思慮、

佞媚 音ネイ、ビ、訓佞は辯才ありてオモネリ、ヘツラウもの媚はコビル、

擇友之道、須取直信而有知慮者。凡學者之立身也、得朋友之助者居多矣。苟交游非其人、豈啻無益于己而已哉。久而與之相化、而至失其所守。故君子要擇交。夫學者之修身、君子之治人、須以正直之士能告過而諫爭者為友。庶乎太有益。苟好友善柔佞媚之人、則無益而有損。可不戒乎。

(二六)物色　（智環啓蒙）

我所見之物、皆有色。水天藍、草青、血紅是也。所見於天虹、有七色。其中惟紅・藍・黃三色、爲正。餘皆此三色相雜、而成耳。白不算色。而黑則色盡絕也。

(二七)虹霓　(博物新編)

虹霓　音コウ、ゲイ　訓ニジ
七彩　音サイ、虹の七色は紫、藍、青、綠、黃、橙、赤なり
映照　音エイ　訓ウツル、テラス

虹霓者、空中雨氣、映照日光而成。形分七彩。卽日光之本色也。朝西暮東、常與日相對照。

有現一道者、有現兩道者、三道四道、亦間有之。

(二八)空氣　(智環啓蒙)

旋轉　音セン、テン　訓メグリ、メグル
凝結　音ギヨウ、ケツ　訓コリ、ムスボル
雲霧　音ウン、ム　訓クモ、キリ

地球包于氣內。人身觸氣、口呼吸之。無氣則人類・生物・草木、皆不能生。氣速動、謂之風。風旋轉而吹、謂之旋風。霧從地騰而成雲。雲氣凝結而爲雨。

(二九)空氣之色　(博物新編)

蒼然　音サウ　訓アヲアヲトシテ
玲瓏　音レイ、ロウ　訓スキトオル
遙望　音エウ　訓ハルカ
藍影糢糊　音ラン、エイ、モ、コ　訓ハツキリせず、オボロに霞めること
滄海　音サウ　訓青海原

氣之爲色、靑而藍。凡晴空無雲、仰望蒼然者、乃氣之色、非天之色。氣愈遠、愈高、則其色愈藍。愈近、愈薄、則其色愈淺。淺甚則玲瓏不見。時遙望遠山、見藍影糢糊、亦氣之色。如觀滄

海、水深則色綠、愈深則色蒼。其理亦此耳。

(三〇)井水　(格物入門)

變遷　音ヘン、セン　訓カハリ、ウツル
寒暖計　空氣の溫度を計る器物をいふ

井水、冬溫夏冷、何也。蓋地之厚實、其冷熱非如天氣之隨時變遷。故井水無甚相差。以寒暖計試之、冬之水不溫、夏之水亦不冷也。實因天氣有變遷耳。以水較夏日之天氣、則覺冷、較冬日之天氣、則覺溫也。

(三一)犬影　(伊蘇普喩言)

肉塊 音クワイ 訓カタマリ

欲貪其假反失其眞 水にうつりし假の肉を貪らんとて、反つて眞の肉を失ふ

昔有犬過橋、其口咬有肉一塊。忽見橋下有狗口亦咬肉。不知其爲影也、遂捨口之肉、而奔奪之。幾乎淹死。其眞肉已隨流水去矣。欲貪其假、反失其眞。世人多有類此。

（伊蘇普喩言）

（三二）驢穿獅皮

畏懼 音イ、ク 訓オソレ、オソル　目無忌憚 音キ、ダン 訓イミ、ハバカル

粉骨碎身（熟語）　機 音キ 訓ハヅミ

愼密 音シン、ミツ 訓ツ、シミ・ツ、シム　狐假虎威（諺）假ハ音カ訓カル

露出馬脚（諺）化の皮があらはれる

驢穿獅皮。衆獸見則畏懼、而奔避之。驢自以爲能。目無忌憚。一日歡呼大叫。聲入各獸之耳。始知其爲驢。所避之獸、群起而殺之。一旦粉骨碎身。是驢之不愼故也。使驢若能知機、終身愼密、則驢身獅勢、豈不快哉。甚矣、假威風之不能長久也。諺云、「狐假虎威。」其驢露出馬脚來、而弄巧反拙矣。

（三三）野猪自護

（伊蘇普喩言）

磨牙 音ガ 訓キバ、キバヲトグ

不虞 音グ 訓オモヒハカル、不虞は思ひもよらぬこと

獵狗 音レフ 訓カリに用ふる犬　倉皇（熟語）音サウ、クワウ 訓アワテル

野猪常在樹下、磨雙牙、以備不虞。狼見而問曰、「汝常在此磨牙。當此太平盛世、欲何爲哉。」猪曰、「汝何不智若此。吾想獵狗來時、倉皇之下、尚能磨牙應敵乎。不如早爲之所也。」

（三四）豺害羊

（伊蘇普喩言）

澗水 音カン 訓タニ　措辭 措音ソ 訓オク、口實をつける

誣 音ブ 訓無きを有りとし有るを無しといつはりしふること

混濁 音コン、ダク 訓カキ、ニゴス　羞恥 音シユウ、チ 訓ハヂ、ハヂ

一日豺與羊同澗飮水。豺欲害其羊、自念無以措辭。乃強誣之曰、「汝混濁此水、使老夫不能飮。當殺。」

羊對曰、

大王在上流、羊在下流。雖濁無礙。

豺復誣曰、

汝去年某日、出言得罪於我、亦當殺。羊曰、

大王誤矣。去年某日、羊未出世。安能得罪大王。

豺乃變羞、爲怒責之曰、

汝之父母、得罪於我。汝亦有罪焉。

遂殺之。諺云、

欲加之罪、何患無辭。

即此之謂耳。

(三五)瘤者

太宰純

瘤者 音リウ 訓コブ

里巷 音カウ 訓チマタ、村里のこと

食言 約束をして之を履み行はぬこと

樵夫 音セウ 訓キコリ、薪をとる男

黎明 音レイ、メイ 訓夜明け、シノヽメ

唉 音アイ 訓ア、

晉人有患瘤于項者、取材于山。還而日暮、投空舍宿焉。夜有群鬼、宴于舍。見瘤者曰、「客何爲者也。」對曰、「山下邑人。取材于山、日暮不可行也、故借宿於此、非異人也。」鬼曰、「子欲食乎。」曰、「不欲也。」「欲飲乎。」曰、「唯欲酒。不欲佗飲也。」鬼

曰、「善。」因飮之。宴酣、鬼謂瘤者曰、「能歌乎。」對曰、「里巷下曲、恐不足聽已。」鬼曰、「第歌。」瘤者擊節而歌。群鬼咸稱善。又曰、「子能舞乎。」對曰、「下節恐不足觀已。」鬼曰、「第舞。」瘤者起舞。群鬼咸悅曰、「善。」於是歡甚。至曉鬼將去、謂瘤者曰、「吾曹夜必集于此。子豈能復來會乎。」瘤者曰、「諾。」鬼曰、「雖然、子能無食言哉。請必以物爲質。」瘤者曰、「我樵夫、唯有一斧。它無所有。請以斧爲質。」鬼曰、「唉、是何足以爲質。觀子項有瘤。可以爲

質。」因取其瘤。不痛、且不見血。鬼既去。黎明瘤者走歸家。家人觀其亡瘤、因問之。告之故。

(三六)瘤者　二

太宰純

攝 音セツ 訓代理をする

疇昔 音チウ 訓ムカシ

趨 音シュ(ス) 訓スミヤカ

里人有患瘤于頸者。聞之、就其家而謁曰、「子且復往乎。」對曰、「未必也。」曰、「余願攝子事。幸可以去吾瘤也。」曰、「可也。」里人遂往。夜鬼至、見里人曰、「惡、是何非昔者所見也。」里人曰、「疇昔瘤

者、不幸疾作、故使予來謝諸君也。」鬼曰、「子亦好酒乎。」曰、「否。」「能歌舞乎。」曰、「略能。」令之歌舞。不善。群鬼不悅曰、「子歌舞不善、吾曹無以爲歡、不可趨歸。昔者所質頫爾致之前人。」因以昔者所取之瘤、著里人項、遂遣歸。舊瘤未除、更負新瘤而歸。唯不自量而徒羨人之福也。

(三七)北條時宗

賴襄

強毅 音キ 訓ツヨク、ツヨシ　不撓 音タフ 訓マガル、タワム

小笠懸 騎射の式、初は綾藺笠を竿にかけて射る、故にこの名あり、後には種々の的を用ふ

時宗爲人、強毅不撓。幼善射。弘長中、大射於極樂寺第。將軍欲觀小笠懸、顧命諸士。無敢應者。時賴曰、「太郎能之。」太郎時宗幼字也。召而上場。時年十一。跨馬出、一發而中。萬衆齊呼。時賴曰、「此兒必任負荷。」

負荷 音フ、カ 訓大任を負ひ荷ふ

(三八)松壽

賴襄

松壽 毛利元就の幼名なり　器量 才器度量をいふ、才智すぐれ、持ちこみ深きこと

躓 音チ 訓ツマヅク　惶懼 音クワウ、ク 訓オソレ、オソル

松壽幼有器量。其保嘗抱之濟水而躓溺。保惶懼謝罪。松壽曰、「行道而躓常也。庸何傷。」比髫齔、詣嚴島神祠。既歸問從者曰、「汝輩何祈。」曰、「祈郎君主安藝也。」松壽曰、「汝盍祈吾主天下。夫願主天下者、能主一方。願主一方者、能主一國。今願主一國矣。其所成可知已。」聞者

髫 髫、音テウ、訓小兒の項後に垂れたる髮、ウナヰ

齔 音シン、小兒七八歲の比初生の齒の毀れぬけたるもの、ミソッパ、カケバ、髫齔は男女七八歲の幼兒

郎君 音ラウ 訓婢僕は主人を稱して郎君といふ、妻は夫を郎君といふ

奇之。

(三九)石田三成

大槻清崇

放鷹 鷹狩　行童 寺の小僧をいふ

喫茶 音キツ、サ 訓茶を飲むこと　住持 一寺を司どる和尙をいふ

小臣 小姓をいふ

豐臣秀吉、嘗放鷹於野。渴甚。投一僧寺、乞茶。太急。有行童進一大椀茶。微溫、盛到七八分。公一喫稱快、更進一椀。少熱、不滿半椀。公徐喫了。又要一椀。於是代以小椀。太熱、不可遽

口。公愛其才敏、請之住持僧、携歸、以爲小臣、漸愛寵之。後竟列爲五奉行、治部少輔石田三成是也。

(四〇)家康幼時

中村和

端午 五月五日の節句　　黨派 音タウ 訓トモガラ、ナカマ
衆寡 音シウ、クワ 訓多きと少きと

德川家康幼在駿河。土人以端午日、作石戰戲。觀者分黨助之。家康年甫十歲。坐奴肩往觀之。一隊三百餘人。一隊半之。人爭赴衆家

康命奴就寡。奴怪問之。家康曰、「衆者恃勢、其心不一。寡者愼而專力。其勝必矣。」果爾。

(四一)德川賴宣

安積信

東照公 德川家康のこと、家康薨ぜしとき後水尾天皇號を東照大權現と賜ふ
訖 音キツ 訓ヲワル　　遺憾 憾音カン、訓ウラム 口惜しく殘惜しく思ふ
妙齡 年少きをいふ　　雄偉 音キ、訓大なり、盛なり すぐれて、えらきをいふ
食牛之氣 尸子といふ書に「虎豹之子、雖未成文、已有食牛之氣。」とあるに本づく

元和元年、東照公征大阪、賜公旗幕、從軍。五月七日、公聞先鋒接兵、馳至則戰已訖矣。見

東照公、泣曰、「兒不幸不得爲先鋒、故不及戰、殊可憾也。」松平正綱在側、慰之曰、「公妙齡、後來臨陣必多矣。不須深憾。」公怒曰、「唉、正綱。謂賴宣再有十四歲之時乎。」東照公悅曰、「今日使賴宣有戰功、不若此一語爲雄偉也。」列侯在坐者皆感歎、以爲有食牛之氣。

(四二)清少納言

岸鳳質

優絕 音イウ、ゼツ すぐれ、すぐれる　　給侍 訓御側近く仕ふる、腰元
蚤 音サウ 訓ハヤタ、早と同じ　　褰 音ケン 訓カヽグ

翠簾 音スイ、レン 訓みどり色のスダレ　　慧 音ケイ(エ) 訓サトシ、智慧
白居易 字樂天、唐の詩人なり。この詩は香爐峯の下に新に草堂を設け、其東壁に題せし詩の句なり
撥 音ハツ 訓カヽグ

清少納言者、肥後守清原元輔女也。才藝優絕。給侍一條帝之皇后。帝雪後蚤坐宮中、顧曰、「不知香爐峯雪奈何。」清少納言默起、前褰翠簾。帝賞其慧而有學。其意乃白居易有「香爐峯雪撥簾看」之句。

(四三)湯淺常山母

角田簡

端正　音タン　訓タヾシク、タヾシ
不文　訓文字のよめぬこと
魯鈍　音ロ、ドン　訓オロカ、ニブシ

湯淺常山母瀧氏、性行端正、好讀書。常山之少也、語之曰、「昔者一條天皇雪後望山、誦曰、香爐峯雪奈何。侍女淸原氏起而卷御簾。不亦慧乎。當時婦女尙爾。況丈夫乎。今苟爲士、而魯鈍不文、可恥之甚。汝勉哉。」

(四四)紫式部　德川光圀

資性　音シ、セイ　訓生れ付のこと
敏慧　音ビン、ケイ　訓スルドク、サトシ

典故　音テン、コ、訓、典は法なり。古より行ひ來たる法則
局　音キヨク、訓ツボネ、女官などの居る部屋なり、因て亦女官をも局といふ

紫式部藤原爲時女也。資性敏慧。幼時聞人讀書、乃能諳記。爲時甚愛之、常撫之曰、「恨不使汝爲男。」長而能和歌、博涉和漢舊記、兼通朝廷典故。著源氏物語五十四帖。一條帝讀而大賞之曰、「是善諳熟日本紀者也。」人呼曰日本紀局。

(四五)細川藤孝　大槻淸崇

縉紳　音シン、シン、縉は搢と同じくサシハサムと訓す。紳は大帶。縉紳は笏(シャク)を帶にハサムほどの身分即ち公卿などの如き貴顯の人をいふ
馬銜　音カン　訓馬のクツワ
窮追　音キウ、ツイ　訓追ヒツメル
深沈　音シン、チン　訓深く研究する
奧妙　音オク、メウ　奧深く微妙なること
祕訣　音ヒ、ケツ　訓妄に人に示さぬ祕密の奥義

細川兵部大輔藤孝、少小不喜國歌。自謂、是縉紳婦女之技、非武夫之事也。偶某地之戰、追敵之棄馬走者、不及而返。從者執馬銜、以諫曰、「窮追勿失。臣驗馬背尙暖、以知其行不遠。古歌不云乎、君波麻太遠具波行志我袖

乃袂乃涙、比延志果年磐。」藤孝頷之、卽馳逐執其人以還。從此潛心歌道、深沈奧妙、至窮古今集祕訣。所謂幽齋玄旨是也。

(四六)謙信賦詩　靑山延于

勇略　音ユウ、リヤク　訓勇氣すぐれ、才智多きこと
絕人　音ゼツ　訓スグレル
雅　音ガ　訓モトヨリ
文藝　音ゲイ　訓文字のこと
値　音チ　訓アフ(熟字値遇)
讌飮　音エン、イン　訓酒宴のこと
三更　音カウ　三更は今の夜十二時頃
遮莫　サモアラバアレとよむ、マ、ヨと訓す

上杉謙信勇略絕人、善用兵。每臨行陣、馳行

軍中數次隊伍乃定。雅好藝文。其征能州適値九月十三夜。會諸將讌飮。賦詩曰。

霜滿軍營秋氣淸。　數行過雁月三更。
越山幷得能州景。　遮莫家鄕憶遠征。

其風流如此。

(四七)靑砥藤綱　　賴　襄

炬　音キヨ 訓タイマツ
直　音チ、訓アタヒ、價値の値と同じ 音チヨク、訓タヾシ、正直の直
撈　音ラウ 訓水中に入りて物をサグルこと

靑砥藤綱。嘗夜行。遺十錢於水中。乃買炬照

水撈之。炬直五十錢。或曰。「得不償失。」藤綱曰。「五十錢吾失人得。十錢誰得之者。我取六十錢。以益於世。不亦大得乎。」

(四八)北條時賴　　德川光圀

儉素　音ケン、ソ 訓儉約、質素ツヽマシキこと
不貳味　御菜を二つ用ひぬこと
燕居　音エン 訓ヤスム、休息して居る
族父　一族中にて叔父にあたるをいふ 平時政─義時─泰時─時氏─時賴／時房─朝直─宣時
下物　酒のサカナ
厨　音チウ 訓臺所のこと
殘醬　音シヤウ 訓ミソ
侑　音イウ 訓スヽム

北條時賴性儉素。食不貳味。一夕燕居。會族父宣時來。時賴手擧酒曰。「獨飮不若與卿共之樂也。奈深夜無下物。」宣時卽起入厨。照紙燭。索殘醬侑之。終夜對飮。盡歡而止。其淡薄如此。

(四九)松下禪尼　　德川光圀

紙格　障子のこと
勤儉　音キン、ケン 訓ツトメ、はげみて儉約を守る
寧靜　音ネイ、セイ 訓ヤスンジ、シヅカ

北條時賴母安達氏。秋田城介景盛女也。稱松下禪尼。嘗爲時賴設食。兄義景來助治具。尼方手裁小紙。糊補紙格。義景請命人爲之。尼不顧。義景曰。「補之不若新之之省勞。」尼曰。「我豈不之知乎。凡物有小破。宜修補之。欲使兒輩知此意耳。」人謂時賴克守勤儉。政理寧靜。亦母敎之使然也。

(五〇)上杉鷹山公　　江木戩

世子　世嗣の子、太子と同じ
衾枕　音キン、チン 訓夜具、枕

靡然　音ヒ　訓ナビク、草木の風になびくが如く

上杉鷹山公爲世子、既有以儉化國之志。及即位、身穿棉衣、節儉率下。士猶有衣帛不從命者。公憂勞、一夕不能寐。手觸衣起曰、「臣子不從命、我之罪也。吾棉衣帛其裏、是我行欺也。」於是衣服衾枕、不用寸帛。臣民靡然、一時從命。

(五一)謙信高義

賴襄

東海　東海に濱せる諸國、三河、遠江、駿河、伊豆、相模等をいふ

弓箭　音セン　弓矢、武力の爭なり

以往　コノノチ

武田信玄國不濱海。仰鹽於東海。今川氏眞與北條氏康謀、陰閉其鹽。甲斐大困。上杉謙信聞之、寄書信玄曰、「聞氏康氏眞困君以鹽。不勇不義。我與公所爭在弓箭、不在米鹽。請自今以往、取鹽於我國。多寡唯命。」乃命賈人、平價給之。

(五二)亢顏談經

原善

喋々　音テフ　訓シャベルコト、多言す

亢顏　音カウ、訓アゲル　亢顏はタカブル様子をいふ

旁若無人（熟字）

喑　音イン　訓口をツグミテ言はず、默す

恧然　音ヂク　訓ハヂル

鼠竄　音ソ、ザン　訓コソ〳〵とノガレル

貝原益軒嘗居東、將西歸、取路于海上。同船數人、名姓不相知、雜然相向、喋喋相語。中有一少年、亢顏談經、旁若無人。益軒喑無言、若無能者。既而及船達岸、各告其姓名鄉里。則少年始知爲益軒、恧然不自容、遂不陳其名、鼠竄去。

(五三)野中兼山

原善

齎歸　モタラシ歸ルとよむ

蛤蜊　ハマグリ

饋　音キ　訓オクル

異味　稀らしき食物

飫　音ヨク　訓飽く

野中兼山、土佐人。嘗來江戸。及歸期也、致書鄉人曰、「土佐無物不有、自江戸齎歸、惟有蛤蜊一艘耳。海路幸無恙、以歸日饋之。」衆以爲嘗異味、計日待歸。既至則命投其所漕於城下海中、不餘一箇。衆怪問。兼山笑曰、「此不獨饋諸卿、使卿子孫亦飫之也。」自此後、果多生

蛤蜊、遂爲名產。衆始服其遠慮。

(五四)義家學兵法

青山延于

東征　前九年の役とて、安倍貞任等が陸奥によりて反せるを、討伐し九年にして之を平げたり

渠　音キョ　訓カレ彼と同じ　　恚　音イ　訓恨み怒る

江帥　大江匡房なり　　飛雁亂行　兵法に鳥亂者伏也とあり

源義家、從父賴義東征、平賊而還。嘗詣關白賴通、談征戰事。時大江匡房在座、聞之。既而匡房退出、私言、「渠有將才、惜未知兵法。」義家從者竊聽而恚、待義家出而告之。義家曰、「此

必有故。」追及謹請、遂執弟子禮。及征清原武衡、方攻金澤城、見飛雁亂行曰、「是江帥所教、必當有伏。」分兵圍之、果有伏、遂擊敗之。

(五五)毛利元就訓戒

大槻清崇

糾　音キウ　訓マトメル　　抽　音チウ　訓抜ク

銘　音メイ　訓シルス

仲兄　兄弟は伯、仲、叔(又ハ季)に分ち、長子は伯、次子は仲、末子は叔又は季といふ、仲兄とは中の兄なり

元龜二年六月、藝侯毛利元就病將死、致諸子於前、呼取箭數條、一一如其子之數、乃手自

糾爲一束、極力折之、不能斷也。單抽其一條、隨折隨斷。因戒曰、「兄弟猶此箭也。和則相依、濟事、不和則各人各敗。汝等銘心勿忘。」次子隆景進曰、「夫兄弟之爭、必起於欲。棄欲思義、何不和之有。」元就悅以爲然、顧餘子曰、「宜從仲兄之言。」

(五六)稻葉一徹

大槻清崇

釋然　音シャク　訓心ガトケル　　茗醼　音メイ、エン　訓茶席のこと

伴接　音ハン、セツ　訓接待のこと　　挂　音ケイ　訓揭と同じ、カケル

出典　(熟字)事の起原事の本づく所　　傾聽　音ケイ、テフ　訓耳を傾けて聽く

忽然　音コツ　訓タチマチ　　猜疑　音サイ、ギ　訓ウタガヒ、ウタガフ

匕首　音ヒ、シユ　訓アヒクチ、短刀

詩　は唐の韓愈字退之の作にて、天子を諫めて罪を蒙り、流されて潮州へ赴く途中の作なり

稻葉伊豫守一徹、既服從織田氏。而信長意未釋然也。乃設茗醼、延之茶室、竊使其臣三人託伴接、以圖之。一徹從容入室、朗誦壁間所挂詩曰、「雲橫秦嶺家安在。雪擁藍關馬不前。」三人就問其義。一徹一一分解、并說其典

甚詳。信長隔壁傾聽、忽然走出。謂一徹曰、「我初謂汝一武勇男子也。今乃知其文學如此、猜疑之心頓消矣。」一徹頓首而謝。於是命三人各取匕首於懷、以示之。一徹亦袖裏出一刀、笑謂三人曰、「今日之事、僕亦期不徒死耳。」

新撰漢文讀本卷一終

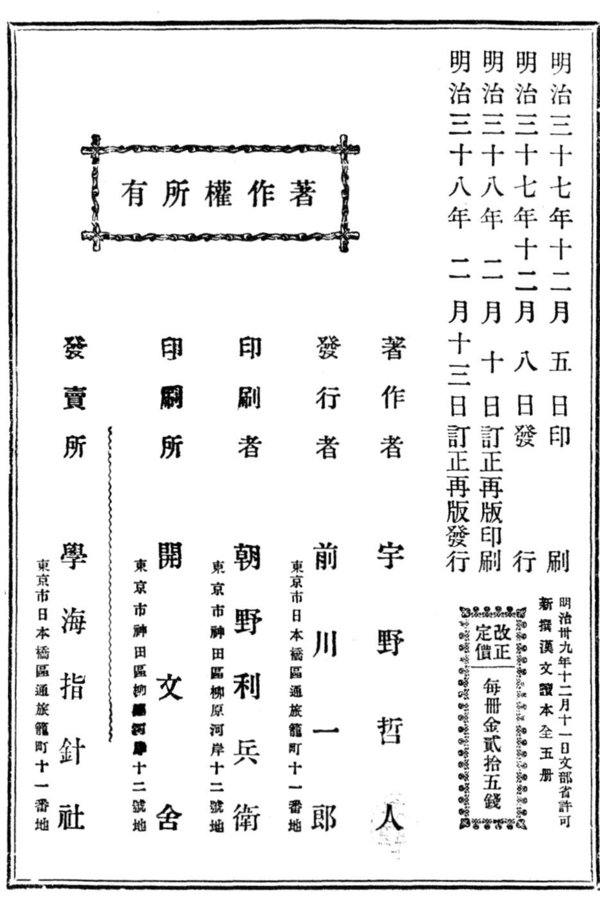
明治三十七年十二月五日印刷
明治三十七年十二月八日發行
明治三十八年二月十日訂正再版印刷
明治三十八年二月十三日訂正再版發行

明治卅九年十二月十一日文部省許可
新撰漢文讀本 全五冊

改正定價 每冊金貳拾五錢

著作權所有

著作者 宇野哲人
發行者 前川一郎 東京市日本橋區通旅籠町十一番地
印刷者 朝野利兵衛 東京市神田區柳原河岸十二號地
印刷所 開文舍 東京市神田區柳原河岸十二號地
發賣所 學海指針社 東京市日本橋區通旅籠町十一番地

明治三十八年二月十五日
文部省檢定濟
中學校漢文科教科書

東京高等師範學校教授 文學士宇野哲人編

新撰漢文讀本

東京 學海指針社發行

新撰漢文讀本卷二

目次

新撰漢文讀本卷二目次終

新撰漢文讀本卷二

(一)教育勅語　譯文

朕惟我皇祖皇宗、肇國宏遠、樹德深厚。我臣民克忠克孝。億兆一心、世世濟厥美。此我國體之精華、而教育之淵源、亦實存于此焉。

爾臣民、孝于父母、友于兄弟、夫婦相和、朋友相信。恭儉持己、博愛及衆。修學習業、以啓發智能、成就德器。進廣公益、開世務。常重國憲、遵國法。一旦有緩急、義勇奉公、可以扶翼天壤

無窮之皇運矣。如是、不獨爲朕忠良之臣民而已、又足以顯彰爾祖先之遺風焉。

斯道者、實我皇祖皇宗之遺訓、而子孫臣民之所可俱遵守。通之於古今、而不謬。施之於中外、而不悖。朕庶幾與爾臣民、俱拳拳服膺、咸一其德。

(二)學問　貝原篤信

岐路　岐音キ、訓分レ路、

詢　音ジュン、訓問フ、尋ネルト

鄕道　嚮導ト同ジ、道シルベ、道案內、

融會貫通　(熟字)融音ユウ、充分に了解して、少しの疑惑も無きこと、

學貴有疑。大疑則可大進、小疑則可小進、無疑則不能進。故

曰、無疑者、欲有疑。有疑者、却欲無疑。蓋於致知力行、而實用其力、則當必有疑惑而不決者。苟無疑者、因未嘗用其力也。譬之往路、人行行不休、則必逢有岐路而不知其所之。故詢之於知途人、而後就正路。如軍行用鄕道。然爲學者亦當如此。故善學焉者、必有疑、疑而後問之、問而後思之、思而後辨之、然後融會貫通、可以解惑決疑、方始是有得。此可謂善學也。不善學焉之人、不能有疑、雖於古人之說有未能通曉者、不能爲問致思。

(三)格言

讀書百遍、而義自見。 董遇

學欲博不欲雜、欲約不欲陋。

懈意一生、則是自暴自棄。 程頤

(四)怠惰 貝原篤信

精勤 音セイ、キン、訓精神を激まして勤勉する、 秋 秋の收穫を云ふ、

匱 音キ、訓トボシ、ムナシ、空之ニ同ジ、

怠惰乃衆人之通病。精勤是衆人之良藥。故志士常惜時。愚者常廢時。夫人勤則百事咸成、而百福生焉。惰則百事咸廢、而百禍至焉。何也。衆人惰則不能爲良士、臣子惰則不能爲忠孝、進修惰則不能成德業、習讀惰則不能進才學。豈止如是而已哉。農夫惰則不能有秋、工商惰則不能免饑寒。故古

人云、人生在勤、勤則不匱。是以君子日夕進德而不怠、良民晝夜務業而不息。

(五)詩 陶淵明

盛年不重來。 一日難再晨。
及時當勉勵。 歲月不待人。

(六)詩 朱熹

少年易老學難成。 一寸光陰不可輕。
未覺池塘春草夢。 階前梧葉已秋聲。

(七)自警十條 室直清

案 音アン、机ニ同ジ、 懲 音チョウ、訓コラス、

戰々兢々 (熟字)兢音キャウ、オソレ、ツヽシム、 蹉過 蹉音サ、訓スグ、見過ス、見ノガス、

照覽 音セウ、ラン、天地の神、上より照らし見て、監督すること、

一每朝卯前後可起。

一每夜子前後可臥。

一除賓客或疾病及難避事、不可一日懈怠。

一每朝對案、先整衣帶、乃一坐了、非有事故、不可妄動。

一對案之間、惰念將生、呼起正念、可痛懲之、暫時不可忽。

一不可妄語。雖下人、不可接無益之言。

一飲食須充飢渴、不可過節。及不可不時食飲。

一雜念不問善惡、最害於讀書之間。戰戰兢兢、可預防之。

一讀書之時、凝定志意、不可急速。又明張心目、不可蹉過。

一畢竟不過盡己職分以終一生。則修行之間、不可有功利之念。

右十條欲銘心肝而操守之。一一在天之照覽。敢昭告于百神之靈。

(八)知行

貝原篤信

端緒 音タン、チヨ、起リ始メ、　溫凊 音ヲン、セイ、冬ハ暖カニシ、夏ハ涼シクス、
定省 音テイ、セイ、時ヲ定メテ父母ノ安否ヲ問フ、　記籍 音キ、セキ、書籍ノ事、
詳審 音シヤウ、シン、ツマビラカニ委シキ事、

爲學之工夫、古人以知爲先者、蓋知以開導、非先知之、則不能力行。先知者、知當行之端緒也。如事親者、先知溫凊定省、出必告、反必面之法、是也。非窮知畢而後方行之之謂也。既知其端緒、則行之最爲急矣。此乃知行並進之工夫、須如此。蓋知行二者、如車之兩輪、如鳥之兩翼。闕一則不可也。故學不要徒知之、必要力行。二者可以爲學、而以行爲重。若不能行之、則雖徒知之、都無用、不可以爲學。是以學焉者、知之爲先、行之爲重也。非行之、則不能眞知。譬如行道路。其道路之里程、山川之形勢、雖有記籍而詳審、然非躬親經過、則不能諳知其眞境。故行而後知者、眞知也。

(九)借人典籍

顏之推

典籍 音テン、セキ、書籍ノ事、　缺壞 音ケツ、クワイ、訓カケコハレル、
狼藉 音ラウ、ゼキ、亂レ散ラカル、　几案 音キ、アン、机ニ同ジ、
部帙 音ブ、チツ、帙ハ書籍ノ上包、書衣、　肅敬 音シク、ケイ、訓ツヽシミツヽシム、
故紙 反古紙ノ事、

借人典籍、皆須愛護。先有缺壞、就爲補治。此亦士大夫百行之一也。濟陽江祿、讀書未竟、雖有急速、必待卷束整齊、然後得起。故無損敗、人不厭其求假焉。或有狼藉几案、分散部帙、多爲童幼婢妾所點汚、風雨蟲鼠所毀傷、實爲累德。吾每讀聖人書、未嘗不肅敬對之。其故紙有五經詞義、及聖賢姓名、不敢他用也。

(一〇)仁德天皇

青山延光

堊 音アク、白色の土、シックイ、　課役 租税を課し、工役を命ずること、
頽敗 音タイ、ハイ、訓クヅレ、ヤブレル、　豐穰 豐にミノル、穰は音ジャウ、多く實のる、
殷富 音イン、プ、訓盛に富む、　朽壞 音キウ、クワイ、朽ち、クヅレルこと、
暴露 音バク、ロ、訓アラハシ、アラハス、　税調 租税と貢物、
輸 音シュ、イタスと讀む。訓オクル、ハコブ。　簀 音サク、訓スノコ、

天皇卽位、都于攝津難波。謂之高津宮。宮室不堊、務從節儉。一日帝登臺遠望。人烟不起。以爲百姓窮乏、家無炊者。詔除課役三年。宮垣頽敗、無所營作。比及三年、五穀豐穰、百姓殷富、歡聲盈路。其後帝復登臺遠望、見炊烟盛起。謂皇后曰、朕

既富矣。復何憂乎。后曰、今宮室朽壞、不免暴露。何謂富乎。帝曰、君以民爲本。民貧則朕貧也。民富則朕富也。未有民富而君貧者矣。今炊烟盛起、富庶可知也。諸國請輸稅調以修宮室。不聽。後數年、始科課役、造宮室。百姓扶老攜幼、爭先來赴、運材負簣、日夜勞作、未幾宮室悉成。

(一一)高倉天皇　青山延于

才藻 音サウ、文章、アヤ、才學、文章のこと、

仕丁 丁は一人前の男子、主殿寮に屬し、禁中を掃除し、庭燎を焚くなどの、雜役に召使はるゝもの、

寘 音シ、訓オク、

唐詩 唐の詩人白居易字樂天の詩なり、

叩頭 音コウ、訓タヽク、

帝性仁孝。受學清原頼業、才藻英發。初帝幼時、有獻楓樹者。帝極愛之、命藤原信成守之。一日仕丁將飲酒、剪枝爲薪、以煖酒。信成見而大驚、收仕丁、將寘之罪。會帝使信成上其樹。信成具奏其狀、叩頭請罪。帝從容曰、唐詩有云、林間煖酒燒紅葉。誰教仕丁作此風流。無復所問。

(一二)白石篤朋　原善

薦 音セン、訓スヽム、

戚然 音セキ、訓イタム、

負笈 音キフ、背に負ふ書箱、

倚閭 音リヨ、村里の門、里の門に身をよせて待ちわぶること、

攢心 音サン、訓アツマル、

先容 周旋、口入れ、

釋褐 音カツ、訓アラキ布、貧賤なるもの丶衣、釋褐は仕官すること。

偷薄 音トウ、偷安はカリソメにする。偷薄はウスシ、輕薄と同じ。

新井白石、少入木下順菴門、學成不得志。順菴欲薦諸加賀。岡島仲通、加賀產、亦順菴門下也。聞之戚然語白石曰、予負笈遠遊、若干年于茲。比得家書、老母日逼衰頽、倚閭待予歸。每一念至、百感攢心。如幸賴吾先生先容、得釋褐于本藩、則願足矣。白石即告順菴、以此言曰、予求仕、何國之擇。請舍予薦彼。順菴嘆曰、世衰道微、日入偷薄。如子絕無而僅有者。乃推岡島于加賀。後二年、擧白石于甲斐府。時年三十七。

(一三)松尾芭蕉　青山延壽

至性 孝心極めて厚きこと、

枉道 枉はマゲルとよむ、ヨリ道をする、

造 イタルとよむ、

徑 音ケイ、直ちにとよむ、

遺憾 音イ、カン、殘念に思ふこと、憾はウラムと訓す、

芭蕉翁、伊賀人。元祿中、大和國武內村、有孝女、名今、有至性。人皆感動。芭蕉一歲往在山城攝津間。將賞花芳野、僅得金一兩、以當路費。聞今女名、枉道造焉。感其孝養、且憐其窮乏。乃出囊中金一兩贈之。今辭不受。芭蕉强與之去、徑就歸途。途而遇一友人。其人謂翁曰、芳野花如何。芭蕉語以其故。友人曰、翁平生心切於見芳野花。今得路費、而不爲觀花費、與之於人、實爲遺憾。芭蕉笑曰、予遊芳野、爲花之美也。今幸覩人之美者。何恨不見花。春者他時又至。竟拂袖去。

(一四)森蘭丸　大槻清崇

刀鞘　音セウ、刀室、サヤなり、　欵紋　音クワン、刻み鞘の刻みのこと、
覰知　音シユ、ウカヽフと訓す、　暗射　ソラニアテルこと、
誠慤　音カク、誠實なること、

森蘭丸嘗奉織田信長刀在側。刀鞘黒漆、有欵紋數十條。蘭丸潛料記其數。信長覰知之而不言也。居數日、集左右近臣、撫其刀謂之曰、有能暗射鞘上欵數者、乃與此刀。衆爭射之、不能中也。蘭丸獨默不言。信長問、汝何故不射之。蘭丸謹對曰、臣嘗料記其數矣。今如爲不知者而中之、是賣主公以貪其賜也。臣心所深恥。是以不敢。信長悅其誠慤、

不欺、賜以其刀。

(一五)齋藤實盛　中井積德

故人　舊友と同じ、今は死去せし人を故人といふ。　斥　音セキ、訓シリゾケル、
惻然　音ソク、訓イタム、　賚　賜ふと同じ、

源義仲既敗平軍於篠原、手塚太郎光盛獲甲首以獻曰、錦袍獨軍、老健善鬪、問名不告、聲東音也。義仲曰、無乃實盛乎。實盛年高、鬚鬢何得黑。樋口二郎其故也。召而視之、泣曰、嗟眞也。實盛嘗爲兼光言、白頭臨陣、不宜與少壯較、卽後焉斥爲老怯。不若染鬚鬢而鬪也。果然。即起濯首、鬚鬢忽變白。在座者皆爲垂涕。軍令非將帥弗聽服錦袍。實盛臨發請曰、

臣越產也。今向越是臣之死所也。古語不言衣錦歸故鄕。臣衣錦而斃、死且不朽。臣老矣。必不復。宗盛惻然、時出赤錦袍賚之。至是果衣錦而死。

(一六)勝重薦子　青山延光

所司代　禁裏に係る一切の事、及び近畿の民政を掌る役、　致仕　人臣年老て官職を辭すること、古は年七十にして致仕す、
執政　幕府の政治を執る大臣にて、老中といふ、　怯　音ケウ、ツタナシ、オソレルと訓す、
刲腹　サクとよむ、割と同じ、切腹すること　逡巡　音シユン、ジユン、タメラウ、シリゴミをする、

京師所司代板倉勝重致仕。子周防守重宗爲所司代。初勝重以年老辭職。將軍問曰、孰代卿者。勝重曰、群臣固不乏人。何必問臣。必欲使臣薦之、臣子重宗可也。將軍乃以重宗補

之。重宗固辭。將軍曰、卿父薦卿。卿何得辭之。重宗不奉命而退。執政以重宗與安藤直次善、令直次諭之。直次過重宗。重宗曉其意。然直次竟不語及其事。將還、重宗曰、將軍命僕代父、君聞之乎。直次曰、吾固知子之不勝任也。重宗曰、君亦以爲不可乎。直次曰、子非無才、但失之怯。重宗驚問。直次曰、父薦之、君命之。奈何辭之。但速就職。萬一有過、刲腹以謝耳。子乃逡巡畏避、非怯而何。重宗然之、乃受命。

(一七)三宅尙齋妻　角田簡

囹圄　音レイ、ゴ、牢獄、ヒトヤのこと、　晏然　音アン、平氣にて、ヤスラカニ、
煖飽　煖に衣て飽まで食ふ、　褞袍　音ヲン、ハウ、ワタイレの衣、

蚊幬　音ブン、チウ、蚊帳、カヤのこと　　縫刺　裁縫のこと
澣濯　音カン、タク、洗濯と同じ　　靡　音ビ、靡と通用す、ツヒヤスと訓す、

三宅尚齋見幽于忍。託其妻田代氏以母及二子。而與黃金廿兩以爲資。田代氏念夫囚在囹圄。艱辛無量。爲其妻子而晏然煖飽。心不忍爲也。自是冬不穿褞袍。夏不張蚊幬。定省之暇。爲人縫刺澣濯。以給奉養。如此三年。所得廿金。絲毫不費也。迄尚齋見赦乃出金還之。尚齋怒曰。其如此奉養必有闕也。田代氏徐語以養姑之故而言。此金之不靡乃豫備君今日之用也。尚齋感嗟久之。

（一八）山內一豐妻　大槻清崇

筮仕　筮音ゼイ、メドギを用ひて占ふこと、筮仕は占ひて仕官すること、　　簡馬　音カン、選ぶこと、
鏡匳　音レン、鏡櫛などを納るゝ箱、カヾミバコ、　　風骨　風采、骨格をいふ、
嶽翁　己の妻の父を云ふ、　　鬣　音レフ、（ロフ）馬のタテガミ、
峻爽　音シュン、サウ、すぐれて、さはやか、　　落魄　音ラク、ハク、落ちぶれる、
洵　マコトニとよむ、

山內猪右衞門一豐。始筮仕織田氏也。適有東國人來販名馬者。安土諸將士。皆驚其神駿。然爲價高之故。不能購也。販者將牽馬徒還。一豐見之。不勝流涎。歸家。獨自嘆曰。痛哉貧也。我當事君之初。獲此名馬。以見主公者。不唯一豐一人之榮。抑亦織田氏之榮矣。其妻聞之。就問價。曰。黃金十兩矣。妻

曰。夫君必欲獲之。妾能辨焉。乃取金於鏡匳。致之一豐前。一豐且喜且恨曰。比來窮困之極。或恐及卿顚覆。而卿絕不言有金。何卿之忍耶。妻曰。夫君言亦有理。顧昔者妾之來嫁也。妾父自納之鏡底。戒曰。汝勿以夫家貧故費此金。必也有關夫君一大事。然後用之。妾聞近日京師有簡馬之擧。今夫君而獲此馬。是一世之榮。而所謂大事無乃此耶。是以敢爾。一豐泣而謝曰。卿之惠也。嶽翁之恩也。遂購其馬。無幾。簡馬之期至矣。一豐乃騎而入京。風骨峻爽。奮鬣一嘶。信長望見大驚曰。猪右何所獲此乘乎。一豐具告其故。信長歎曰。我家多士。而不能購一馬。洵爲上國之恥。汝落魄歸於我。乃能爲此

非常之擧。以一洒我恥。武夫用心。不當如此耶。一豐釋褐五百石。於是增爲千石。遂以見任用。

（一九）甘藷先生　原善

終天年　壽命を全うすること、　　種藝　耕作する、植ゑつける、
歉　音ケン、飢饉のこと、五穀實らぬこと、　　菜色　餓の爲に色青ざめて、菜の如き色なるをいふ、
蕃薯　甘薯甘藷同じ、もと支那より薩摩に渡り、薩摩より全國に廣まる、外國より渡りし故に蕃薯といふ、其味甘き故に甘薯といふ、
蕃衍　蕃殖と同じ、フエル、　　登　ミノルと訓す、
遄　音セン、スミヤカ、ニハカ、

青木昆陽嘗嘆曰。凡有罪非死刑者。遠放之島嶼。要在使其終天年耳。然諸島少五穀。常以海產木實給食。是以往往不

能免餓死、豈不亦痛哉。卽雖種藝之地、遇歲歉、則民不能無菜色。意者百穀之外、可以當穀者、莫如蕃薯也。乃陳官、求種子于薩摩、試種之官藥苑中、則極蕃衍。於是以國字著蕃薯考一卷、而演其培植之法。官鏤版、併種子、行下諸島及諸州。未數年、無處不種。至今上下便之。雖歲不登、民不遑餓者、實昆陽之惠、及無窮矣。題其墓門之碑曰甘藷先生之墓、有以哉。

（氣海觀瀾）

（二〇）花

萼 音ガク、花のウテナ
瓣 音ベン、ハナビラのこと
蕋 音ズキ、シベのこと、

花有諸部之別。一曰萼。外面綠色而支花者是也。二曰瓣。卽花片是也。三曰蕋。四曰子房。上有柱而其上端有印痕、爲之陰。而一花有具雌雄、如常花。又一株有具雌雄花、如瓜類。又有一株唯開雌花、一株開雄花、如大麻是也。圍花柱有雄蕋者、常所多見也。而雄蕋細如絲、上端有球戴粉。故有粉蕋之名。此粉落柱上、則其陰受而胎孕。一花中有雌雄、則傳花精如此其便也。反之若雌雄兩花、在異枝若異株、則爲風若蜂蝶所振、而傳之於雌蕋。

（二一）草木養液

（氣海觀瀾）

莖幹 音ケイ、カン、草のクキ、木のミキ、
拔栓子 瓶のセン拔き、キルク拔き
膨脹 音バウ、チヤウ、訓フクレ、フクル、
凋落 音テウ、訓シボム、
螺轉 音ラ、テン、めぐりめぐり、螺旋狀をなす、
鴻 大なり、
循環 音ジユン、クワン、メグリ、メグリて絕えざること、

草木養液、在土中。根細管吸收之、從皮下昇莖幹。其管螺轉展之、恰如拔栓子。而其上輸養液、則嘗不因引力、更有傳送之之勢、猶動物。此液一分爲草木實質、一分遇日光而蒸發。爲所有鴻益人畜之氣類。葉上細管司蒸發、裡面小孔爲吸收。故葉落而浮水上、若裡面接水、則久不凋也。草根固有溫、

以能堪嚴寒。春夏之間、爲日光增此溫。如球根草、則得此溫而膨脹。且得雨濕、殊速忽生綠葉軟莖。而若遇嚴寒、則葉中之液、枯涸而不循環。其葉爲之凋落。松柏後凋者、其質强硬、而能堪冬寒也。

（二二）產綿地

重野安繹

漂着 音ヘウ、訓タヾヨフ、
紡績 音バウ、セキ、訓麻又は綿などにて絲をつむぐ、

綿種傳我國、在千餘年前。桓武天皇延曆中、有一洋人、漂著三河。自謂天竺人。天竺卽印度也。閱其資物、有實。謂之棉種。使南海西海諸國擇陽地殖之。草棉適暖地、不宜寒地。故北陸東山諸國、雖播難蕃殖。凡洋布綿布、皆以棉花製之。各地

紡績處、織物場、需用日增、我國所產者不足、多資之於印度其他輸入。印度氣候溫熱、特適棉花。自英國領此地、雇役土人、專圖生殖產出甚多。以送之本國、製造洋布、而輸之各國。其利極溥。英國曼識特以製綿有名。北米亦多產綿、其質甚良。近時濠洲、又勤植棉、其業大進。故以印度北米濠洲、稱棉花三大產地。而輸於英國者、最多云。

(二三)食物消化　(氣海觀瀾)

囓斷　音ガウ、訓カミキル、
喙　音カイ、訓鳥のクチバシ、
心邊　心臟の邊、
利爪　音サウ、鋭利なるツメ、
咀嚼　音ソ、シヤク、訓カミ、クラフこと、

動物皆各有口齒、以供食養。人用諸種食物、故有前齒、供嚙斷、有後齒、司磨碎。草食動物、不要嚙斷、故有後齒耳。肉食獸、有銳利之大牙、且有利爪、以供握裂。鳥亦然。鷲鷹鴟梟類是也。又有小喙者、有唯食草木實者。有食蟲魚者。有長喙者、供刺水而取食。是皆以各物有各異之食也。夫人之食物也、口齒咀嚼之、混津液、以助消化。經食道、送胃、暫留此、而和胃液消化。後自胃下口輸腸、混膽液膵液及腸液等、而益化熟。以爲可養身體之性。方此時、腸裡毛細管吸收此養液、恰如草根取養液於土中。而此液聚乳糜囊中、傍脊骨而升、來心邊合血中、補血以養全身。

(二四)血液循環　(氣海觀瀾)

粘凝　音ネン、ギヨウ、訓ネバリ、コル、
縮搾　音シユク、サク、訓チヾミ、シボル、
稀解　音キ、カイ、訓ウスク、トケル、
鮮紅　音セン、訓アザヤカ、
淸滌　音テキなれど誤てデウとよめり、訓アラヒ、スヽグこと、
攝取　音セフ、訓取り收める、
黯赤　音アン、訓黒色を帶びたる赤、

心有兩室、分左右、以動脈與其末梢之細管、送血於全身。而其已巡畢之血、傳之靜脈、靜脈還輸之於心之右室、而其血復自心之左室、入動脈、更運輸之於全身、宛如環之無端。日夜無有間斷。然血之歸來右室者、非復直巡全身、其一回爲巡流之間、大生汚物、而粘凝於是乎、有肺以淸滌之、肺主呼

吸、以小囊細管成、而開孔於口內。夫吸氣之經氣管入肺也、細管小囊爲膨脹、其狀恰如吹張一囊。而心之右室縮搾、自靜脈所歸來血、送肺動脈、以注肺通百千細管、以使觸吸氣。於是、大氣攝取血之汚物、附與溫與流動性於血。血爲之稀解、爲淸潔、而以呼氣次之。肺收縮、肺中淸血、經肺靜脈、入心之左室、又因心之縮力、巡全身。是所以大靜脈之血黯赤、而動脈之血鮮紅色、以是動物保生、則須臾不可斷新氣、絕之則死。

(二五)駱駝　(博物新編)

崩唇　キチンとしたる唇無くて、クヅレたるが如く見ゆるなり、
鞭撻　音ベン、ダツ、訓鞭にて打たゝく、

毛茸　音ジョウ、訓コマカナル毛、
煤　音バイ、石炭なり、
氈絨　音セン、ジュウ、毛織の敷物と羅紗と、
水脬　音ハウ、水嚢、フクロ、

駱駝、其狀甚異。頭似羊而無角、口似兎而崩脣。身高六尺。蹄有兩甲。口內上門牙二、下門牙六。別有貳牙二齒、尖利如虎。怒則咬人。脊上肉鞍、隆高尺許。瘦甚則平如牛馬。有雙鞍者、有單鞍者。其色蒼褐紫黃、類分數種。其性忍耐、力能負重致遠。常駝日行十五里、快駝日行

五十里。壯者可負千斤、劣者亦駄數百。人欲駕載、駝即屈足跪受。重足其力、即起。若重過其力、雖鞭撻亦不起行。每胎一子、孕十一月而生。哺週歲而止乳。其壽不過五十年。每交春季、毛茸脫落。長者可織氈絨。滑不畏濕。其糞乾可代煤。其溺製可作藥。其肉甘美、其乳甜滑。產于沙漠之地。性耐熱而惡寒。亞細亞洲之西、以波斯・土耳其・伊犂・後藏・埃及等處爲最多。亞米利加・歐羅巴無之。其腹能忍饑、時能數日不食。其胃能禁渴、常能數日不飲。胃中別有水脬、能貯清水十餘斤、自備其用。凡平原曠野、數日不見際涯、必須藉駝之力。沙漠土番謂駝爲陸舟、以其有負荷乘騎之功故也。

(二六)猴　(博物新編)

欄籠　音ラン、ロウ、訓獸類を養ふ圈(ヲリ)
竊掠　音セツ、リヤク、訓ヌスミ、カスム、
赤道　地球の南極と北極とを結び付たる想像の線を地軸といひ、地軸の中央にて、之と九十度の角度を以てめぐらしたる想像線を赤道といふ、太陽光線の直下する所なるが故に赤道といふ、
瞭望　音レウ、アキラカと訓す、見張をすること、
遞傳　音テイ、次々に渡し傳ふる、
園丁　植木屋、庭つくり、
巡獲　巡回して見張りをする、
鬨　音コウ(ゴウ)、サケブ、大聲を發す、

西國博物園內、有欄籠、專畜猴屬。種類甚多。小者如兎、大者如豕。教以跳作、觀者忘倦。其性愛熱而惡寒。產於赤道附近諸國。若攜往北方嚴寒之地、三四年間、多以肺疾而死。亞米利加南州、其類甚繁。山園果木熟時、多竊掠一空。其竊之法、

先使一老猴登高瞭望、然後聯群列隊而立、登木摘果者數猴、取次遞傳、頃刻盡其一樹。又顧而之他。時遇園丁巡獲、老猴疾呼報警、一鬨而散、無踪影。若老猴忘報、歸巢之後、衆猴共撲殺之。

(二七)猿橋　荻生雙松

炬火　松灯(タイマツ)
轎夫　音ケウ、カゴ、乘り物、カゴカツギの男、
巖稜　音ガン、リヤウ、岩角、イハカド、
躓　音シツ、訓ツマヅク、
杌隉　音ゴツ、ゲツ、危險、アヤウシ、
冥行　音メイ、訓クラシ、暗ければ、足さぐりにて行く、
躊躇　音チウ、チヨ、訓タメラフ、
傔　音ケン、僕と同じ、シモベ、
迓　音ガ、迎ふる、
瞰　音カン、見オロス、

彷彿　音ハウ、フツ、髣髴と同じ、はつきりと見分け難し、ホノカニ、アラマシの樣子、

縫罅　音コ、訓スキマ、穴、二の岩の合ひたりと覺しきスキマ、

鉅材　音キヨ、巨と同じ、大なり、

石渠　音キヨ、溝渠、ミゾ、

踰狗目嶺、有新田、以至澤驛、皆山也。日暮、僕從疲甚。民家遠、無炬火、前導轎夫、脚探巖稜以進、時或蹈虛而躓。轎輙跳其肩上不已、杌隉欲墜者數。遂下轎、冥行以及所謂猿橋者。所前行者還報、橋板穿、且梁撓、如不支不可行。躊躇久之。會一傔探店者、操炬來。店主人亦來迓。相語、是猿王所架。長十一丈、達水際三十三尋。而水深亦三十三尋。則命傔跳身欄外、而左手據欄、右手垂炬倒照、從旁下瞰黑深。火力短不及。

傔益俛伸其臂、遂致火燄逆上、欲燒手。輙遠棄墜至水際廼滅。予緣是得目送及其未滅、而覩彷彿也。皆如其言。橋下無一柱、從兩岸累鉅材、架起、上者必出下者外尺許、愈累愈出、以得相近而橋之。誠神造也。崖光滑無縫罅、如削立然。土人云、崖腹有釜、神蛇穴焉。歲旱民聚汲竭其釜中水、蛇見則雨。驚問、何以得至釜所。廼云、土人生于土、長于水、雖束其手足、投橋下不死。聞者皆吐舌。又問、崖石如無縫、豈苔滑使然歟。云、連一驛百家、在一片石上。則是川亦一大石渠耳。益駭異聞。遂宿于驛。

(二八)東京

大槻修二

萬機　書經皐陶謨に一日二日萬機とあり、幾は微なり、万機とは其多きをいふ、

億兆　億兆の臣民、

綏撫　音スキ、ブ、綏は安なり、撫で安んず、

枕內海　枕は臨むとよむ、

輻湊　音フク、ソウ、湊は聚なり、車輪の矢の轂(中心)に集る如く集ること、

周郭　周圍の城郭、

平衍　音エン、訓タヒラカ、平坦と同じ、

綿亙　音コウ、連りわたる、連綿、連亙、

街衢　音ガイ、ク、市の四ツ角のみち、

連甍　音バウ　家屋のムナガハラ、家屋立ちつゞけること、

廛肆　音テン、シ、商賣をする店、

墟　音キヨ、城跡、

輪奐　禮記檀弓に美哉輪焉、美哉奐焉とあり、輪は高大なり、奐は衆多なり、其居室の美なるをいふ、

十五世　家康、秀忠、家光、家綱、綱吉、家宣、家繼、吉宗、家重、家治、家齊、家慶、家定、家茂、慶喜、

明治元年七月、詔曰、朕今親裁萬機、綏撫億兆。江戸東國大

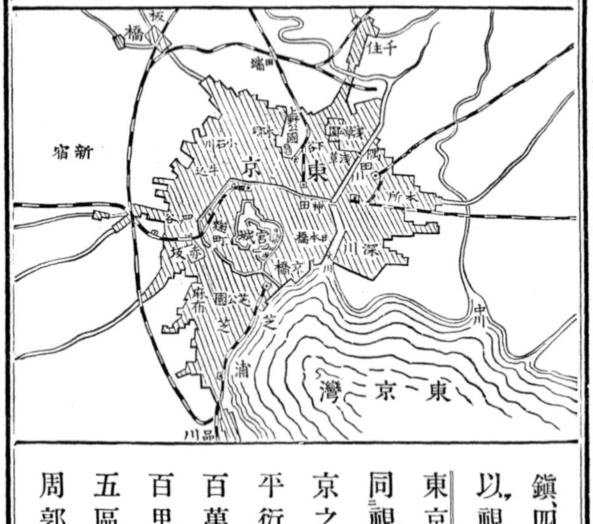

鎭、四方輻湊之地、宜親臨以視其政。自今以江戸爲東京。是朕所以海內一家、同視東西也。

京之爲地、西北高陵、東南平衍。帶大河、枕內海。戸口百萬。通計其街衢、則及二百里程之遠云。市分爲十五區。宮城在京之正中。其周郭內、曰麴町區、郭東曰

日本橋、以南爲京橋、爲芝、以北爲神田、爲下谷。大路貫通五區、廛肆綿亙數里。下谷有上野公園。其東沿隅田川處、曰淺草。此區亦有公園。河東分本所深川兩區。此水昔時爲武總國界。故中央大橋、曰兩國橋。

芝浦沿海濱、鐵道敷焉、公園設焉。區西爲麻布赤坂兩區。而北曰四谷、曰牛込、曰小石川、曰本鄉。麻布以下六區、通稱山手。卽高陵之謂也。

天正十八年八月朔、德川家康、始鎭江戶城。其後十四年開幕府、傳十五世二百六十餘年而廢。宮城實爲其西城之墟。當幕府盛時、海內侯伯皆置邸第、重門連甍。及陞爲帝京、院省府署、大小學校、輪奐壯嚴、更改其觀。

(二九)京都

大槻修二

襟帶 音キン、タイ、山を襟とし、川を帶とす、
子來 子の父母の下に來るが如く、君の恩德になつきたる人民、
謳歌 音ヲウ、訓歌ふ、
曠敞 音シヤウ、訓ヒロシ、
平坦 音タン、平夷、平衍、同じ、タヒラカ、
沿革 音エン、カク、變遷、ウツリカハル、
碁枰 音キ、ヘイ、訓碁盤の目、
奠都 音テン、訓定める、
祝融 音シク、ユウ、火災のこと、

京都平安、爲正稱。桓武帝建都于此。詔曰、「山河襟帶、自然作城。宜改山背國、爲山城國。又子來之民、謳歌之輩、異口同辭、號曰平安京。今宜從之。」是也。近來稱西京、蓋對東京言之也。

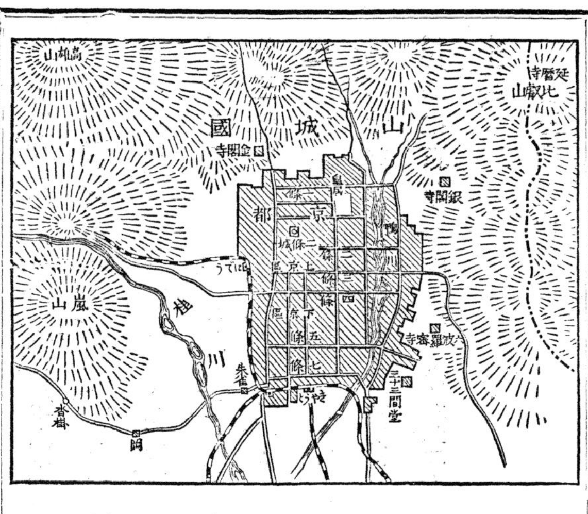

連山三圍、眞如詔辭。而其中頗曠敞、有兩水。鴨川稱東河、桂川稱西河。兩水之間、平坦三里。是平安京之所建也。

都城之制、東西一千五百零八丈。正中通朱雀大路、以分左右京。其兩極界、俱稱京極。南北則一千七百五十三丈。畫爲九條。然右京、早廢。第宅市坊、逐年興于東河東、以至今日。故朱雀却爲西京極、東京極殆當中央。亦可以見此市沿革也。

市坊井然、縱橫如碁枰。是尙存延曆遺制也。三條大路、爲上京下京兩區經界。皇居在一條、二條城爲離宮。停車館在七條。三條四條五條、各架大橋。鴨川之左右、爲繁華之域。東山三十六峯、連其上。山紫水明。是此都之所以冠絕四方也。

奠都千有餘年。宮祠寺觀甚多。然數遭祝融之災、存者殆希。係其七百年前經營者、僅有三十三間堂、六波羅密寺等數宇耳。

(三〇)大阪

大槻修二

三韓　馬韓、辰韓、弁韓を三韓といふ、今の朝鮮國、　朝貢　貢物を奉じて來朝すること、

遠邇　音ジ、訓チカシ、遠近と同じ、　熾盛　音シ、訓盛なり、

麕聚　音キン、訓束縛也、束縛せるが如く、ヒシヒシと集まる、　狹窄　音サク、訓狹し、セマシ、狹隘、と同じ、

塹　音セン、城のめぐりにある濠、ホリ、　漲　音チャウ、訓ミナギル、

營營　音エイ、訓イトナム、其事のみを心にかけて、　趁　音チン、訓逐ふ、

素封家　位無けれども、家富み榮えて、さながら封土を有する諸侯の如きをいふ、モノモチ、

職此之由　職は主としてといはんが如し、オモニ、　呶呶　音ダウ、カマビスシ、

國不富則兵不强。富國之道、在勸農工。農工賴商以通其貨。大阪百貨之府、大賈之市。其所由來、蓋久遠矣。三韓朝貢以來、舟運之利大興。仁德帝有見于此、相地難波

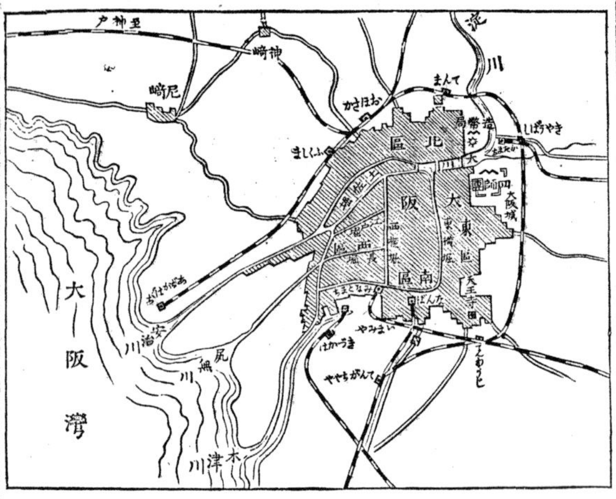

津、始建都制、置外館。爾此地也。中世尙有攝津職。凡海路出入京師者、無不經由。其後舟泊或移神崎、又轉界浦。共爲附近之地。及豐關白築大阪城、遠邇商估、張肆城下、遂爲熾盛大都會。于今三百年。市人轉難波舊名、又或稱浪華。市分東西南北四區。跨淀

川下流、常呼大川。架三大橋。其下分爲安治木津兩川。其河口、共海船所麕聚也。二條長渠、貫通南北。曰東橫堀、曰西橫堀。其他有長堀、道頓堀、江戶堀、土佐堀等。而兩橫堀之間、街衢井通、太似西京。但憾道路狹窄耳。大阪城深塹高壁。置第三師團。造幣局在大川北岸。停車館有四。其在梅田者、通西京及神戶也。近來工業盛行、煙突林立、常見煤烟漲天。市人營營趁利、殆不省其他。故世人往往有鄙焉者。然是千餘年來習俗。而素封家之多、職此之由。夫呶呶者、恐失其當。

（三一）觀曳布瀑游摩耶山記　　齋藤正謙

癸巳晩秋　天保九年九月　崎嶇　音キ、ク、嶮岨、ケハシキ山路、

掣曳　音セイ、エイ、引きはへる、　躡　音セフ、訓フム、

稜疊　音リヤウ、デフ、訓カサナル、　石磴　音トウ、訓石の階段、

鵬程　音ホウ、テイ、莊子に「鵬之徙於南溟、水擊三千里」とあり、想像上の大鳥にて、一たび羽ばたきすれば、數千里に飛ぶといふ、程は路程（ミチノリ）にて此鳥の行くほどの遠き路程なり、

盤折　音バン、セツ、訓マガリ、マガル、曲折と同じ、　纍々　音ルキ、累と同じ、ツナガル、

癸巳晩秋。余有攝播之游。二十二日、將從兵庫還大阪。早發、入謁生田社。社樹老蒼、使人肅然。遂欲觀曳布瀑、右轉上砂山。崎嶇十餘町、攀一邱、得茶店。呼爲望瀑臺。瀑當其前。壁頂瀉下、如匹練掣曳。此其所以得名。但邱上平臨、不甚奇觀。乃躡巖角降、就瀑底仰觀。壁面有石突出。瀑下垂至石、輙怒駭

珠驚玉。餘沫霏散、漲空而下、如驟雨至、衣巾盡濕。呼快者久之。乃反、從坂下右折、又有一瀑、比前者稍小。土人呼爲雌瀑、而以前者爲雄。此瀑已見伊勢物語、平治物語等書、其爲名勝久矣。左轉一里、取路靑谷、上摩耶山。崖樹紅黃相間、稜疊可愛。然路甚險、一步一喘、纔及山門。門內尤峻、石磴掠面而起、數百級。僧坊夾磴、皆切石爲基、高數十仞、層層向上、儼如城郭。進至絕巓、佛殿宏壯、榜曰忉利天王寺。俯瞰連日所經歷、皆在履下。海灣一碧、諸州之山、圍繞其外、至紀阿之際、兩間不相合、如大環缺、從缺而望、鵬程萬里、杳渺無際。出門就正路、盤折而下、呼爲七曲。太平記所載、赤松圓心敗六波羅

軍處、行樹多猴、纍纍掛枝、見人驚叫而去。半里至上野、路漸夷。經西宮、尼崎而還。顧望摩耶山、宛然在雲表、步步惜別、山亦搖光馳碧、送至大阪乃止。

(三二)遊嵐山

齋藤正謙

巳牌　牌は音ハイ巳の刻なり、十二時を午の刻とする故、巳の刻は今の十時なり、
自適　音テキ、訓キマヽニス、
靄然　音アイ、薄モヤかゝりてボンヤリとなる、
爛漫　音ラン、マン、花咲き亂れる、
眞幻　音シン、ゲン、眞の花と、水に映ぜるマボロシの花と、
騰沓　音トウ、タフ　訓込み合ふこと、雜沓と同じ、
瀟洒　音セウ、サイ、水清く澄めること、サツパリとせること、
觴詠　音シヤウ、エイ、酒を飲み詩歌を吟詠す、
蘸　音サン、ヒタスとよむ、
槎　音サ、イカダ、筏、
殺風景　音サイ、訓ソグ、減ずる、通常サツとよむは誤なり、

曛　音クン、暮れ行く、薄ぐらくなる、
晨星　音シン、曉方に太陽漸く出でんとし、星の光も次第に見えずなり行く、晨星は少きをいふ、
落落　そこここにポツポツと居る、人影少くなりしこと、

文政九年三月十三日、與子章及薩邸有川梅隱遊嵐山。巳牌出都門、約橘洲未至。取途鳴瀧、過廣澤池。池北有衣笠山、臨水而立。飛鷺泛鳧、自適於山色水光間、風槪絕佳。其多入古歌宜矣。抵瑞應院。院屬天龍寺、院主不在。茶師川村宗順代守、善待客。園池瀟洒可喜。適微雨來、淡烟中望嵐山、靄然可愛。乃開宴南榮、觴詠歡甚。酒半橘洲至、分韻各賦一絕。雨已晴。出行數百弓、達大堰川。西岸爲嵐山、櫻花萬株、爛漫如海。其下水光明淨如鏡、花影倒蘸、眞幻相對。而橋之臥、槎之

泛舟之去留、人之來往坐立、宛然在圖畫之間。但都人士女、騰沓係途、歌呼如沸、頗爲殺風景。乃共上任有亭。亭在三秀院、距官道咫尺、幽靜如僻境。憑欄而望、山之聲價頓增。留玩久之。既辭去。日已曛、遊人落落、如晨星。鳴禽下上、瀑聲之間、益覺境之幽。少焉、金光落波、月出山上、軟銀堆雪、上下相射。橋之在其間、恍如月宮梯、使人飄然欲

仙名曰渡月。信不誣也。既還院、宗順供飮、遂延入茶室、淸談至夜半、同留宿焉。

(三三)遊嵐山　二

齋藤正謙

拂曉　明け方、日將に出でんとする比、
猿貫　猿の連れる如く連りて、
錯立　音サク、交錯（マジハル）して立つ、
攀躋　音ハン、サイ、訓ヨヂ、ノボル、
縹緲　音ヘウ、ベウ、遠くカスカなり、
幽邃　音スイ、閑靜に奥深い、
險　音アイ、狹し、
撲撲　音バク（ボク）訓打つ、
歆羨　音キン、セン、訓ウラヤミ、ウラヤム、
紆餘　音ウ、訓メグリメグル、曲折、
竦然　音シヨウ、訓ゾツとする、
楚潔　音ソ、ケツ、訓サツパリして淸い、

十四日拂曉、復同遊嵐山、過渡月橋、旭日方升、香霧靄然。循

岸而行、涉山足徑甚險。猿貫而進。花覆頭上、香風撲撲入衣裳。昨日望爲雲者、得以逼見其眞。行五六町、抵音無瀑、一小泉耳。凄神寒骨、殊爲深山幽谷想。又行四五町、地漸上、抵大悲閣。閣角倉了意所創。林羅山碑在焉。却立而望嚮之花木、皆可俯見。而古木怪巖、夾水錯立、奇不可言。昨日所未覩也。吹烟久之、復還瑞應。飯已、橘洲梅隱別去。余與子章亦辭而出。過臨川寺。前臨堰川、故名。主僧剛中和尙、迎飮焉庋亭。亭有十景、恨不能一時并得。獨和尙常住於此、以嵐山堰水爲園池、靜觀春秋晝夜萬千之狀、不啻十景。不知何修以享此淸福。可歆羨也。遂抵天龍寺。樓閣壯麗。寺僧延入方丈。園池

甚佳。池形如心字。名曹源。夢窓國師所造云。池西有龜山帝陵。其上有七老亭。攀躋數折而達。對岸卽嵐山也。地絕高、满山之花、莫得遁隱。俯視堰川、如一匹練。紆餘曲折、隱見於數里間。而東南諸山、出沒春靄中。精藍棊置、丹樓寶塔、縹緲現出。子章爲余一一指點、使人不暇應接。於是竊謂、觀花不遊嵐山、猶不觀也。遊嵐山、不上七老亭、猶不遊也。既下山去、復逾渡月橋、抵松尾祠。境幽廟古、使人竦然起敬。又遊西芳寺。是夢窓退棲之處。寺雖小、園池之美、不減天龍。至於幽邃楚潔、殆過之。

(三四)遊鷗水記

藪愨

蚤　音サウ、早と通用す、ハヤク、ツトニ、
巾帨　音キン、ゼイ、手拭ひ、
概之　大凡そ、
連條　條は枝なり、
晷影　音キ、訓ヒカゲ、
咄嗟　音トツ、サ、訓アナヤと云ふ間に、
杯盂　盂音ウ、飮食を入るゝに用ふるハチ、ワン、
羲皇　支那の古代の帝王伏羲氏のこと、
華胥　列子に黃帝夢に華胥國に遊びしこと見えたり、後人睡ることを華胥に遊ぶといふ、
柳子厚　唐の文章家にて柳州にて作りし記行文は後人の最推尊する所、
淸洌　音レツ、訓寒冷なり、
磷磷　音リン、キラ〳〵と光ること、
蓊鬱　音ヲウ、ウツ、盛なる貌、シゲリ合ふこと、
亭午　亭音テイ、訓イタル、亭午は午に至るの意、即正午なり、
行厨　辨當のこと、
肴核　音カウ、カク、訓サカナ、果物、
太白　杯のこと、

袁中郎　明袁宏道字中郎、詩文妙悟を主とす、万暦中呉縣に知たり、西湖遊記を作る、

柳州　柳子厚の記行文を作りし處、　西湖　袁中郎の記行文を作りし處、

縈帶　音エイ、訓メグル、

輦轂　音レン、コク、輦はテグルマ、轂は車輪の中央、帝都を輦轂の下といふ、

寥寥　音レウ、空し、寂し、

遊東山之明日、山子章邀余等、避暑鷗水。余等既懲昨日途上之熱、因相謀蚤往。以故途上不甚熱。已抵鷗水、乃設一大牀水之中央。僮僕使令皆得揭而過。水不甚廣、深僅沒脛。清冽殊甚。纔洗巾帨、皎潔如雪。水底細石磷磷、亂流爲紋。間有巨石水觸之鳴、清響徹耳。冷冷不歇。水之兩崖、嘉木千章、概

之百餘尺、蓊蓊鬱鬱、蒼翠如染。而連條交葉、翳蔽水上、日雖亭午、暑影不漏。宛乎天造之屋耳。於是子章爲命行厨、則杯盂肴核、不待咄嗟而辨矣。余等乃浮太白、競行厨、遽然而醉。醉則涉、涉則倦、倦則臥。仰美蔭、俯清流、寤而爲羲皇之民、寐而爲華胥之王。快暢間適、樂不可言也。余適齎柳子厚袁中郎諸遊記、與子章披而讀之。余迺謂子章曰、讀二子所記、其勝未必勝此水也。且柳州固僻邑。西湖雖繁華、亦非當時帝都。然皆得二子、其勝益顯。今也此水、縈帶乎輦轂之下、游客之衆、日以爲群。而寥寥乎千百年來、未見有一文如二子者也。則知己之難遇、豈獨士也哉。子章憮然。

（三五）觀不知火記一　菊池純

蟻集　蟻の甘きに集るが如し、　喧傳　音ケン、デン、カマビスしく云ひ傳へる、

南溪子　橘南溪なり、東遊記西遊記等の著あり、この文は西遊記の一節を漢譯せるもの、

崎嶼　長崎港なり、　黛色　音タイ、眉ズミのこと、遠近の山々を眉ズミに譬へたり、

浦潊　音ジョ、浦と同じ、　眺矚　音テウ、ショク、訓ナガメ、

倩　音セイ、雇ふ、　塽塏　音サウ、カイ、小高くして四方の眺望よき地、

攢簇　音サン、ソウ、訓アツマリ、ムラガル、

昔者稱二肥、謂之前火後火之國。後世忌火、改以肥字、宜矣。其火之變幻起滅、不易測知也。火以每歲七月三十日現焉。遠近蟻集、喧傳以爲奇觀矣。南溪子西游、欲觀其所謂不知

火者、以七月中旬發崎嶼、途登雲仙嶽、將航赴于島原、詢邑人曰、觀火孰地最奇。曰、宇土八代、凡沿海一帶地方、無適不奇。而其最壯觀者、獨在天草島。乃拏船而渡焉。此日天氣開霽、海面如席。其背面依依若送其行者、則雲仙嶽也。其東南黛色遠近、若迓其船者、則爲天草島。船進島移、一瞬數里、蚤已抵天草。乃轉棹入浦潊灣曲之間。山水清淑、眺矚絕佳。白砂翠竹、與漁家蜑戸相連綴、頗有平遠山水畫致。凝睇久之。回棹抵惣象。乃倩導者登高塏。塏高七八町、地勢塽塏、前接于大洋、俯而眺之、則宇土熊本八代諸邑、皆攢簇其脚下。其東南則天水一碧、不見其際涯。島嶼無數、點綴其間。曰鼠島。

日大島。曰某。曰某。不遑悉擧也。

(三六)觀不知火記　二　　菊池純

獻酬 音ケン、シウ、杯のヤリ、トリ、　荒陬 音ソウ、訓遠く都を離れたる片田舍、
茫洋 ボンヤリして、　閃爍 音セン、シヤク、訓火光ヒラメク、
旁午 音ハウ、ゴ、訓入れちがひに、交はり横はる、　煌々 音クワウ、訓キラ〳〵と光る、

既而日落。烟合四顧曛黑。不辨人影。四方來觀火者。蜂屯蟻集。爭點松明。歌舞吹彈。不問交之生熟。而獻酬交錯。荒陬之地。變爲鬧熱世界。今歲秋暑。比例最劇。此夜。沿海地方。天霽氣爽。風露凄凉。頓忘炎威可畏也。夜半。海面茫洋。絕不覩一火影。故初來觀者。或疑以爲虛妄矣。少焉。洋心有物。閃爍離

波。熟視之。則火光也。忽然一火分爲兩火。兩火分爲三四點。先後現出。連亙於數里外。明而欲燃者。幽而欲滅者。高者如翔。低者如走。或雙或隻。或合或離。旁午來往。不可方物。喩諸祇園祭會萬燈映射。燦然照波。終夜煌煌。不啻白日。大抵觀火。其地形高則觀亦隨奇矣。土人號曰龍神火。此夜。嚴禁漁獵。止航海。往歲。熊本藩士。泛舟赴火所。到則火已遠在數里外。至天明。則火光星散。滅沒波上。遂不知其所在也。

(三七)元寇　　賴襄

使聘 使者を遣はして訪問する、聘は音ヘイ、安否を訪ふこと、　殪 音エイ、訓タフス、
憤恚 音フン、イ、イカリ、ウラム、

舳艫相銜 舳ヂク、舟の前方、ヘサキ、艫ロ、舟の後方、トモ、銜はフクムとよむ、數多の舟相連りて行くこと、
彀弩 彀は音コウ、弩はイシ弓、訓弓を張ること、　鏖 音アウ、訓ミナゴロシ、

文永七年。北條時宗執權。當是時。宋氏爲胡元所滅。諸隣國。皆服於元。獨我邦不通使聘。元主忽必烈。令韓人致書於我曰。不服則尋兵。朝廷欲答之。下鎌倉議。時宗以其書辭無禮。執爲不可。元主復遣使者趙良弼來。時宗令太宰府逐之。凡元使至前後六反。皆拒不納。十一年十月。元兵可一

萬。來攻對馬。地頭宗助國死之。轉至壹岐。守護代平景隆死之。事報六波羅。令鎭西諸將赴拒。少貳景資力戰。射殪虜將劉復亨。虜兵亂奔。而元主必欲遂初志。後宇多天皇建治元年。元使者杜世忠何文著等九輩。至長門。留不去。欲必得我報。時宗致之鎌倉。斬于龍口。以上總介北條實政。爲鎭西探題。遣東兵衞京師。西兵衞者。悉從實政。益築太宰府水城。省冗費。充兵備。弘安二年。元使周福等。復至太宰府。復斬之。元主聞我再誅使者。則憤恚。大發舟師。合漢胡韓兵凡十餘萬人。以范文虎將之。入寇。四年七月。抵水城。舳艫相銜。實政將草野七郎。潛以兵艦二艘。邀擊于志駕島。斬首虜二十餘級。

虜列大艦、鐵鎖聯之、彀弩其上。我兵不得近。河野通有奮前、矢中其左肘、通有益進、仆檣架虜艦、登之、擒虜將玉冠者。安達次郎、大友藏人、踵進、虜終不能上岸、收據鷹島。時宗遣宇都宮貞綱、將兵援實政、未到。閏月大風雷、虜艦敗壞。少貳景資等、因奮擊、鏖虜兵、伏屍蔽海、海可步而行。虜兵十萬、脫歸者纔三人。元不復窺我邊、時宗之力也。

(三八)宇治河先登　一　　賴襄

訣別　音ケツ、訓イトマゴヒス、　　罷　音ヒ、訓ツカレル、

源賴朝檄八州將士、西討義仲。徵兵聚者六萬。乃盡委之於範賴、義經、因令曰、「木曾阻我兵、必於宇治河。皆具善馬、可以

騎渡。」賴朝有駿馬二。曰池月、曰磨墨。梶原景時有寵、其子景季年少銳勇。於是請得池月以先登。賴朝曰、「乞焉者多、吾不與也。顧範賴等戰不能克、吾且親往。此吾乘也。」乃賜磨墨。諸將士皆發。明日佐佐木高綱自近江來、謁。賴朝問曰、「聞汝在近江、盍直從軍入京乎。」高綱對曰、「臣如從軍、不敢期生。欲一見君訣別、且奉指揮也。馳三日乃達。臣唯一馬、罷不可用。故後期在此。」賴朝喜。因謂之曰、「汝能為我先登於宇治乎。」曰、「能。臣居河上、識其深淺也。」於是遂出池月賜之。高綱感喜、謝曰、「君聞高綱未戰而死、則不能先登也。聞未死而戰、則先登者高綱也。」拜舞而出。賴朝呼返、戒之曰、「景季等乞焉、而不與。汝

記之。」對曰、「諾。」

(三九)宇治河先登　二　　賴襄

慍　音ウン、怒氣を含むこと、　　二艮　二人の良臣、佐々木高綱と梶原景季とをいふ、
囑　音シヨク、訓タノム、　　久濶　音クワツ、久しぶり、シバラク、
哂　音シン、笑ふなり、　　廐人　音キウ、馬小屋の係りの者、

時大軍陣于浮島原。景季視群馬、無過磨墨者。牽而上高丘、誇示於衆。已而有大嘶聲。畠山重忠曰、「池月聲也、何以至此。」已而高綱僕牽池月至、過丘下。景季問曰、「誰乘。」僕對曰、「佐佐木氏之乘。」景季大慍曰、「不圖公之視彼踰我、我寧與彼死、使公喪二良。」卽扣刀要路而待。高綱望見之、謂其騎曰、「彼非梶

原邪。公之囑我殆為是也。」漸近。景季呼曰、「四郎久濶、彼乘公所賜乎。」高綱哂曰、「否。吾患無善馬、欲就公廐借之、聞磨墨已賜於子矣、池月不得命矣。子且然、況於高綱乎。然君之事方急、不遑顧慮、遂誘廐人竊之矣。後有責問、子幸救解之。」景季色解、笑曰、「悔我不竊也。」乃與俱西。

(四〇)宇治河先登　三　　賴襄

見兵　現在の兵、　　囂豗　音ガウ、クワイ、訓カマビスシ、喧囂、
撾　音タ、訓ウツ、鼓を打つ、　　紿　音タイ、訓アザムク、欺く、
馬絛　音タウ、編みたる糸繩、馬の腹帶、　　慢　音マン、訓ユルム、
辟易　音ヘキ、エキ、避け退く、

範賴向勢多、義經向宇治。義仲聞之、議戰守。見兵千騎。乃遣今井兼平・山本義弘、拒勢多、根井行親・楯親忠拒宇治、撤橋板、樹柵、張繩於水中守之。二十日、義經以騎二萬五千至東岸。戒居民避軍、而火其廬舍、以布陣焉。起櫓自登、具筆硯、書將士功最。曰、「將以報鎌倉也。」將士皆奮欲戰。義經又發令、而軍囂甚、不聞令。乃取平等院鼓撾於櫓下。一軍屬耳。義經乃令、「二萬人中、必有善泅者。直前嘗之。」我勇士緣橋架、防敵、勿使敵射我泅者。泅者爭釋甲而沒、刀截其繩。平山季重・澁谷重助・熊谷直實等上架而射。射戰良久。有二騎鞭馬亂流而進。先者景季、後者高綱。高綱自後紿景季曰、「子之馬條慢矣。」

景季駐馬約條。高綱則超乘而過、上岸自名。景季踵上。義經上功簿、高綱爲先登第一、景季爲第二。畠山重忠以手兵繼渡。行親射之中其馬。重忠泅而達岸、揮刀而進。北兵辟易。義經乃以全軍渡、擊大破之。

(四一)河中島之戰　一　　賴襄

絚　音コウ、訓大索、オホナハ、
擠　音サイ、訓オシオトス、
驑馬　音リウ、黒毛の馬、
旗幟　音キ、シ、旗、旗ジルシ、
黃襖　音アウ、上衣、シタ、レ、
湍　音タン、訓ハヤセ、

天文二十三年八月、上杉謙信復以八千騎入信濃。曰、「吾此行、必與武田信玄親戰、決雌雄耳。」進渡犀川陣。信玄以二萬

人出、與之對、固壘不出。間日、謙信使村上義清等夜伏兵、而曉出采樵者、近甲斐壘。甲斐兵出追之、陷伏皆死。諸隊隨出、乃大戰。終日十七合、迭有勝敗。信玄潛下令、張絚犀川而渡、伏旗幟、徑蘆葦中、直襲謙信麾下。麾下潰走。信玄乘勝而進。宇佐美定行等以手兵橫擊破之、擠之於河。信玄與數十騎走。有一騎黃襖驑馬、以白布裹面、拔大刀來、呼曰、「信玄何在。」信玄躍馬亂河、將逃。騎亦亂河、罵曰、「豎子在此乎。」擧刀擊之。信玄不暇拔刀、以所持麾扇扞之。扇折。又擊斫其肩。甲斐從士欲救之、水駛不可近。隊將原大隅槍刺其騎、不中。擧槍打之、中馬首。馬驚跳入湍中。信玄纔免。武田信繁聞信玄危、返

之、呼騎索戰、戰死之。是日、兩軍死傷大當、而信玄被創、夜收兵退。後獲越後捕虜、言、「驑騎乃謙信也。」

(四二)河中島之戰　二　　賴襄

鼓譟　音サウ、鼓を打たゝき、オメキ叫ぶ、
擐甲　音クワン、訓甲を著用すること、
五鼓　五更と同じ、今の午前四時頃、鼓打ちと時刻を告ぐ、故に五鼓といふ、
爨　音サン、訓カシグ、

弘治二年三月、信玄・謙信復對壘河中。信玄與山本晴信等謀曰、「我分兵遠出越後軍後、鼓譟逼之、而以本軍夾擊、必大得志。」乃令信濃客將保科彈正等、以兵六千、夜度戸神山。時月黑、迷失道、不能達。謙信見甲斐軍夜爨人馬有聲也、潛起、

擐甲、傳令、擧八千騎出、五鼓詣信玄牙營。會天大霧。謙信自霧中、直斫營而入。營驚潰。斬山本晴行等六將。而天明矣。客將兵達上杉氏營。營無隻騎。顧聞河中島戰聲如雷。則還、渡筑摩河、出北軍後。甲斐軍望見乃返、夾擊北軍。北軍敗走。追逼之犀川。北軍輪轉返戰、包追兵。將士鏖之。甲斐後軍橫擊救之。北軍乃倒隊而退。宇佐美定行植幟渡口、護之盡濟。甲斐兵疲、不復追擊。

(四三)閣龍傳 一

安積信

瀛海　音エイ、大なる海、

港嶴　音キク、隩、澳と通用す、水の陸地に曲り入りたる處、

堪輿　音シン、ヨ、地球のこと、

一葦　葦音キ、訓アシ、海の大なるに比すれば、舟は葦の一葉の浮べるに似たり、一葦は舟のこと、

西溟　西方の海、溟は音メイ、

荒唐　取りとめも無き、信ずるに足らぬこと、

四壁　四方の壁のみにて、家財など一も無く、貧困なるをいふ、

閣龍、伊太利亞中部熱奴亞人也。性敏慧、有大志。嗜航海之術、歴游諸州、凡瀛海、港嶴、島嶼、暗礁、淺沙、船舶所通、鯨鰐所窟、莫不諳悉焉。時人爲之語曰、閣龍海路、前無古人、後無來者。閣龍不以此自多、益精究其術、廢寢與食。每言、茫茫堪輿、其際不可測。然極東諸州之域、今已開創、殆盡。但極西未聞有國土也。吾將泛一葦於西溟、檢出千古未闢之邦。其志氣之壯如此。然家徒四壁、不能裝大舶。嘗詣本州官廳、說之。是

時西洋諸國、主以拓疆得地爲要。故姦狡邀奇貨者、動輒獻航海之策。國主深懲其荒唐、弗聽。閣龍乃至葡萄牙、請之。亦不允。轉而入伊斯把泥亞、說王。妃智而慈、憫其篤志、賜一萬六千金、欣助之。乃以明應二年、開帆針路西指。已行三十四日、四顧茫茫、惟天與水、不見一點黑痣。舟人意大沮、皆罵閣龍曰、自今三日、不得一邦土、當沈汝於海、委鮫鰐。以漏憤耳。閣龍神色怡然、令屬吏上檣竿、且戒之曰、汝見有邦土、須發大聲矣。既檣上縱叫、衆

抃舞、歡聲如雷、環閣龍而拜。亟造其地、果得一大國。乃北亞米利加洲也。

(四四)閣龍傳 二

安積信

七竅皆鑿　荘子の應帝王篇に見ゆ、占領して殘る隈なき意。七竅(ケフ)は耳、目、鼻、口の七孔をいふ、

開墾　音コン、荒れ地を開きて耕作する、

媢　音バウ、媢嫉、ネタム、

聚落　村落のこと、

嗣後、西洋人羨其奇功、爭抵是邦者、歲益多。於是南北亞米利加、大抵爲西蕃所占據、而幾乎七竅皆鑿矣。閣龍既復命。王妃喜甚、擢爲亞米利加總管。閣龍雖能闢其域、而未通物情、叛亂尋起。國王遣別將治之、還閣龍於本州、寵遇如故。後

又抵亞米利加、開墾曠土、遷民成聚落、審其物產而還。時王妃卒。閣龍感知己之恩、悲不自勝、未幾發病而死。年六十一。實西洋紀元千五百二年、皇朝永正十六年也。閣龍既建蓋世之勳、國人多娼之。有一客、謂閣龍曰、「子檢出新邦、亦僥倖耳。何足道乎。」閣龍曰、「然。子請試卓雞卵於机。」客曰、「不能也。」閣龍乃取卵、挫其尖卓之机。客曰、「如此則我亦能之。」閣龍笑曰、「然、但世人不注意於此、故不能爾。儻能注意、何難之有。若吾檢出亞米利加、何以異於此哉。」

(四五)華聖頓傳　一

安積信

兵甲　兵器、甲冑、

侏離　音シュ、リ、蠻人の語聲、

左衽　音ジン、訓襟なり、襟を左まへにすること、

籠絡　音ロウ、ラク、手の内にまろめる、

斂　音レン、訓ヲサム、取り立てる、

方物　其地方にて生ずる物產、

强悍　音カン、勇氣多し、イサマシ、タケシ、

雄鷙　音シ、鷹鷲の如く猛烈なる鳥、從ひて猛烈の義に用ふ、

蔚興　音ウツ、盛なり、

苛酷　音カ、コク、訓カラシ、キビシ、

嚆矢　音カウ、事の始、

本貫　本籍、

度學　測量學、

稼穡　音カ、ショク、農業なり、稼は穀を植うること、穡はトリ收むること、

鈐韜　音ケン、タウ、鈐は鍵、チヤウ、韜は弓袋、劒袋、鈐韜は兵法の書、

焠掌　音サイ、燒く、焠掌は刻苦なり、

烏合　音ウ、何等の訓練も無く唯集まり來れる者、

進勦　音サウ、殺す、勦絕する、

不羈　音キ、ツナガレル、

矜伐　音キョウ、バツ、自ら賢なりとし、己の功にほこる、

澹如　音タン、安なり、シヅカなり、恬澹、寡慾、

北亞米利加洲、地僻民愚、風氣未開、無城郭之固、無戰鬪兵甲之用、侏離左衽、若鹿豕然。是以數百年來、爲西洋諸蕃所籠絡。諸蕃分裂其境、從民闢荒、徵租稅、斂方物。歲月既久、生齒蕃育。近世强悍雄鷙之士蔚興。而西蕃政令苛酷、民不堪命。乃擧兵驅逐官吏、遂爲共和政治國者三十一國、

而華聖頓乃其嚆矢也。華聖頓、北亞米利加比爾危泥亞之人。祖父本貫英吉利、避亂徙焉。父力耕致富殖。華聖頓性聰

敏、入黌舍、精究度學。居數年、歸閭里、勤稼穡、有暇輒講習鈐韜。千七百五十三年、我寶曆三年。佛蘭西築寨於惟喔。惟喔係英吉利屬地。英吉利怒攻之、連年不能拔。命華聖頓、詣寨議和。事雖不諧、頗得其虛實而還。擢爲巡哨長官。善以寡擊衆、屢有功。陞部將、又力戰破敵。而志不欲事英國、娶婦返田里、益焠掌讀兵書。千七百七十六年、我安永五年、州民苦英國苛虐、將擧兵。華聖頓傾財繕兵甲、躬親訓練。越二年、聚衆會議、結義團。衆推爲都統。然烏合之徒、不肯從約束。華聖頓顧能盡心於危疑之間、撫之以恩、馭之以威、皆出於至誠。衆莫不敢愛。乃擧兵逐官吏。英國鎭將大怒、進勦。華聖頓一戰

破之。又率大衆來討。諸隊皆敗、獨華聖頓全軍而退。敵莫敢逼。後擊鎭將破之、又擒殺戍兵。佛蘭西素與英國不協、因爲之聲援。勢益振。千七百八十四年、我天明四年、伐英兵於余爾倔東之地、擒七千人。英國交兵殆十年、每戰輒敗。乃知不可制、議和盟于巴里。佛蘭西國都也。由是北亞米利加爲獨立不羈之邦。實華聖頓之功。而不敢自矜伐、將解職。衆苦留不聽、歸田里、惟文史自娛澹如也。

(四六)華聖頓傳　二

安積信

胥謀　胥は音ショ、相と同じ、相謀るなり、

畫定　音クワク、一定する、

器識　器量、才識、

嫻辭令　音カン、訓ナラフ、熟練、巧妙、應對に習熟せり、

森嚴　音シン、ゲン、シンとして嚴重なり、

闔州　音カフ、訓スベテ、全州と同じ、

韜晦　音タウ、クワイ、己の賢明をツヽミ、クラマス、

狠噬　貪りて厭かざること、狠の食物をカミ食ふが如し、

區　音ク、小なり、

廓清　音クワク、廓は大なり、開くなり、掃ひ清むる、

衽席　音ジン、セキ、訓シトネ、敷物、

攘臂　音ジャウ、訓カヽグ、

唇齒　唇と齒との如き關係、古語に曰く、唇亡べば齒寒しと、

是時禍亂始定、而制度未立、人心未輯、吏民憂之。乃聚衆胥謀、推華聖頓爲上官。華聖頓不得已起視事、畫定法令、咸合時宜。州人悅服。因又推爲最上官、期以四年。及任滿、又留之四年。華聖頓爲政、廉而公、推誠待物。有巴爾東者、資性明敏有器識、嫻辭令、通大體。華聖頓擧之參決政事。在任八年、法令整肅、武備森嚴、闔州大治。然人或有立黨議其所爲者。華聖頓感憤、及任滿乃還舊閭、深自韜晦、無復功名意。以壽終于家。遺命獻金數萬於官、建學校育人材。民懷其德、莫不痛惜。以其能躅英吉利苛虐也。英吉利兵力精强、橫行四大洲之間、奪地拓疆、狠噬虎踞、宇內鮮能摧其鋒。而華聖頓以區區烏合之衆、廓清兇逆、拔州民於焚溺之中、而措之衽席上。由是諸州響應、攘臂而起、相讐而爲唇齒、掎角之者三十一國。

(四七)濱田彌兵衞傳　一

齋藤正謙

訛稱　音クワ、訓ナマリ、

膽略　音タン、大膽にして才略あり、略はハカリゴトと訓す、

農丁　丁は一人前の男、農丁は農夫なり、

鍬钁　音セウ、訓スキ、音クワク、訓大なるクハ、

海口　港のこと、

萊蕪　音ライ、ブ、雜草生ひ茂りて、荒れはてたる地、

哨船　音セウ、見張りの船、

耕耨　音カウ、トウ、訓タガヘシ、クサギル、

臺灣在支那東南海中、古無聞焉。明天啓初、海徵人顏振泉、聚衆據之、招我邦邊民入其黨。因自稱日本甲螺。甲螺猶謂頭目。我日本謂頭目爲加志螺。音近甲螺。故遂訛稱耳。先是泉州人鄭芝龍、少流落、往來我邦、因入振泉之黨。及振泉死、衆推芝龍爲甲螺。雄視海上。後受明將之撫、去移閩中。我邊民代之爲甲螺。而紅毛夷來借地、約歲輸鹿皮三万。既而築城郭據之、役使土人如奴隸、不復輸幣。且我商舶往印度者、

過其近海、爲被殺掠、甲螺不能如之何。適本邦商人濱田某至。衆交訴之、圖報復。某許之。某字彌兵衞、長崎人也。勇而有謀。弟某、字小左衞門。子某、字新藏。並有膽略、力兼數人。乃與甲螺之黨二十人、還請之大府。大府允之、檄長崎代官末次平藏、備船募卒、附之於彌兵。彌兵盡裝其從兵數百、爲農丁、被蓑笠、持鍬钁、行到臺灣海口。請守吏曰、「日本之氓、聞臺地土廣人寡、中多萊蕪、欲移住以開墾之。」守吏以告甲必丹。弗信。以哨船圍之數重、不遽許上陸。使人來言曰、「汝之來、決非好意。不然何從人之多也。」彌兵曰、「唉公何疑人之甚邪。假使日本欲略海外之國、當遣猛將精兵來。日本素不乏其人、奚

使我儕小民之爲。」守吏檢舟中、僅有數十副防身刀、其他唯有耕耨之具而已。還備告甲必丹。甲必丹意稍解、乃許衆登陸。

(四八)濱田彌兵衞傳　二　齋藤正謙

依違　音イ、ヰ、依は頼る、違はタガフ、心のシカト定まらぬこと、
味爽　音マイ、サウ、味はクラシ、爽は明なり、味爽は夜明け、
挺身　音テイ、進み出てて、
排闥　音ダツ、宮中の小門、
閨閤　音ケイ、カフ、閨はネヤ、閤はネヤの口の小門、
咆哮　音ハウ、カウ、訓烈しく叫ぶ、虎などの叫ぶに用ふる語、
擬　音ギ、サシツケル、
披靡　音ヒ、ビ、ヒラキ、ナビク、
礮　音ハウ、砲と同じ、
艤　音ギ、舟をとゝのへて、出帆の用意する、
倀倀　音チャウ、訓マヨフ、

彌兵得入城、謁見甲必丹、請受廛爲氓。弗許。請還本邦。亦弗許。留數月、屢入請之。甲必丹依違不答。彌兵謂衆曰、「甲必丹不許我去留、其意不可測也。大丈夫入不測之地、當死中求活耳。」衆憤然欲死之。一日味爽、彌兵父子三人入城。衆從之、留於門外。三人挺身排闥而進。甲必丹猶寢在牀。驚起叱曰、「汝等入人閨閤、何無禮也。」彌兵咆哮奮前、擒甲必丹於牀、自懷出匕首、擬其喉曰、「汝有死罪。尚何咎人之無禮耶。」左右欲刄之。小左、新藏拔刀遮立、瞋目叱之。左右披靡、不敢迫。甲必丹惶恐、乞饒命甚哀。彌兵曰、「汝欲生、何不停城上放礮。」甲必丹曰、「謹奉命。」曰、「汝嚮所掠之貨、倍數還之。」甲必丹曰、「唯命之

從。」從兵聞變、走入鬬於庭。其後入者、爲礮被傷。彌兵乃左手扼甲必丹之臂、右手執匕首、俱起。小左、新藏擁其前後而出。夷卒不敢動。甲必丹傳命、停放礮、令其卒艤蠻舶一隻、及日本船二隻。裝貨山積。彌兵入而檢之、乃欲拉甲必丹去。甲必丹曰、「島民皆仰某指揮。某去、則倀倀乎無所歸焉。某有一兒、年十二歲。願代某從去。公幸垂愛憐、使某全父子之情。非敢所望也。」彌兵許之。乃質其子及頭目數人、歸報於鎭臺。鎭臺稟大府、厚賞之。於是彌兵之名震一時。時寛永五年也。

(四九)山田長正傳　一　齋藤正謙

磊落　音ライ、ラク、細事にカヽハラヌ氣風のこと、
經商　經營の商なり、四方に往來する行商なり、

艙間 音サウ、カン、訓胴の間とて、船の中央の處、
下海 海を下りて外國に行くこと、
糾合 音キウ、訓マトメ、合ハス、
海澨 音カイ、ゼイ、澨はミギハ、
衷敵軍 音チウ、訓中に取かこむ。
蕞爾 音サイ、ジ、小さきこと、
鑿鑿 音サク、サク、鮮明の貌、
亡慮 凡そ、計慮せずして、其大凡を知るなり、
火鎗 銃を云ふ、
送款 音クワン、誠實の心、

暹羅國、在南天竺。隋志稱爲赤土。暹與羅斛、本爲二國。當元之時、合爲一。周廻萬里、物豐人繁。號爲善國。而我山田長正霸於此云。長正字仁左衞門。或曰、伊勢祠官之隷。或曰、尾張人。自稱織田右府之孫。少而磊落有大志。不事商販作業。好譚兵。雄傑自喜。流落寓於駿府。元和初、天下始定。士之求仕

者、皆干侯伯。長正弗屑曰、「此間無立功名處。唯遊海外、或可以展吾志耳。」時下海無禁。府有經商二人。曰瀧、曰太田。將航海回易臺灣。艤舟於大阪。長正請附乘之。二人弗許。長正乃先到大阪、求二人之舟、入而匿焉。既而二人至、揚帆而發。長正乃從艙間出、申前請。二人大驚、不能如之何。許之。既到臺灣、商事畢、將倶還。長正曰、「某在鄕國、殆不能自存。姑欲留此土、覓喫飯處。」二人方患長正之狂、心私喜、委而去之。

方此之時、支那姦民稱日本甲螺、誘我邊民、占據臺地。長正通覽地方。蕞爾一島、且已有主。不可有爲也。又附蠻舶、西遊暹羅。會邦内騷亂、四隣交侵。而六昆最强。暹羅國主出師禦之。長正見其行軍無紀律、私言其必敗。既而果然。人或傳其語、聞於國主。國主奇之、召見長正、詢方略。長正指畫陳策。鑿鑿可用。國主大喜、擢長正爲上將軍、往禦六昆。時本邦人流寓暹羅者衆。長正糾合數百人、雜以土兵、亡慮萬餘人。皆爲日本裝、聲言日本援兵大至。六昆軍沮。因縱兵奮擊、大破之。六昆王憤甚、傾國來寇。兵數十萬。長正曰、「敵衆强盛、難與爭鋒。唯以謀撓之。破之易易耳。」乃分軍爲三。一伏山陰。一艤

海澨。長正親率其一、出於海陸之間、進挑戰。兵既交、佯敗走。六昆兵追之。將及、號砲俄發。海陸二軍吶喊齊進。火鎗亂發。長正視機、反之、衷敵軍、前後擊之、大破六昆兵、殺數萬人。遂追北、長驅入其都、擒六昆王以歸。威震遠近。四隣爭送款於暹羅。於是國主大賞長正、妻以其女、封六昆及匹皮留之地、號曰晻普良。晻普良、蓋諸侯王之謂也。

(五〇)山田長正傳　二　　齋藤正謙

沓至 音タフ、重ねて至る、
便服 平常の服、
愕眙 音チ、ミツメル、驚きて視る貌、
儀衞 音ギ、エイ、行列なり、
交椅 交叉せる椅子、即ち今の椅子ならん、
發跡 出世、

愚朦　音ボウ（モウ）物事を見分くる能力なきもの、　塵埃　音ヂン、アイ、次の寥廓に對していふ、身分卑かりし折をいふ、

寥廓　音リヤウ、クワク、大空なり、寥廓の上に致すとは王位に即けるをいふ、

桑梓　故郷のこと、詩小雅に「維桑與梓、必恭敬止」とあり、桑梓は父母の植ゑしものなれば、恭敬するなり、後人之によりて故郷を桑梓といふ、

摹繪　音ボ、クワイ、寫し繪がく、　扁　扁額、

報賽　音ハウ、サイ、御禮の爲に献納する、

久之、國主年既高、頗倦勤、使長正攝行國事。於是唵普良之名、噪於印度諸國。而本邦地隔遠、未聞知也。數歲灑太田復回易海外、行到暹羅。既入其界、迓勞之使沓至、相迎入館。少焉有吏來、戒王召見二人。二人初不知其故、心頗疑懼。且從吏入見。王冠服在交椅上、金珠粲目、儀衛甚盛。二人俯伏膝

行、不敢仰視。及退就館、飮食供御如待貴客者。意益不安。既夜復有吏傳呼至。曰、王來。二人驚出迎。王便服入坐、笑拍二人之肩曰、故人無恙。二人愕眙仰視、乃長正也。長正自備說其發跡之由。二人叩頭謝曰、鄙人愚朦、嘗相從於塵埃中、無禮獲罪多矣。不意大王能自致於寥廓之上也。長正曰、予之有今日、實由二子之賜。抑人有德於我、可不報哉。既罷厚賜遣之。本邦商旅聞之、多遊暹羅。長正皆善遇之。長正雖富貴、而常懷桑梓不置。每臨戰遙禱於駿府淺間之神、軍輒勝。至是命工摹繪當時戰鬭之狀爲扁、附商舶獻於淺間廟、以報賽焉。又屢牒執政、納方物於大府、不失恭順之意。頃之國主

殂、世子代立。長政退就封。先是國主之妃、與其近臣姦亂、謀除國主、畏長正而不發。及長正去、遂弑之。長正聞之、則謀興兵討之。二姦大懼、募人潛往毒之。長正死。時寬永十年也。長正無子、有一女、名阿因。勇武有父風、親將其衆、欲復父讎、屢敗暹羅之兵。通國震恐、盡發屬國之兵來戰。衆寡不敵、阿因遂敗亡。其下逃歸於本邦。長正之弟某在江戶、聞長正獲志、欲往從之。適有人傳長正死、乃止。

新撰漢文讀本卷二終

明治三十七年十二月五日印刷
明治三十七年十二月八日發行
明治三十八年二月十日訂正再版印刷
明治三十八年二月十三日訂正再版發行

明治卅九年十二月十一日文部省許可
新撰漢文讀本全五冊

改正定價　每冊金貳拾五錢

著作者　宇野哲人

發行者　前川一郎
東京市日本橋區通旅籠町十一番地

印刷者　朝野利兵衛
東京市神田區柳原河岸十二號地

印刷所　開文舍
東京市神田區柳原河岸十二號地

發賣所　學海指針社
東京市日本橋區通旅籠町十一番地

文學士宇野哲人編

新撰漢文讀本

東京
株式合資會社學海指針社

新撰漢文讀本卷三

目次

新撰漢文讀本卷三目次終

新撰漢文讀本卷三

(一)立志

佐藤坦

古人簶　音ロク、書籍、過古帳のこと、

欲為世間第一等人物、其志不小矣。余則以為猶小也。世間生民雖衆、而數有限。茲事恐非難濟。如前古已死之人、則幾萬倍於今。其中聖人賢人英雄豪傑、不可勝數。我今日未死、則似稍出頭人、而明日即死、輒忽入於古人簶中。於是以我所為、校諸古人、無足比數者。是則可愧矣。故有志者、要當以

古今第一等人物自期焉。

(二)格言

佐藤坦

立志要高明。著力要切實。工夫要精密。期望要遠大。

(三)知要

貝原篤信

學者須知其要、而務守之。所謂知其要者、一言而盡矣。殆非虛言矣。蓋為學之要、在立志。心術之要、在主忠信。躬行之要、在篤敬。讀書之要、在精熟。進學之要、在致知。克己之要、在勇猛。免禍之要、在慎言。蓋知其要而守之、則用力專一而得效多矣。苟不知其要、雖泛求之、難為功。故程子曰、所守不約、泛濫而無功。

(四)愛日

貝原篤信

定省　時を定めて父母の安否を問ふこと、
公事無盬　音コ、訓モロシ、公の事は成効せぬことなし、
致仕　年老いて職を辭すること、古は年七十にして致仕せり、

志士愛日。蓋懼百年之期難保、而時日之逝易過、萬端之事繁重、而進修之功難成也。而人生最可愛日之時、有三焉。其一、幼弱之時。記臆與精力俱盛。故博聞强記之功易成。一記誦、則終身不忘。此時精勵、則一日之功、可以當十日。此學者當愛日之時也。其二、少壯之時。父母既老、不能久侍養。是以定省之功、不可一日怠廢。此人子當愛日之時也。其三、老境衰殘之日。躬既致仕、則無公事無盬之勤勞。方此時、須思其

死期之迫近、而日日娛樂優游終身。此老衰當愛日之時也。夫善勤勞善娛樂者、君子一張一弛之事。以一時為一日、以一日為十日、以一年為十年、是愛日也。

(五)三計塾記

安井衡

晏起　音アン、日高けて起くること、
荒　訓スサム、
標異　音ヘウ、高く自ら己の身を表はし、世人と異るをいふ、
蠢蠢　音シュン、虫の動く貌、無智なるをいふ、
走尸行肉　無智無學なるものを罵りたる語、たとへば屍走り肉行くが如く、無識なる意、
邈焉　音バク、訓軽んじあなどる、

三計者何。一日之計、在朝。一年之計、在春。一生之計、在少壯之時也。何以名吾塾。慮諸生之晏起、與春嬉也。凡遊吾塾者、

皆有志於此道者也。何爲過慮其晏起與春嬉也。人少則恃於年、氣盛則動於物。恃於年而動於物、惰嬉之所由生也。惰嬉既生、則一生之計亦荒矣。物之生於天地間、唯人爲貴。而我得爲人。人以男爲貴。而我得爲男。男以士爲貴。而我得爲士。天之與我厚矣。而君父資我、使我學至大至高之道。則又士中之最厚者也。而終不能自標異於世、蚩蚩乎遊嬉於走尸行肉之中、以爲得計、與虱棲褌何擇。故入吾塾者、不可不思三者之計也。思之有術焉。一生之計、在一年。一年之計、在一日。日復一日、心與習化。見夫惰嬉者、邈焉不接于心。然後天與君父之恩、皆可得而報、而我之所以爲貴者伸矣。此三

計之本也。

(六)十箴

伊藤長胤

箴　音シン、規戒、イマシメ、

浮靡　浮薄、輕靡にて、實著の反對なり、

忽略　音コツ、リヤク、訓ユルガセ、オロソカ、

兢惕　音ケフ、テキ、訓オソレ、ウレフ、競はキソフにて、兢と異る、惕は音タウ、訓ホシイマヽにて、惕と異る、

晷　音キ、訓ヒカゲ、

屏障　屏風、障子、

偸惰　音トウ、ダ、偸安、怠惰、カリソメニシ、オコタル、

憂戚　音セキ、憂ヒ、イタム、

戒箴之於人、關係最多。予以十箴自律。庶幾屏障之間、朝夕觀焉、自訟于己、不至於視爲虛器、躬言之而躬蹈之之弊。一曰、擇朋必精、勿少習惡。二曰、學術必實、毋少浮靡。三曰、莊敬

必肅、勿少偸惰。四曰、言語必愼、勿少暴慢。五曰、孝慈必勤、勿少忽畧。六曰、兢惕必勵、勿少費晷。七曰、疾病必謹、勿少傷體。八曰、見義必遷、勿少猶豫。九曰、富貴必輕、勿少慕羨。十曰、貧賤必安、勿少憂戚。

(七)五樂

佐久間啓

釁隙　音キン、ゲキ、訓ヒマ、スキマ、

廉潔　音レン、ケツ、清廉、潔白、利益を貪らず、道に非れば苟も取らず、

妻孥　音ド、妻子なり、

險夷　險岨、平夷、

怍　音サク、訓ハヅル、

兼該　音ガイ、訓備はる、カネル、

君子有五樂、而富貴不與焉。一門知禮義、骨肉無釁隙、一樂

也。取予不苟、廉潔自養、內不愧於妻孥、外不怍於衆民、二樂也。講明聖學、心識大道、隨時安義、處險如夷、三樂也。生乎西人啓理窟之後、而知古聖賢所未嘗識之理、四樂也。東洋道德、西洋藝術、精粗不遺、表裏兼該、因以澤民物、報國恩、五樂也。

(八)君子之樂

貝原篤信

君子之心、人欲淨盡、天理流行、處常處變、從容洒落。故雖入貧賤患難之中、不改其樂。又況於富貴順適之時乎。是所謂「君子無入而不自得焉」也。蓋君子之心、固有本然之樂、而無一物之累。然後萬物皆可以爲樂。此非待外物而後爲樂。物

至乎前、而皆足以資吾樂也。内焉則詩書禮樂飲食衣服、外焉則山水風月花木蟲魚、亦皆可以資吾樂。顧所資其樂無窮、而其所樂亦無盡。是豈可不自得乎。君子之所樂如此、則豈知足之蹈之、手之舞之哉。

(九)重宗聽訟　安積信

碾茶　音テン、訓ヒク、石ウスにて磨して粉とする。　決獄　判決のこと、
殛　音キョク、訓コロス、　寃枉　音エン、無實の罪、
色聽　容貌を見て其人の言の眞僞を判斷す、　縮慄　音シュク、リツ、訓フルヘアガル、戰慄と同じ、

板倉周防守重宗、代父爲京尹。每日必於西廂、遙拜而後臨聽事。座側置茶臼、手自碾茶、隔窓聽訟。人皆異焉、而畏敬不

敢問也。後數年或問之。對曰、決獄重事也。不容有私意。吾聞愛宕神甚靈。因敬禱、若決獄有一毫私意、明神亟殛之、勿赦。此予所以致拜也。凡聽訟不明、由此心動于物。惟聖賢之心自不動。予何敢望之。但欲驗吾心動靜、莫如碾茶。心靜則手與臼相和、臼之旋也平、茶之碎也細。至是覺吾心虛靜不動、然後聽訟。則庶乎精明不惑矣。此予所以碾茶也。凡人之面目有可憎、有可愛。可愛者之言、疑於誠、可憎者之言、疑於僞。疑於誠者、以爲寃枉、疑於僞者、以爲姦邪。此心隨目而遷、曾未盡其言與情、而是非曲直之辨、已生於心。決獄安得無私乎。夫人有可憎而實可愛、可愛而實可憎者。人心不測。其邪

正不可定以面目。古人有色聽之法。惟其不蔽于物者能辨之。若予固有所蔽。況坐堂上、持生殺與奪之權。訟者仰見吾顏、即逡巡縮慄、不得輸寫其情、終有罹寃枉者。以此思之、究不如不相見之愈。此又所以隔窓聽訟也。

(一〇)菅麟嶼　原善

輻湊　湊は聚なり、車輪の矢の轂(中心)に聚るが如く集るをいふ、　長安　漢の都、江戸にたとふ、
洛陽　漢の都、京都にたとふ、　柱下官　老子は周の柱下官なりき、柱下官は歷史を編述するもの、
际　音シ、視の古字、シメス、　襟度廓如　胸が廣い、

伊藤東涯聲動海内。四方後學多輻湊。菅麟嶼既入物徂徠門、又心嚮注東涯、遂負笈赴之。徂徠固不爲意。太宰春臺内

甚不平、各有送別詩。徂徠云、

其一

五十三驛莫言難。處處山川秋好看。
明日先從函嶺望、如絲大道達長安。

其二

揮鞭意氣愜秋涼。才子奉恩遊洛陽。
但到西山紅葉好。錦衣相映早歸鄉。

自書扇頭、以贈之。春臺云、

田郎妙齡好遠遊。一旦尋師西入周。
天邊月落函關曉。雲際星流渤海秋。

周道如砥、任奔走。那識古人骨已朽。到日試問柱下官。往時老冊今在否。

麟嶼造東涯出际之。東涯一見且笑曰、物先生襟度廓如可想見。太宰子亦慷慨有氣節。

(一一)臺灣　重野安繹

冱寒　音ゴ、氷を結ぶ。

甘蔗　砂糖キビのこと、甘薯又は甘藷はサツマイモなり。

昔時邦人呼此島曰多加沙古。嘗爲和蘭所占。邦人之相往來居住者、亦多。後鄭氏據之。清國滅鄭氏、遂取之。明治七年、島蕃殺沖繩及備中漁民漂流者。我責其罪、遣軍征之。諸酋長多投降。牡丹社兇頑不服。我軍破之、牡丹社遂降。是爲揭

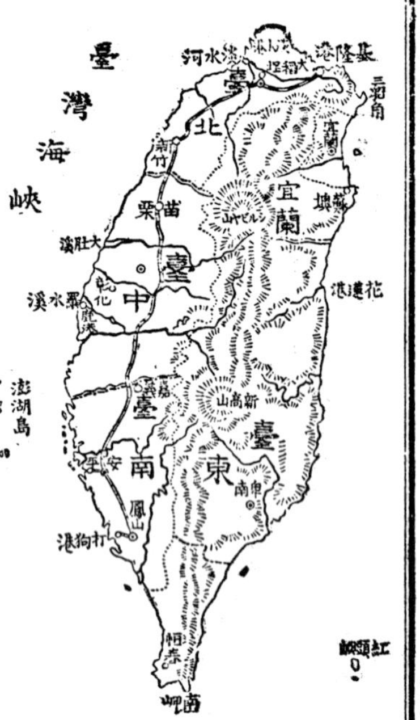

我國旗於此島之始。清國遂償以金五十萬兩、乃約束島民以班軍。島民懷我恩威、臨去惜別、有泣下者。明治二十七年、征清軍興。清國大敗。明年清遣使、請和弭戰、以臺灣歸我。自

是全島爲我版圖。在皇國諸島爲最大。氣熱不知冱寒。然暑時亦海風送涼、洗熱散暑、無復太難堪者。土地肥沃、植物稠茂、最適茶蔗。山又多產樟腦。基隆、淡水、安平、打狗等、爲其良港。

(一二)阿嵎嶺　賴襄

危礁亂立大濤間。決眥西南不見山。
鶻影低迷帆影沒。天連水處是臺灣。

(一三)支那地理概略　一　那珂通世

支那帝國、又名大淸國。亞細亞洲之大國也。土地之廣、亞於露英。人民之衆、冠於列國。東隔東海、與我日本國相望。南臨

南海、接壤安南、南掌、緬甸。西南以喜馬拉山、與印度分界。東北有烏蘇里江、黑龍江。北有阿爾泰山。西有天山、葱嶺、皆以與露國分界。東西千三百餘里、南北八百餘里。面積凡七十二萬方里。幾居亞細亞三分之一。東南一大部、支那本土也。縱橫各五百餘里。面積二十五萬方里。大於我日本十倍。其地屢經朝家之興亾、國號隨變、無一定之稱。國人自稱曰中國。蓋以爲居天下之中也。又曰中華、或曰華夏。猶言文明之邦也。此皆對夷狄之稱、而非國名也。大清者、今代之國號、即所以別於前朝也。與外國相對、亦用此稱。外人概謂之支那。此非國人所自名。昔秦皇帝威震四夷。故西北諸國、遂呼其

地曰秦。後轉爲支那也。漢朝代秦有國四百餘年。其後唐朝興、有國殆三百年。皆遠通外國。故又曰漢、曰唐。稱其民曰漢人、或曰唐人。

（一四）支那地理概略　二　　那珂通世

蜿蜒　音エン、エン、訓ウネリ、ウネリ、蛇の行く貌。　溷濁　音コン、混と同じ、ニゴル、

匯　音ワイ、水流のめぐりとまる、

國中連山、大者數條。概皆與崑崙山脈相連。崑崙在天山之南、喜馬拉山之北。群峯東趨、分爲數支。東南入中國、爲雪嶺、雲嶺、岷山。岷山又分二支、相並而東。南支爲劍山、爲漢南諸山、至荊山而極。北支爲朱圉、嶓冢、終南、太華。又東爲熊耳嵩

高山。勢南折、爲方城、桐柏諸山。又轉而東、至天柱而極。西人謂之北嶺。北嶺支脈北出者、曰吳山、隴山、橋山。雲嶺之東南、有越城、騎田、大庾諸嶺。九疑、武夷諸山、蜿蜒數百里、達于東海之濱。謂之南嶺。騎田、大庾

之間、有大支脈北出。其高峯曰衡山。崑崙之一支、稍北者、曰祈連山。東過中國之北、爲賀蘭山、陰山、興安嶺。又東爲醫巫閭山、長白山。又有山東、山西諸山。山西諸山、與陰山相連。其長嶺曰大行。高峯曰恒山、霍山。山東諸山、自爲一羣、不與諸大嶺相連續。其高峯曰泰山、沂山。

國中有二大川。曰河、曰江。河水發源崑崙之東、斜過中國西北隅、北出塞外、遇陰山而東折。謂之北河。轉而南、復入中國、過大行、橋山之間。謂之西河。遇北嶺而東。謂之南河。又轉東北。謂之東河。終注于渤海。其水溷濁帶黃色。故號黃河。長凡一千餘里。下流多水患。流域屢變。古時自南河轉北、入大陸

澤。東北會于濕水、而河東別有濟水。略同今河道。其後河流漸東徙、與濟合。遂轉東南、以會于淮。至三十餘年前、復轉徙東北。今河道是也。其支川大者、左有汾水、右有渭水、洛水。三水皆名著於史。江水出于河源之西、東南入中國、名金沙江。轉而東北、與泯江合、始稱大江。東流、并洞庭、鄱陽兩湖之水、注于東海。下流一名楊子江。長凡千三百餘里。大舶可航四百里、小船可遡七百里。實爲亞細亞第一巨流。支川大者十餘。皆大於我石狩川。而漢水最顯。漢朝漢土之號、實本於此水名。其外大川甚多。濕水一名永定河、發源大行之西北、并河北諸川、注于渤海。淮水發源桐柏山、并河南諸川、匯爲洪

澤、注于東海。粵江發源金沙江之東南、東流三百里、入南海。大次江河。

(一五)支那地理概略　三　　那珂通世

分轄　音カツ、訓ツカサドル、分ちて管轄する、
刱建　音サウ、訓ハジメ、
荒裔　音エイ、邊鄙の地、カタホトリ、クニノハテ、
畿輔　音キ、ホ、王都を距ること、四方五百里以内の地方、
幅員　音フク、ヰン、訓ヒロサ、ハヾ、
埠頭　音フ、波止場のこと、

南北二嶺横絕中國、地勢分爲三帶。北嶺淮水以北、爲北帶、其南至南嶺、爲中帶、中帶之南、爲南帶。清朝置十八省、以分轄中國。其六省在北帶。曰直隸、山東、山西、河南、陝西、甘肅。直隸爲清之畿輔。京城位其北、在永定河之左。七省在中帶。曰

江蘇、安徽、浙江、江西、湖北、湖南、四川。唯江蘇、安徽北境、踰淮入北帶。四省在南帶。曰福建、廣東、廣西、雲南。一省跨中南二帶。曰貴州。南帶之南、有一大島。曰瓊州。隸廣東。各省有異名。直隸曰燕、山東曰齊、山西曰晉、河南曰豫、陝西曰秦、甘肅曰隴、江蘇曰吳、安徽曰皖、江西曰江、四川曰蜀、貴州曰黔、雲南曰滇。又合稱陝西甘肅曰陝甘、江蘇安徽曰江南、江南江西曰兩江、湖北湖南曰湖廣、又曰楚、福建浙江曰閩浙、廣東廣西曰兩廣、又曰粵、雲南貴州曰雲貴。

北帶者、支那人種之所刱建帝國也。歷代國都、多在此中。黃河左右、自古稱爲中原。治世則常爲文物之會、亂世則必爲

兵爭之地。中帶之民、勢力常遜北人。而土田之美、水運之利、卻勝北地。支那之富源、實在于茲。故戶口繁殖、殆倍北帶、而四倍南帶。江蘇、安徽、浙江三省、人煙最稠密。幅員不大於我邦、而人口殆三倍之。南帶昔時爲荒裔之地。自西國通商以來、埠頭並設、賈舶雲集、遂爲富盛之地。直隸省之東北一部、曰滿洲。雖在塞外、爲清朝直轄之地。置盛京、吉林、黑龍江三省。謂之東三省。

（格物入門）

(一六)熱

微眇　音ベウ(メウ)訓カスカニ、チヒサシ、
鼓盪　音タウ、訓ウゴク、

視之無形、聽之無聲。其體微眇難測、然其用可知、其理可究。

蓋熱氣散布於萬物。無此則風不動、水不流、人物不生、草木不長、天地皆塊然死物矣。物中莫不有熱氣也。惟分多寡耳。熱之於物、畧如水之於海。海有低凹之處、水卽向之而流、以補其缺。又如風在空際。遇稀薄之處、則鼓盪之矣。卽如置熱鐵於冷鐵之上、冷鐵漸熱、而熱鐵漸冷、少頃則二鐵之冷熱均矣。亦若水平不流耳。又如二鐵均重、其一較熱二十度、令二鐵相依、熱氣若不於空中漫散、則此鐵之熱、必減十度、彼鐵必加十度也。若彼鐵大一倍、則加熱五度矣。

（格物入門）

(一七)波浪之理

浪前行。非水前流也。不過水面改換形勢耳。推原其故、係因風壓水面。力有重輕。力重則水被壓而低下、其旁自然高起。風之傳力而過、遂現波浪之起伏。正如以繩繫而搖之、則見起伏如波浪、亦傳力使然耳。若極大之浪、其高處與凹處差至五六丈。二浪低凹之間、相距五六十丈。其行動極快、雖水不與之俱行、而上下起落之勢、力大無窮。故巨舟遇之、若不勝其顚仆也。

(一八)蜃氣樓　（博物新編）

淸人以海市爲蜃氣幻影、以山市爲神仙幻境。若果爲蜃、不應有于山。若果爲仙、終有現乎夜。何以不聞有燈燭山市夜

光海市、而必現于無風有日之白晝乎。是海之爲市非蜃、山之爲市非仙。其實皆濕氣凝空、日光返照所致也。故其爲像、有城郭焉、有村落焉、有樓臺焉、有林木焉、有山川焉。人馬雞犬、無微不照。由明而暗、由暗而沒。以湖海之氣爲最多。有數見者、有偶見者、有向上者、有向下者、有相對者、有相背者。皆就其地氣天時而然。

（氣海觀瀾）

(一九)雲

升騰　音トウ、訓ノボル、アガル。
咫尺　音シ、八寸を咫といふ。
初晣　音セツ、訓アキラカ。
撓折　音タウ、訓マガル、タワム。

雲、海陸所發之蒸氣、升騰浮游氣中、聚束而不融化者。若逢

上氣冷、則愈重稠、不能升于高際。然其極微、挾越列吉質、互相衝盪、而遮其聚爲雨。是以或重雖垂地、全不墜地。有時濃厚之甚、咫尺不辨。謂之乾霧。夫霧不外於雲之低垂者。登高山者、入雲中、見衣濡水滴。是爲雲與霧、同水蒸氣之懸於氣中者。秋冬氣寒、其力弱於融解蒸氣。是故霧多浮於地上。然得初晣之溫、則張擴其霧、使斯升騰于高際。若猶溫質力不足融盡之、則終日爲氣中之陰霧。及太陽沒、復再稠厚沈墜、而作夜霧。此霧低垂、離地僅數寸。猶因其越列吉質互相分衝、遮其聚合、以作霧狀。凡雲輕疎則愈高、重稠則愈低。大抵其高自百二三十丈、乃至五六百丈。是故高山雲懸其半多。

又雲色、卽生於太陽光線之撓折。雲態一任風力而已。

(二〇)乳雀　鹽谷世弘

乳雀　鳥獸の子を生めるを乳といふ。
燕室　燕は安なり、燕居の室をいふ。
謋然　音クワク、莊子養生主の中に見ゆ、バサリと倒るゝ聲なれども、こゝにては落つる音に用ふ。
餕　音シュン、食ひのこりのめし。
首實　咎ありて自ら白狀すること、自首（熟字）
啗　音タン、啖と同じ、食ふなり。
孺子　音ジュ、幼きもの。
羽翼　鳥の羽翼の飛ぶを輔くるが如く、輔佐するをいふ。

德川家光爲世子、嘗見屋上乳雀、命近臣往捕之。屋係大將軍秀忠公燕室。衆莫敢往。乃推松平信綱。曰「汝年幼體輕、宜往。」信綱勉强應命也。夜潛緣屋索之。失足墮中庭、謋然有聲。

大將軍提刀、夫人執燭而出、見信綱詰之。對曰、臣觀雀兒、心欲之、竊來捕也。大將軍曰、否、是必有主使者。窮詰再四、而不告。大將軍怒、納信綱於巨囊中、而緘其口、懸之柱曰、汝首實、即許去。信綱自囊中爭之、徹旦。旦日大將軍出視朝。夫人憫之、私祛囊口、以餕啗之、復緘口如初。日中大將軍入、復詰之。終不改辭。夫人固請而縱之。大將軍目送焉、謂夫人曰、孺子能如此、後必羽翼吾兒。

(二一)獅子　（博物新編）

捉攫　音ソク、クワク、訓トラヘ、ツカム、
脗　音フン、口の邊なり、
疼癢　音トウ、ヤウ、訓イタミ、カユシ、
腿　音タイ、訓足のモ、

竦竪　音ショウ、ジュ、訓ソバダツ、タツ、
獰惡　音ダウ、ミニクシ、
麋　音ビ、鹿の種類ナレジカ、
攖　音エイ、訓フル、

獅、虎、猫、豹、大小同類。其性貪殘、所食惟肉。捉攫跳躍、利用爪牙。其爪伸縮如意、其牙交錯如剪。掌有軟胞、登高躍下、恆不痛楚。脗有橫鬚、知疼覺癢。凡入林穴、試可乃進。前腿大于後、擒捉生物、必躍而殺之。

力勢甚雄、人畜皆懼。除猫之外、家養不馴。其類以獅爲最大。産于亞細亞、亞非利加二洲。身長四尺、高三尺餘、自首至尾、共長八尺。毛短鬣長、怒則竦竪鬣。狀貌獰惡、威伏百獸。虎豹亦爲所制。色麻而黃、目圓而大。晝伏夜出、饑伺飽眠。或居山林巖穴、或處茅裡蘆中。日間覓食、伏水濱以俟渴獸。夜間覓食、俯地大吼、聲如遠雷。麋鹿聞之、莫不驚走。撞遇必爲所食。牝獅鬣短如虎、懷胎四月而生。每生三四子。牝牡遞相哺育。飲乳週歲、即離母覓食。牝生子後、其性甚猛、牡獅莫之敢攖。凡捉牛擒馬、皆背負以走。奮威一掉、牛馬脊骨亦裂。所殺多猛獸、餒極始啖人。獸之弱者、每爲所釋。人類之肉、喜嚙黑奴。

飢能數日不食、渴必每日一飲。

(二二)獅識奴　依田百川

圈養　音ケン、獸類を養ふオリ、
猙獰　音サウ、獸なり、ミニクシ、
齅　音キウ、臭をカグ、
錯記　音サク、訓アヤマリて記臆する、見忘れしこと、
邂逅　音カイ、コウ、訓タマサカニアフ、思はずもめぐり逢ふ、
窅冥　音エウ、メイ、深遠の貌、
蹠　音セキ、訓足のウラ、
棘芒　音キョク、バウ、訓バラのトゲ、

羅馬都會、圈養猛獸者以千數。而其最猙獰者爲獅。有一鐵檻畜之。吼聲一震、百獸皆伏。嘗有奴安都鹿格婁、謀逃脫。主怒、投之檻中以飼獅。觀者如堵。忽見獅瞋目疾視、張爪而進。既屹立不動、若有所思。忽搖尾帖耳、稍近奴、四周齅之。齅畢、

舌舐其手。奴始面無人色。及見獅無害意、茫然熟視、若遇舊識。謝其錯記者。又若曰、不圖邂逅於此者。於是觀者魂迷神駭、若醉若痴、不覺大呼。羅馬主適過奇之、召奴問其故。奴對曰、奴昔從主於亞非利加。不堪苦役、逃入山中巖洞窅冥。忽聞獅吼聲。奴自分必死。獅見奴、至擧其蹠如示奴者。奴諦視之、則刺在焉。蓋棘芒也。乃爲拔去、拭其血。既而獅橫脚臥。奴乃手撫摩之。未久痛已。獅色喜去。啣一鹿脚餉奴。奴生噉之、得無死。起臥洞中十餘日、與獅別去、入都邑、爲主所縛、在獄數歲。及入檻見之、則奴嘗爲拔刺者也。不知彼何時見鏁在此。衆聞之皆嘉其義、爭請宥奴罪。帝乃命其主放之、賜以獅。

奴喜躍拜謝、牽獅去。馴伏如家狗。觀者以食飼之、或與以錢物。奴因以致富云。

(一一三)示諸生　室直淸

汲々　音キフ、休息せず、
沈潛反復　心をヒソメて、クリカヘシ研究する、
涉獵　音セフ、レフ、博く彼れ此れにワタリ、アサル、
忨愒　音グワン、カイ、忨愒は貪なり、
載籍　音サイ、セキ、書籍のこと、
通儒　物の義理に通じたる學者、

世之學者、莫不讀書。而善讀書者、天下鮮矣。余謂讀書之法、朱子二語盡之。曰、嚴立課程、寬著意思。嚴立課程、則日有進益之效。寬著意思、則常有咀嚼之味。何謂嚴立課程。凡讀書、當以其所讀之書、爲一件事業。方讀此書時、不知復有他書。

日夜汲汲、專心積慮、至於始終貫穿、本末無遺。然後更替一書、讀之如前。是其法也。何謂寬著意思。凡讀書、忌於急迫。其必熟讀詳味、以究其精、沈潛反復、以致其深。或有疑而未通、則宜優游涵泳、以待他日積功、而自得之。不可穿鑿以求强通。是其法也。學者之患、在貪多務得、用意不專。今日讀一書、未半、明日又讀一書。泛泛然意慮分。所讀之書、皆不精焉。一爲俗事所碍、曠日束之閣上、如棄。忽復起念、及此又竆日之力、而急讀之。亦不過涉獵經史、忨愒載籍、以博洽自多而已。其於義理何所得乎。又安取於讀書乎。世之稱通儒者、其學多如此。可歎也夫。

(一一四)送安井仲平東游序　鹽谷世弘

庠校　音シヤウ、學校なり、孟子に「夏曰校、殷曰序、周曰庠」とあり、
孑然　音ケツ、ヒトリ立チ、
栖々　音セイ、セハシク、
經綸　音ケイ、リン、筋道を立てゝ天下を治むる、
孤介　音カイ、特立、ヒトリダチ、
格致　致知格物、知識を極め物の理を窮むること、
涓埃　音ケン、アイ、小さき水とホコリ、微細といふ意、
陳蹟　音チン、セキ、陳は古なり、古蹟と同じ、

嘗觀於當今之學徒、其在庠校、孜孜勤苦者有矣。及退庠、則倦焉。退庠而不倦者有矣。及畜妻子、則衰焉。畜妻子而不衰者有矣。及獲祿位、則廢焉。獲祿位而不廢者有矣。逢一患、嬰一災、則挫焉。蓋其退庠而倦者、其志小者也。畜妻子而衰者、其器狹者也。獲祿位而廢者、其意滿者也。逢一患嬰一災而

挫者、其氣不剛者也。吾觀於當今之學徒、衆矣。其能退庠而不倦、畜妻子而不衰、獲祿位而不廢、逢災患而不沮、不挫者、我安井仲平者、未多覯也。仲平飫肥人。眇然小丈夫、狀寢陋甚。歲之甲申、來入昌平學。居三年、矻矻不少懈、讀書眼透紙背、識慮高卓、議論出人意表。予深畏事之。歸鄉後、歲數次必有書至。大率激憤忼慨、以僻壤乏師友爲言。其藩士之來于東者僉云、仲平少時孤介、短於容人。今則直而平、方而恕、接衆諧和、事長有禮。闔藩敬信、至參預國事、致身奉公、所建白皆切時務。有著績可傳述。而講學則益勤矣。閒從其君抵役江戸。所居舍湫隘樸陋、塵埃滿席。而讀書之燈、常炯炯、時從

師友出。其新得輒卽驚人。戊戌歲、遂辭官、挈家來就學於江戸。居無幾而逢火、資財蕩盡。未踰年、季女又病痘夭。仲平自降祿爵、離桑梓、孑然僑居乎三千里外。竈突未黔、累逢不虞之難、人倫之變。皆人所不能堪。而志氣不少撓、讀書日必盈寸、作文年可以囊計。齡垂五十、俛焉刻厲、不知頭之將蒼。此豈今世之士哉。仲平巧心計。自言吾於數術、不學而能焉。以予觀之、其稟於天者、於智特深。古人云、性敏者多不好學。仲平以最敏之質、嗜學甚於食色。故格致日新、識度日躋。治家善、審出入之計、不虞之變、待之有備。推而至邦國天下、其於利病得失、確有成算、咸可施行。謂之非今世之士、非譽也。予

賦性鈍、百事皆拙。而於算最瞶。以故治產無檢、終歲栖栖。精神殆乎耗。自有妻孥、業覺日退。而事君無狀、未能涓埃益乎國。居恒觀於仲平以自勵。然惟恐其終身不能及也。今茲季夏、仲平欲濟刀禰河、登日光山、還軼北總、游于水府、觀名公賢佐之所經綸。然後東入陸奥、縱覽金華・松洲之勝、與衣川・高館之陳蹟、壯其意氣、以益爲進學之資。其驚人者、將滋不可測也。嗚呼可畏也哉。

(二五)士規七則　　吉田矩方

質實　質朴實著。
尙友　古人を友とすること。
堅忍　堅く忍耐する、辛抱強い。
確乎不拔　音カク、訓シッカリして動かぬと。

披繙冊子、嘉言如林、躍躍迫人。顧人不讀、卽讀不行。苟讀而行之、則雖千萬世、不可得盡。噫復何言。雖然有所知矣、不能不言。人之至情也。古人言諸古、今我言諸今。亦詎傷焉。作士規七則。

一　凡生爲人、宜知人所以異於禽獸。蓋人有五倫、而君臣父子爲最大。故人之所以爲人、忠孝爲本。

一　凡生皇國、宜知吾所以尊於宇内。蓋皇朝萬葉一統、邦國士夫世襲祿位。人君養民、以續祖業。臣民忠君、以繼父志。君臣一體、忠孝一致、唯吾國爲然。

一　士道莫大於義。義因勇行、勇因義長。

一士行、以質實不欺爲要。以巧詐文過爲恥。公明正大、皆由是出。

一人不通古今、不師聖賢、則鄙夫耳。讀書尙友、君子之事也。

一成德達材、師恩友益居多焉。故君子愼交遊。

一死而後已四字、言簡而義廣。堅忍果決、確乎不可拔者、舍是無術也。

右士規七則、約爲三端。曰、立志以爲萬事之源。擇交以輔仁義之行。讀書以稽聖賢之訓。士苟有得於此、亦可以爲成人矣。

(二六)中江藤樹傳

鹽谷世弘

童丱　音クワン、訓アゲマキ、ツノガミ、童兒の髮、

淬厲　音サイ、レイ、淬は火に燒きたるものを水に入れて金をアゲルこと、厲はミガク、

行誼　音ギ、宜と同じく、ヨロシと訓す、行誼は其行ひ宜しきに適ふこと、

氣習　生れ付の氣質と、生ひ立ちの習慣と、

庋閣　音キ、カク訓棚に物をのせ置く、

辟召　音ヘキ、訓メス、徵辟と同じく、官吏に登用せんが爲に召す、

隱几　音イン、訓倚ル、几は机と同じ、

兀坐　音コツ、訓動かざる貌、

賻　音フ、死者ある家族に貨財を贈り、喪を助く、儀禮に「知死者賵、知生者賻」とあり、

耒耜　音ライ、シ、農具、スキ、

中江原、字惟命、近江人。父吉次、隱於農。祖吉長仕加藤貞泰於大洲。取原爲己子。原生有異稟。童丱如成人。年十一、始讀大學、至修身爲本、嘆曰、聖人豈不可學而至焉乎。因泣下沾衣。屬有僧自京師來。就受論語。後得四書大全。時俗尙武、士人斥讀書者、不交於是。晝與諸士習武技、夜則挑燈誦讀、刻苦淬厲、有弗通輒凝思精考、夢寐間或如有神示之。卒深造自得。既而吉長死。原歸近江省母。欲伴來、母不欲踰海如他鄉。原乃獨返大洲、思慕弗已。因請致仕歸養。不許。乃鬻家什償債、棄官而逃還近江。所攜資銀僅百錢。當壚賣酒以養母。母沒、居喪三年盡禮。原行誼諄篤、聽

明內蘊。其導子弟、專講孝經、揭愛敬二字、懇懇說示曰、愛敬是人心自然感通。猶水之流濕、火之就燥也。吾人全爲氣習所蔽。然父子兄弟間、猶有時發見。苟認得斯心以存養、則聖賢氣象不難窺知也。每引村民訓諭之。人無賢愚、皆服其敎。雖商賈亦知廉恥。至旅舍若肆、有客所遺物、輒必庋閣之以俟焉。竟不收用。有里人供驛、受値餘二錢。追客還之。其人曰、汝一何廉也。曰、非敢廉也。吾師之敎乃爾。鄉人推尊、稱爲近江聖人。學者自遠至受業。以其家有古藤、號曰藤樹先生。初原在大洲、與大野某善。其子了佐愚騃、某慮不能嗣家、欲使服賤業。了佐心恥之、竊就原請學醫。原憫之、授諸大成論。誦

讀數十百遍不能記一字。及原遷近江、復來學、爲著醫筌授之。了佐終以醫成家。原嘗語諸生曰、吾於了佐殆乎竭吾精力矣。然非彼勤苦之深、吾未如之何已。二三子天資皆非了佐比、苟有志、何患不成焉。弟子皆循循雅飭、隨資成器。原聞望既高。諸侯辟召、前後峻拒不應。備前國主池田光政厚禮聘之。原稱老且病、令其子弟及門人往。及疾病、屏婦女、隱几兀坐。召門人曰、吾逝矣。誰能斯文者。言畢而瞑。年四十一。池田光政使熊澤伯繼往賻。及葬、隣里鄕黨、扶老攜幼、涕泣送柩、如喪父母。邑人修其宅爲祠堂、春秋奉祀弗廢。後有一士人弔其墳墓、問路農夫。農夫舍耒耟、趨入舍、更服先導、跪拜

洒掃甚恭。士心訝之、問曰、爾於先生、有何親故。農夫曰、闔鄕欽仰先生者、豈惟吾。吾里父子孝慈、夫婦有恩、室無怒罵之聲、面有和煦之色者、職先生之敎之由。所以無一人不戴其恩也。士人動容曰、嗟乎、吾乃今知近江聖人之稱不虛也。乃敬拜而去。

（二七）藤樹書院　伊藤長胤

江西書院聞名久。五十年前訓義方。
今日始來絃誦地。古藤影掩舊茅堂。

（二八）熊澤伯繼　鹽谷世弘

釋褐　褐は賤者の服、釋褐は仕官すること、
肥笨　音ホン、肥大なるをいふ、

茹淡　音ジョ、食ふ、淡薄なる食物を食ふ、
裯囊　音チウ、訓衣具包のこと、
僚友　音レウ、同役の人を僚といふ、同僚といふ熟字あり、
澆世　音ゲウ、訓輕薄なり、澆季之世、

正保二年、備前國主池田光政、聘熊澤伯繼。伯繼平安人。先是年十六、釋褐備前、食祿七百石。伯繼體貌豐肥、自以爲肥笨、不便武事。雖由稟受、亦或安佚所致。從是攻苦茹淡、日夜講武技。間輒驅逐山野、獵獸射禽、宿直日、蔵木刀裯囊、僚友就寢後、獨竊出空庭、演擊刺法。如是數年、軀體稍瘦削、爲人倜儻有大志。光政將登庸之、而辭以學未優、去游京師求師。偶聞共投宿者語曰、僕爲主翁齎二百金遠行。途跨驛馬、繫金於鞍、而忘收之投宿。始覺、求之無道。將縊死。夜半馬夫來、

還僕驚喜、以十六金謝之。不受曰、還遺物耳、何報之有。但冒夜來、得二百錢足矣。強之。弗聽曰、吾里有中江先生、平居訓誨吾輩、若受所賜、則爲負先生。言畢去。噫澆世安得有斯人乎。伯繼傾聞良久曰、化及賤隷、中江氏之德可想見。此眞吾師也。乃如近江、訪中江原。原固辭不見。伯繼曰、弟子固不足敎也。然釋官百里趨庭。縱先生竟不敎弟子、幸得一望見顏色、吾願足矣。原許見。因請從受業。居數年、學大進。至是光政因京極高通招焉。原亦薦之。遂再還備前。光政延相見。伯繼不言政事得失、以格君心爲任。光政曰、吾爲政未善、然比隣國似差長。伯繼曰、此所謂五十歩笑百歩者。君何其志之小

也。光政大悟、益鋭意求治。旬月之間、委以國政、食三千石。伯繼時年二十七。

(二九)高山仲繩祠堂記

川田剛

三瀦縣　ミツマと讀む、維新の初、久留米、柳川地方を三瀦縣と稱せしが、後廢して福岡縣に併せらる、
淇園　皆川淇園は京都の儒者、文化四年歿す、年七十四、
石梁　樺島石梁は久留米侯の儒臣、文政十年歿す、年六十餘、
幽谷　藤田幽谷は水戸の儒者、有名なる藤田東湖の父なり、
山陽　賴山陽は安藝の人、天保三年歿す、年五十三、
病風喪心　發狂のこと、風は瘋癲なり、
文恭公　十一代將軍德川家齊公、
栗山　柴野栗山は德川幕府の儒臣、高松の人、文化四年歿す、年七十四、
茶山　菅茶山は備後の人、尤も詩に工なり、天保十年歿す、年八十、
復堂　芳野復堂は下總の人、芳野金陵の子、弘化二年歿す、年僅に十六、
拙堂　齋藤拙堂は伊勢津の人、慶應元年歿す、年六十九、
浚明公　十代將軍德川家治公、
茅茹　易泰卦に「拔茅連茹」とあり、根相連り相率ゐくをいふ、

承久　順德天皇承久三年、後鳥羽上皇兵を擧し、北條氏を討ち給ひしに、王師克たず、北條義時、後鳥羽上皇を隱岐に、土御門上皇を土佐に、順德天皇を佐渡に遷し奉る、之を承久の亂といふ、
元弘　後醍醐天皇近臣と謀りて北條氏を討たんとし給ひしに、北條高時兵を遣して闕に向はしめ、遂に帝を隱岐に遷し奉る、元弘の變とはこれなり、

今上登極之元年、幕府奉還政權。二年、王師戡亂于伏見、于甲野、越奧。五年秋、列侯納封土。乃廢二百六十二藩、更置三府七十二縣。是冬、前岡山藩大隊長水原君久雄、爲三瀦縣參事。初下車、首訪高山仲繩墓。曰、國家中興、雖由君明臣良、諸藩效力。抑亦草莽義徒、講明名分、振起士氣之功居多。而仲繩實爲首唱。向者官䘏其子孫、旌表其閭。今此藏魂之地、而無所表彰崇飾、可乎。於是君與其僚屬、及管內好義者、捐財鳩工。前久留米藩知事有馬侯、亦出金若干圓、資其費。以

建祠堂於旗埼、介權少史金井君、請余文記之。夫仲繩曠世偉人。而先儒錄其事者、前則淇園、栗山、石梁、茶山、後則幽谷、復堂、山陽、拙堂。有序有傳、有祭文碑銘。多且備矣。顧獨未推究其所以死、或目爲病風喪心之所致。余竊憾焉。蓋仲繩忠義、根乎天性。而其先又殉節南朝。嘗讀太平記、大有所感憤。當是時、光格天皇在位、妙齡英發。佐以九條、中山諸公。而幕府則大將軍浚明公、

寵任田沼意次、群小弄柄、綱紀大紊。仲繩謂、此可以復王權矣。乃託名文事、周遊四方、觀地形、察民情、每過人輒論正閏王霸、以陰募同志者。既而公薨、文恭公繼立、黜意次、用松平定信、衆賢茅茹、百弊頓革、德川氏之業復興。於是仲繩自知其時機未至、殺身以滅其跡。昔者後鳥羽上皇、遣善走者押松、歷說東國。後醍醐帝時、藏人頭藤原俊基、佯爲修驗者、巡察諸州。今仲繩之所爲、殆有類焉。向使其遲疑偷生、爲幕吏所逮捕、則承久元弘之變、可立而待。何其見幾之早且明也。或議其不受勅而妄動、是亦過矣。何者、事成則功歸朝廷、不成亦害止一身。又安問乎其受勅與否焉。且夫九重深嚴、尊

卑懸隔、而仲繩以東鄙一匹夫、納交公卿、嘗得竊窺天顏、則其奉密旨、以募義故、亦未可知。不然、其將死、寸裂手記、以投水中者何也。其東向遙拜帝都者何也。其寄語海内豪傑、好在者何也。嗚呼、仲繩之死、上救公卿流竄之禍於當時、下啓志士勤王之端於後日。其忠不愧藤原公、而其智勇果決、萬非押松輩之所企及也。記不云乎、以死勤事則祀之。余既睹仲繩之功、又喜是擧之合乎禮。故據其跡、推其心、以表章其成仁取義之美如此。三潴縣者、舊久留米藩、而旗崎在縣治東一里。先是、有馬侯祀仲繩於此、又築招魂場、以合祀癸丑以降、其藩士死王事者三十八人。吁、此三十八人、東西馳驅、

踏白刃、冒銃丸、知有國而不知有身、亦安知非聞仲繩之風而興起也。明治八年九月、一等修撰正六位川田剛撰。

(三〇)林子平傳

齋藤馨

倜儻　音テキ、タウ、不羈にして、細節に拘はらぬこと、

酣豢　音カン、クワン、酣は酒を飲みて樂しむ、豢は養也、穀物を以て、犬豕を養ふこと、

寒素　寒は貧窮なり、素は空なり、

勦　音ソウ、絶なり、コロシツクス、

朶頤　音ダ、イ、朶は動かす、頤はオトガヒ、頤を張りて、食はんと欲すること、

上梓　音シン、アヅサの木、版木を作るに梓を用ふ、故に後世出版のことを上梓といふ、

逍遙自適　逍遙は翱翔の如し、心のまゝに振舞ふこと、

窮措大　措大は書生のこと、窮措大は困窮せる書生なり、

仙臺有奇士、曰林子平。父源五兵衛名良通、仕幕府。有故削

籍。而姉既聘爲本藩側室。故子平及兄嘉膳、皆受藩俸。然子平倜儻有大志、常見人之酣豢於富貴、飽暖自安者、以爲是

遭變故、則不堪其用也。於是寒素自給、雖襤褸糲食、不厭、自視猶在兵陣間。性健歩、好遊四方、靡遠弗至。行輙躡屐、如往來隣里者。人不知其行千里之遠也。所過風土之美惡、地勢之利害、政刑民俗之得失、皆諳知之、尤注心於邊防。前是、寓藩黌工藤球卿家。球卿素有邊防之議。子平論與之合。於是從鎭臺、

再游長崎、接異邦人、咨詢海外諸國情狀、益知邊防之爲急。適淸商在館者、激事忤命。鎭臺命子平及諸士鞫之。子平奮鬪先衆、生虜數人。曰、吾知西人之伎倆矣。既東歸、遂著海國兵談若干卷。大意以爲、西北諸蕃、概以奪地拓疆爲務、威力日强。必且朶頤於我。而彼長航海、洪波大濤視如坦途。我環國皆海、近自日本橋至鄂羅斯・阿蘭陀、同一水路、無有阻隔。彼欲來即來。而我拱手無備、亦已危矣。必也節國用、修兵備、瀕海要地設臺置砲、數年而沿岸皆壘儼然成一大長城矣。然後一旦有變、以逸待勞、庶可無患。而尤可慮者、我南北諸島、委而不顧、彼或據之、是異日之大患也。因著三國通覽、以

論諸島之形勢。二書既上梓。海内未嘗知外寇之如此也、咸謂諸蕃之來、商舶耳。漁船耳。曷有他志。彼張皇無根之事、不過爲釣名計。幕議亦以爲然、命毀梓、且禁錮于仙臺。時寛政壬子五月十六日也。

先是閑院宮贈諡未決、物議騷然。子平見樂翁公。公談及其事。子平笑曰、「天朝之於幕府、是一家事。縱令有變、亦猶夫妻衽席之爭耳。不至失家也。若夷虜、則是在外之大盜。苟不爲慮、必至併家奪之。安可不憂哉」。蓋其以邊防爲憂也如此。至是子平作六無歌、自號六無齋主人。實以寓逍遥自適之意焉。時輙爲子弟談兵、罵世之講兵主一家、曰甲曰越者曰、「彼

何適用。苟欲適用、不若讀古戰記錄、而察其勝敗之由爲有得也」。又見子弟之讀書者曰、「讀書可也。然足跡遍天下者、然後讀書、亦足以爲用。卿輩足未嘗出里閈、何足爲用哉」。歲嘗譏藩老佐藤伊賀著富國策、以爲東海多鯨、苟能捕之、亦足以助國用。其他陳省費濟財之術、雖不行、識者知其可用焉。又著父兄訓。蓋謂前是童蒙有訓、然今之世、父兄亦不可無訓也。隨筆雜記有數卷。皆居常聞見所得、巨細盡載、亦多裨人者。同時高山正之、蒲生秀實、皆以奇士稱。然不與子平合。初子平在京師、謁中山亞相。亞相盛稱正之慷慨論時事、涕隨言下狀。子平曰、「彼有泣癖耳。今時昇平、奚以泣爲。即可

憂者、唯邊防。而彼一泣外、計無所出。公亦以彼爲善、不知一旦外寇之變、將坐待神風於萬一耶」。秀實亦嘗訪子平、行裝甚野。子平一見罵曰、「何物措大、鄙野乃爾」。秀實亦忿曰、「田舍翁之慢人、亦至此耶」。不交他語而去。子平既廢、閱歲歿。其後十餘年。東陲果有鄂虜之變。秀實服其先見、上閣老書曰、「祭子平之墓、而謝其靈可也」。及幕議修邊防、蓋亦有取於其言。追賜赦、姪某始封其墓。事在天保壬寅、距其死凡五十年。子平名友直、子平其字也。

(三一)蒲生秀實傳

鹽谷世弘

常憲公　五代將軍德川綱吉公、

有德公　八代將軍德川吉宗公、

百舍重繭　戰國策に見ゆ、百舍は一日に百里を行きて旅舍に就くこと、重繭は足を縱橫に傷つきゝて、さながら繭の如きこと、

正保帝　後光明天皇、正保は時の年號なり、

竺敎　天竺の敎、即ち佛敎のこと、

當路者　要路に當る者、當時の政權を執るものをいふ、

危言　論語に「國有道則危言、國無道則危行」とあり、

九志　神祇、山陵、姓族、職官、服章、禮儀、農、刑、兵、

大織冠　藤原鎌足公、

淡海公　藤原不比等公、

秀鄕　田原藤太秀鄕、驍勇にして才略あり、天慶中平將門の叛を平ぐ、蒲生氏の祖なり、

氏鄕　蒲生氏鄕は幼より英武、豐臣秀吉に仕へて會津百萬石の大封を受く、後害せらる、

分義　君臣の名分、大義なり、

名器　名は官爵、器は服飾器具、

左道　禮記王制篇に見ゆ、邪道と同じ、

肯綮　莊子養生主、骨肉の結べる處、轉じて肝要の義に用ふ、

蒲生秀實、字君藏、一字君平。下野人也。生而英異。幼聞系出

會津參議氏鄕、旣已有自立之志。及長喜讀書。然不甚研精、所志忠孝大節。尤留心於古制度律令。簡鍊當世之務。久之

有所得、而未發也。丁卯歲。北邊有警、人情騷擾。秀實時在江戶、躍然起曰、可以有言矣。著策五篇。名曰不恤緯。踵閣老門下上書獻之。弗報。累世帝陵之荒廢久矣。至將軍常憲公、下令修之。爲本陵式。遮列以竹木、禁侵犯。有德公再修之。厥後奉令者不謹。厲禁廢壞。丘陵或有爲灌莽隴畝者。秀實聞而悼之。以

圖修復爲己任、躬自歷覯陵地。參以古圖記、以考校之。雖在遐陬窮島僻遠之地者、必往覈其實、而後止。百舍重繭。至胝無毛、弗以爲困。恒謂其友曰、子聞八平之事乎。自佛法入神州、帝王之尊、亦以火葬爲禮。八平居住平安、以鬻魚爲業。生在正保帝之時。帝崇儒學、而擯竺教。及其崩、八平恐火葬從舊例也、奔告於公卿、以火葬必非先帝之意。而朝廷取其言。嗟乎渠特一賣魚夫耳。尙能賴其力、使帝靈安於九原。豈非至誠所致哉。予雖鄙駑、所賴者至誠耳。作山陵志、獻之京都及江戶當路者。有司以其論建非處士所宜、召見詰之。秀實乃引律文、誦故事以對。神色揚揚、辭令激烈。有司惡其不遜、

將重坐之時、有一學士爲世所貴重者。謂曰、草野有危言之士、國家之福也。乃置而不問。當是時、秀實慷慨自奮、欲爲天下言世人所難言者。雖由是獲大禍、而不顧也。秀實業已歷弗得意、乃冥以酒、往往從布衣野老、極飮大醉、歌吟笑呼以適其樂。若不復知世間功名爲何物者。初著革弊、賦役等諸論。命曰今書。至此更選職官志、欲以次編神祇、姓族等、與山陵並爲九志。乃杜門講學。扁其居曰修靜。日以著撰爲務。秀實常嫉俗儒弄翰以亂名、俗吏貪權以苟安。以謂吾生也晚。進不能觀大織冠、淡海二公龍騰之日。退弗能遇秀鄕、氏鄕兩先君虎躍之時。無已則稽古以徵今、居安而思危乎。尊王

室以明分義、富諸侯以固邦基、明禮典以正名器、禁左道以塞亂源、鍊武事以備寇賊。斯吾志也。其前著書之意、大抵不出此。其言卓卓皆中肯綮。而不得少試以歿。君子惜之。秀實將死前三日、自爲文言志、尙稱天地之正氣、且有三寶之說。曰以此爲吾表墓足矣。死時四十三。

(三二)下岐蘇川記　　齋藤正謙

瘏痡　詩周南に「我馬瘏矣、我僕痡矣」とあり、二字共にツカル、と訓す、

巒巘　音ラン、いたゞきの丸き山をいふ、音ケン、けはしく尖れる山をいふ、

紅杜鵑　つゝじの花のこと、

水簾　瀑布のこと、

綏綏　音スイ、車中にて把るもの、瀑布の流れ落る樣を形容せるなり、

灑灑　音サイ、灑くこと、水飛び散りて灑ぐが如し、

陸離　參差い如し、亂雜、分散すること、

皴　音シュン、訓岩石のシワ、畫に皴法あり、大小斧劈、荷葉、披麻は皆皴法の名なり、

荆關　唐荆浩字浩然、河南の人、山水を善くし、自ら一家をなす、關同北面して之に師事す、五代關同長安の人、山水を善くす、荆浩を師とし、刻意力學、寢食を忘る、晩年殆ど荆浩に勝る、

倪黃　元の倪瓚字は元鎭、雲林と號す、常州の人、尤も山水の畫に工なり、元の黃公望字は子久、一峰と號す、山水の畫に工なり、

砉然　音ゲキ、骨と皮とバラリと離るゝ聲、

盛廣之　廣は宏の誤ならむ、盛宏之は荆州記を著はす、

酈道元　北魏の人、水經注四十卷を著はす、水經は支那の河川のことを記せる地理書なり、

弔屈　楚の屈原讒を蒙むり、五月五日に身を汨羅に投じて死せり、後の人每年是月に屈原を弔ふ、

龍頷　莊子に「千金之玉、必在九重淵、而驪龍頷下」とあるに本づく、

虎穴　後漢班超の語に「不入虎穴、不得虎子」とあるに本づく、

天保丁酉四月。余竣役、與兩藩士倶自江戸還。取路東山、舍輿步行、旁探名勝。五月四日。下十三嶺、晚宿伏見驛。連日崎嶇、經涉山間、頗疲。至奴輩把槍荷鎧者、或瘏痡不能起。且聞

水路之勝熟矣。因謀賃舟、下岐蘇川、至桑名。殆二十里、不一日而達。乃召舟人戒之。翌日夙起、趨水濱求舟。舟人家在前岸樹林中。閉戶未起。阻以灘聲喧豗、累呼不達、唇焦舌燥。久之乃應、與其兒艤舟來迎。日已加辰。乃發。舟狹長、薄板

爲之。呼爲鸕飼兒。纔十三歲耳。父在舳、兒在艫。各持櫓、操縱甚習。灘急舟走、兩崖巒巘、一時皆搖。當前所見、倏忽在後。唯見岸行山走、而不覺舟移。山皆石身戴土、松爲之髮。而紅杜鵑粧點於其間、腥血如滴。又處處有水簾懸焉。綏綏灑灑、墜於潭石上。石皆奇狀、羅列兩岸。或特立若柱、或拆裂若門、或若渴驥飮淵、或若臥牛橫道。五色陸離、相間皴率作大小斧劈。間有作荷葉披麻者。濯波浪以出、交替去來、不暇應接。蓋譎詭變幻中、帶淸秀深穩之態。非荆關之筆、倪黃之手、不能狀也。雖僕隸輩不解山水之趣者、皆連呼奇不絕聲。忽遇一大巖屹立水中。舟殆觸之。少誤則虀粉矣。衆懼而默。舟人笑、

捩柁避之。輒掠巖角過。如此者數處。未嘗差絲毫。但經巖際、波激舟舞、飛沫撲人、衣袂盡濕。回視僕從、各握兩把汗、殆無人色。舟人甚閒暇、從容吹煙而坐。視上流船、併力挽上者、難易懸絕。已而離峽、漸平遠、犬山城露於翠微上、粉壁鮮明、衆望見歡然。比至城下、又有暗礁礙舟、砉然欲裂、衆復相顧瞿然。過此以往、漁舟相望、歌唱互答、衆心始降矣。蓋始發抵此、爲陸行半日之程。不一餉時而至。其快可知矣。嘗讀盛廣之、酈道元所記、誇稱江水迅急之狀。至唐李白、述其意云、千里江陵一日還。平生竊疑以爲文人虛談。今過此際、始知其不誣也。但舟行甚迅、不能徐翫峽中之勝、爲可恨已。又三里、抵

笠松鳴鐘方報巳。登憩岸上店、目猶眩。仰見屋椽動搖不定。暝坐良久、乃止。進鱒膾美媚口。此行跋渉山谷、蔬食彌旬、獲之以解菜。飯已、復入舟。岸愈闊、水愈緩、險阻已遠、無復可觀。枕藉而臥。風方逆、舟人用力、榾榾甚勞。櫓聲喧聒、使人煩冤。午下、稍得風便、揚帆復走。衆乃睡熟。比醒、達於桑名。日尚高。謝遣舟人、登陸而行。至四日市宿焉。自伏見至此、殆爲二日半路程。道上行見家家挿菖蒲、彩旗翩然翻風。衆在行旅、倥偬渉日、殆忘月日。至是乃知屬端午節。不圖今日舟行、爲弔屈之擧。抑亦奇矣。且舟凌危險、布帆無恙、免爲汨羅之鬼。不亦厚幸乎。蓋天下之至奇至美者、每在於艱難危險之地。不

獨山水之勝也。求之者比於入虎穴探龍頷、危而後有所獲矣。余於是乎有感焉。未可以語千金之子也。姑記之、以示苦學厲行之人。

(三三)早發白帝城　李白

朝辭白帝彩雲間。千里江陵一日還。
兩岸猿聲啼不住。輕舟已過萬重山。

(三四)花朝下澱江　藤井啓

桃花水暖送輕舟。背指孤鴻欲沒頭。
雪白比良山一角。春風猶未到江州。

(三五)游國府臺記　芳野世育

藜糗　音レイ、キウ、訓アカザ、訓乾したる飯、ホシイヒ、
魚麗　音リ、訓ツク、魚の集りたること、
跰跋　音ヘイ、ハツ、訓ケル、フム、蹴ル、踏ム、跰跋は塵の立のぼること、
蒙茸　音モウ、ジョウ、草の生ひ茂りたること、日影も暗き許に、
偃蹇　音エン、ケン、驕傲の貌、又高き貌、
狻猊　音サン、ゲイ、獅子、
滉瀁　音クワウ、ヤウ、滉は水の深くして廣き貌、瀁は水波搖動の貌、
沔如　音メン、水の流るゝ貌、
朝宗　詩に「沔彼流水、朝宗于海」とあり、海に注ぐこと、
枵腹　音ケウ、饑エル、空腹と同じ、
果然　飽く貌、莊子逍遙遊に「腹猶果然」とあり、
卽世　死すること、

國府臺之勝、茅柴藜糗耳。雖然府下之地、瓦屋魚麗、紅塵跰跋、人皆渴。靑山白水、則所以染指于此也。丁酉冬、小倉伊藤生等、官學期滿、將歸。謂曰、子儕亦飢渴山水者。予將茅柴藜

糗、以爲餞、何如。曰、幸矣。十月之望、拉三生及塾子數輩、背郭東行。障袂遠望之、靑山鬱蒼、揭髻于村落間、類乎人之顧眄招儕者。載欣載奔。稍近、則赤壁峭絕、睨長流曠野、而立、傲然軒然、如拱手而却之者。乃亂流經崖、自伽藍而左。城復隍、草埋徑。此古戰場也。披蒙茸、穿荊棘、出沒達南岸。俯瞰涯險流駛、老松偃蹇、鱗激根怒、猶狻猊出谷、蚪龍騰淵。股栗齒戰。起身而東數百武、地坦望豁、始可放眸。數十里外焉。其崇嶽亂嶂、屼然相競者、甲信之山也。淨鏡滉瀁、水天相粘者、相房之海也。一脈沔如、紆回轉折、劃武藏而朝宗于海者、刀禰之流也。其間沙村之靄、鹽竈之煙、楓林騰輝、蘆汀雪飛、鶴唳雁陣、

舟後點綴、漁樵唱和。須臾之間、變態萬狀、坐而收之一覩。於是乎、心目豁朗、意甚樂矣。三生亦喜曰、縱喫水光山色、枵腹忽覺。果然、尙何云茅柴藜糗。此足以充盛饌矣。相顧而笑。予又謂之曰、勝槪不改、而其閱人不知其幾也。況天文永祿之間、里見氏據而居之。是其朝歌夜絃之場也。而今黃茅白葦、徒與狐兎而遊。求其當時物、泯然無跡。要亦半肱之夢矣。顧往年與目黑自琢・二葉立仙、曾來遊。事在三十年前。皆即世。今三生四百里外人。塑子亦萍聚蓬轉。欲再飽茅柴藜糗、豈可得哉。衆皆悵然。俄而遠山潛容、川谷震動、凄風苦雨颯爾至。乃倉皇魚貫下山而還。

(三六)耶馬溪圖卷記　賴襄

攅竦　音サン、訓ムラガリ、聚る、音ショウ、訓高く聳ゆる、

董巨　北宋董源、江南の人、山水を善くし、天眞爛漫意趣高古なり、後人其筆意を祖述する者少からず、北宋巨然は鍾陵の僧なり、山水を善くし筆法秀潤、好んで煙嵐氣象を作る、董源の正を得る者唯巨然あるのみ。

槎牙　音サ、ガ、枝の斜に出でたる貌、　王叔明　明の王蒙字は叔明、湖州の人、畫に工なり、

故人　舊友のこと、今は死去せし人を故人と云ふ、

弱冠　二十歳前後のこと、弱は二十歳のこと、冠は男子二十歳にして元服するなり、

臘　音ロフ、冬至の後第三の戌の日に行ふ祭、年末の祭、前年を舊臘といふはこゝに本づく、

余嘗讀昔人畫、疑其山貌太奇峭、恐非天壤間所有、畫人一時興到、鼓舞其筆墨耳。及覩豐耶馬溪、乃知造物奇怪、畫手亦有寫不到者也。歲戊寅、遊鎭西、過海南、望彥山於雲際、已

覺其有異矣。既經二肥・薩・隅、還寓豐後隈邑。臘月五日、入豐前、遇一水北來。蓋發源彥山者。沿焉而東數十里。昏黑覺左右峰巒皆非凡。山溪相迫處、鑿山腹爲道、又穿牖取明。余買炬以入。過牖窺見月在溪水、朗然。宿民家。翌大霧、待霽乃發、復沿溪東。愈東愈奇。群峰夾水、攢竦如春筍矗出。有土戴石者、石挾土者、全石者、全石破裂成洞穴者、兩石相

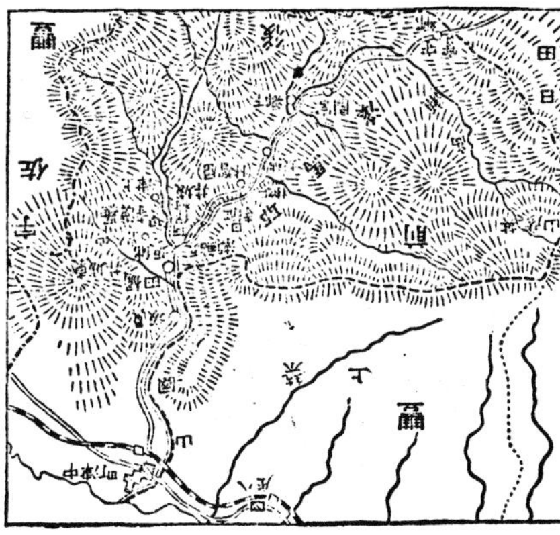

鬭、其一欲仆者、石數層累成、夏雲狀者。而樹自石罅橫生、縱生、倒生而上指。叢生蔽石、如與石爭勢而欲勝之。石又自樹中奮躍而出。而石陰皆苔紫綠相間。或沒石半面、或沒全身。又如援樹攻石者。大抵峰勢石皴、如董巨刻意圖。時窮冬多、老木葉脫、槎牙瘦古、

皆倪黄筆法。而苦枯燥蒼渇者、王叔明也。古人筆墨不吾欺也。至柿阪憩孤店。店面石壁數丈、飛泉懸焉。仰則更有高峰、不知其幾十丈。余急釋所佩酒瓢、命爆之。竈突蕭然、會一獵師新獲豪豬、割而煮之。肪脆如水。連引數大白、又行。溪又數曲、隨峰勢上下。或激雷噴雪、或渟膏凝碧。峰影爲之或碎、或全。似水妬山而亂其影也。至屈智林。溪稍開、有小村。過一橋、自此行、溪北開者益開。數十里、詣古城正行寺。寺主含公、余故人。竢余既久。余先詑曰、「君州山水大奇。」含公曰、「更有奇者、使子目之。」居二日、與含公南行。行田塍間、至仙人巖。巖石突立山頂。含公指示余。余不甚賞。其明、又經田塍、至羅漢寺。寺

据山鑿山、作洞甃橋梁狀、安五百像。余復不甚賞。宿寺前逆旅、挑燈而談。余曰、「山不得水不生動、石不得樹不蒼潤。所以余賞馬溪而不賞仙巖。至於羅漢、則人工耳。皆馬溪之支裔矣。且馬溪溪山相迫、無田塍礙目、而其路坦夷、眞可遊也。然爲二豐通道。過者慣看。況公等生長此土、宜不覺其奇也。余則再遊不可期。將復溯之以諦視之。」含公奮袂、與偕早發。過一水、北出馬溪口。峰容樹色、忽覺逈別。自淺入深、自平入奇。泝前數曲者、一曲奇於一曲。比諸前遊、更可喜也。復至絶壁下孤店。店主識余面、驚曰、「是前喫猪客也。有何幹再來此耶。」余曰、「欲看山耳。」曰、「山有何好看。吾不禁子看也。」遂席溪畔、與

含公傾瓢、一醉宿山寺。明雨。借轎西還。山峰得雨、皆變幻作態。或前以爲一山者、分成數峰、如群仙駢肩、露其半身。萬松振鬣、鼓濤於雲中。又如廿五菩薩奏樂而至也。還至屈智林。含公慮吾酒盡、預戒家僮馱樽於馬來。取醉宿阿保村。翌歸寺。又三日辭去。踰海東歸、自海雲中顧望鎭西山岳。其屬豐前者、皆有別態。彦山其尤大者耶。馬山脈水理、蓋皆自彦山發。故獨絶耳。余足跡幾半海内。弱冠東遊、得妙義山、以爲無雙。今馬溪百里、如妙義者、不知幾十峰。謂之海内第一、或不誣也。己卯之臘、胠槖得爾時寫山粉本數紙、戲以意按屬之、爲横長一卷。又記其由、併錄所得詩九首。余詩文笨拙、不足

狀其髣髴。況畫乎。後有能者、如董巨倪黄之流者、躡其境而補成之、庶幾不負此山水。然目此山水、爲海内第一者、乃自賴子成始。圖爲含公所取去。備後故友橋元吉、亦好山水、請爲寫一本。諾而未果。今茲己丑、護母至尾路、留旬日、乃踐前約。而舊圖不在。尋諸胸臆、冥搜默運。覺山精水神或來助我。遂能成此。屈指已十二年矣。憶當時歸帆外、豐山依依、如相送者。今猶在目中也。

（三七）陪游笠置山記　　齋藤正謙

我公　津藩主藤堂高猷公、　蒙塵　天子九重の宮殿を立ちいで給ひて、諸方をサスラヒ給ふこと、

款識　音クワン、シキ、鐘鼎などに彫刻せる文字をいふ。　兵燹　音セン、兵亂の爲に火災にかゝること、

鑱刻　音サン、訓ホル、彫刻と同じ、

萬劫　音ゴフ、佛敎の言、際限なき時間の義、

祐信公　藤堂高兌公

高山公　藤堂高虎公

文政十年九月、我公撫封、移鎭上野城。因巡上笠置山。修故事也。山屬城州。爲後醍醐帝蒙塵處。今係我藩封域。在上野城西五里。十五日、子夜、駕出城門。雙戟啓行、沿路燃炬如晝。臣謙承乏侍讀、得載筆從。比明、老幼夾途觀、欣々然。十六日、食時、達笠置邑。屋稠密、夾木津川。入館傳飧而出。公更微服、布韈芒鞋、步行。群下均服從之。山在南岸。臨水曲折如屏。渡川就之。繞從西北隅、盤廻而上。山高十町而已。太平記爲十八町者誤。入憩福壽院。此行謙囑圖書局齋太平記、乃取之

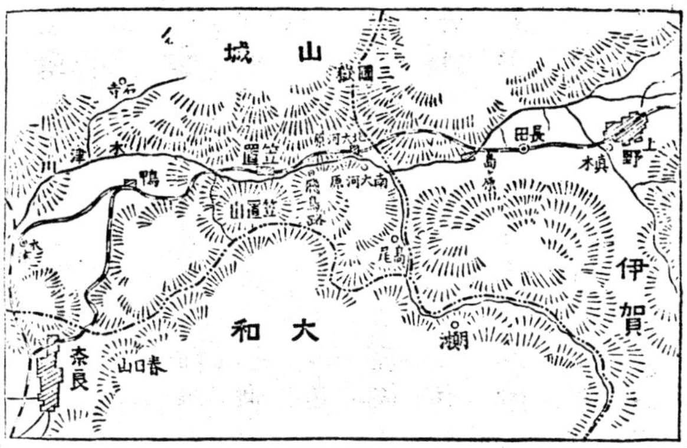

爲公讀笠置條。曰、「參河人足助二郎重範守城門、以勁弓長箭射殪賊將二人。」此爲嚮所過阪上雙石對峙處。今仍稱爲第一城門、是也。曰、「及賊逼陣、寧樂般若寺僧兵累以巨石投賊。賊人馬齏粉。因自敗潰。積屍塡谷。」此亦在城門外。其傍今呼爲地獄谷。可以相證。至賊將陶山藤三、小見山二郎、間道襲行在。曰、「此

爲山之東北也。」公乃從左右出院。門側有懸鐘。形甚古雅。係建久年製。有欵識。字皆遒勁。按此寺白鳳十一年創。天平勝寶四年創正月堂。歷代修建、號爲宏壯。建久中、僧解脫又築般若臺。此鐘亦當時所造。及元弘兵燹後、不能復舊。獨此鐘爲古物。命僧敲之數杵。聲鏗鏗然。杵止、響騰。曰、「黃鐘調也。」過護法祠、左折、有一大石、頽然橫崖上。曰藥師石。其西有彌勒石。皆高十丈許、濶稱之。其右高及其半者、爲文珠石。舊各鑱佛像、罹災滅。彌勒獨存。頭上圓光。文珠漫剝、僅存痕跡。右折、過佛殿下、而北有胎藏、金剛二石、皆高四丈許。曲折相連。其下開裂丈餘、欲然成窟。窺之深黑。其右隨金剛東面者、鑱

虛空藏石。高濶略等二石。佛身專之。鑱刻分明、尤爲奇偉。此皆僧侶黠者所設。當時不能護王法伏賊魔。眞不靈頑物耳。又北數十步、得石門。門石長六丈餘。兩傍盤石疊起承之。其下空濶、可數人竝行。左傍一小洞。入數十步、得一竇。纔出、如兒離母胎。呼曰胎內竇。此間怪巖爭立、古木蓊鬱。使人凜然。纔出石門、豁然山水可瞰。過大鼓石、叩之鼕鼕鳴。其下曰觀音谷。實爲賊所涉間路。謙爲公指東北一村曰、「此爲飛鳥路村。係柳生氏之封。當時其民實導賊將、經此襲陷行宮。本邑之民醜之、至今五百餘年、不通婚嫁。言及之唾罵。臣嘗質之土人。且問曰、『今尙然耶。』其人嗔目扼腕曰、『萬劫如是爾。』臣以

此知民心之好義、出於天性也。昔者先君祐信公來觀、嘉之、稱爲義鄕、親製古風一篇、爲公誦之。公竦聽者久之。又西數百步、有不動巖。巖半垂在崕下。而平等巖在其背。公欲往觀之。侍臣止之。遣數人攀巖肩、匍匐而行。峻險難措足。號爲蟻徑。過徑、即平等巖。巖坦平廣袤數丈、下臨絶壑。巖上有一圓石。高及人頷。可重數千斤。以手撼之、則兀兀動搖、而終不可轉也。號曰搖巖。遂從登行、在舊趾。爲中峰最高處。帝之夢楠公、楠公之上謁陳策、蓋皆在此。今唯見老樹蓊蔚、榛莽蕪穢耳。爲之慨然。穿林而西、得坪。吏豫設幄亭。休歇焉。崕上有一石。呼爲吹螺巖。道官軍鳴海螺處。下山來時所駕樓船在焉。

藩祖高山公從伐大阪時所用。泝上流數町、遶山麓。怪巖錯出、老木紅黃相間。命土民習舟者撒網、獲鯉數十頭獻焉。日下舂、還館。命烹鯉賜宴。歸入城門、夜正三鼓。此山在封域中、尤爲名勝。故督學臣津阪孝綽既有記詳之。此行所遇既殊、不可不敢重錄、以備參考。謹按太平記、當時官軍護行在者三千餘人。皆伊賀伊勢之兵也。今我公撫二伊而有之。今日所從士卒數百人、其中必多義軍之裔。且行在之受圍、在元弘元年九月。此行正値其時。追撫往事、感念殊深。夫爲人臣子者、常則勤恪、變則仗義授命、無古今之異。謙職忝風教、從游豫、飽飲食、而徒然無述、爲臣所懼也。因謹記如此。

(三八)楠正成　　賴襄

後醍醐帝在笠置山。北條仲時・北條時益聞之、遣兵來攻、未至。帝下詔四方赴難。莫復應命者。帝憂迫。適夢紫宸殿南有大樹。樹下設虛位。二童子來、垂泣白曰、「天下無地容陛下、獨有此座而已。」既覺、自念文木從南、楠當有姓楠人出扶朕以定禍難。因召山僧訪之曰、「地方豪傑、豈有姓楠者乎。」對曰、「金剛山之西、有楠正成者焉。正成之父、嘗憂無子、與其妻祈於志貴山、而生焉。少字多聞。長以材武名。嘗平土寇、以功爲兵衞尉。」帝曰、「是也。」使中納言藤原藤房往召正成。正成即決意赴之。從藤房詣行在。帝使藤房言曰、「討賊之事、朕一以託汝。」

因命坐問計。正成感激、對曰、「天誅乘時、何賊不殲。東夷有勇無智。如較於勇、擧六十州兵、不足以當武藏・相模。較於智乎、則臣有策焉。雖然、勝敗常也。不可以少挫折變其志。陛下苟聞正成未死也、則毋復勞宸慮。」乃拜辭還。實元弘元年八月也。

(三九)湊川之戰　　賴襄

前役　さきに足利尊氏が鎌倉より西上せし折の戰役をいふ。
耦刺　音グウ、二人にて差チガヘルこと。
鎭　鎭守府なり。
殉　音ジユン、從ふ。

賊軍乘勝而進。新田義貞軍兵庫、飛書告急。朝廷震動。時北畠顯家已歸鎭。京師兵寡。帝命楠正成行援義貞。正成奏曰、

「尊氏新擧九國而來、其鋒甚鋭。我以疲兵格鬭、無他奇道、其敗必矣。爲今計者、陛下復幸叡山、召還義貞、縱賊入京師。而臣歸河內、絕其糧道、則賊兵日散、我兵日聚。於是夾而攻之、可一戰而破也。義貞之計、蓋亦出此。顧慮人言耳。戰道非一、要歸於勝。願朝廷再計之。」諸公卿皆然之。獨參議藤原淸忠不可曰、「賊雖衆盛、不過如前役。王師有天命、宜防之外也。」帝從之。正成退、謂其子弟曰、「事已至此、何必抗議。」五月十六日、與弟正季子正行等辭闕而西、至櫻井驛。正行時年十一矣。正成遣歸之河內。誡之曰、「汝雖幼已過十歲、猶能記吾言。今日之役、天下安危所決。意吾不復見汝也。汝聞吾已戰死矣、

則天下盡歸足利氏可知也。愼勿計較禍福、嚮利忘義、以廢乃父之忠。苟使我之族隷、而有一人存者、則率以守金剛山舊址、以身殉國、有死無他。汝所以報我、莫大於此。」因以帝所嘗賜寶刀授之、訣別。正行請從共死。正成叱之起。正行揮涕而去。正成乃至兵庫、慰勉義貞、訣飲終夜。當是時、尊氏將水軍、直義將陸軍、陸軍稱五十萬。正成率手兵七百、陳于湊川、以當之。義貞以三萬騎陳于和田崎、以扞水軍。水軍先鋒過而東。義貞拔軍循之。而尊氏全軍已上和田崎矣。正成顧謂正季曰、「我腹背受敵、不可遁也。先破前者、而後接背者、如何。」正季曰、「然。」於是兄弟竝突入陸軍、七離七遭。欲獲直義。直義

馬傷而墜。我兵垂及。有一敵將遮鬭而逸之。尊氏亦分兵來援、包我軍後。正成兄弟回馬當之、血戰十六合、盡亡其騎。所餘七十三騎。猶可以潰圍。而正成心不欲生。乃走入湊川北民舍、坐釋鎧。身被十一創。顧謂正季曰、「死而何爲。」曰、「願七生人間、以殺國賊。」正成欣然曰、「是獲吾心。」耦刺而死。正成年四十三。宗族十六人、從士五十餘人、悉死之。

(四〇)楠正行　一　　賴襄

徑　音ケイ、訓タヾチニ、
啣　音ショク、訓フクム、
義故　義を重んずる古き家來、

足利尊氏入京師、送正成首於河內。一家聚哭。正行起入室。

其母尾而闞之、則執父所授刀、將自殺。母徑入奪刀而泣曰、「汝何惑焉。乃父之遺汝、豈欲汝自殺也。汝啣遺命、歸來告我、而汝先忘之。惡能任王事。」正行大悟。自是以討國賊復父讐爲志。常與兒童嬉戲、爲馳逐狀、曰、「追足利也。」爲斬首狀曰、「獲尊氏元也。」楠氏族黨多死湊川、而河內紀伊之間、猶有義故存者、皆思戴正行。

(四一)楠正行　二　　賴襄

聚落　村落なり、
餘燼　音ジン、訓モエノコリ、討もらされの者をいふ、
羸弱　音ルイ、ジャク、身體虛弱なること、

楠正行在金剛山、漸保聚義故。時出兵攝津、縱火挑賊。正平

二年秋、足利尊氏令細川顯氏將二千騎來攻。未至金剛山七里、止舍。聞正行且攻箭尾城也、欲俟其離山而絕其後。正行諜知之、以七百人行火聚落、爲向箭尾而還、伏于譽田林。敵望火起、輒趨山下、亂隊疾馳。過林、遇伏起、大駭敗走、退守天王寺。山名時氏以六千騎來援軍于住吉。正行曰、先破時氏、則顯氏不戰而走。分兵二千爲五隊、進向住吉。時氏分兵當之。正行覘北軍塵起曰、敵陣四處、而衆倍於我。我不可分兵也。乃復合五隊爲一、疾行擊時氏麾下。時氏被創走。歸顯氏。顯氏軍亂走、過渡部、溺者無數。京師震駭。正行援溺卒五百人、與衣甲、禮而遣之。多願留仕者。正行遂逼京師。尊氏大

懼、乃發二十餘州兵、以高師直統諸將帥、以南擊正行。正行與弟正時、率諸宗族、詣行宮。因中納言藤原隆資上言曰、先臣正成嘗以微力挫强賊、以安先帝宸憂。及天下再亂、逆賊四襲、遂致命於湊川。臣時年十一。命歸河內、囑以收合餘燼、報復國讐。臣年已壯矣。而稟性羸弱、常念不及今力戰、以有待之身、罹無虞之疾、上爲不忠之臣、下爲不孝之子。而今賊渠帥大擧來犯。是眞臣致命之秋也。非臣獲彼首、則授臣首於彼。臣生死決於今日。切希得一拜天顏而行。

隆資入奏。帝揭簾臨視將士、前正行勞之曰、

曩日兩捷、大殺賊勢、甚慰朕心。朕深嘉汝世忠。今賊悉銳而來、眞安危之決矣。雖然兵之進退、貴於從宜。朕以汝爲股肱。汝其自愛。

正行俯伏垂泣而出。辭訣後醍醐帝廟、題族黨百四十三人姓名於廟壁、然後上途。帝使隆資援之。

(四二)芳野懷古　藤井啓

古陵松柏吼天飆。山寺尋春春寂寥。
眉雪老僧時輟帚。落花深處說南朝。

(四三)芳野懷古　梁川孟緯

今來古往事茫茫。石馬無聲抔土荒。

春入櫻花滿山白。南朝天子御魂香。

(四四)定軍山下作　竹添漸卿

三弔忠魂泣湊河。定軍山下又滂沱。
人生勿作讀書子。到處不堪感淚多。

(四五)楠氏論　賴襄

居然　シツカリト身ヲスエル貌、

復辟　音ヘキ、天子諸侯の稱、復辟は再び天子の位に復し給ひしをいふ、

醻爵　音シウ、酬と同じ、報ゆと訓す、

擧措　人才を登川、任免のこと、論語爲政篇に「擧直錯諸枉、則民服」と見ゆ、

彈丸黑子　黑子はホクロ、ホクロの人身に於けるが如く、又は彈丸の如し、其土地の狹少なるをいふ、

三朝　後醍醐、後村上、後龜山、三天皇の御代をいふ、

外史氏曰、余數往來攝播間、訪所謂櫻井驛者、得之山崎路。一小村耳。過者或不省其爲驛址。蓋經足利織田豐臣數氏、世故變移、道里驛程、從輙改耳。余於是低回不能去。顧望金剛山、嶷立雲際、想見公擧義之秋、及其子孫據以扞護王室也。觀公詣行在、對天子曰、臣而未死、賊不患不滅。夫以一兵衛尉、而居然以天下之重自任。豈非感激値遇、以身許國哉。故能以赤手障江河、回天日於既墜。何其壯也。公聚北條氏精鋭於一城之下、而使新田足利之屬、擣其空虛、以殪其渠魁。帝之復辟、疇爵任職、宜以公爲首。而纔能與結城名和輩比肩。其失於擧措、足以知中興之無成矣。及足利氏叛朝廷

方、倚新田氏爲重。公特充褊裨、供其驅使。亦以其門地有不若焉爾。然京師大捷、殆致掃殄者、非因公之策耶。嚮使帝以其所任新田氏者、以任於公乎、曷至使犬羊狐鼠之賊、蹂踐吾朝廷哉。然觀其臨死戒子、又曰、吾死天下悉歸足利氏。夫知天下之不可爲、而猶留其子孫、以衛天子。其設心雖古大臣何以遠過。故子孫能守其遺訓、護正統天子於彈丸黑子之地、以防四海寇賊者、及三朝五十餘年之久。擧一門之肝腦、而竭諸國家之難、至其澌盡灰滅、而後足利氏始得大成其志於天下。蓋朝廷不能大任楠氏、而楠氏所以自任、莫以加焉。世之論中興諸將、尙視其資望大小、而不深探其實。亦

與當時之見等耳。不有楠氏、雖有三器、將安託焉以繫四方望哉。笠置夢兆、於是益驗、而南風不競、俱傷共亡、終古莫以恤其勞。悲夫。抑正閏雖殊、卒歸於一、能熙鴻號於無窮、使公有知、亦可以瞑矣。而其大節巍然、與山河並存。足以維持世道人心於萬古之下。比之姦雄迭起、僅傳數百年者、其得失果何如哉。

(四六)和氣淸麻呂論　　賴襄

膜拜　音ボ、長く跪いて拜すること、　兩朝　孝謙天皇、光仁天皇、

宮闈　音キ、宮中の小門なり、　釋奠　音セキ、テン、孔子を祭る儀式をいふ、

所貴於士、以其有氣節。無氣節非士也。士之有氣節、不獨以

立其一身也。足以維持國家、定天下之安危。國之有士氣也、猶家之有柱也、舟之有檝也。舟無檝則覆。家無柱則傾。國無士氣則亡。吾觀於和氣淸麻呂之事、有以知之。神龜寶字之際、朝廷之士、可謂無氣節矣。橘諸兄以華冑位極正一位矣。聖武之惑溺婦言、事無益興造、不聞其一言匡救之也。帝之慶廬舍那佛也、與皇后皇太子、備儀衛往。諸兄爲後乘、合掌膜拜、以當萬衆之觀、而不恥也。吉備眞備以儒學受寵兩朝、位至大臣、稱爲帝師矣。玄昉之濁亂宮闈、而熟視之而已。仲滿之驕橫、道鏡之僭竊、而如不聞知、相率拜賀仰爲法王、而不恥也。觀此二人之所爲、可以推其他矣。景雲之元、釋奠大學。

其二年、旌表孝子貞婦。其三年、百官朝道鏡於西宮。噫釋奠之禮、何禮乎。旌表之典、何典乎。而眞備則以爲道行矣乎。故講禮、講學、儼然稱士大夫、而無氣節焉。則其無益於國也、如此。夫以赫赫天朝、祖宗百世之天下、而欲傳之一比丘。誰不知其不可。而無敢言者、何哉。曰懼禍也。當此時、有一人焉、言之是、捐其一身、以存祖宗之天下也。淸麻呂是已。故曰、士之氣節、關係天下國家。有天下國家者、不可不養此以爲倚賴也。及光仁天皇之即位、首召還淸麻呂、復其本官。是矜式士大夫、定天下之所向也。嗚呼可謂知所務矣。天下可百年無如諸兄眞備者、不可一日無如淸麻呂者。

新撰漢文讀本卷三終

明治三十七年十二月五日印刷
明治三十七年十二月八日發行
明治三十八年二月十日訂正再版印刷
明治三十八年二月十三日訂正再版發行

新撰漢文讀本全五冊　定價
卷一　金拾五錢
卷二　金拾五錢
卷三　金拾六錢
卷四　金拾六錢
卷五　金拾六錢

著作者　宇野哲人
發行者　東京市日本橋區通旅籠町十一番地　株式合資會社　學海指針社
代表者　右社長　東京市本郷區弓町二丁目二十六番地　前川一郎
印刷者　東京市神田區柳原河岸十二番地　朝野利兵衛
印刷所　東京市神田區柳原河岸十二番地　開文舍
發賣所　東京市日本橋區通旅籠町十一番地　株式合資會社　學海指針社

文學士宇野哲人編

新撰漢文讀本

東京 株式合資會社學海指針社

新撰漢文讀本卷四

目次

新撰漢文讀本卷四目次終

新撰漢文讀本卷四

(一)郭隗說燕昭王　(十八史略)

涓人　涓人主灑掃、左右親近也。

反間　以計惑敵曰反間。

亞卿　亞次也。

殘　傷害也。

燕易王噲、以國讓其相子之、南面行王事。而噲老不聽政、顧爲臣。國大亂。齊伐燕取之、醢子之而殺噲。燕人立太子平、爲君。是爲昭王。弔死問生、卑辭厚幣、以招賢者。問郭隗曰、齊因孤之國亂、而襲破燕。孤極知燕小不足以報。誠得賢士與共

國、以雪先王之恥、孤之願也。先生視可者、得身事之。隗曰、古之君、有以千金使涓人求千里馬者。買死馬骨五百金而返。君怒。涓人曰、死馬且買之、況生者乎。馬今至矣。不期年、千里馬至者三。今王必欲致士、先從隗始。況賢於隗者、豈遠千里哉。於是昭王爲隗改築宮、師事之。於是士爭趨燕。樂毅自魏往。以爲亞卿任國政。已而使毅伐齊、入臨淄。齊王出走。毅乘勝、六月之間、下齊七十餘城。惟莒・卽墨不下。昭王卒。惠王立。惠王爲太子、已不快於毅。田單乃縱反間曰、毅與新王有隙、不敢歸、以伐齊爲名。齊人惟恐他將來卽墨殘矣。惠王果疑毅、乃使騎劫代將、而召毅。毅奔趙。田單遂得破燕而復齊城。

(二)報燕惠王書　樂毅

厠　音初寺切、間也。雜也。

符節　以君命往來、必有符節、以爲信。

寧臺　燕臺之名也。

大呂　大呂齊鐘名。

元英・磨室　括地志曰、二宮皆燕宮、在幽州薊縣西四里寧臺之下。

薊丘　薊丘燕所都之地。言燕之薊丘所植、植齊汶上之篁。

五伯　齊桓公、晉文公、秦穆公、楚成王、越王勾踐。

弃羣臣　君逝謂之弃羣臣。捐館舍同。

庶孽　孽音魚列切、伐木餘也。庶孽猶庶子也。

萌隷　萌音氓、民也。隷僕隷也。

鴟夷　鴟音處脂切、鴟夷革囊也。

郢　楚都、今湖北省荊州府江陵縣也。

臣不佞、不能奉承王命、以順左右之心。恐傷先王之明、有害足下之義。故遁逃走趙。今足下使人數之以罪。臣恐侍御者不察先王之所以畜幸臣之理、又不白臣之所以事先王之

心。故敢以書對。臣聞、賢聖之君、不以祿私親、其功多者賞之、其能當者處之。故察能而授官者、成功之君也。論行而結交者、立名之士也。臣竊觀先王之擧也、見有高世主之心。故假節於魏、以身得察於燕。先王過擧、厠之賓客之中、立之羣臣之上。不謀父兄、以爲亞卿。臣竊不自知、自以爲奉令承教、可幸無罪。故受令而不辭。先王命之曰、我有積怨深怒於齊。不量輕弱、而欲以齊爲事。臣曰、夫齊霸國之餘業、而最勝之遺事也。練於兵甲、習於戰攻。王若欲伐之、必與天下圖之。與天下圖之、莫若結於趙。且又淮北宋地、楚魏之所欲也。趙若許而約四國攻之、齊可大破也。先王以爲然、具符節、南使臣於

趙。顧反。命起兵擊齊。以天之道、先王之靈。河北之地、隨先王而擧之濟上。濟上之軍、受命擊齊。大敗齊人。輕卒銳兵、長驅至國。齊王遁而走莒。僅以身免。珠玉財寶、車甲珍器、盡收入於燕。齊器設於寧臺。大呂陳於元英。故鼎反乎磨室。薊丘之植、植於汶篁。自五伯已來、功未有及先王者也。先王以爲慊於志。故裂地而封之。使得比小國諸侯。臣竊不自知。自以爲奉令承教、可幸無罪。是以受令不辭。臣聞、賢聖之君、功立而不廢。故著於春秋。蚤知之士、名成而不毀。故稱於後世。若先王之報怨雪恥、夷萬乘之彊國、收八百歲之蓄積、及至弃羣臣之日、餘教未衰。執政任事之臣、修法令、愼庶孽、施及乎萌

隷、皆可以教後世。臣聞之、善作者、不必善成。善始者、不必善終。昔伍子胥、說聽於闔閭、而吳王遠迹至郢。夫差弗是也。賜之鴟夷、而浮之江。吳王不寤先論之可以立功。故沈子胥而不悔。子胥不蚤見王之不同量。是以至於入江而不化。夫免身立功、以明先王之迹、臣之上計也。離毀辱之誹謗、墮先王之名、臣之所大恐也。臨不測之罪、以幸爲利、義之所不敢出也。臣聞、古之君子、交絕不出惡聲。忠臣去國、不潔其名。臣雖不佞、數奉教於君子矣。恐侍御者之親左右之說、不察疏遠之行。故敢獻書以聞。唯君王之留意焉。

(三)田單列傳　　司馬遷

鐵籠　以鐵裹軸頭、堅而易進。

轊　音于歲切、車軸頭也。

東鄕坐　鄕與嚮同。

隴墓　隴音力踵切、揚子方言曰、秦晉之間、冢謂之隴。

版插　版築、牆版也。插、鍤同。刺土器也。

絳繒衣　絳音古巷切、赤色之濃者也。繒音慈陵切、帛也。

田單者、齊諸田疏屬也。湣王時、單爲臨菑市掾、不見知。及燕使樂毅伐破齊、齊湣王出奔、已而保莒城。燕師長驅平齊。而田單走安平、令其宗人盡斷其車軸末、而傅鐵籠。已而燕軍攻安平、城壞。齊人走爭塗、以轊折車敗、爲燕所虜。唯田單宗人以鐵籠故得脫。東保卽墨。燕既盡降齊城、唯獨莒卽墨不下。燕軍聞齊王在莒、幷兵攻之。淖齒既殺湣王於莒、因堅守距燕軍。數年不下。燕引兵東圍卽墨。卽墨大夫出與戰敗死。

城中相與推田單曰、安平之戰、田單宗人以鐵籠得全。習兵。立以爲將軍。以卽墨距燕。頃之燕昭王卒、惠王立。與樂毅有隙。田單聞之、乃縱反間於燕、宣言曰、齊王已死、城之不拔者二耳。樂毅畏誅而不敢歸。以伐齊爲名、實欲連兵南面而王齊。齊人未附。故且緩攻卽墨、以待其事。齊人所懼、唯恐他將之來、卽墨殘矣。燕王以爲然、使騎劫代樂毅。樂毅因歸趙。燕人士卒忿。而田單乃令城中人、食必祭其先祖於庭。飛鳥悉翔舞城中下食。燕人怪之。田單因宣言曰、神來下教我。乃令城中人曰、當有神人爲我師。有一卒曰、臣可以爲師乎。因反走。田單乃起引還、東鄕坐師事之。卒曰、臣欺君。誠無能也。田

單曰、子勿言也。因師之。每出約束、必稱神師。乃宣言曰、吾唯懼燕軍之劓所得齊卒、置之前行、與我戰、卽墨敗矣。燕人聞之如其言。城中之見齊諸降者盡劓、皆怒堅守、唯恐見得。單又縱反間曰、吾懼燕人掘吾城外冢墓、僇先人、可爲寒心。燕軍盡掘壟墓、燒死人。卽墨人從城上望見、皆涕

泣。其欲出戰、怒自十倍。田單知士卒之可用、乃身操版插、與士卒分功。妻妾編於行伍之閒。盡散飲食饗士。令甲卒皆伏、使老弱女子乘城、遣使約降於燕。燕軍皆呼萬歲。田單又收民金得千鎰、令卽墨富豪遺燕將曰、卽墨卽降、願無虜掠吾族家妻妾、令安堵。燕將大喜許之。燕軍由此益懈。田單乃收城中得千餘牛、爲絳繒衣、畫以五彩龍文、束兵刃於其角、而灌脂束葦於尾、燒其端、鑿城數十穴、夜縱牛。壯士五千人隨其後。牛尾熱、怒而奔燕軍。燕軍夜大驚。牛尾炬火光明炫燿。燕軍視之皆龍文。所觸盡死傷。五千人因銜枚擊之、而城中鼓譟從之、老弱皆擊銅器爲聲、聲動天地。燕軍大駭敗走。齊

人遂夷殺其將騎劫。燕軍擾亂奔走。齊人追亡逐北、所過城邑皆畔燕而歸田單。兵日益多乘勝、燕日敗亡。卒至河上。而齊七十餘城皆復爲齊。乃迎襄王於莒。入臨菑而聽政。襄王封田單、號曰安平君。

(四)廉頗藺相如列傳 一　　司馬遷

肉袒　肉袒者、袒而露其肉也。脫上衣曰袒。
斧質　質鑕同。玉篇曰、鐵質砧也。
列觀　樓臺也。
九賓　周禮大行人別九賓、謂九服之賓客也。
廣成傳舍　廣成是傳舍之名。傳舍旅館也。
湯鑊　鑊音胡郭切、鼎也。古者有湯鑊之刑。

廉頗者、趙之良將也。趙惠文王十六年、廉頗爲趙將伐齊、大破之、取晉陽。拜爲上卿。以勇氣聞於諸侯。藺相如者、趙人也。

爲趙宦者令繆賢舍人。趙惠文王時、得楚和氏璧。秦昭王聞之、使人遺昭王書、願以十五城請易璧。昭王與大將軍廉頗諸大臣謀。欲予秦、秦城恐不可得、徒見欺。欲勿予、卽患秦兵之來。計未定。求人可使報秦者、未得。宦者令繆賢曰、臣舍人藺相如可使。王問、何以知之。對曰、臣嘗有罪、竊計欲亡走燕。臣舍人相如止臣曰、君何以知燕王。臣語曰、臣嘗從大王與燕王會境上。燕王私握臣手曰、願結友。以此知之。故欲往。相如謂臣曰、夫趙彊而燕弱。而君幸於趙王。故燕王欲結於君。今君乃亡趙走燕。燕畏趙、其勢必不敢留君、而束君歸趙矣。君不如肉袒伏斧質請罪、則幸得脫矣。臣從其計。大王亦赦

臣。臣竊以爲其人勇士有智謀。宜可使。於此王召見。問藺相如曰、秦王以十五城請易寡人之璧。可予不。相如曰、秦彊趙弱、不可不許。王曰、取吾璧不予我城、奈何。相如曰、秦以城求璧、而趙不許、曲在趙。趙予璧、而秦不予趙城、曲在秦。均之二策、寧許以負秦曲。王曰、誰可使者。相如曰、王必無人、臣願奉璧往。使城入趙、而璧留秦。城不入、臣請完璧歸趙。趙王於是遂遣相如、奉璧西入秦。秦王坐章臺見相如。相如奉璧奏秦王。秦王大喜、傳以示美人及左右。左右皆呼萬歲。相如視秦王無意償趙城、乃前曰、璧有瑕。請指示王。王授璧。相如因持璧却立倚柱、怒髮上衝冠。謂秦王曰、大王欲得璧、使人發書

至趙王。趙王悉召群臣議。皆曰、秦貪負其彊、以空言求璧。償城恐不可得。議不欲予秦璧。臣以爲、布衣之交尚不相欺。況大國乎。且以一璧之故、逆彊秦之驩、不可。於是趙王乃齋戒五日、使臣奉璧拜送書於庭。何者、嚴大國之威、以修敬也。今臣至。大王見臣列觀、禮節甚倨。得璧傳之美人、以戲弄臣。臣觀大王無意償趙王城邑。故臣復取璧。大王必欲急臣、臣頭今與璧俱碎於柱矣。相如持其璧、睨柱欲以擊柱。秦王恐其破璧、乃辭謝固請。召有司案圖、指從此以往十五都予趙。相如度秦王特以詐佯爲予趙城、實不可得。乃謂秦王曰、和氏璧天下所共傳寶也。趙王恐不敢不獻。趙王送璧時、齋戒五

日。今大王亦宜齋戒五日、設九賓於庭。臣乃敢上璧。秦王度之、終不可彊奪。遂許齋五日。舍相如廣成傳舍。相如度秦王雖齋、決負約不償城。乃使其從者衣褐、懷其璧、從徑道亡、歸璧于趙。秦王齋五日後、乃設九賓禮於庭、引趙使者藺相如。相如至、謂秦王曰、秦自繆公以來二十餘君、未嘗有堅明約束者也。臣誠恐見欺於王而負趙。故令人持璧歸、間至趙矣。且秦彊而趙弱。大王遣一介之使至趙、趙立奉璧來。今以秦之彊、而先割十五都予趙、趙豈敢留璧而得罪於大王乎。臣知欺大王之罪當誅。臣請就湯鑊。唯大王與群臣孰計議之。秦王與群臣相視而嘻。左右或欲引相如去。秦王因曰、今殺

相如、終不能得璧也、而絕秦趙之驩。不如因而厚遇之、使歸趙。趙王豈以一璧之故欺秦邪。卒廷見相如、畢禮而歸之。相如既歸。趙王以爲賢大夫使不辱於諸侯、拜相如爲上大夫。秦亦不以城予趙、趙亦終不予秦璧。

(五)廉頗藺相如列傳　二　　司馬遷

盆缻　盆缻者瓦器、所以盛酒漿。秦人鼓之、以節歌也。

咸陽　秦都于咸陽、今陝西省西安府咸陽縣也。

負荊　荊可以爲鞭者也。

刎頸之交　言要齊生死、而刎頸無悔也。

其後秦伐趙、拔石城。明年復攻趙、殺二萬人。秦王使使者告趙王、欲與王爲好、會於西河外澠池。趙王畏秦、欲毋行。廉頗藺相如計曰、王不行、示趙弱且怯也。趙王遂行。相如從。廉頗

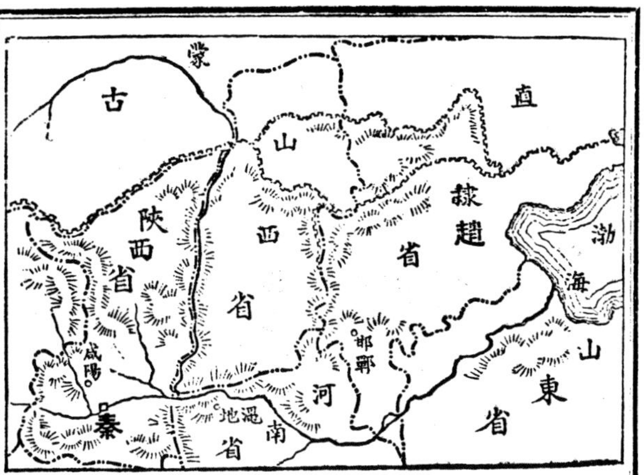

送至境。與王訣曰「王行度道里會遇之禮畢還、不過三十日。三十日不還、則請立太子爲王、以絶秦望。」王許之。遂與秦王會澠池。秦王飲酒酣曰「寡人竊聞趙王好音。請奏瑟。」趙王鼓瑟。秦御史前書曰「某年月日、秦王與趙王會飲。令趙王鼓瑟。」藺相如前曰「趙王竊聞秦王爲秦聲。請奉盆缻

秦王。以相娯樂。」秦王怒不許。於是相如前進缻、因跪請秦王。秦王不肯撃缻。相如曰「五歩之内、相如請得以頸血濺大王矣。」左右欲刃相如。相如張目叱之。左右皆靡。於是秦王不懌、爲一撃缻。相如顧召趙御史。書曰「某年月日、秦王爲趙王撃缻。」秦之群臣曰「請以趙十五城爲秦王壽。」藺相如亦曰「請以秦之咸陽爲趙王壽。」秦王竟酒、終不能加勝於趙。趙亦盛設兵以待秦。秦不敢動。既罷歸國。以相如功大、拜爲上卿。位在廉頗之右。廉頗曰「我爲趙將、有攻城野戰之大功。而藺相如徒以口舌爲勞、而位居我上。且相如素賤人。吾羞不忍爲之下。」宣言曰「我見相如、必辱之。」相如聞、不肯與會。相如每朝時、

常稱病、不欲與廉頗爭列。已而相如出、望見廉頗。相如引車避匿。於是舍人相與諫曰「臣所以去親戚而事君者、徒慕君之高義也。今君與廉頗同列。廉君宣惡言、而君畏匿之、恐懼殊甚。且庸人尚羞之。況於將相乎。臣等不肖、請辭去。」藺相如固止之曰「公之視廉將軍、孰與秦王。」曰「不若也。」相如曰「夫以秦王之威、而相如廷叱之、辱其群臣。相如雖駑、獨畏廉將軍哉。顧吾念之、彊秦之所以不敢加兵於趙者、徒以吾兩人在也。今兩虎共鬪、其勢不俱生。吾所以爲此者、以先國家之急、而後私讐也。」廉頗聞之、肉袒負荊、因賓客至藺相如門謝罪曰「鄙賤之人、不知將軍寛之至此也。」卒相與驩、爲刎頸之交。

是歳、廉頗東攻齊、破其一軍。居二年、廉頗復伐齊幾、拔之。後三年、廉頗攻魏之防陵・安陽、拔之。後四年、藺相如將而攻齊、至平邑而罷。其明年、趙奢破秦軍閼與下。

(六)和氏璧　(蒙求)

璞 音匹角切、玉未治者。　玉人 玉工也。

楚人和氏得玉璞楚山中。奉獻厲王。王使玉人相之。曰「石也。」王以和爲詐、而刖其左足。及武王即位、和又獻之。王使玉人相之。又曰「石也。」王又以和爲詐、而刖其右足。文王即位。和乃抱其璞、而哭於楚山之下、三日三夜、泣盡而繼之以血。王聞之、使人問其故、曰「天下之刖者多矣。子奚哭之悲。」和曰「吾非

悲刖也。悲夫寶玉而題之以石、貞士而名之以詐、此吾所以悲也。王乃使玉人理其璞、而得寶焉。遂命曰和氏璧。

(七)孫子吳起列傳　一　　司馬遷

勒兵　勒音盧則切、馬頭絡銜也。又抑制也。勒兵者、統御兵也。　三令五申　申者重而言之也。

孫子武者、齊人也。以兵法見於吳王闔廬。闔廬曰、子之十三篇、吾盡觀之矣。可以小試勒兵乎。對曰、可。闔廬曰、可試以婦人乎。曰、可。於是許之、出宮中美女、得百八十人。孫子分爲二隊、以王之寵姬二人、各爲隊長、皆令持戟。令之曰、汝知而心與左右手背乎。婦人曰、知之。孫子曰、前則視心、左觀左手、右觀右手、後即視背。婦人曰、諾。約束既布、乃設鈇鉞、即三令五

申之。於是鼓之右。婦人大笑。孫子曰、約束不明、申令不熟、將之罪也。復三令五申、而鼓之左。婦人復大笑。孫子曰、約束不明、申令不熟、將之罪也。既已明、而不如法者、吏士之罪也。乃欲斬左右隊長。吳王從臺上觀、見且斬愛姬、大駭、趣使使下令曰、寡人已知將軍能用兵矣。寡人非此二姬、食不甘味。願勿斬也。孫子曰、臣既已受命爲將。將在軍、君命有所不受。遂斬隊長二人以徇。用其次爲隊長。於是復鼓之。婦人左右前後跪起、皆中規矩繩墨、無敢出聲。於是孫子使使報王曰、兵既整齊、王可試下觀之。唯王所欲用之、雖赴水火猶可也。吳王曰、將軍罷休就舍。寡人不願下觀。孫子曰、王徒好其言、不

能用其實。於是闔廬知孫子能用兵、卒以爲將。西破彊楚、入郢、北威齊晉、顯名諸侯。孫子與有力焉。

(八)孫子吳起列傳　二　　司馬遷

重射　重射謂以重質爲賭相射也。　輜車　輜車載輜重之車。

控捲　捲即拳也。控引也。解雜亂紛糾者、當善以手解之、不可控捲而擊之也。

搏撠　撠音戟、謂以手持戟刺人也。

批亢擣虛　亢音苦浪反、敵人相抗拒也。批相排批也。擣者擊也。衝也。虛者空也。

形格勢禁　言若批其相亢、擊擣彼虛、則是事形相格、而其勢自禁止。則彼自爲解兵也。

孫武既死、後百餘歲有孫臏。臏生阿鄄之間。臏亦孫武之後世子孫也。孫臏嘗與龐涓俱學兵法。龐涓既事魏、得爲惠王

將軍、而自以爲能不及孫臏、乃陰使召孫臏。臏至、龐涓恐其賢於己、疾之。則以法刑斷其兩足而黥之、欲隱勿見。齊使者如梁。孫臏以刑徒陰見、說齊使。齊使以爲奇、竊載與之齊。齊將田忌善而客待之。忌數與齊諸公子馳逐重射。孫子見其馬足不甚相遠、馬有上中下輩。於是孫子謂田忌曰、君第重射、臣能令君勝。田忌信然之、與王及諸公子逐射千金。及臨質、孫子曰、今以君之下駟、與彼上駟、取君上駟、與彼中駟、取君中駟、與彼下駟。既馳三輩畢、而田忌一不勝而再勝、卒得王千金。於是忌進孫子於威王。威王問兵法、遂以爲師。其後魏伐趙。趙急請救於齊。齊威王欲將孫臏。臏辭謝曰、刑餘人

不可。於是乃以田忌爲將、而孫子爲師、居輜車中、坐爲計謀。田忌欲引兵之趙。孫子曰、夫解雜亂紛糾者不控捲。救鬭者不搏撠。批亢擣虛、形格勢禁、則自爲解耳。今梁趙相攻、輕兵銳卒必竭於外、老弱罷於內。君不若引兵疾走大梁、據其街路、衝其方虛。彼必釋趙而自救。是我一擧解趙之圍、而收弊於魏也。田忌從之。魏果去邯鄲、與齊戰於桂陵、大破梁軍。後十五年、魏與趙攻韓。韓告急於齊。齊使田忌將而往、直走大梁。魏將龐涓聞之、去韓而歸。齊軍既已過而西矣。孫子謂田忌曰、彼三晉之兵、素悍勇而輕齊、齊號爲怯。善戰者因其勢而利導之。兵法、百里而趣利者蹶上將、五十里而趣利者、

軍半至。使齊軍入魏地爲十萬竈、明日爲五萬竈、又明日爲三萬竈。龐涓行三日、大喜曰、我固知齊軍怯。入吾地三日、士卒亡者過半矣。乃棄其步軍、與其輕銳、倍日幷行逐之。孫子度其行、暮當至馬陵。馬陵道狹、而旁多阻隘、可伏兵。乃斫大樹、白而書之曰、龐涓死于此樹之下。於是令齊軍善射者萬弩夾道

而伏。期曰、暮見火擧而俱發。龐涓果夜至斫木下、見白書、乃鑽火燭之。讀其書、未畢、齊軍萬弩俱發。魏軍大亂相失。龐涓自知智窮兵敗、乃自剄曰、遂成豎子之名。齊因乘勝、盡破其軍、虜魏太子申以歸。孫臏以此名顯天下。世傳其兵法。

(九)孫子吳起列傳　三　司馬遷

司馬穰苴　齊名將也。仕景公、防燕晉之軍、有功、爲大司馬。　贏糧　音以成切、擔也。

尙公主　天子諸侯之女、謂之公主。娶公主、謂之尙。言尊而尙之、不敢言娶也。

吳起者、衞人也。好用兵。嘗學於曾子、事魯君。齊人攻魯。魯欲將吳起。吳起取齊女爲妻。而魯疑之。吳起於是欲就名、遂殺其妻、以明不與齊也。魯卒以爲將。將而攻齊、大破之。魯人或

惡吳起曰、起之爲人、猜忍人也。其少時、家累千金、游仕不遂、遂破其家。鄉黨笑之。吳起殺其謗己者三十餘人、而東出衞郭門、與其母訣、齧臂而盟曰、起不爲相卿、不復入衞。遂事曾子。居頃之、其母死。起終不歸。曾子薄之、而與起絕。起乃之魯學兵法、以事魯君。魯君疑之。起殺妻以求將。夫魯小國、而有戰勝之名、則諸侯圖魯矣。且魯衞兄弟之國也。魯君用起、則是棄衞。魯君疑之、謝吳起。吳起於是聞魏文侯賢、欲事之。文侯問李克曰、起何如人哉。李克曰、起貪而好色。然用兵司馬穰苴不能過也。於是魏文侯以爲將、擊秦、拔五城。起之爲將、與士卒最下者同衣食。臥不設席、行不騎乘、親裹贏糧、與士

卒分勞苦。卒有疾疽者、起爲吮之。卒母聞而哭之。人曰、「子卒也。而將軍自吮其疽、何哭爲。」母曰、「非然也。往年吳公吮其父。其父戰不旋踵、遂死於敵。吳公今又吮其子。妾不知其死所矣。是以哭之。」文侯以吳起善用兵、廉平盡能得士心、乃以爲西河守、以拒秦韓魏。文侯既卒。既事其子武侯。武侯浮西河而下。中流顧而謂吳起曰、「美哉乎山河之固、此魏國之寶也。」起對曰、「在德不在險。昔三苗氏左洞庭、右彭蠡。德義不修。禹滅之。夏桀之居、左河濟、右泰華、伊闕在其南、羊腸在其北。修政不仁。湯放之。殷紂之國、左孟門、右太行、常山在其北、太河經其南。修政不德。武王殺之。由此觀之、在德不在險。若君不

修德、舟中之人、盡爲敵國也。」武侯曰、「善。」卽封吳起爲西河守。甚有聲名。魏置相、相田文。吳起不悅、謂田文曰、「請與子論功可乎。」田文曰、「可。」起曰、「將三軍、使士卒樂死、敵國不敢謀、子孰與起。」文曰、「不如子。」起曰、「治百官、親萬民、實府庫、子孰與起。」文曰、「不如子。」起曰、「守西河、而秦兵不敢東鄕、韓趙賓從、子孰與起。」文曰、「不如子。」起曰、「此三者子皆出吾下、而位加吾上、何也。」文曰、「主少國疑、大臣未附、百姓不信。方是之時、屬之於子乎、屬之於我乎。」起默然良久曰、「屬之子矣。」文曰、「此乃吾所以居子之上也。」吳起乃自知弗如田文。田文既死。公叔爲相、尙魏公主、而害吳起。公叔之僕曰、「起易去也。」公叔曰、「奈何。」其僕曰、

「吳起爲人、節廉而自喜名也。君因先與武侯言曰、『夫吳起賢人也。而侯之國小、又與彊秦壤界。臣竊恐起之無留心也。』武侯卽曰、『奈何。』君因謂武侯曰、『試延以公主。起有留心、則必受之。無留心、則必辭矣。以此卜之。』君因召吳起、而與歸、卽令公主怒而輕君。吳起見公主之賤君也、則必辭。」於是吳起見公主之賤魏相、果辭武侯。武侯疑之而弗信也。吳起懼得罪、遂去。卽之楚。楚悼王素聞起賢。至則相楚。明法審令、捐不急之官、廢公族疏遠者、以撫養戰鬬之士。要在彊兵、破馳說之言縱橫者。於是南平百越、北幷陳蔡、却三晉、西伐秦。諸侯患楚之彊。故楚之貴戚盡欲害吳起。及悼王死、宗室大臣作亂而

攻吳起。吳起走之王尸而伏之。擊起之徒、因射刺吳起、幷中悼王。悼王既葬、太子立。乃使令尹盡誅射吳起而幷中王尸者。坐射起而夷宗、死者七十餘家。

(一〇)齊威王以賢爲寶　（十八史畧）

甌窶　甌音謳、窶音婁、甌窶者、高田也、
汙邪　音烏耶、低田也。
滿篝滿車　篝音鉤、竹籠也。謂高下皆熟、滿載而歸也。
五穀　稻、黍、稷、麥、菽、
穰穰　音汝兩切。訓豐貌。
鎰　音逸、二十四兩曰鎰。
田　畋同、田獵也。
燕趙祭門　燕趙之人、畏齊侵伐、故祭以求福。

齊威王立。初不治。諸侯皆來伐。八年、楚大發兵加齊。齊使淳于髡請救于趙。齎金百斤、車馬十駟。髡仰天大笑。王曰、「先生

少之乎。」髡曰「臣見道傍有禳田者、操一豚蹄、酒一壺、祝曰『甌窶滿篝、汙邪滿車、五穀蕃熟、穰穰滿家。』臣見其所持者狹、所欲者奢。故笑之。」王乃益黃金千鎰、白璧十雙、車馬百駟。髡乃行。時齊國幾不振。王乃召即墨大夫、語之曰「自子之居即墨也、毀言日至。然吾使人視即墨、田野辟、人民給、官無事、東方寧。是子不事吾左右、以求助也。」封之萬家。召阿大夫、語之曰「自子之守阿、譽言日至。吾使人視阿、田野不辟、人民貧餒。趙攻鄄、子不救。衛取薛陵、子不知。是子厚幣事吾左右、以求譽也。」是日烹阿大夫、與嘗譽者。群臣聳懼、莫敢飾詐。齊大治。諸侯不敢復致兵。威王與魏惠王、會田于郊。惠王曰「齊有寶乎。」

王曰「無有。」惠王曰「寡人國雖小、猶有徑寸之珠、照車前後各十二乘者十枚。」威王曰「寡人之寶與王異。吾臣有檀子者。使守南城、楚不敢爲寇泗上、十二諸侯皆來朝。有盼子者。使守高唐、趙人不敢東漁於河。有黔夫者。使守徐州、則燕人祭北門、趙人祭西門。有種首者。使備盜賊、道不拾遺。此四臣者、將照千里。豈特十二乘哉。」惠王有慙色。

(十八史畧)

(一一)蕭何薦韓信

漂母　漂者水中洗滌絮也。絮音息御切、故綿也。

王孫　猶言公子也。

治粟都尉　官名、掌治藏穀。

漢王　漢高祖劉邦、時爲漢中王。

壇場　築土曰壇、除地曰場。

部署　分部署置、使各效職。

初淮陰韓信、家貧釣城下。有漂母、見信饑飯信。信曰「吾必厚報母。」母怒曰「大丈夫不能自食。吾哀王孫而進食。豈望報乎。」淮陰屠中少年、有侮信者、因衆辱之曰「若雖長大好帶劍、中情怯耳。能死刺我、不能出我胯下。」信熟視之、俛出胯下蒲伏。一市人皆笑信怯。項梁渡淮。信從之。又數以策干項羽。不用。亡歸漢。爲治粟都尉。數與蕭何語。何奇之。漢王至南鄭、將士皆謳歌思歸、多道亡。信度何已數言、王不用、卽亡去。何自追之。人曰「丞相何亡。」王怒、如失左右手。何來謁。王罵曰「若亡何也。」何曰「追韓信。」王曰「諸將亡以十數、公無所追。追信詐也。」何曰「諸將易得耳。信國士無雙。王必欲長王漢中、無所事信。必

欲爭天下、非信無可與計事者。」王曰「吾亦欲東耳、安能鬱鬱久居此乎。」何曰「計必東、能用信、信卽留。不然、信終亡耳。」王曰「吾爲公以爲將。」何曰「不留也。」王曰「以爲大將。」何曰「幸甚。」王素慢無禮、拜大將如呼小兒。此信所以去。乃設壇場具禮。諸將皆喜。人人自以爲得大將。至拜乃韓信也。一軍皆驚。王遂用信計、部署諸將。留蕭何收巴蜀租、給軍糧食。信引兵從故道出、襲雍王章邯。邯敗死。塞王司馬欣、翟王董翳皆降。

(司馬遷)

(一二)井徑口之戰

樵蘇　樵取薪也。蘇取草也。

方軌　方並也。軌車軸也。

戲下　戲下與麾下同。

萆山　萆音蔽、依山自覆蔽也。

拊循　撫順同。

韓信與張耳以兵數萬、欲東下井陘擊趙。趙王、成安君陳餘、聞漢且襲之也、聚兵井陘口、號稱二十萬。廣武君李左車說成安君曰、「聞漢將韓信涉西河、虜魏王、禽夏說、新喋血閼與。今乃輔以張耳、議欲下趙。此乘勝而去國遠鬬、其鋒不可當。臣聞『千里餽糧、士有飢色。樵蘇後爨、師不宿飽。』今井陘之道、車不得方軌、騎不得

直隸省
渤海
山東省
黄河
井陘口
邯鄲

成列、行數百里、其勢糧食必在其後。願足下假臣奇兵三萬人、從間路絕其輜重。足下深溝高壘堅營勿與戰。彼前不得鬬、退不得還。吾奇兵絕其後、使野無所掠、不至十日、而兩將之頭可致於戲下。願君留意臣之計。否必爲二子所禽矣。」成安君儒者也。常稱義兵不用詐謀奇計。曰、「吾聞兵法、『十則圍之、倍則戰之。』今韓信兵號數萬、其實不過數千。能千里而襲我、亦已罷極。今如此避而不擊、後有大者、何以加之。則諸侯謂吾怯、而輕來伐我。」不聽廣武君策。廣武君策不用。韓信使人間視、知其不用、還報。則大喜、乃敢引兵遂下。未至井陘口三十里止舍。夜傳發、選輕騎二千人、人持一赤幟、從間道萆

山而望趙軍。誡曰、「趙見我走、必空壁逐我。若疾入趙壁、拔趙幟、立漢赤幟。」令其裨將傳飱曰、「今日破趙會食。」諸將皆莫信。佯應曰、「諾。」謂軍吏曰、「趙已先據便地爲壁。且彼未見吾大將旗鼓、未肯擊前行。恐吾至阻險而還。」信乃使萬人先行、出背水陳。趙軍望見而大笑。平旦信建大將之旗鼓、鼓行出井陘口。趙開壁擊之。大戰良久。於是信張耳佯弃旗鼓、走水上軍。水上軍開入之、復疾戰。趙果空壁、爭漢旗鼓、逐韓信張耳。韓信張耳已入水上軍。軍皆殊死戰、不可敗。信所出奇兵二千騎、共候趙空壁逐利、則馳入趙壁、皆拔趙旗、立漢赤幟二千。趙軍已不勝、不能得信等、欲還歸壁。壁皆漢赤幟。而大驚以

爲漢皆已得趙王將矣。兵遂亂遁走。趙將雖斬之、不能禁也。於是漢兵夾擊、大破虜趙軍、斬成安君泜水上、禽趙王歇。信乃令軍中、「毋殺廣武君。有能生得者購千金。」於是有縛廣武君而致戲下者。信乃解其縛、東鄉坐、西鄉對、師事之。諸將效首虜休、畢賀。因問信曰、「兵法『右倍山陵、前左水澤。』今者將軍令臣等反背水陳。曰『破趙會食。』臣等不服。然竟以勝。此何術也。」信曰、「此在兵法。顧諸君不察耳。兵法不曰、『陷之死地而後生。置之亡地而後存。』且信非得素拊循士大夫也。此所謂驅市人而戰之。其勢非置之死地、使人人自爲戰、今予之生地、皆走。寧尚可得而用之乎。」諸將皆服曰、「善。非臣所及也。」

（一三）垓下之役　（十八史略）

項王少助食盡。韓信又進兵擊之。羽乃與漢約、中分天下、鴻溝以西為漢、以東為楚。歸太公呂后、解而東歸。漢王亦欲西歸。張良陳平曰、「漢有天下大半。楚兵饑疲。今釋不擊、此養虎自遺患也。」王從之。五年、王追羽至固陵。韓信彭越期不至。張良勸王、以楚地梁地許兩人。王從之。皆引兵來。黥布亦會。羽至垓下。兵少食盡。信等乘之。羽敗入壁。圍之數重。羽夜聞漢軍四面皆楚歌、大驚曰、「漢皆已得楚乎。何楚人多也。」起飲帳中。命虞美人起舞。悲歌慷慨、泣數行下。其歌曰、

力拔山兮氣蓋世。　時不利兮騅不逝。

騅不逝兮可奈何。　虞兮虞兮奈若何。

騅者羽平日所乘駿馬也。左右皆泣、莫敢仰視。羽乃夜從八百餘騎、潰圍南出。渡淮迷失道、陷大澤中。漢追及之。至東城、乃有二十八騎。羽謂其騎曰、「吾起兵八歲、七十餘戰、未嘗敗也。今卒困此。此天亡我、非戰之罪。今日固決死。願為諸君決戰、必潰圍斬將、令諸君知之。」皆如其言。於是欲東渡烏江。亭長艤船待曰、「江東雖小、亦足以王。願急渡。」羽曰、「籍與江東子弟八千人、渡江而西。今無一人還。縱江東父兄憐而王我、我何面目復見。獨不愧於心乎。」乃刎而死。楚地悉定。獨魯不下。王欲屠之。至城下、猶聞絃誦之聲。為其守禮義之國、為主死

節、持羽頭示之。乃降。王還馳入齊王信壁、奪其軍。立信為楚王、彭越為梁王。

（一四）漢三傑　（十八史略）

徹侯　漢時、羣臣異姓有功封者、稱曰徹侯。後避武帝諱、改曰通侯。或曰列侯。

帷幄　帷幄者幕也。幄也。　子房　張良字子房。

餽餉　餽音求位切、餉音始兩切。給餽餉者、輸送糧食也。

高帝置酒洛陽南宮。語群臣曰、「徹侯諸將皆言。吾所以得天下者何。項氏所以失天下者何。」高起王陵對曰、「陛下使人攻城掠地、因而與之、與天下同其利。項羽不然。有功者害之、賢者疑之。戰勝而不予人功、得地而不與人利。」帝曰、「公知其一、

未知其二。夫運籌帷幄之中、決勝千里之外、吾不如子房。鎮國家、撫百姓、給餽餉、不絕糧道、吾不如蕭何。運百萬之衆、戰必勝、攻必取、吾不如韓信。此三人者、皆人傑也。吾能用之。此吾所以取天下。項羽有一范增、而不能用。此其所以為我禽也。」群臣悅服。

（一五）蘇武　（十八史略）

羝　音丁奚切、牡羊也。羝不當產乳、故設此言、示絕其事。　節旄　節旄節也、所以為信。以竹為之柄、長八尺、以旄牛尾為之。

典屬國　官名、掌歸服蠻夷。今以命武、以武久在匈奴中、習外夷事也。

雁信　雁信之熟字本于此。

中郎將蘇武、武帝天漢元年、使匈奴。單于欲降之。使漢降人

衛律誘以富貴。武不應。律曰、「不聽吾言、後欲復見我、尙可得乎。」武罵曰、「汝爲人臣子、不顧恩義、爲降虜於蠻夷。何以汝爲見。」律白單于。乃幽武置大窖中、絕不飮食。武齧雪與旃毛幷咽之。數日不死。匈奴以爲神。徙武北海上無人處、使牧羝曰、「羝乳乃得歸。」武掘野鼠、去草實而食之。臥起持漢節。節旄盡落。武素善李陵。及降匈奴、亦謂武曰、「人生如朝露。何自苦如此。」武曰、「臣事君、猶子事父也。子爲父死無所恨。」不肯。陵喟然歎曰、「嗟乎義士。」至昭帝始元六年、漢使者至匈奴求武等。匈奴詭言、「武已死。」漢使知之、言、「天子射上林中、得雁足有帛書云、『武在大澤中。』」匈奴不能隱。乃遣武。武留匈奴十九年。始以强壯

出、及還鬚髮盡白。拜爲典屬國。

(一六)朱雲請斬佞臣　司馬光

寢廟　凡廟前曰廟、後曰寢。廟中之寢、所以安神也。
明見　未能明見人言之當否也。
罕言命　罕稀也。論語云、「子罕言利與命與仁。」
怪神　論語云、子不語怪力亂神。
性與天道　論語云、子貢曰、夫子之言性與天道、不可得而聞也。
尸位素餐　尸主也。素空也。尸位者、不擧其事、但主其位也而已。素餐者、德不稱官、空當食祿。
尙方斬馬劍　尙方少府之屬官也。作供御器物。故有斬馬劍。劍利可以斬馬也。
折檻　檻軒前欄也。折檻之熟語本於此。
龍逢比干　關龍逢夏桀臣。王子比干殷紂臣。皆以諫而死。

特進安昌侯張禹、請平陵肥牛亭地。曲陽侯王根、爭以爲「此地當平陵寢廟衣冠所出游道。宜更賜禹它地。」上不從、卒以

賜禹。根由是害禹寵、數毀惡之。天子愈益敬厚禹。每病輒以起居聞、車駕自臨問之。上親拜禹牀下。禹頓首謝恩。禹小子未有官。禹數視其小子。上卽禹牀下、拜爲黃門郎給事中。禹雖家居、以特進爲天子師、國家每有大政、必與定議。時吏民多上書、言災異之應、譏切王氏專政所致。上意頗然之、未有以明見。乃車駕至禹第、辟左右、親問禹以天變、因用吏民所言王氏事示禹。禹自見年老、子孫弱、又與曲陽侯不平、恐爲所怨、則謂上曰、「春秋日食地震、或爲諸侯相殺、夷狄侵中國。災變之意、深遠難見。故聖人罕言命、不語怪神。性與天道、自子貢之屬不得聞。何況淺見鄙儒之所言。陛下宜修政事以

善應之、與下同其福喜。此經義意也。新學小生、亂道誤人、宜無信用、以經術斷之。」上雅信愛禹、由此不疑王氏。後曲陽侯根、及諸王子弟聞知禹言、皆喜說、遂親就禹。故槐里令朱雲、上書求見。公卿在前。雲曰、「今朝廷大臣、上不能匡主、下無以益民。皆尸位素餐。孔子所謂『鄙夫不可與事君、苟患失之、亡所不至』者也。臣願賜尙方斬馬劍、斷佞臣一人頭、以厲其餘。」上問誰也。對曰、「安昌侯張禹。」上大怒曰、「小臣居下訕上、廷辱師傅、罪死不赦。」御史將雲下。雲攀殿檻。檻折。雲呼曰、「臣得下從龍逢比干、遊於地下足矣。未知聖朝何如耳。」御史遂將雲去。於是左將軍辛慶忌、免冠解印綬、叩頭殿下曰、「此臣素著

狂直於世。使其言是、不可誅。其言非、固當容之。臣敢以死爭。」慶忌叩頭流血。上意解、然後得已。及後當治檻、上曰、「勿易。因而輯之、以旌直臣。」

(一七)昆陽之戰　司馬光

馳傳　驛傳之車馬、所以供急遽之令也。

壘尉　軍壁曰壘。壘尉主壘壁之事。

宛城　宛今河南省南陽縣也。時劉秀之兄縯、圍宛未拔也。

五威將軍　王莽置五威將軍、其衣服依五方之色、以威天下也。

假號者　劉玄也。南面稱帝、討王莽。嚴尤者、王莽臣也。故稱劉玄而云假號者。

衝輣　衝撞車也。輣音步耕切、樓車也。共兵車也。

中堅　凡軍事、中軍將軍最尊、以堅銳自輔、故曰中堅也。

王莽聞嚴尤陳茂敗、乃遣司空王邑馳傳、與司徒王尋發兵、平定山東。徵諸明兵法六十三家、以備軍吏、以長人巨毋霸

爲壘尉。又驅諸猛獸虎豹犀象之屬、以助威武。邑至洛陽。州郡各選精兵、牧守自將、定會者四十三萬人。號百萬餘。在道者、旌旗輜重、千里不絕。夏五月、尋邑南出潁川、與嚴尤陳茂合。諸將見尋邑兵盛、皆反走入昆陽、惶怖、憂念妻孥、欲散歸諸城。劉秀曰、「今兵穀既少、而外寇強大。幷力禦之、功庶可立。如欲分散、勢無俱全。且宛城未拔、不能相救。昆陽即拔、一日之間、諸部亦滅矣。今不同心膽、共擧功名、反欲守妻子財物邪。」諸將怒曰、「劉將軍何敢如是。」秀笑而起。會候騎還、言「大兵且至城北、軍陳數百里、不見其後。」諸將素輕秀。及迫急、乃相謂曰、「更請劉將軍計之。」秀復爲圖畫成敗。諸將皆曰、「諾。」時城

中唯有八九千人。秀使王鳳與廷尉大將軍王常守昆陽、夜與五威將軍李軼等十三騎、出城南門、于外收兵。時莽兵到城下者、且十萬。秀等幾不得出。尋邑縱兵圍昆陽。嚴尤說邑曰、「昆陽城小而堅。今假號者在宛。亟進大兵、彼必奔走。宛敗、昆陽自服。」邑曰、「吾昔圍翟義、坐不生得、以見責讓。今將百萬之衆、遇城而不能下、非所以示威也。當先屠此城、蹀血而進。前歌後舞、顧不快邪。」遂圍之數十重。列營百數、鉦鼓之聲、聞數十里。或爲地道、衝輣撞城、積弩亂發、矢下如雨。城中負戶而汲。王鳳等乞降。不許。尋邑自以爲功在漏刻、不以軍事爲憂。嚴尤曰、「兵法圍城爲之闕、宜使得逸出、以怖宛下。」邑又不

聽。劉秀至郾定陵、悉發諸營兵。諸將貪惜財物、欲分兵守之。秀曰、「今若破敵、珍寶萬倍、大功可成。如爲所敗、首領無餘。何財物之有。」乃悉發之。六月己卯朔、秀與諸營俱進、自將步騎千餘、爲前鋒。去大軍四五里而陳。尋邑亦遣兵數千合戰。秀奔之、斬首數十級。諸將喜曰、「劉將軍平生見小敵怯、今見大敵勇。甚可怪也。且復居前。請助將軍。」秀復進。尋邑兵卻。諸部共乘之、斬首數百千級。連勝遂前。諸將膽氣益壯、無不一當百。秀乃與敢死者三千人、從城西水上、衝其中堅。尋邑易之、自將萬餘人行陳、敕諸營皆按部毋得動。獨迎與漢兵戰不利。大軍不敢擅相救。尋邑陳亂。漢兵乘銳奔之、遂殺王尋。城

中亦鼓譟而出。中外合勢、震呼動天地。莽兵大潰、走者相騰踐、伏尸百餘里。會大雷風、屋瓦皆飛、雨下如注、滍川盛溢。虎豹皆股戰。士卒赴水、溺死者以萬數、水爲不流。王邑嚴尤陳茂、輕騎乘死人、度水逃去。盡獲其軍實輜重、不可勝算。擧之連月不盡、或燔燒其餘。士卒奔走、各還其郡。王邑獨與所將長安勇敢數千人還洛陽。關中聞之震恐。於是海內豪傑、翕然響應、皆殺其牧守、自稱將軍、用漢年號、以待詔命。旬日之間、徧于天下。

（後漢書）

（一八）馬援戒兄子

馬援兄子嚴敦、並喜譏議、而通輕俠客。援在交趾、還書誡之

曰、「吾欲汝曹聞人過失、如聞父母之名、耳可得聞、口不可得言也。好議論人長短、妄是非政法、此吾所大惡也。寧死不願聞子孫有此行也。龍伯高、敦厚周愼、口無擇言、謙約節儉、廉公有威。吾愛之重之。願汝曹效之。杜季良豪俠好義、憂人之憂、樂人之樂、清濁無所失。父喪致客、數郡畢至。吾愛之重之。不願汝曹效也。效伯高不得、猶爲謹直之士。所謂刻鵠不成、尚類鶩者也。效季良不得、陷爲天下輕薄子。所謂畫虎不成、反類狗者也。

（蒙求）

（一九）大樹將軍

燎衣　音力弔切、炙而乾之也。

配隸　分配而隸屬諸將也。

後漢馮異字公孫、潁川父城人。好讀書、通左氏春秋、孫子兵法。漢兵起。以郡掾守父城。光武爲司隸、道經父城。卽開門迎光武、署爲主簿。及王郞起、光武自薊東南馳、至饒陽蕪蔞亭。天寒衆飢疲。異上豆粥。明旦光武曰、「昨得公孫豆粥、飢寒俱解。」及至南宮、遇大風雨。光武入道傍舍、燎衣。異進麥飯。因渡滹沱河。還拜偏將軍。爲人謙退不伐、行與諸將相逢、輒引車避。進止皆有表識。軍中號爲整齊。每所止舍、諸將並坐論功、異常獨屛樹下。軍中號曰大樹將軍。及破邯鄲、乃更部分諸將、各有配隸。軍士皆言、願屬大樹將軍。光武以此多之。後封陽夏侯、拜征西大將軍、賜珍寶衣服錢帛。詔曰、「倉卒蕪蔞亭

豆粥、滹沱河麥飯、厚意久不報。」異稽首謝。

（二〇）隆中之對　司馬光

器之　物之有用者、謂之器。器之者、器重之也。重其才之足以用世也。

猖蹶　猖音昌、蹶音決、蹶蹶通用。猖蹶者狂猛難當也。

存恤　存問也。恤憐也。

德操　司馬徽字德操。

漢獻帝建安十二年。初琅邪諸葛亮、寓居襄陽隆中。每自比管仲樂毅。時人莫之許也。惟潁川徐庶、與崔州平、謂爲信然。劉備在荊州。訪士於襄陽司馬徽。徽曰、「儒生俗士、豈識時務。識時務者、在乎俊傑。此間自有伏龍鳳雛。」備問爲誰。曰、「諸葛孔明、龐子元也。」徐庶見備於新野。備器之。庶謂備曰、「諸葛孔

明、臥龍也。將軍豈願見之乎。備曰、君與俱來。庶曰、此人可就見、不可屈致也。將軍宜枉駕顧之。備由是詣亮、凡三往乃見。因屏人曰、漢室傾頹、姦臣竊命。孤不度德量力、欲信大義于天下。而智術淺短、遂用猖獗、至于今日。然志猶未已。君謂計將安出。亮曰、今曹操已擁百萬之衆、挾天子而令諸侯。此誠不可與爭鋒。孫權據有江東、已歷三世。國險而民附、賢能爲之用。此可與爲援、而不可圖也。荊州北據漢沔、利盡南海、東連吳會、西通巴蜀。此用武之國、而其主不能守。此殆天所以資將軍也。益州險塞、沃野千里、天府之土。劉璋闇弱、張魯在北、民殷國富、而不知存恤。智能之士、思得明君。將軍既帝室

之冑、信義著於四海。若跨有荊益、保其巖阻、撫和戎越、結好孫權、內修政治、外觀時變、則覇業可成、漢室可興矣。備曰、善。於是與亮情好日密。關羽張飛不悅。備解之曰、孤之有孔明、猶魚之有水也。願諸君勿復言。羽飛乃止。司馬徽清雅、有知人之鑒。同縣龐德公、素有重名。徽兄事之。諸葛亮每至德公家、獨拜牀下。德公初不令止。德公從子統、少時樸鈍、未有識者。惟德公與徽重之。德公嘗謂孔明爲臥龍、士元爲鳳雛、德操爲水鑑。故德操與劉備語而稱之。

(二一)前出師表

諸葛亮

菲薄　菲音斐、薄也。

宮中府中　宮中禁中也。府中大將軍幕府也。

臧否　臧否善惡也。

淑均　淑善也。均平也。

桓靈　二帝後漢無德之主、用小人而誤國也。

侍中尙書　陳震時爲侍中尙書。

長史參軍　蔣琬時爲長史參軍。

傾覆　言曹操敗劉備于當陽長坂也。

大事　謂討賊而興復漢室之事。

不毛　不毛不生草木之地。

臣亮言、先帝創業未半、而中道崩殂。今天下三分、益州罷弊。此誠危急存亡之秋也。然侍衞之臣、不懈於內、忠志之士、忘身於外者、蓋追先帝之殊遇、欲報之於陛下也。誠宜開張聖聽、以光先帝遺德、恢弘志士之氣。不宜妄自菲薄、引喩失義、以塞忠諫之路也。宮中府中、俱爲一體。陟罰臧否、不宜異同。若有作姦犯科、及爲忠善者、宜付有司、論其刑賞、以昭陛下

平明之治。不宜偏私使內外異法也。侍中侍郎郭攸之、費禕董允等、此皆良實、志慮忠純。是以先帝簡拔、以遺陛下。愚以爲宮中之事、事無大小、悉以諮之、然後施行、必能裨補闕漏、有所廣益也。將軍向寵、性行淑均、曉暢軍事。試用於昔日、先帝稱之曰能。是以衆議擧寵爲督。愚以爲營中之事、事無大小、悉以諮之、必能使行陣和睦、優劣得所也。親賢臣、遠小人、此先漢所以興隆也。親小人、遠賢臣、此後漢所以傾頹也。先帝在時、每與臣論此事、未嘗不歎息痛恨於桓靈也。侍中尙書、長史參軍、此悉貞亮死節之臣也。願陛下親之信之、則漢室之隆、可計日而待也。臣本布衣、躬耕於南陽、苟全性命於

亂世、不求聞達於諸侯。先帝不以臣卑鄙、猥自枉屈、三顧臣於艸廬之中、諮臣以當世之事。由是感激、遂許先帝以驅馳。後値傾覆、受任於敗軍之際、奉命於危難之間。爾來二十有一年矣。先帝知臣謹愼、故臨崩寄臣以大事也。受命以來、夙夜憂慮、恐付託不效、以傷先帝之明。故五月渡瀘、深入不毛。今南方已定、甲兵已足。當帥將三軍、北定中原。庶竭駑鈍、攘除姦凶、興復漢室、還於舊都。此臣之所以報先帝、而忠陛下、之職分也。至於斟酌損益、進盡忠言、則攸之・禕・允之任也。願陛下託臣以討賊興復之效。不效則治臣之罪、以告先帝之靈。若無興德之言、則責攸之・禕・允等之咎、以彰其慢。陛下亦

宜自謀、以諮諏善道、察納雅言、深追先帝遺詔。臣不勝受恩感激。今當遠離、臨表涕泣、不知所云。

(二二)後出師表　　諸葛亮

良平　張良、陳平、漢之二名臣。
劉繇　劉繇字正禮、據曲阿。
王朗　王朗字景興、守魏郡。
夏侯　夏侯淵守漢中、爲劉備所敗死。
朞年　朞音居之切、一匝而復其始時之謂朞。朞年者、一周年也。
曲長　部曲之長。
賨叟　南蠻之長也。
青羌　西南之夷也。
蹉跌　蹉音倉何切、跌音徒結切。蹉跌者、蹶而仆也。
鞠躬盡力　鞠音居六切、鞠躬者、屈體也。

先帝深慮漢賊不兩立、王業不偏安。故託臣以討賊。以先帝之明、量臣之才。固當知臣伐賊才弱敵彊。然不伐賊、王業亦

亡。惟坐而待亡、孰與伐之。是故託臣而弗疑也。臣受命之日、寢不安席、食不甘味。思惟北征、宜先入南。故五月渡瀘、深入不毛。臣非不自惜也、顧王業不可偏安於蜀都。故冒危難、以奉先帝之遺意也。而議者謂爲非計。今賊適疲於西、又務於東。兵法乘勞、此進趨之時也。謹陳其事如左。高帝明並日月、謀臣淵深。然涉險被創、危然後安。今陛下未及高帝、謀臣不如良平、而欲以長策取勝、坐定天下。此臣之未解一也。劉繇、王朗、各據州郡、論安言計、動引聖人。群疑滿腹、衆難塞胸。今歲不戰、明年不征、使孫策坐大、遂并江東。此臣之未解二也。曹操智計殊絕於人、其用兵也、髣髴孫吳。然困於南陽、險於

烏巢、危於祁連、偪於黎陽、幾敗北山、殆死潼關。然後僞定一時耳。況臣才弱、而欲以不危而定之。此臣之未解三也。曹操五攻昌霸不下。四越巢湖不成。任用李服、而李服圖之。委任夏侯、而夏侯敗亡。先帝每稱操爲能、猶有此失。況臣駑下、何能必勝。此臣之未解四也。自臣到漢中、中間朞年耳。然喪趙雲、陽群、馬玉、閻芝、丁立、白壽、劉郃、鄧銅等、及曲長屯將七十餘人、突將無前、賨叟、青羌、散騎武騎一千餘人。此皆數十年之內所糾合、四方之精鋭、非一州之所有。若復數年、則損三分之二。當何以圖敵。此臣之未解五也。今民窮兵疲、而事不可息。事不可息、則駐與行、勞費正等。而不及蚤圖之、欲以一

州之地、與賊持久。此臣之未解六也。夫難平者事也。昔先帝敗軍於楚。當此時、曹操拊手、謂天下已定。然後先帝東連吳越、西取巴蜀、擧兵北征、夏侯授首。此操之失計、而漢事將成也。然後吳更違盟、關羽毀敗、秭歸蹉跌、曹丕稱帝。凡事如是、難可逆料。臣鞠躬盡力、死而後已。至於成敗利鈍、非臣之明所能逆覩也。

(一一三)蜀相　杜甫

丞相祠堂何處尋。錦官城外柏森森。映堦碧草自春色。
隔葉黃鸝空好音。三顧頻繁天下計。兩朝開濟老臣心。
出師未捷身先死。長使英雄淚滿襟。

(一一四)赤壁之戰　一　司馬光

二子　劉琦。劉琮。
梟雄　梟音堅堯切、雄俊也。勇健也。
離違　言人有離心、互相乖違也。
殷勤　懇篤也。親切也。
豫州　劉備也。劉備先爲豫州牧。
孫討虜　先是曹操表孫權爲討虜將軍。故稱之。

初魯肅聞劉表卒、言於孫權曰、荊州與國鄰接、江山險固、沃野萬里、士民殷富。若據而有之、此帝王之資也。今劉表新亡、二子不協、軍中諸將、各有彼此。劉備天下梟雄、與曹操有隙、寄寓於表。表惡其能、而不能用也。若備與彼協心、上下齊同、則宜撫安、與結盟好。如有離違、宜別圖之、以濟大事。肅請得奉命、弔表二子、幷慰勞其軍中用事者、及說備使撫表衆、同

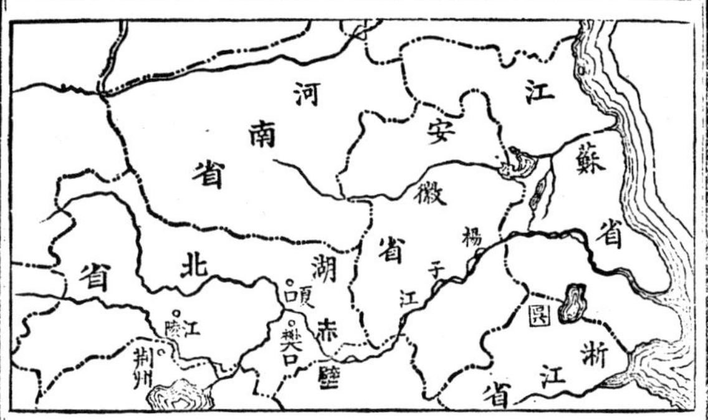

心一意、共治曹操。備必喜而從命。如其克諧、天下可定也。今不速往、恐爲操所先。權即遣肅行。到夏口、聞操已向荊州、晨夜兼道。比至南郡、而琮已降、備南走。肅徑迎之、與備會于當陽長坂。肅宣權旨、論天下形勢、致殷勤之意。且問備曰、豫州今欲何至。備曰、與蒼梧太守吳巨有舊、欲往投之。肅曰、孫討虜聰明仁惠、敬賢禮士、江表英豪、咸歸

附之。已據有六郡、兵精糧多、足以立事。今爲君計、莫若遣腹心、自結於東、以共濟世業。而欲投吳巨。巨是凡人、偏在遠郡、行將爲人所併。豈足託乎。備甚悅。肅又謂諸葛亮曰、我子瑜友也。即共定交。子瑜者、亮兄瑾也。避亂江東、爲孫權長史。備用肅計、進住鄂縣之樊口。

(一一五)赤壁之戰　二　司馬光

芟夷大難　芟音所銜切、刈草也。夷平也。大難者言袁紹之來寇也。
抗衡　衡平也。均平輕重之器。上下相當、無所卑屈曰抗。
田橫　漢高祖已滅項羽、而即天子之位。齊王田橫懼誅、與其徒屬五百餘人入海居島中。高祖赦其罪召之。橫不屈而自殺。橫客五百人、皆殉之。
魯縞　縞素絹也。魯曲阜之地、俗善作之、尤爲輕細。故以取喩也。
蹶上將　兵法曰、百里而趨利者、蹶上將。蹶跌也、仆也。

曹操自江陵、將順江東下。諸葛亮謂劉備曰、「事急矣。請奉命、求救於孫將軍。」遂與魯肅俱詣孫權。亮見權於柴桑、說權曰、「海內大亂、將軍起兵江東、劉豫州收衆漢南、與曹操共爭天下。今操芟夷大難、略已平矣。遂破荊州、威震四海。英雄無用武之地。故豫州遁逃至此。願將軍量力而處之。若能以吳越之衆、與中國抗衡、不如蚤與之絕。若不能、何不按兵束甲、北面而事之。今將軍外託服從之名、而內懷猶豫之計、事急而不斷、禍至無日矣。」權曰、「苟如君言、劉豫州何不遂事之乎。」亮曰、「田橫齊之壯士耳。猶守義不辱。況劉豫州王室之冑、英才蓋世、衆士慕仰、若水之歸海。若事之不濟、此乃天也。安能復

爲之下乎。」權勃然曰、「吾不能舉全吳之地、十萬之衆、受制於人。吾計決矣。非劉豫州莫可以當曹操者。然豫州新敗之後、安能抗此難乎。」亮曰、「豫州軍雖敗於長坂、今戰士還者、及關羽水軍、精甲萬人。劉琦合江夏戰士、亦不下萬人。曹操之衆、遠來疲敝。聞追豫州、輕騎一日一夜、行三百餘里。此所謂强弩之末勢、不能穿魯縞者也。故兵法忌之曰、『必蹶上將軍。』且北方之人、不習水戰。又荊州之民附操者、偪兵勢耳、非心服也。今將軍誠能命猛將統兵數萬、與豫州協規同力、破操軍必矣。操軍破、必北還。如此則荊吳之勢强、鼎足之形成矣。成敗之機、在於今日。」權大悅、與其群下謀之。

(二一六)赤壁之戰 三

司馬光

蒙衝鬭艦 鬭艦即戰艦也。以生牛皮蒙船、故曰蒙衝。船狹長、而務於輕快。
二袁 袁紹。袁術。
下曹從事 諸曹從事之最下者、微官也。
子布 張昭字子布。
公瑾 周瑜字公瑾。
子敬 魯肅字子敬。
元表 秦松字文表。元恐當作文。
程公 程普。

是時曹操遺權書曰、「近者奉辭伐罪。旄麾南指、劉琮束手。今治水軍八十萬衆、方與將軍會獵於吳。」權以示臣下。莫不響震失色。長史張昭等曰、「曹公豺虎也。挾天子以征四方、動以朝廷爲辭。今日拒之、事更不順。且將軍大勢可以拒操者、長

江也。今操得荊州、奄有其地。劉表治水軍、蒙衝鬭艦、乃以千數。操悉浮以沿江、兼有步兵、水陸俱下。此爲長江之險、已與我共之矣。勢力衆寡、又不可論。愚謂大計不如迎之。」魯肅獨不言。權起更衣。肅追於宇下。權知其意、執肅手曰、「卿欲何言。」肅曰、「向察衆人之議、專欲誤將軍。不足與圖大事。今肅可迎操耳。如將軍不可也。何以言之。今肅迎操、操當以肅還付鄉黨、品其名位、猶不失下曹從事。乘犢車、從吏卒、交游士林、累官、故不失州郡也。將軍迎操、欲安所歸乎。願早定大計。莫用衆人之議也。」權歎息曰、「諸人持議、甚失孤望。今卿廓開大計、正與孤同。」時周瑜受使至番陽。肅勸權召瑜還。瑜至。謂權曰、

「操雖託名漢相、其實漢賊也。將軍以神武雄才、兼仗父兄之烈、割據江東、地方數千里、兵精足用。英雄樂業、當橫行天下、爲漢家除殘去穢。況操自送死、而可迎之邪。請爲將軍籌之。今北土未平、馬超韓遂、尙在關西、爲操後患。而操舍鞍馬、仗舟楫、與吳越爭衡。今又盛寒、馬無藁草。驅中國士衆、遠涉江湖之間、不習水土、必生疾病。此數者用兵之患也。而操皆冒行之。將軍禽操、宜在今日。瑜請得精兵數萬人、進往夏口、保爲將軍破之。」權曰、「老賊欲廢漢自立久矣。徒忌二袁呂布劉表與孤耳。今數雄已滅、惟孤尙存。孤與老賊、勢不兩立。君言當擊、甚與孤合。此天以君授孤也。」因拔刀斫前奏案曰、「諸將

吏敢復有言當迎操者、與此案同。」乃罷會。是夜、瑜復見權曰、「諸人徒見操書言水步八十萬、而各恐懾、不復料其虛實、便開此議。甚無謂也。今以實校之、彼所將中國人、不過十五六萬、且已久疲。所得表衆、亦極七八萬耳、尙懷狐疑。夫以疲病之卒、御狐疑之衆。衆數雖多、甚未足畏。瑜得精兵五萬、自足制之。願將軍勿慮。」權撫其背曰、「公瑾、卿言至此、甚合孤心。子布元表諸人、各顧妻子、挾持私慮、深失所望。獨卿與子敬與孤同耳。此天以卿二人贊孤也。五萬兵難猝合。已選三萬人、船糧戰具俱辦。卿與子敬程公、便在前發。孤當續發人衆、多載資糧、爲卿後援。卿能辨之者誠決。邂逅不如意、便還就孤。

孤當與孟德決之。」遂以周瑜程普爲左右督、將兵與備幷力逆操、以魯肅爲贊軍校尉、助畫方略。

(二七)赤壁之戰　四

司馬光

委署　委棄也。署留也。
營落　落恐當作砦。周瑜傳注、落作砦。
愧喜　愧者、自愧呼肅之非。喜者、喜瑜之整。
靁鼓　靁古雷字。雷鼓疾擊鼓也。

劉備在樊口、日遣邏吏於水次、候望權軍。吏望見瑜船、馳往白備。備遣人慰勞之。瑜曰、「有軍任、不可得委署。儻能屈威、誠副其所望。」備乃乘單舸、往見瑜曰、「今拒曹公、深爲得計。戰卒有幾。」瑜曰、「三萬人。」備曰、「恨少。」瑜曰、「此自足用。豫州但觀瑜破之。」備欲呼魯肅等共會語。瑜曰、「受命不得妄委署。若欲見子

敬、可別過之。」備深愧喜。進與操遇於赤壁。時操軍衆已有疾疫。初一交戰、操軍不利、引次江北。瑜等在南岸。瑜部將黃蓋曰、「今寇衆我寡、難與持久。操軍方連船艦、首尾相接、可燒而走也。」乃取蒙衝鬭艦十艘、載燥荻枯柴、灌油其中、裹以帷幕、上建旌旗、豫備走舸、繫於其尾。先以書遺操、詐云欲降。時東南風急。蓋以十艦最著前、中江舉帆、餘船以次俱進。操軍吏士、皆出營立觀、指言蓋降。去北軍二里餘、同時發火。火烈風猛、船往如箭、燒盡北船、延及岸上營落。頃之烟炎張天、人馬燒溺、死者甚衆。瑜等率輕銳繼其後、靁鼓大震。北軍大壞。操引軍、從華容道步走。遇泥濘道不通。天又大風。悉使羸兵負

艸墳之。騎乃得過。羸兵爲人馬所蹈藉、陷泥中、死者甚衆。劉備周瑜、水陸並進、追操至南郡。時操軍兼以飢疫、死者大半。操乃留征南將軍曹仁、横野將軍徐晃守江陵、折衝將軍樂進守襄陽。引軍北還。

(二一八)周瑜卒　　司馬光

京　京、京口城也。孫權時居京。
以資業之　謂資之土地、使成覇業。
疆場　場音亦、疆場國境也。
連兵相事　相事、謂相與從事於戰攻也。
養虎　言養虎將自遺患。
旰食　旰音古旦反、晩也。言勵精圖治、晩而始食也。
醇醪　醇音純、不澆酒也。醪音勞、滓汁酒也。
涉獵　涉若涉水、獵若獵獸。言歴覽之、不專精也。

劉表故吏士、多歸劉備。備以周瑜所給地少、不足以容其衆、

乃自詣京見孫權、求都督荊州。瑜上疏曰、「劉備以梟雄之姿、而有關羽張飛熊虎之將。必非久屈爲人用者。愚謂大計、宜徙備置吳、盛爲築宮室、多其美女玩好、以娯其耳目。而分羽飛各置一方、使如瑜者得挾與攻戰、大事可定也。今猥割土地、以資業之、聚此三人、俱在疆場。恐蛟龍得雲雨、終非池中物也。」權不從。備還、久乃聞之、歎曰、「天下智謀之士、所見略同。前時、孔明諫孤莫行、其意亦慮此也。孤方危急、不得不往。此誠險塗、殆不免周瑜之手。」周瑜詣京見權曰、「今曹操新敗、憂在腹心。未能與將軍連兵相事也。乞與奮威俱進取蜀、而幷張魯。因留奮威固守其地、與馬超結援。瑜還與將軍據襄陽

以蹙操、北方可圖也。」權許之。奮威者、權從弟奮威將軍丹陽太守瑜也。周瑜還江陵、爲行裝、於道病困。與權牋曰、「瑜短命矣。誠不足惜。但恨微志未展、不復奉教命耳。方今曹操在北、疆場未靜。劉備寄寓、有似養虎。天下之事、未知終始。此朝士旰食之秋、至尊垂慮之日也。魯肅忠烈、臨事不苟、可以代瑜。儻所言可采、瑜死不朽矣。」卒於巴丘。權聞之、哀慟曰、「公瑾有王佐之才、今忽短命、孤何賴哉。」自迎其喪於蕪湖。瑜有一女二男。權爲長子登娶其女。以其男循爲騎都尉、妻以女。胤爲興業都尉、妻以宗女。初瑜見友于孫策。太夫人又使權以兄奉之。是時、權位爲將軍。諸將賓客、爲禮尚簡。而瑜獨先盡敬、

便執臣節。程普頗以年長、數陵侮瑜。瑜折節下之、終不與校。普後自敬服、而親重之。乃告人曰、「與周公瑾交、若飲醇醪、不覺自醉。」權以魯肅爲奮武校尉、代瑜領兵。令程普領南郡太守。魯肅勸權以荊州借劉備、與共拒曹操。權從之。初權謂呂蒙曰、「卿今當塗掌事。不可不學。」蒙辭以軍中多務。權曰、「孤豈欲卿治經爲博士邪。但當涉獵見往事耳。卿言多務、孰若孤。孤嘗讀書、自以爲大有所益。」蒙乃始就學。及魯肅過尋陽、與蒙議論、大驚曰、「卿今者才略、非復吳下阿蒙。」蒙曰、「士別三日、即更刮目相待。大兄何見事之晩乎。」肅遂拜蒙母、結友而去。

（十八史畧）

(二一九)唐太宗

輻湊　言如車輻之湊轂也。湊聚也。

草昧　易曰、天造草昧。王弼注曰、造物之始、始於冥昧、故曰草昧。廣雅曰、草造也。

唐太宗雖以武功定禍亂、終以文德綏海內、常自以驕侈爲懼。嘗曰、「人主惟一心、攻之者衆。或以勇力、或以辯口、或以諂諛、或以姦詐、或以嗜欲、輻湊各求自售。人主少懈、而受其一、則危亡隨之。此其所以難也。」嘗問侍臣、「創業守成孰難。」房玄齡曰、「草昧之初、群雄並起、角力而後臣之。創業難矣。」魏徵曰、「自古帝王莫不得之於艱難、失之於安逸。守成難矣。」上曰、「玄齡與吾共取天

下、出百死得一生。故知創業之難。徵與吾共安天下、常恐驕奢生於富貴、禍亂生於所忽。故知守成之難。然創業之難往矣。守成之難、方與諸公愼之。」自知神采爲臣下所畏、常溫顏接羣臣、導人使諫、賞諫者以來之。

（十八史畧）

(三〇)趙石勒

漢高　漢高祖劉邦。

韓彭　韓信。彭越。

礌礌落落　礌磊通用、磊磊衆石也。礌礌落落者、洒落而不拘細事也。

曹孟德　曹操字孟德、挾漢帝而令天下。操子丕遂簒之。

司馬仲達　司馬懿字仲達、仕于曹操。懿孫炎遂簒之。

後趙石勒嘗大饗群臣。問曰、「朕可方古何主。」或曰、「過於漢高。」勒笑曰、「人豈不自知。卿言太過。若遇高帝、當北面事之、與韓

彭比肩耳。若遇光武、當並驅中原、未知鹿死誰手。大丈夫行事、當礌礌落落、如日月皎然。終不效曹孟德、司馬仲達、欺人孤兒寡婦、狐媚以取天下也。」勒雖不學、好使人讀書而聽之、時以其意論得失、聞者悅服。嘗聽讀漢書、至酈食其勸立六國後、驚曰、「此法當失、何以遂得天下。」及聞張良諫、乃曰、「賴有此耳。」

（十八史畧）

(三一)孔子

正考父　正諡、考父字、孔父嘉父也。

三命　一命爲士、再命爲大夫、三命爲卿。

僂傴俯　屈身也。傴甚於僂、俯屈於傴。位愈高而禮愈恭。

料量　量米粟也。

司樴吏　樴音職、繫牛杙也。司樴吏者、畜牛羊之官。

季孟　季孟魯二卿、季孫氏孟孫氏是也。季氏最尊、孟氏爲下卿。

纍纍　音力追切、不得志之貌。

詩云　詩小雅何草不黃篇、兕野牛也。

令尹　楚相號爲令尹。

韋編　韋皮也。古者以皮編竹簡。閱讀之勤、故至三絕。

十二公　隱、桓、莊、閔、僖、文、宣、成、襄、昭、定、哀、

六藝　禮、樂、射、御、書、數、

孔子名丘、字仲尼。其先宋人也。有正考父者、佐宋。三命滋益恭。其鼎銘云、「一命而僂、再命而傴、三命而俯。循墻而走、亦莫余敢侮。饘於是、粥於是、以餬予口。」孔氏滅於宋。其後適魯。有叔梁紇者、與顏氏女禱於尼山、而生孔子。爲兒嬉戲、常陳俎豆、設禮容。長爲季氏吏、料量平。嘗爲司樴吏、畜蕃息。適周問禮於老子。反而弟子稍益進。適齊。齊景公將待以季孟之間。孔子反魯。定公用之不終。適衛。將適陳、過匡。匡人嘗爲陽虎

所暴。孔子貌類陽虎。止之。既免反于衞。醜靈公所爲。去之。過曹適宋。與弟子習禮大樹下。桓魋伐拔其樹。適鄭。鄭人曰、東門有人。其顙似堯。其項類皐陶。其肩類子產。自要以下、不及

禹三寸。纍纍然若喪家之狗。適陳。又適衞。將西見趙簡子。至河。聞竇鳴犢舜華殺死。臨河歎曰、美哉水、洋洋乎。丘之不濟此命也。反于衞、適陳適蔡。如葉。反于蔡。楚使人聘之。陳蔡大夫謀曰、孔子用於楚、則陳蔡危矣。相與發徒圍之於野。孔子曰、詩云、匪兕匪虎、率彼曠野。吾道非邪。吾何爲於

是。子貢曰、夫子道至大。天下莫能容。顏回曰、不容何病。然後見君子。楚昭王興師迎之。乃得至楚。將封以書社地七百里。令尹子西不可。孔子反于衞。季康子迎歸魯。哀公問政。終不能用。乃序書。上自唐虞、下至秦繆。刪古詩三千、爲三百五篇、皆絃歌之。禮樂自此可述。晚而喜易。序彖象繫辭說卦文言。讀易韋編三絕。因魯史記作春秋。自隱至哀十二公。絕筆於獲麟。筆則筆削則削。子夏之徒不能贊一辭。弟子三千人。身通六藝者七十有二人。年七十三而卒。子鯉字伯魚。早死。孫伋字子思。作中庸。

(三二)論語抄

子曰、富與貴、是人之所欲也。不以其道得之、不處也。貧與賤、是人之所惡也。不以其道得之、不去也。君子去仁、惡乎成名。君子無終食之間違仁。造次必於是。顚沛必於是。　里仁

子曰、士志於道、而恥惡衣惡食者、未足與議也。　里仁

子曰、不憤不啓、不悱不發。擧一隅、不以三隅反、則不復也。　述而

子曰、譬如爲山。未成一簣、止吾止也。譬如平地。雖覆一簣、進吾往也。　子罕

顏淵喟然歎曰、仰之彌高、鑽之彌堅。瞻之在前、忽焉在後。夫子循循然善誘人。博我以文、約我以禮。欲罷不能。既竭吾才、

如有所立卓爾。雖欲從之、末由而已。　子罕

曾子曰、士不可以不弘毅。任重而道遠。仁以爲己任。不亦重乎。死而後已。不亦遠乎。　泰伯

子夏曰、博學而篤志、切問而近思。仁在其中矣。　子張

(三三)大學之道　(大學)

大學之道、在明明德、在親民、在止於至善。知止而后有定。定而后能靜。靜而后能安。安而后能慮。慮而后能得。物有本末、事有終始。知所先後、則近道矣。古之欲明明德於天下者、先治其國。欲治其國者、先齊其家。欲齊其家者、先修其身。欲修其身者、先正其心。欲正其心者、先誠其意。欲誠其意者、先致

其知致、知在格物。物格而后知至。知至而后意誠。意誠而后心正。心正而后身修。身修而后家齊。家齊而后國治。國治而后天下平。自天子以至於庶人、壹是皆以修身爲本。其本亂而末治者否矣。其所厚者薄、而其薄者厚、未之有也。此謂知本。此謂知之至也。

(三四)明道先生墓表　程頤

潞國大師（文彦博也。時爲潞國公大師。）　貿貿焉（貿貿目不明之貌。）
憖遺（憖音魚覲切、心不欲而自彊之辭。）　帝師（潞國大師文彦博也。）

先生名顥、字伯淳、葬於伊川。潞國大師題其墓、曰明道先生。弟頤序其所以、而刻之石曰、周公沒、聖人之道不行。孟軻死、

聖人之學不傳。道不行、百世無善治。學不傳、千載無眞儒。無善治、士猶得以明夫善治之道、以淑諸人、以傳諸後。無眞儒、天下貿貿焉莫知所之、人欲肆、而天理滅矣。先生生千四百年之後、得不傳之學於遺經。志將以斯道覺斯民。天不憖遺、哲人早世。鄉人士大夫、相與議曰、義之不明也久矣。先生出、揭聖學以示人、辨異端、闢邪說、開歷古之沈迷。聖人之道、得先生而復明。爲功大矣。於是帝師採衆議、而爲之稱、以表其墓。學者之於道、知所嚮、然後知斯人之爲功。知所至、然後知斯名之稱情。山可夷、谷可堙。明道之名、萬古而長存。勒石墓傍、以詔後人。元豐乙丑十月戊子書。

(三五)祭十二郎文　韓愈

時羞之奠（羞音脩、進獻也。奠音堂練切、供物也。）
所怙（詩小雅曰、無父何怙、無母何恃。故父曰怙、母曰恃。又父母通謂之怙。）
零丁孤苦（零丁失意也。不得志也。）　孩提（孩小兒笑也。孩提之童者、幼童知孩笑可提攜者也。）
窆（音方驗切、葬下棺于穴中也。）　斂（音良冉切、收也。藏于棺中也。）

年月日、季父愈聞汝喪之七日、乃能銜哀致誠、使建中遠具時羞之奠、告汝十二郎之靈。嗚呼吾少孤。及長不省所怙、惟兄嫂是依。中年兄歿南方、吾與汝俱幼、從嫂歸葬河陽。既又與汝就食江南。零丁孤苦、未嘗一日相離也。吾上有三兄、皆不幸早世。承先人後者、在孫惟汝、在子惟吾。兩世一身、形單

影隻。嫂常撫汝指吾而言曰、韓氏兩世、惟此而已。汝時尤小、當不復記憶。吾時雖能記憶、亦未知其言之悲也。吾年十九、始來京城。其後四年、而歸視汝。又四年、吾往河陽省墳墓、遇汝從嫂喪來葬。又二年、吾佐董丞相於汴州。汝來省吾止一歲、請歸取其孥。明年丞相薨。吾去汴州、汝不果來。是年吾佐戎徐州。使取汝者始行、吾又罷去、汝又不果來。吾念汝從於東、東亦客也。不可以久。圖久遠者、莫如西歸。將成家而致汝。嗚呼孰謂汝遽去吾而歿乎。吾與汝俱少年、以爲雖暫相別、終當久與相處。故捨汝而旅食京師、以求斗斛之祿。誠知其如此、雖萬乘之公相、吾不以一日輟汝而就也。去年孟東野

往。吾書與汝曰、吾年未四十、而視茫茫、而髮蒼蒼、而齒牙動搖。念諸父與諸兄、皆康强而早世。如吾之衰者、其能久存乎。吾不可去、汝不肯來。恐旦暮死、而汝抱無涯之戚也。孰謂少者歿、而長者存、强者夭、而病者全乎。嗚呼其信然邪、其夢邪、其傳之非其眞邪。信也、吾兄之盛德、而夭其嗣乎。汝之純明、而不克蒙其澤乎。少者强者、而夭沒、長者衰者、而存全乎。未可以爲信也。夢也、傳之非其眞也。東野之書、耿蘭之報、何爲而在吾側也。嗚呼其信然矣。吾兄之盛德、而夭其嗣矣。汝之純明、宜業其家者、不克蒙其澤矣。所謂天者誠難測、而神者誠難明矣。所謂理者不可推、而壽者不可知矣。雖然、吾自今

年來、蒼蒼者或化而爲白矣。動搖者或脫而落矣。毛血日益衰、志氣日益微。幾何不從汝而死也。死而有知、其幾何離。其無知、悲不幾時、而不悲者、無窮期矣。汝之子始十歲、吾之子始五歲。少而强者、不可保。如此孩提者、又可冀其成立邪。嗚呼哀哉。嗚呼哀哉。汝去年書云、比得軟脚病、往往而劇。吾曰、是疾也、江南之人、常常有之。未始以爲憂也。嗚呼其竟以此而殞其生乎。抑別有疾而至斯乎。汝之書、六月十七日也。東野曰、汝歿以六月二日。耿蘭之報無月日。蓋東野之使者、不知問家人以月日。如耿蘭之報、不知當言月日。東野與吾書、乃問使者。使者妄稱以應之耳。其然乎、其不然乎。今吾使建

中祭汝、弔汝之孤、與汝之乳母。彼有食、可守以待終喪、則待終喪、而取以來。如不能守以終喪、則遂取以來。其餘奴婢、並令守汝喪。吾力能改葬、終葬汝於先人之兆、然後惟其所願。嗚呼汝病吾不知時、汝歿吾不知日。生不能相養以共居、歿不能撫汝以盡哀。斂不憑其棺、窆不臨其穴。吾行負神明、而使汝夭。不孝不慈、而不得與汝相養以生、相守以死。一在天之涯、一在地之角。生而影不與吾形相依、死而魂不與吾夢相接。吾實爲之、其又何尤。彼蒼者天、曷其有極。自今以往、吾其無意於人世矣。當求數頃之田於伊潁之上、以待餘年。敎吾子與汝子、幸其成長、吾女與汝女、待其嫁。如此而已。嗚呼

言有窮、而情不可終。汝其知也邪、其不知也邪。嗚呼哀哉。尙饗。

(三六)送董邵南序　韓愈

望諸君　樂毅去燕而奔趙。趙封毅于觀津、號曰望諸君。　屠狗者　荊軻也。嘗燕太子丹、使於秦。

燕趙古稱多感慨悲歌之士。董生擧進士、連不得志於有司。懷抱利器、鬱鬱適茲土。吾知其必有合也。董生勉乎哉。夫以子之不遇時、苟慕義彊仁者、皆愛惜焉。矧燕趙之士、出乎其性者哉。然吾嘗聞風俗與化移易。吾惡知其今不異於古所云邪。聊以吾子之行卜之也。董生勉乎哉。吾因子有所感矣。爲我弔望諸君之墓、而觀於其市、復有昔時屠狗者乎。爲我

謝曰、「明天子在上、可以出而仕矣。」

（三七）送楊少尹序　韓愈

疏廣疏受　漢疏廣仕至太子太傅。兄子受官至太子少傅。在位五年、廣謂受曰、知足不辱、知止不殆、功成身退、天之道也。如此不去、恐有後悔。乃上疏乞骸骨。上許之。

祖道　祖者送行而祭道神也。因享飲而敍別情。

落莫　猶寂寞也。

歌鹿鳴　唐鄉貢之士、每歲仲冬、中試者、長吏會屬僚、行鄉飲酒禮、歌鹿鳴之詩、而餞其行。

昔疏廣受二子、以年老、一朝辭位而去。于時公卿設供帳、祖道都門外、車數百兩。道路觀者、多嘆息泣下、共言其賢。漢史既傳其事、而後世工畫者、又圖其迹。至今照人耳目、赫赫若前日事。國子司業楊君巨源、方以能詩訓後進。一旦以年滿七十、亦白丞相、去歸其鄉。世常說、「古今人不相及。」今楊與二

疏、其意豈異也。予忝在公卿後。遇病不能出。不知楊侯去時、城門外送者幾人、車幾兩、馬幾疋、道邊觀者、亦有嘆息知其爲賢與否。而太史氏又能張大其事、爲傳繼二疏蹤跡否。不落莫否。見今世無工畫者。而畫與不畫、固不論也。然吾聞楊侯之去、丞相有愛而惜之者。白以爲其都少尹、不絕其祿。又爲歌詩以勸之。京師之長於詩者、亦屬而和之。又不知當時二疏之去、有是事否。古今人同不同、未可知也。中世士大夫以官爲家。罷則無所於歸。楊侯始冠、擧於其鄉、歌鹿鳴而來也。今之歸、指其樹曰、「某樹吾先人之所種也。某水某丘、吾童子時所釣遊也。」鄉人莫不加敬、誡子孫以楊侯不去其鄉爲

法。古之所謂「鄉先生沒而可祭於社」者。其在斯人歟、其在斯人歟。

（三八）送薛存義序　柳宗元

崇　崇充實也。

滸　音許、水涯也。

考績考明　書舜典曰、三載考績、三考黜陟幽明。

河東薛存義將行。柳子載肉于俎、崇酒于觴、追而送之江之滸、飲食之。且告曰、凡吏於土者、若知其職乎。蓋民之役、非以役民而已也。凡民之食於土者、出其什一、傭乎吏、使司平於我也。今受其直、怠其事者、天下皆然。豈惟怠之、又從而盜之。向使傭一夫於家、受若直、怠若事、又盜若貨器、則必甚怒而

黜罰之矣。以今天下多類此、而民莫敢肆其怒與黜罰者、何哉。勢不同也。勢不同而理同、如吾民何。有達於理者、得不恐而畏乎。存義假令零陵一年矣。蚤作而夜思、勤力而勞心、訟者平、賦者均。老弱無懷詐暴憎。其爲不虛取直也的矣。其知恐而畏也審矣。吾賤且辱、不得與考績幽明之說。於其往也、故賞以酒肉、而重之以辭。

（三九）三戒并序　柳宗元

吾恒惡世之人、不推己之本、而乘物以逞、或依勢以干非其類、出技以怒強、竊時以肆暴。然卒迨于禍。有客譚麋驢鼠三物、似其事。作三戒。

臨江之麋

麋麑　麋音武悲切、麑音五鷄切、鹿類也。
抵觸　抵音典禮切、觸也。
僨仆　僨臥也。
狼藉　散亂而布地也。

臨江之人、畋得麋麑、畜之。入門、群犬垂涎、揚尾皆來。其人怒怛之。自是日抱就犬、習示之、使勿動、稍使與之戲。積久、犬皆如人意。麋麑稍大、忘己之麋也、以爲犬良我友、抵觸僨仆益狎。犬畏主人、與之俯仰甚善。然時啖其舌。三年、麋出門、見外犬在道甚衆、走欲與戲。外犬見而喜且怒、共殺食之、狼藉道上。麋至死不悟。

黔之驢

厖大　厖音莫江切、大也
慭慭　香魚僅切、敬謹也。
蕩倚　蕩搖也。倚憑也。
衝冒　衝突也。冒犯也。
跳踉　跳音田聊切、躍也。踉音呂張切、跳也。

黔無驢。有好事者、船載以入。至則無可用、放之山下。虎見之、厖然大物也、以爲神、蔽林間窺之。稍出近之、慭慭然莫相知。他日驢一鳴。虎大駭遠遁、以爲且噬己也、甚恐。然往來視之、覺無異能者。益習其聲、又近出前後、終不敢搏。稍近益狎、蕩倚衝冒。驢不勝怒、蹄之。虎因喜、計之曰、技止此耳。因跳踉大噉、斷其喉、盡其肉乃去。噫、形之厖也類有德、聲之宏也類有能。向不出其技、虎雖猛、疑畏卒不敢取。今若是焉。悲夫。

永之鼠

椸　音移、衣桁也。
纍纍　重疊也。

永有某氏者。畏日、拘忌異甚。以爲己生歲直子、鼠子神也。因愛鼠、不畜猫犬、禁僮勿擊鼠。倉廩庖廚、悉以恣鼠不問。由是鼠相告、皆來某氏、飽食而無禍。某氏室無完器、椸無完衣、飲食大率鼠之餘也。晝纍纍與人兼行、夜則竊齧鬭暴、其聲萬狀、不可以寢。終不厭。數歲、某氏徙居他州。後人來居、鼠爲態如故。其人曰、是陰類惡物也、盜暴尤甚。且何以至是乎哉。假五六猫、闔門、撤瓦灌穴、購僮羅捕之。殺鼠如丘、棄之隱處、臭數月乃已。嗚呼、彼以其飽食無禍爲可恒也哉。

(四〇)捕蛇者說　柳宗元

腊　音思積切、乾肉也。
餌　藥餌也。
攣踠　攣龍眷切、踠於阮切。攣踠手足屈曲而不能伸也。
瘻癘　瘻音力豆切、頸腫也。癘音落蓋切、惡瘡也。
死肌　肌肉腐爛之病。
三蟲　三尸蟲也。陰陽家言、人身有三尸蟲、每庚申日、乘人之睡、以其過罪、陳之上帝。故是夕不睡而避其難。
汪然　音烏光切、大也。
頓踣　困頓而踣仆也。
隳突　隳音許規切、毀也。
恂恂　音荀、謹也。慄也。

永州之野產異蛇。黑質而白章。觸草木盡死。以齧人、無禦之者。然得而腊之以爲餌、可以已大風攣踠瘻癘、去死肌、殺三蟲。其始太醫以王命聚之、歲賦其二。募有能捕之者、當其租入。永之人爭奔走焉。有蔣氏者、專其利三世矣。問之、則曰、「吾祖死於是、吾父死於是。今吾嗣爲之十二年、幾死者數矣。」言之、貌若甚戚者。余悲之、且曰、「若毒之乎。余將告於莅事者、更若役、復若賦、則如何。」蔣氏大戚、汪然出涕曰、「君將哀而生之乎。則吾斯役之不幸、未若復吾賦不幸之甚也。嚮吾不爲斯役、則久已病矣。自吾氏三世居是鄕、積於今六十歲矣。而鄕鄰之生日蹙。殫其地之出、竭其廬之入、號呼而轉徙、饑渴而頓踣、觸風雨、犯寒暑、呼噓毒癘、往往而死者、相藉也。曩與吾祖居者、今其室十無一焉。與吾父居者、今其室十無二三焉。與吾居十二年者、今其室十無四五焉。非死則徙爾。而吾以

捕蛇獨存。悍吏之來吾鄕、叫囂乎東西、隳突乎南北、譁然而駭者、雖雞狗不得寧焉。吾恂恂而起、視其缶、而吾蛇尙存、則弛然而臥。謹食之、時而獻焉。退而甘食其土之有、以盡吾齒。蓋一歲之犯死者二焉、其餘則熙熙而樂。豈若吾鄕鄰之旦旦有是哉。今雖死乎此、比吾鄕鄰之死則已後矣。又安敢毒耶。」余聞而愈悲。孔子曰、「苛政猛於虎也。」吾嘗疑乎是。今以蔣氏觀之、尤信。嗚呼、孰知賦斂之毒有甚是蛇者乎。故爲之說、以俟夫觀人風者得焉。

(四一)苛政猛於虎　(檀弓)

孔子過泰山側。有婦人哭於墓者而哀。夫子式而聽之、使子

路問之曰、「子之哭也、壹似重有憂者。」而曰、「然。昔吾舅死於虎、吾夫又死焉、今吾子又死焉。」夫子曰、「何爲不去也。」曰、「無苛政。」夫子曰、「小子識之、苛政猛於虎也。」

(四二)唐詩七首

峨眉山月歌　李白

峨眉山月半輪秋。影入平羌江水流。
夜發淸溪向三峽。思君不見下渝州。

黃鶴樓送孟浩然之廣陵　李白

故人西辭黃鶴樓。烟花三月下揚州。
孤帆遠影碧空盡。惟見長江天際流。

磧中作　岑參

走馬西來欲至天。辭家見月兩回圓。
今夜不知何處宿。平沙萬里絕人烟。

別董大　高適

十里黃雲白日曛。北風吹雁雪紛紛。
莫愁前路無知己。天下誰人不識君。

送李侍郎赴常州　賈至

雪晴雲散北風寒。楚水吳山道路難。
今日送君須盡醉。明朝相憶路漫漫。

淮上與友人別　鄭谷

楊子江頭楊柳春。楊花愁殺渡江人。
數聲風笛離亭晚。君向瀟湘我向秦。

秋思　　張籍

洛陽城裏見秋風。欲作家書意萬重。
復恐匆匆說不盡。行人臨發又開封。

(四三)賣柑者言　　劉基

燁然 音域輒切、火光貌。　虎符 符信也。將軍佩虎符。
皋比 皋音古勞切、虎皮也。　洸洸 音古黃切、又果毅貌。恍恍武也。
干城 詩周南曰、赳赳武夫、公侯干城、言以武夫自固、爲扞蔽如盾、爲防守如城。
伊皋 伊尹殷之賢臣、皋陶虞舜之賢臣。　斁 音當故切、敗也。

東方生 漢東方朔、滑稽多智。

杭有賣菓者。善藏柑。涉寒暑不潰。出之燁然玉質而金色。置于市。賈十倍。人爭鬻之。予貿得其一。剖之如有烟撲口鼻。視其中則乾如敗絮。予怪而問之曰、若所市于人者。將以實籩豆、奉祭祀、供賓客乎。將衒外以惑愚瞽也。甚矣哉爲欺也。賣者笑曰、吾業是有年矣。吾業賴是以食吾軀。吾售之、人取之。未嘗有言。而獨不足子所乎。世之爲欺者不寡矣。而獨我也乎。吾子未之思也。今夫佩虎符、坐皋比者、洸洸乎干城之具也。果能授孫吳之略邪。峩大冠、拖長紳者、昂昂乎廟堂之器也。果能建伊皋之業邪。盜起而不知禦。民困而不知救。吏姦

而不知禁。法斁而不知理。坐糜廩粟而不知恥。觀其坐高堂、騎大馬、醉醇醴而飫肥鮮者、孰不巍巍乎可畏、赫赫乎可象也。又何往而不金玉其外、敗絮其中也哉。今子是之不察、而以察吾柑。予默然無以應。退而思其言、類東方生滑稽之流。豈其憤世疾邪者邪。而託于柑以諷邪。

(四四)深慮論　　方孝孺

社稷 社土地之神。稷五穀之神。社稷猶言國家也。　七國 吳、楚、趙、膠西、膠東、菑川、濟南。
五代 梁、唐、晉、漢、周。　方鎭 四方之藩鎭也。

慮天下者、常圖其所難、而忽其所易。備其所可畏、而遺其所不疑。然而禍常發於所忽之中、而亂常起於不足疑之事。豈

其慮之未周與。蓋慮之所能及者、人事之宜然、而出於智力之所不及者、天道也。當秦之世、而滅諸侯、一天下。而其心以爲周之亡、在乎諸侯之彊耳。變封建而爲郡縣。方以爲兵革可不復用、天子之位可以世守。而不知漢帝起隴畝之中、而卒亡秦之社稷。漢懲秦之孤立。於是大建庶孽、而爲諸侯。以爲同姓之親、可以相繼而無變。而七國萌簒弑之謀。武宣以後、稍剖析之而分其勢。以爲無事矣。而王莽卒移漢祚。光武之懲哀平、魏之懲漢、晉之懲魏、各懲其所由亡、而爲之備。而其亡也、蓋出於所備之外。唐太宗聞武氏之殺其子孫、求人於疑似之際而除之。而武氏日侍其左右而不悟。宋太祖見

五代方鎭之足以制其君、盡釋其兵權、使力弱而易制。而不知子孫卒困於敵國。此其人皆有出人之智、蓋世之才、其於治亂存亡之幾、思之詳、而備之審矣。慮切於此、而禍興於彼、終至亂亡者、何哉。蓋智可以謀人、而不可以謀天。良醫之子、多死於病。良巫之子、多死於鬼。豈工於活人、而拙於謀子也哉。乃工於謀人、而拙於謀天也。古之聖人、知天下後世之變、非智慮之所能周、非法術之所能制、不敢肆其私謀詭計。而唯積至誠、用大德、以結乎天心。使天眷其德、若慈母之保赤子、而不忍釋。故其子孫、雖有至愚不肖者、足以亡國、而天卒不忍遽亡之。此慮之遠者也。夫苟不能自結於天、而欲以區

區之智、籠絡當世之務、而必後世之無危亡。此理之所必無者、而豈天道哉。

（四五）秦士錄　宋　濂

擘　音博厄切、分也。
中筵　筵之中央也。筵席也。
四庫書　經、子、史、集、謂之四庫。
七經　詩經、書經、禮記、易經、春秋、論語、孟子。
纚纚　音所綺切、相連續也。
閽卒　閽音昏、守門之卒。
黃屋　天子車也。以黃繒爲車蓋裏。故曰黃屋。
左纛　天子車左纛。纛音徒倒切、以犛牛尾爲之。繫之乘輿左騑軛上。
王鐵鎗　梁王彥章以勇武有名、尤善用鎗。故世人號曰王鐵鎗。
銅觔鐵肋　其觔如銅、其肋如鐵。觔筋同。

鄧弼、字伯翊、秦人也。身長七尺、雙目有紫稜。開合閃閃如電。能以力雄人。隣牛方鬬、不可擘。拳其脊、折仆地。市門石鼓、十

人舁弗能擧。兩手持之行。然好使酒。怒視人。人見輒避曰、狂生不可近。近則必得奇辱。一日獨飮酒樓。蕭馮兩書生過其下。急牽入共飮。兩生素賤其人、力拒之。弼怒曰、君終不我從、必殺君亡命、走山澤耳。不能忍君苦也。兩生不得已從之。弼自據中筵、指左右、揖兩生坐。呼酒嘯歌以爲樂。酒酣解衣箕踞、拔刀置案上、鏗然鳴。兩生雅聞其酒狂、欲起走。弼止之曰、勿走也。弼亦粗知書。君何至相視如涕唾。今日非速君飮、欲少吐胸中不平氣耳。四庫書從君問、卽不能答、當血是刄。兩生曰、有是哉。遽摘七經數十義叩之。弼歷擧傳疏、不遺一言。復詢歷代史、上下三千年、纚纚如貫珠。弼笑曰、君等伏乎未

也。兩生相顧慘沮、不敢再有問。弼索酒披髮跳叫曰、吾今日壓倒老生矣。古者學在養氣。今人一服儒衣、反奄奄欲絕。徒欲馳騁文墨、兒撫一世豪傑。此何可哉。此何可哉。君等休矣。兩生素負多才藝、聞弼言大媿。下樓足不得成步。歸詢其所與遊、亦未嘗見其挾册呻吟也。泰定間、德王執法西御史臺。弼造書數千言、袖謁之。閽卒不爲通。弼曰、若不聞關中鄧伯翊耶。連擊踣數人。聲聞於王。王令隷人捽入、欲鞭之。弼盛氣曰、公奈何不禮壯士。今天下雖號無事、東海島夷、尙未臣順。間者駕海艦、互市于鄞。卽不滿所欲、出火刀斫柱、殺傷我中國民。諸將軍控弦引矢、追至大洋、且戰且却。其虧國體爲已

甚。西南諸蠻、雖曰稱臣奉貢、乘黃屋、左纛稱制、與中國等。尤志士所同憤。誠得如彌者一二輩、驅十萬橫磨劍伐之、則東西止日所出入、莫非王土矣。公奈何不禮壯士。庭中人聞之、皆縮頸吐舌、舌久不能收。王曰、「爾自號壯士、解持矛鼓譟前登堅城乎。」曰、「能。」「百萬軍中、可刺大將乎。」曰、「能。」「突圍潰陣、得保首領乎。」曰、「能。」王顧左右曰、「姑試之。」問所須。曰、「鐵鎧良馬各一、雌雄劍二。」王即命給予。陰戒善槊者五十人、馳馬出東門外、然後遣彌往。王自臨觀。空一府隨之。既彌至、衆槊並進。彌虎吼而奔。人馬辟易五十步、面目亡失。已而烟塵障天、但見雙劍飛舞雲霧中、連斫馬首墮地、血涔涔滴。王撫髀驩曰、「誠

壯士、誠壯士。」命酌酒勞彌。彌立飲不拜。由是狂名振一時。至比之王鐵槍云。王上章薦諸天子。會丞相與王有隙、格其事不下。彌環視四體、嘆曰、「天生一具銅觔鐵肋、不使立勳萬里外、乃槁死三尺蒿下。命也、亦時也、尚何言。」遂入王屋山爲道士。後十年終。

(四六)大鐵椎傳　　魏禧

貌甚寢　寢醜也。
拱揖　拱重手也。揖上手著胸也。拱揖者、相見之禮。
襪　音望發切、足衣也。
諸响　响音何、衆聲也。
觱篥　觱音畢吉切、篥音力質切、羌人所吹角笛。俗作篳篥。
屏息　屏音滂經切、屏息不呼吸也。

庚戌十一年、予自廣陵歸。與陳子燦同舟。子燦年二十八。

好武事。予授以左氏兵謀兵法。因問、「數游南北、逢異人乎。」子燦爲述大鐵椎。作大鐵椎傳。

大鐵椎、不知何許人。北平陳子燦、省兄河南、與遇宋將軍家。宋懷慶青華鎮人。工技擊七首。好事者皆來學。人以其雄健、呼宋將軍云。宋弟子高信之、亦懷慶人。多力善射。長子燦七歲。少同學、故嘗與過宋將軍。時座上有健啖客。貌甚寢。右脇夾大鐵椎重四五十斤、飲食拱揖、不暫去。柄鐵摺疊環、複如鎖上練、引之長丈許。與人罕言語、語類楚聲。叩其鄉及姓字、皆不答。既同寢。夜半、客曰、「吾去矣。」言訖不見。子燦見窗戶皆閉。驚問信之。信之曰、「客初至、不冠不襪、以藍手巾裹頭、足纏

白布。大鐵椎外、一物無所持、而腰多白金。吾與將軍、俱不敢問也。」子燦寐而醒。客則鼾睡炕上矣。一日辭宋將軍曰、「吾始聞汝名、以爲豪、然皆不足用。吾去矣。」將軍彊留之。乃曰、「吾嘗奪取諸响馬物、不順者、輒擊殺之。衆魁請長其群、吾又不許。是以讎我。久居此、禍必及汝。今夜半方期我決鬭某所。」宋將軍欣然曰、「吾騎馬挾矢以助戰。」客曰、「止。賊能且衆。吾欲護汝、則不快吾意。」宋將軍故自負、且欲觀客所爲、力請客。客不得已與偕行。將至鬭處、送將軍登空堡上。曰、「但觀之、慎弗聲、令賊知汝也。」時鷄鳴月落、星光照曠野、百步見人。客馳下、吹觱篥數聲。頃之賊二十餘騎、四面集、步行負弓矢從者百許人。

一賊提刀縱馬奔、客曰、奈何殺吾兄。言未畢、客呼曰、椎。賊應聲落馬、馬首盡裂。衆賊環而進。客從容揮椎。人馬四面仆地下、殺三十許人。宋將軍屏息觀之、股栗欲墮。忽聞客大呼曰、吾去矣。地塵滾滾、東向馳去。後遂不復至。

(四七)夜游孤山記　邵長蘅

奚童 奚音胡雞切、僕隸也。

林處士 宋林逋、性恬淡而不求仕進、結廬于西湖小孤山。處士不仕者之稱。

沮洳 沮洳水浸處、下濕之地。沮音且。洳音如。

林薄 草叢生曰薄。

陸宣公 唐名臣陸贄。宣公諡。

賈似道 宋賈似道擅勢傾中外、暴虐無比、悉逐正人君子、後以罪被誅。

亭榭 榭音謝、臺有屋也。

梵唄 僧侶讀經之聲。

余至湖上、寓輞川四可樓已半月。輞川者家學士兄戒庵別業也。樓面孤山。暑甚未能往。七夕後五日、雨過微涼。環湖峰巒皆空翠如新沐。望明月上東南最高峰、與波溶漾、湖碧天青、萬象澄澈。余游興躍然。偕學士呼小艇、渡孤山麓。從一奚童、登放鶴亭、徘徊林處士墓下。已舍艇取徑沮洳間、至望湖亭。凭檻四眺、則湖圓如鏡。兩高南屏諸峰、廻合如大環。蓋亭適踞湖山之中、於月夜尤勝。亭廢今為龍王祠。西行過陸宣公祠。左右有居人數十家、燈火隱見林薄。並湖行二里許、足小疲。坐西泠橋石闌。學士指點語余曰、宋賈似道後樂園廢

址、在今葛嶺。又記稱水竹院、在西泠橋南。左挾孤山、右帶蘇堤。當即此地。嗟乎、嵐影湖光、今不異昔。而當時勢燄之赫奕、妖冶舞歌、亭榭之侈麗、今皆亡有、既已蕩為寒烟矣。而舉其姓名、三尺童子猶欲唾之。而林逋一布衣、垂六百餘年、遺蹟顧至今尚存何耶。相與慨嘆久之。孤山來經僧舍六七、梵唄寂然、惟鳳林寺聞鐘聲寥寥也。作記以游之明日。

(四八)山居　羅大經

唐子西 宋唐庚字子西、為文精密、學者稱之。

剝啄 有客叩門也。剝音北角切。啄竹角切。

陶杜詩 晉陶潛明。唐杜甫。

韓蘇文 唐韓愈。宋蘇軾。

麛犢 麛音莫兮切、鹿子也。

邂逅 邂音解、逅音后、邂逅者、不期而會也。

唐子西云、山靜似太古、日長如小年。予家深山之中。當春夏之交、蒼蘚盈階、落花滿徑。門無剝啄、松影參差、禽聲上下。午睡初足、旋汲山泉、拾松枝、煮苦茗啜之。隨意讀周易、國風、左氏傳、離騷、太史公書、及陶杜詩、韓蘇文數篇。從容步山徑、撫松竹、與麛犢共偃息于長林豐草間。坐弄流泉、漱齒濯足。既歸竹窓下、則山妻稚子、作筍蕨、供麥飯。欣然一飽、弄筆窓間、隨大小作數十字、展所藏法帖墨蹟畫卷縱觀之。興到則吟小詩、或草玉露一兩段、再烹苦茗一杯。出步溪邊、邂逅園翁溪友、問桑麻、說秔稻、量晴較雨、探節數時、相與劇談一餉。歸而倚杖柴門之下、則夕陽在山。紫綠萬狀、變幻頃刻、恍可人

目。牛背笛聲、兩兩歸來、而月映前溪矣。味子西此句、可謂絕妙。人能眞知此妙、則東坡所謂無事此靜坐、一日似兩日。若活七十年、便是百四十。所得不已多乎。

新撰漢文讀本卷四 終

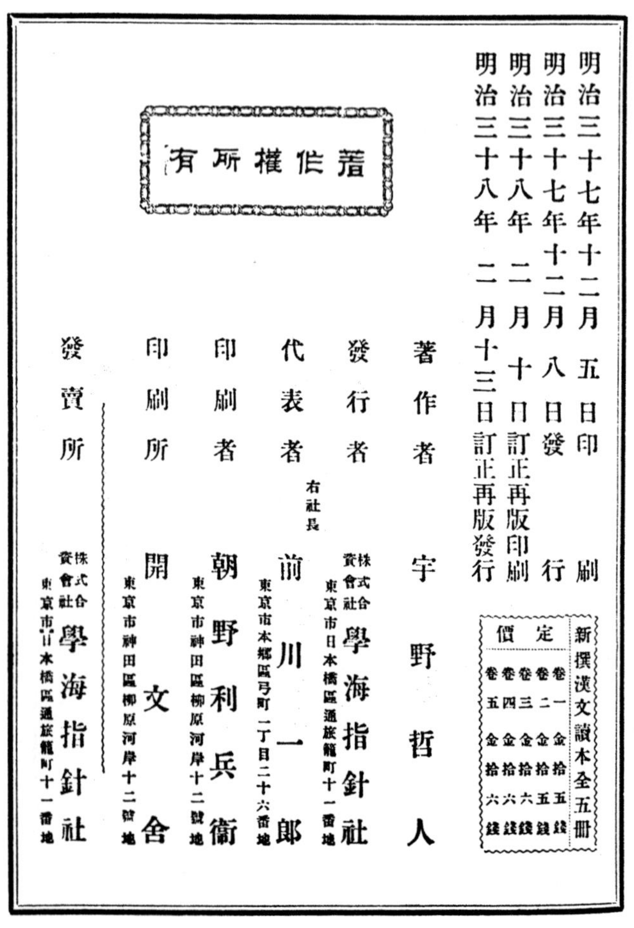

明治三十七年十二月 五日印刷
明治三十七年十二月 八日發行
明治三十八年 二月 十日訂正再版印刷
明治三十八年 二月十三日訂正再版發行

新撰漢文讀本全五冊 定價
卷一 金拾五錢
卷二 金拾五錢
卷三 金拾六錢
卷四 金拾六錢
卷五 金拾六錢

著作者 宇野哲人
發行者 株式會社 學海指針社 東京市日本橋區通旅籠町十一番地
代表者 右社長 前川一郎 東京市本郷區弓町一丁目二十六番地
印刷者 朝野利兵衛 東京市神田區柳原河岸十二番地
印刷所 開文舍 東京市神田區柳原河岸十二番地
發賣所 株式會社 學海指針社 東京市日本橋區通旅籠町十一番地

文學士宇野哲人編

新撰漢文讀本

東京 株式合資會社學海指針社

新撰漢文讀本卷五

目次

新撰漢文讀本卷五目次終

新撰漢文讀本卷五

(一)上田樞密書　　蘇洵

聲律　文章之一體、而四六駢儷、以諧聲律者也。　詩人　禮記曰、溫柔敦厚、詩之敎也。

騷人　離騷之作者、乃屈原也。今稱詩人曰文人騷客。　孟韓　孟軻。韓愈。

遷固　漢司馬遷、著史記。漢班固、著漢書。　孫吳　孫武。吳起。

董生　漢董仲舒、所著有賢良對策、春秋繁露等。　賈生　漢賈誼、所著有治安策、過秦論等。

天之所以與我者、豈偶然哉。堯不得以與丹朱、舜不得以與商均、而瞽瞍不得奪諸舜。發於其心、出於其言、見於其事、確

乎其不可易也。聖人不得以與人、父不得奪諸其子。於此見天之所以與我者、不偶然也。夫其所以與我者、必有以用我也。我知之不得行之、不以告人。天固用之、我實置之。其名曰棄天。自卑以求幸其言、自以求用其道。天之所以與我者何如、而我如此也。其名曰褻天。棄天我之罪也。褻天亦我之罪也。不棄不褻、而不我用、不我用之罪也。其名曰逆天。然則棄天褻天者、其責在我。逆天者、其責在人。在我者吾將盡吾力之所能爲者、以塞夫天之所以與我之意、而求免夫天下之後世之譏。在人者吾何知焉。吾求免夫一身之責之不暇、而暇爲人憂乎哉。孔子、孟軻之不遇、老於道途、而不倦不慍、不

怍不沮者、夫固知夫責之所在也。衞靈、魯哀、齊宣、梁惠之徒、不足相與以有爲也。我亦知之矣。抑將盡吾心焉耳。吾心之不盡、吾恐天下後世、無以責夫衞靈、魯哀、齊宣、梁惠之徒、而彼亦將有以辭其責也。然則孔子、孟軻之目、將不瞑於地下矣。夫聖人賢人之用心也、固如此。如此而生、如此而死、如此而貧賤、如此而富貴、升而爲天、沈而爲淵、流而爲川、止而爲山。彼不預吾事、吾事畢矣。切怪夫後之賢者、不能自處其身也。饑寒困窮之不勝、而號於人。嗚呼使吾誠死於饑寒困窮耶、則天下後世之責、將必有在。彼其身之責、不自任以爲憂、而吾取而加之吾身、不亦過乎。今洵之不肖、何敢自列於聖

賢。然其心亦有所甚不自輕者。何則天下之學者、孰不欲一蹴而造聖人之域。然及其不成也、求一言之幾乎道、而不可得也。千金之子、可以貧人、可以富人。非天之所與、雖以貧人富人之權、求一言之幾乎道、不可得也。天子之宰相、可以生人、可以殺人。非天之所與、雖以生人殺人之權、求一言之幾乎道、不可得也。今洵用力於聖人賢人之術、亦已久矣。其言語、其文章、雖不識其果可以有用於今、而傳於後與否、獨怪夫得之之不勞、方其致思於心也、若或啓之、得之心而書之紙也、若或相之。夫豈無一言之幾於道者乎。千金之子、天子之宰相、求而不得者、一旦在己。故其心得以自負、或者天其

亦有以與我也。曩者見執事於益州。當時之文、淺狹可笑。饑寒困窮亂其心、而聲律記問、又從而破壞其體、不足觀也。已數年來、退居山野、自分永棄、與世俗日疎闊、得以大肆其力於文章。詩人之優柔、騷人之清深、孟韓之溫醇、遷固之雄剛、孫吳之簡切、投之所向、無不如意。嘗試以爲、董生得聖人之經、其失也流而爲迂。鼂錯得聖人之權、其失也流而爲詐。有二子之才而不流者、其惟賈生乎。惜乎今之世、愚未見其人也。作策二道、曰審勢審敵。作書十篇、曰權書。洵有山田一頃、非凶歲可以無饑。力畊而節用、亦足以自老。不肖之身、不足惜。而天之所與者、不忍棄。且不敢褻也。執事之名滿天下。天下

之士、用與不用在執事。故敢以所謂策二道、權書十篇爲獻。平生之文、遠不可多致。有洪範論、史論十篇。近以獻內翰歐陽公。度執事與之、朝夕相從議天下之事、則斯文也、其亦庶乎得陳於前矣。若夫言之可用、與其身之可貴與否者、執事事也。執事責也。於洵何有哉。

(二)送石昌言爲北使引　蘇洵

兩制　翰林院爲內制、中書省爲外制、兼之曰官兩制。

折衝　折挫也。衝突也　言挫折敵之鋭鋒也。

介馬　介兵甲也

奉春君　漢劉敬也。

平城之役　劉敬使匈奴。匈奴示弱以誘漢、遂圍漢高祖平城七日不食。用陳平奇計、僅得脱之。

藐　音亡沼切。輕視貌。

昌言擧進士時、吾始數歲、未學也。憶與群兒戲先府君側。昌

言從旁取棗栗啖我。家居相近。又以親戚故甚狎。昌言擧進士、日有名。吾後漸長、亦稍知讀書。學句讀、屬對聲律、未成而廢。昌言聞吾廢學、雖不言、察其意甚恨。後十餘年、昌言及第第四人、守官四方、不相聞。吾日以壯大、乃能感悟、摧折復學。又數年、遊京師、見昌言長安、相與勞問如平生歡。出文十數首、昌言甚喜稱善。吾晚學無師、雖日爲文、中心自慚。及聞昌言說、乃頗自喜。今十餘年、又來京師、而昌言官兩制。乃爲天子出使萬里之外、强悍不屈之虜庭。建大旆、從騎數百、送車千乘、出都門、意氣慨然。自思爲兒時、見昌言先府君旁、安知其至此。富貴不足怪、吾於昌言獨自有感也。大丈夫生不爲

將、得爲使折衝口舌之間足矣。往年彭任從富公使還。爲我言曰、既出境、宿驛亭。聞介馬數萬騎馳過、劍槊相摩、終夜有聲。從者怛然失色。及明視道上馬跡、尙心掉不自禁。凡虜所以誇耀中國者多此類。中國之人不測也。故或至於震懼而失辭、以爲夷狄笑。嗚呼、何其不思之甚也。昔者奉春君使冒頓。壯士健馬皆匿不見。是以有平城之役。今之匈奴、吾知其無能爲也。孟子曰、說大人則藐之。況於夷狄。請以爲贈。

(三)上梅直講書　蘇軾

鴟鴞　詩豳風篇名。周公相成王。而成王未知周公之志。公乃爲詩以遺王。名之曰鴟鴞。

君奭　周書篇名。召公爲保、周公爲師。共相成王。召公不說。周公作君奭。

管蔡　管叔。蔡叔。

某官執事。某每讀詩至鴟鴞、讀書至君奭、常竊悲周公之不遇。及觀史、見孔子厄於陳蔡之間、而絃歌之聲不絕、顏淵仲由之徒、相與問答。夫子曰、「匪兕匪虎、率彼曠野、吾道非耶、又何爲至此。」顏淵曰、「夫子之道至大、故天下莫能容。雖然不容何病、不容然後見君子。」夫子油然而笑曰、「回、使爾多財、吾爲爾宰。」夫天下雖不能容、而其徒自足以相樂如此。乃今知周公之富貴、有不如夫子之貧賤。夫以召公之賢、以管蔡之親、而不知其心、則周公誰與樂其富貴。而夫子之所與共貧賤者、皆天下之賢才、則亦足與樂乎此矣。軾七八歲時、始知讀書。聞今天下有歐陽公者、其爲人如古孟軻韓愈之徒、而又

有梅公者、從之遊、而與之上下其議論。其後益壯、始能讀其文詞、想見其爲人、意其飄然脫去世俗之樂、而自樂其樂也。方學爲對偶聲律之文、求斗升之祿、自度無以進見於諸公之間。來京師逾年、未嘗窺其門。今年春、天下之士、群至於禮部。執事與歐陽公實親試之。軾不自意、獲在第二。既而聞之人、執事愛其文、以爲有孟軻之風、而歐陽公亦以其能不爲世俗之文也而取焉。是以在此。非左右爲之先容、非親舊爲之請屬。而嚮之十餘年間、聞其名而不得見者、一朝爲知己。退而思之。人不可以苟富貴、亦不可以徒貧賤。有大賢焉、而爲其徒、則亦足恃矣。苟其僥一時之幸、從車騎數十人、使閭

巷小民、聚觀而贊歎之、亦何以易此樂也。傳曰、「不怨天、不尤人。」蓋優哉游哉、可以卒歲。執事名滿天下、而位不過五品。其容色溫然而不怒、其文章寬厚敦朴而無怨言。此必有所樂乎斯道也。軾願與聞焉。

(四)上樞密韓太尉書　蘇轍

汩沒　汩音古忽切、沈沒也。

方叔　周方叔、仕宣王爲卿士、征玁狁有功。

召虎　周召虎、仕宣王爲卿士。征玁狁有功。

太尉執事。轍生好爲文、思之至深。以爲文者氣之所形。然文不可以學而能、氣可以養而致。孟子曰、「我善養吾浩然之氣。」今觀其文章、寬厚宏博、充乎天地之間、稱其氣之小大。太史

公行天下、周覽四海名山大川、與燕趙間豪俊交游。故其文疏蕩、頗有奇氣。此二子者、豈嘗執筆學爲如此之文哉。其氣充乎其中、而溢乎其貌、動乎其言、而見乎其文、而不自知也。轍生十有九年矣。其居家所與游者、不過其鄰里鄉黨之人。所見不過數百里之間。無高山大野可登覽以自廣。百氏之書、雖無所不讀、然皆古人之陳迹、不足以激發其志氣。恐遂汩沒。故決然捨去、求天下奇聞壯觀、以知天地之廣大。過秦漢之故都、恣觀終南嵩華之高、北顧黃河之奔流、慨然想見古之豪傑。至京師、仰觀天子宮闕之壯、與倉廩府庫、城池苑囿之富且大也、而後知天下之巨麗。見翰林歐陽公、聽其議

論之宏辯、觀其容貌之秀偉、與其門人賢士大夫游、而後知天下之文章聚乎此也。太尉以才略冠天下、天下之所恃以無憂、四夷之所憚以不敢發。入則周公召公、出則方叔召虎。而轍也未之見焉。且夫人之學也、不志其大、雖多而何爲。轍之來也、於山見終南嵩華之高、於水見黃河之大且深、於人見歐陽公、而猶以爲未見太尉也。故願得觀賢人之光耀、聞一言以自壯、然後可以盡天下之大觀而無憾矣。轍年少、未能通習吏事。嚮之來非有取於斗升之祿、偶然得之、非其所樂。然幸得賜歸待選、使得優游數年之間、將歸益治其文、且學爲政。太尉苟以爲可教而辱教之、又幸矣。

(五)爲兄軾下獄上書　蘇轍

徼進　猶言進奏也。
逮捕　逮音徒戴切、追也。
手足之情　兄弟猶手足。手足之情者、猶言兄弟之情也。
螻蟻之誠　螻蟻微而卑者、以自況。
隕越　隕音于敏切、墜也。隕越猶言墜落也。

臣聞、困急而呼天、疾痛而呼父母者、人之至情也。臣雖草芥之微、而有危迫之懇。惟天地父母、哀而憐之。臣早失怙恃、惟兄軾一人、相須爲命。今者竊聞其得罪逮捕赴獄、擧家驚號、憂在不測。臣竊思念、軾居家在官、無大過惡。惟是軾愚直、好談古今得失、前後上章論事、其言不一。陛下聖德廣大、不加譴責。軾狂狷寡慮、竊恃天地包含之恩、不自抑畏。頃年通判

杭州、及知密州日、遇物託興、作爲歌詩、語或輕發。向者曾經臣寮繳進、陛下置而不問。軾感荷恩貸、自此深自悔咎、不敢復有所爲。但其舊詩已自傳播。臣誠哀軾愚於自信、不知文字輕易迹涉不遜。雖改過自新、而已陷於刑辟、不可救止。軾之將就逮也、使謂臣曰、軾早衰多病、必死於牢獄。死固分也。然所恨者、少抱有爲之志、而遇不世出之主、雖齟齬於當年、終欲效尺寸於晩節。今遇此禍、雖欲改過自新、洗心以事明主、其道無由。況立朝最孤、左右親近、必無爲言者。惟兄弟之親、試求哀於陛下而已。臣已哀其志、不勝手足之情。故爲冒死一言。昔漢淳于公得罪、其女子緹縈、請沒爲官婢、以贖其

父。漢文因之、遂罷肉刑。今臣螻蟻之誠、雖萬萬不及緹縈、而陛下聰明仁聖、過於漢文遠甚。臣欲乞納在身官、以贖兄軾。非敢望末減其罪、但得免下獄死爲幸。兄軾所犯、若顯有文字、必不敢拒抗不承、以重得罪。若蒙陛下哀憐、赦其萬死、使得出於牢獄、則死而復生、宜何以報。臣願與兄軾洗心改過、粉骨報効、惟陛下所使、死而後已。臣不勝孤危迫切、無所告訴、歸誠陛下。惟寬其狂妄、特許所乞。臣無任祈天請命激切隕越之至。

(六)上范司諫書　歐陽修

進奏吏　進奏院吏也。進奏院、掌受詔勅及三省諸官符牒、頒于諸路。
鴻臚寺卿　掌四夷朝貢等之事。

光祿寺卿 掌祭祀朝會等之事。　翹首企 翹音渠遙切、擧也。企音去智切、擧踵望也。

裂麻 麻白麻也。白麻者、任將相之制書。　司業 國子司業者、國子學敎授也。

讜言 讜音多朗切、直言也。　昌言 昌美言也。

月日具官、謹齋沐拜書。司諫學士執事。前月中、得進奏吏報、云「自陳州召至闕、拜司諫。」卽欲爲一書以賀、多事匆卒未能也。司諫七品官爾、於執事得之不爲喜。而獨區區欲一賀者、誠以諫官者天下之得失、一時之公議繫焉。今世之官、自九卿百執事、外至一郡縣吏、非無貴官大職可以行其道也。然縣越其封、郡逾其境、雖賢守長不得行。以其有守也。吏部之官、不得理兵部。鴻臚之卿、不得理光祿。以其有司也。若天下

之得失、生民之利害、社稷之大計、惟所見聞而不繫職司者、獨宰相可行之、諫官可言之爾。故士學古懷道者、仕於時不得爲宰相、必爲諫官。諫官雖卑、與宰相等。天子曰「不可」。宰相曰「可」。天子曰「然」。宰相曰「不然」。坐乎廟堂之上、與天子相可否者、宰相也。天子曰「是」。諫官曰「非」。天子曰「必行」。諫官曰「必不可行」。立殿陛之前、與天子爭是非者、諫官也。宰相尊行其道。諫官卑行其言。言行道亦行也。九卿百司郡縣之吏、守一職者、任一職之責。宰相諫官、繫天下之事、亦任天下之責。然宰相九卿而下、失職者、受責於有司。諫官之失職也、取譏於君子。有司之法、行乎一時。君子之譏、著之簡册而昭明、垂之百世

而不泯、甚可懼也。夫七品之官、任天下之責、懼百世之譏。豈不重邪。非材且賢者、不能爲也。近執事始被召於陳州。洛之士大夫相與語曰「我識范君、知其材也。其來不爲御史、必爲諫官。」及命下果然。則又相與語曰「我識范君、知其賢也。他日聞有立天子陛下、直辭正色、面爭廷論者、非他人、必范君也。」拜命以來、翹首企足、竚乎有聞、而卒未也。竊惑之、豈洛之士大夫、能料於前、而不能料於後也。將執事有待而爲也。昔韓退之作爭臣論、以譏陽城不能極諫。卒以諫顯。人皆謂「城之不諫、蓋有待而然、退之不識其意而妄譏。」修獨以謂不然。當退之作論時、城爲諫議大夫已五年。後又二年、始廷論陸贄及

沮裴延齡作相、欲裂其麻、纔兩事耳。當德宗時、可謂多事矣。授受失宜、叛將強臣羅列天下、又多猜忌、進任小人。於此之時、豈無一事可言、而須七年耶。當時之事、豈無急於沮延齡論陸贄兩事耶。謂宜朝拜官而夕奏疏也。幸而城爲諫官七年、適遇延齡陸贄事、一諫而罷、以塞其責。向使止五年六年、而遂遷司業、是終無一言而去也。何所取哉。今之居官者率三歲而一遷、或一二歲、甚者半歲而遷也。此又非可以待乎七年也。今天子躬親庶政、化理淸明、雖爲無事、然自千里詔執事而拜是官者、豈不欲聞正議而樂讜言乎。今未聞有所言說、使天下知朝廷有正士、而彰吾君有納諫之明也。夫布

衣章帶之士、窮居草茅、坐誦書史、常恨不見用。及用也、又曰、彼非我職、不敢言。或曰、我位猶卑、不得言。得言矣、又曰、我有待。是終無一人言也。可不惜哉。伏惟執事思天子所以見用之意、懼君子百世之譏、一陳昌言、以塞重望、且解洛士大夫之惑、則幸甚幸甚。

(七)吉州學記　歐陽修

徼塞　邊境也。
嚴嚴翼翼　恭敬也。
磨揉　磨礪、矯揉。
堅甓　音扶歷切、瓴也。瓦也。
閎燿　閎音宏、宏大也。
耆老　耆音渠伊切、老也、曲禮曰、六十曰耆。

慶歷三年秋、天子開天章閣、召政事之臣八人、問治天下其

要、有幾施於今者宜、何先、使出而書以對。八人者皆震恐失措、俯伏頓首。言此非愚臣所宜及、惟陛下所欲爲、則天下幸甚。於是詔書屢下。勸農桑、責吏課、擧賢才。其明年三月、遂詔天下皆立學、置學官之員。然後海隅徼塞、四方萬里之外、莫不皆有學。嗚呼盛矣。學校王政之本也。古者致治之盛衰、視其學之興廢。記曰、國有學、遂有序、黨有庠、家有塾。此三代極盛之時、大備之制也。宋興蓋八十有四年、而天下之學、始克大立。豈非盛美之事、須其久而後至於大備歟。是以詔下之日、臣民喜幸、而奔走就事者、以後爲羞。其年十月、吉州之學成。州舊有夫子廟、在城之西北。今知州事李侯寛之至也、謀

與州人遷而大之、以爲學舍。事方上請、而詔已下。學遂以成。李侯治吉、敏而有方。其作學也、吉之士、率其私錢一百五十萬以助。用人之力積二萬二千工、而人不以爲勞。其良材堅甓之用、凡二十二萬三千五百、而人不以爲多。學有堂筵齋講、有藏書之閣、有賓客之位、有游息之亭。嚴嚴翼翼、壯偉閎燿、而人不以爲侈。既成而來學者、常三百餘人。予世家於吉、而濫官於朝。進不能贊揚天子之盛美、退不得與諸生揖讓乎其中。然予聞教學之法、本於人性、磨揉遷革、使趨於善。其勉於人者勤、其入於人者漸。善教者以不倦之意、須遲久之功、至於禮讓興行、而風俗純美、然後爲學之成。今州縣之吏、

不得久其職、而躬親於教化也。故李侯之績、及於學之立、而不及待其成。惟後之人毋廢慢天子之詔、而怠以中止。幸予他日因得歸榮故鄕、而謁於學門、將見吉之士、皆道德明秀、而可爲公卿、問於其俗、而婚喪飮食皆中禮節、入於其里、而長幼相孝慈於其家、行於其郊、而少者扶其羸老、壯者代其負荷於道路。然後樂學之道成、而得時從先生耆老、席於衆賓之後、聽鄕樂之歌、飮獻酬之酒、以詩頌天子太平之功、而周覽學舍、思詠李侯之遺愛。不亦美哉。故於其始成也、刻辭於石、而立諸其廡以俟。

(八)豐樂亭記　歐陽修

窈然 音杳、深遠也。
太祖皇帝 宋太祖趙匡胤。
涵煦 涵音胡南切、水澤多也。煦音香句切、溫也。
滃然 音翁、大水貌。
剗削 剗音初限切、刈也。削也。

修旣治滁之明年夏、始飲滁水而甘。問諸滁人、得於州南百步之近。其上豐山、聳然而特立。下則幽谷、窈然而深藏。中有清泉、滃然而仰出。俯仰左右、顧而樂之。於是疏泉鑿石、闢地以爲亭、而與滁人往遊其間。滁於五代干戈之際、用武之地也。昔太祖皇帝、嘗以周師破李景兵十五萬於淸流山下、生擒其將皇甫暉・姚鳳於滁東門之外、遂以平滁。修嘗考其山川、按其圖記、升高以望淸流之關、欲求暉鳳就擒之所、而故

老皆無在者。蓋天下之平久矣。自唐失其政、海內分裂、豪傑並起而爭、所在爲敵國者、何可勝數。及宋受天命、聖人出而四海一。嚮之憑恃險阻、剗削消磨。百年之間、漠然徒見山高而水淸。欲問其事、而遺老盡矣。今滁介於江淮之間、舟車商賈、四方賓客之所不至。民生不見外事、而安於畎畝衣食、以樂生送死。而孰知上之功德、休養生息、涵煦百年之深也。修之來此、樂其地僻而事簡、又愛其俗之安閑。旣得斯泉於山谷之間、乃日與滁人仰而望山、俯而聽泉、掇幽芳而蔭喬木。風霜冰雪、刻露淸秀、四時之景、無不可愛。又幸其民樂其歲物之豐成、而喜與予遊也。因爲本其山川、道其風俗之美、使民知所以安此豐年之樂者、幸生無事之時也。夫宣上恩德、以與民共樂、刺史之事也。遂書以名其亭焉。

(九)醉翁亭記　歐陽修

潺潺 音士山切、流水貌、又水流聲。潺湲同。
林霏 霏音芳非切、霧也、靄也
野蔌 音速、野菜也
釀泉 音孃、醞也、作酒也。
酒洌 音列、淸冷也。
觥籌 觥古橫切、酒器也。唐人會飲、違酒令者、以籌記罰。

環滁皆山也。其西南諸峯、林壑尤美。望之蔚然而深秀者、瑯琊也。山行六七里、漸聞水聲潺潺而瀉出于兩峯之間者、釀泉也。峯回路轉、有亭翼然臨于泉上者、醉翁亭也。作亭者誰、山之僧智僊也。名之者誰、太守自謂也。太守與客來飲于此、

飲少輒醉、而年又最高。故自號曰醉翁也。醉翁之意不在酒、在乎山水之間也。山水之樂、得之心、而寓之酒也。若夫日出而林霏開、雲歸而巖穴暝、晦明變化者、山間之朝暮也。野芳發而幽香、佳木秀而繁陰、風霜高潔、水落而石出者、山間之四時也。朝而往、暮而歸。四時之景不同、而樂亦無窮也。至於負者歌于塗、行者休于樹、前者呼、後者應、傴僂提攜、往來而不絕者、滁人遊也。臨溪而漁、溪深而魚肥。釀泉爲酒、泉香而酒洌。山肴野蔌、雜然而前陳者、太守宴也。宴酣之樂、非絲非竹。射者中、弈者勝、觥籌交錯、起坐而諠譁者、衆賓懽也。蒼顏白髮、頹乎其中間者、太守醉也。已而夕陽在山、人影散亂、太

守歸而賓客從也。樹林陰翳、鳴聲上下、遊人去而禽鳥樂也。然而禽鳥知山林之樂、而不知人之樂。人知從太守遊而樂、而不知太守之樂其樂也。醉能同其樂、醒能述以文者、太守也。太守謂誰、廬陵歐陽修也。

(十)黃州快哉亭記　　蘇轍

洶涌　洶音許拱切、涌也。
睥睨　睥音匹計切、睨研詣切、睥睨邪視也。
周瑜　周瑜者、吳孫權將。嘗破魏曹操于赤壁之下。
陸遜　陸遜亦權將。嘗破蜀劉備于夷陵。
馳騖　騖音亡遇切、亂馳也。
蓬戶甕牖　以蓬爲戶、以甕爲牖、言家貧也。

江出西陵、始得平地、其流奔放肆大。南合湘沅、北合漢沔、其勢益張。至於赤壁之下、波流浸灌、與海相若。清河張君夢得、

謫居齊安、即其廬之西南爲亭、以覽觀江流之勝。而余兄子瞻名之曰快哉。蓋亭之所見、南北百里、東西一舍。濤瀾洶涌、風雲開闔。晝則舟楫出沒於其前、夜則魚龍悲嘯於其下。變化倏忽、動心駭目、不可久視。今乃得玩之几席之上、擧目而足。西望武昌諸山、岡陵起伏、草木行列、煙消日出、漁夫樵父之舍、皆可指數。此其所以爲快哉者也。至於長洲之濱、故城之墟、曹孟德孫仲謀之所睥睨、周瑜陸遜之所馳騖、其流風遺跡、亦足以稱快世俗。昔楚襄王從宋玉景差於蘭臺之宮。有風颯然至者。王披襟當之曰、快哉此風、寡人所與庶人共者耶。宋玉曰、此獨大王之雄風耳、庶人安得共之。玉之言蓋

有諷焉。夫風無雄雌之異、而人有遇不遇之變。楚王之所以爲樂、與庶人之所以爲憂、此則人之變也、而風何與焉。士生於世、使其中不自得、將何往而非病。使其中坦然不以物傷性、將何適而非快。今張君不以謫爲患、收會計之餘功、而自放山水之間。此其中宜有以過人者。將蓬戶甕牖、無所不快。而況乎濯長江之清流、挹西山之白雲、窮耳目之勝、以自適也哉。不然、連山絕壑、長林古木、振之以清風、照之以明月、此皆騷人思士之所以悲傷憔悴而不能勝者、烏覩其爲快哉也哉。

(一一)岳陽樓記　　范仲淹

浩浩　大水貌。
湯湯　音式羊切、水流貌。一曰波動貌。
芷蘭　芷音止、芳草也。一名芳香、一名澤芬。荀子勸學篇曰、蘭槐之根、是爲芷。

慶曆四年春、滕子京謫守巴陵郡。越明年、政通人和、百廢具興。乃重修岳陽樓、增其舊制、刻唐賢今人詩賦于其上。屬予作文以記之。予觀夫巴陵勝狀、在洞庭一湖。銜遠山、吞長江、浩浩湯湯、橫無際涯。朝暉夕陰、氣象萬千。此則岳陽樓之大觀也。前人之述備矣。然則北通巫峽、南極瀟湘、遷客騷人、多會於此。覽物之情、得無異乎。若夫霪雨霏霏、連月不開、陰風怒號、濁浪排空、日星隱曜、山岳潛形、商旅不行、檣傾楫摧、薄暮冥冥、虎嘯猿啼。登斯樓也、則有去國懷鄉、憂讒畏譏、滿目

瀟然、感極而悲者矣。至若春和景明、波瀾不驚、上下天光、一碧萬頃、沙鷗翔集、錦鱗游泳、岸芷汀蘭、郁郁青青、而或長煙一空、皓月千里、浮光躍金、靜影沈璧、漁歌互答、此樂何極。登斯樓也、則有心曠神怡、寵辱皆忘、把酒臨風、其喜洋洋者矣。嗟夫、予嘗求古仁人之心、或異二者之爲、何哉。不以物喜、不以己悲、居廟堂之高、則憂其民、處江湖之遠、則憂其君。是進亦憂、退亦憂。然則何時而樂耶。其必曰「先天下之憂而憂、後天下之樂而樂」歟。噫、微斯人、吾誰與歸。

(一二)登岳陽樓　杜甫

昔聞洞庭水。今上岳陽樓。吳楚東南坼。乾坤日夜浮。親朋無一字。老病有孤舟。戎馬關山北。憑軒涕泗流。

(一三)臨洞庭　孟浩然

八月湖水平。涵虛混太清。氣蒸雲夢澤。波撼岳陽城。欲濟無舟楫。端居恥聖明。坐觀垂釣者。徒有羨魚情。

(一四)王彥章畫像記　歐陽修

太師王公諱彥章、字子明、鄆州壽張人也。事梁爲宣義軍節度使、以身死國、葬於鄭州之管城。晉天福二年、始贈太師。公在梁、以智勇聞。梁晉之爭數百戰、其爲勇將多矣。而晉人獨

畏彥章。自乾化後、常與晉戰、屢困莊宗於河上。及梁末年、小人趙巖等用事。梁之大臣老將、多以讒不見信、皆怒而有怠心。而梁亦盡失河北、事勢已去、諸將多懷顧望。獨公奮然自必、不少屈懈、志雖不就、卒死以忠。公既死、而梁亦亡矣。悲夫。五代終始纔五十年、而更十有三君、五易國而八姓。士之不幸而出乎其時、能不汙其身、得全其節者鮮矣。公本武人、不知書、其語質。平生嘗謂人曰、「豹死留皮、人死留名。」蓋其義勇忠信、出於天性而然。予於五代書、竊有善善惡惡之志。至於公傳、未嘗不感憤歎息。惜乎舊史殘略、不能備公之事。康定元年、予以節度判官來此。求於滑人、得公之孫睿所錄家傳、

頗多於舊史。其記德勝之戰尤詳。又言、「敬翔怒末帝不肯用公、欲自經於帝前。公因用笏畫山川、爲御史彈而見廢。」又言、「公五子、其二同公死節。」此皆舊史無之。又云、「公在滑以讒自歸於京師。」而史云召之。是時梁兵盡屬段凝、京師羸兵不滿數千。公得保鑾五百人、之鄆州、以力寡敗於中都。而史云將五千以往者、亦皆非也。公之攻德勝也、初受命於帝前、期以三日破敵。梁之將相聞者皆竊笑。及破南城、果三日。是時莊宗在魏、聞公復用、料公必速攻、自魏馳馬來救、已不及矣。莊宗之善料、公之善出奇、何其神哉。今國家罷兵四十年、一旦元昊反、敗軍殺將、連四五年、而攻守之計、至今未決。予嘗獨

持用奇取勝之議、而歎邊將屢失其機。時人聞予說者、或笑以爲狂、或忽若不聞。雖予亦惑不能自信。及讀公家傳、至於德勝之捷、乃知古之名將必出於奇、然後能勝。然非審於爲計者、不能出奇。奇在速、速在果。此天下偉男子之所爲、非拘牽常算之士可到也。每讀其傳、未嘗不想見其人。後二年、予復來通州判州事。歲之正月、過俗所謂鐵槍寺者、又得公畫像而拜焉。歲久磨滅、隱隱可見。亟命工完理之、而不敢有加焉、懼失其眞也。公尤善用槍、當時號王鐵槍。公死已百年、至今俗猶以名其寺。童兒牧豎、皆知王鐵槍之爲良將也。一槍之勇、同時豈無、而公獨不朽者、豈其忠義之節使然歟。畫已

百餘年矣。完之復可百年。然公之不泯者、不繫乎畫之存不存也。而予尤區區如此者、蓋其希慕之至焉耳。讀其書、尚想乎其人。況得拜其像識其面目、不忍見其壞也。畫既完、因書予所得者于後、而歸其人使藏之。

(一五)段太尉逸事狀　　柳宗元

汾陽王　唐郭子儀、平定安祿山之亂、以功封汾陽王。
嗛　歉同、音苦簟切、不足也。不滿也。
椎釜鬲　椎音追、擊也。又鐵椎也。鬲音歷、鼎屬。鼎足相去疎闊者也。
甕盎　盎音烏浪切、盆也。盛水漿之器。
戢士　音輯、收也。止也。
火伍　十人爲火、五人爲伍。火伍猶隊伍也。唐書兵志曰、府兵十人爲火、火有長。
草具　粗食也。
姁姁　音吁、和好貌。
以色待物　厲色而接人。

太尉始爲涇州刺史。時汾陽王以副元帥居蒲。王子晞爲尚書、領行營節度使、寓軍邠州、縱士卒無賴。邠人偷嗜暴惡者、卒以貨竄名軍伍中、則肆志。吏不得問。日群行丐取于市、不嗛輒奮擊、折人手足、椎釜鬲甕盎盈道上、袒臂徐去、至撞殺孕婦人。邠寧節度使白孝德、以王故戚不敢言。太尉自州以狀白府、願計事。至則曰、「天子以生人分公理。公見人被暴害、因恬然。且大亂、若何。」孝德曰、「願奉教。」太尉曰、「某爲涇州甚適、少事。今不忍人無寇暴死、以亂天子邊事。公誠以都虞候命某者、能爲公已亂、使公之人不得害。」孝德曰、「幸甚。」如太尉請。既署一月、晞軍士十七人、入市取酒、又以刃刺酒翁、壞釀器、

酒流溝中。太尉列卒取十七人、皆斷頭注槊上、植市門外。晞一營大譟盡甲。孝德震恐、召太尉曰、「將奈何。」太尉曰、「無傷也、請辭於軍。」孝德使數十人從太尉。太尉盡辭去、解佩刀、選老躄者一人、持馬至晞門下。甲者出。太尉笑且入曰、「殺一老卒、何甲也。吾戴吾頭來矣。」甲者愕。因諭曰、「尚書固負若屬耶。副元帥固負若屬耶。奈何欲以亂敗郭氏。爲白尚書、出聽我言。」晞出見太尉。太尉曰、「副元帥勳塞天地、當務始終。今尚書恣卒爲暴、暴且亂。亂天子邊、欲誰歸罪。罪且及副元帥。今邠人惡子弟以貨竄名軍籍中、殺害人。如是不止、幾日不大亂。大亂由尚書出。人皆曰、『尚書倚副元帥不戢士。』然則郭氏

功名、其與存者幾何。」言未畢。晞再拜曰、「公幸教晞以道、恩甚大。願奉軍以從。」顧叱左右曰、「皆解甲散還火伍中、敢譁者死。」太尉曰、「吾未晡食、請假設草具。」既食曰、「吾疾作、願留宿門下。」命持馬者去、且日來。遂臥軍中。晞不解衣、戒候卒擊柝衞太尉。旦俱至孝德所、謝不能、請改過。邠州由是無禍。先是太尉在涇州、爲營田官。涇大將焦令諶、取人田、自占數十頃、給與農曰、「且熟歸我半。」是歲大旱、野無草。農以告諶。諶曰、「我知入數而已、不知旱也。」督責益急。且饑死、無以償。即告太尉。太尉判狀辭甚巽、使人來諭諶。諶盛怒。召農者曰、「我畏段某耶、何敢言我。」取判鋪背上、以大杖擊二十、垂死。輿來庭中。太尉大

泣曰、「乃我困汝。」即自取水洗去血、裂裳衣瘡、手注善藥。旦夕自哺農者、然後食。取騎馬賣、市穀代償、使勿知。淮西寓軍帥尹少榮剛直士也。入見諶、大罵曰、「汝誠人耶。涇州野如赭。人且饑死、而必得穀。又用大杖擊無罪者。段公仁信大人也。而汝不知敬。今段公唯一馬、賤賣市穀入汝。汝又取不恥。凡爲人傲天災、犯大人、擊無罪者、又取仁者穀、使主人出無馬。汝將何以對天地、尚不媿奴隷耶。」諶雖暴抗、然聞言則大媿、流汗不能食。曰、「我終不可以見段公。」一夕自恨死。及太尉自涇州以司農徵、戒其族、「過岐、朱泚幸致貨幣、愼勿納。」及過、泚固致大綾三百疋。太尉壻韋晤堅拒、不得命。至都。太尉怒曰、「果

不用吾言。」晤謝曰、「處賤無以拒也。」太尉曰、「然。」終不以在吾第、以如司農治事堂、棲之梁木上。泚反。太尉終。吏以告泚。泚取視、其故封識具存。元和九年月日、永州司馬員外置同正員外宗元、謹上史館。今之稱太尉大節者、出入以爲武人一時奮不慮死、以取名天下。不知太尉之所立如是。宗元嘗出入岐周邠斄間、過眞定、北上馬嶺、歷亭鄣堡戍、竊好問老校退卒。能言其事。太尉爲人、姁姁常低首拱手行步。言氣卑弱、未嘗以色待物。人視之儒者也。遇不可、必達其志、決非偶然者。會州刺史崔公來。言信行直。備得太尉遺事。覆校無疑。或恐尚逸墜未集太史氏。敢以狀私於執事。謹狀。

(一六)張中丞傳後序　　韓愈

蚍蜉　蚍蜉大蟻也。蜉蝣渠略也、朝生而暮死。

卓卓　卓、高也。拔群也。

起旋　旋音旬宣反、小便也。

元和二年四月十三日夜、愈與吳郡張籍閱家中舊書。得李翰所爲張巡傳。翰以文章自名、爲此傳頗詳密。然尚恨有闕者。不爲許遠立傳、又不載雷萬春事首尾。遠雖材若不及巡者、開門納巡。位本在巡上、授之柄而處其下、無所疑忌。竟與巡俱守死成功名、城陷而虜。與巡死先後異耳。兩家子弟材智下、不能通知二父志。以爲巡死而遠就虜、疑畏死而辭服於賊。遠誠畏死、何苦守尺寸之地、食其所愛之肉、以與賊抗

而不降乎。當其圍守時、外無蚍蜉蟻子之援。所欲忠者國與
主耳。而賊語以國亡主滅。遠見救援不至、而賊來益衆、必以
其言爲信。外無待而猶死守。人相食且盡、雖愚人亦能數日
而知死處矣。遠之不畏死亦明矣。烏有城壞其徒俱死、獨蒙
媿恥求活。雖至愚者不忍爲。嗚呼、而謂遠之賢而爲之耶。說
者又謂、「遠與巡分城而守、城之陷、自遠所分始。」以此詬遠。此
又與兒童之見無異。人之將死、其臟腑必有先受其病者。引
繩而絕之、其絕必有處。觀者見其然、從而尤之、其亦不達於
理矣。小人之好議論、不樂成人之美如是哉。如巡遠之所成
就、如此卓卓、猶不得免。其他則又何說。當二公初守也、寧能

知人之卒不救、棄城而逆遁。苟此不能守、雖避之他處何益。
及其無救而且窮也、將其創殘餓羸之餘、雖欲去必不達。二
公之賢、其講之精矣。守一城捍天下、以千百就盡之卒、戰百
萬日滋之師、蔽遮江淮、沮遏其勢。天下之不亡、其誰之功也。
當是時、棄城而圖存者、不可一二數。擅強兵、坐而觀者相環
也。不追議此、而責二公以死守。亦見其自比於逆亂、設淫辭、
而助之攻也。愈嘗從事於汴徐二府、屢道於兩府間、親祭於
其所謂雙廟者。其老人往往說巡遠時事云。南霽雲之乞救
於賀蘭也、賀蘭嫉巡遠之聲威功績出己上、不肯出師救。愛
霽雲之勇且壯、不聽其語。強留之、具食與樂、延霽雲坐。霽雲

慷慨語曰、「雲來時、睢陽之人、不食月餘日矣。雲雖欲獨食、義
不忍。雖食且不下咽。」因拔所佩刀、斷一指。血淋漓。以示賀蘭。
一座大驚、皆感激爲雲泣下。雲知賀蘭終無爲雲出師意。即
馳去。將出城、抽矢射佛寺浮圖。矢著其上甎半箭。曰、「吾歸破
賊、必滅賀蘭。此矢所以志也。」愈貞元中、過泗州。船上人猶指
以相語。城陷、賊以刃脅降巡。巡不屈、即牽去、將斬之。又降霽
雲。雲未應。巡呼雲曰、「南八、男兒死耳。不可爲不義屈。」雲笑曰、
「欲將以有爲也。公有言、雲敢不死。」不屈。張籍曰、有于嵩者
少依於巡。及巡起事、嵩常在圍中。籍大歷中、於和州烏江縣
見嵩。嵩時年六十餘矣。以巡初嘗得臨渙縣尉。好學無所不

讀。籍時尚小、粗問巡遠事、不能細也。云、巡長七尺餘、鬚髯若
神。嘗見嵩讀漢書、謂嵩曰、「何爲久讀此。」嵩曰、「未熟也。」巡曰、「吾
於書讀不過三遍、終身不忘也。」因誦嵩所讀書、盡卷不錯一
字。嵩驚以爲巡偶熟此卷。因亂抽他帙以試、無不盡然。嵩又
取架上諸書、試以問巡。巡應口誦無疑。嵩從巡久、亦不見巡
常讀書也。爲文章操紙筆立書、未嘗起草。初守睢陽時、士卒
僅萬人。城中居人、戸亦且數萬。巡因一見問姓名、其後無不
識者。巡怒、鬚髯輒張。及城陷、賊縛巡等數十人坐、且將戮。巡
起旋。其衆見巡起、或起或泣。巡曰、「汝勿怖、死命也。」衆泣不能
仰視。巡就戮時、顏色不亂、陽陽如平常。遠寬厚長者、貌如其

心。與巡同年生、月日後於巡、呼巡爲兄。死時年四十九。嵩貞元初、死於亳宋間。或傳、嵩有田在亳宋間。武人奪而有之。嵩將詣州訟理、爲所殺。嵩無子。張籍云。

(一七)伯夷頌　韓　愈

士之特立獨行、適于義而已、不顧人之是非。皆豪傑之士、信道篤、而自知明者也。一家非之、力行而不惑者寡矣。至於一國一州非之、力行而不惑者、蓋天下一人而已矣。若至于擧世非之力行而不惑者、則千百年乃一人而已耳。若伯夷者、窮天地、亙萬世、而不顧者也。昭乎日月不足爲明、崒乎泰山不足爲高、巍乎天地不足爲容也。當殷之亡、周之興、微子賢

也、抱祭器而去之。武王周公聖也、從天下之賢士、與天下之諸侯、而往攻之。未嘗聞有非之者也。彼伯夷叔齊者、乃獨以爲不可。殷既滅矣、天下宗周。彼二子、乃獨恥食其粟、餓死而不顧。繇是而言、夫豈有求而爲哉。信道篤、而自知明也。今世之所謂士者、一凡人譽之、則自以爲有餘。一凡人沮之、則自以爲不足。彼獨非聖人、而自是如此。夫聖人乃萬世之標準也。余故曰、若伯夷者、特立獨行、窮天地、亙萬世、而不顧者也。雖然微二子、亂臣賊子、接跡於後世矣。

(一八)雜說　一　韓　愈

茫洋　渺茫廣大。　玄間　猶言天空。玄天色也。

龍噓氣成雲。雲固弗靈於龍也。然龍乘是氣、茫洋窮乎玄間、薄日月、伏光景、感震電、神變化、水下土、汨陵谷。雲亦靈怪矣哉。雲龍之所能使爲靈也。若龍之靈、則非雲之所能使爲靈也。然龍不得雲、無以神其靈矣。失其所憑依、信不可歟。異哉、其所憑依、乃其所自爲也。易曰、雲從龍。既曰龍、雲從之矣。

(一九)雜說　二　韓　愈

槽櫪　槽音曹、畜獸之食器。櫪音歷、廐棧也。　食馬者　食養也。

世有伯樂、然後有千里馬。千里馬常有、而伯樂不常有。故雖有名馬、祇辱於奴隸人之手、駢死於槽櫪之間、不以千里稱也。馬之千里者、一食或盡粟一石。食馬者、不知其能千里而

食也。是馬也、雖有千里之能、食不飽、力不足、才美不外見。且欲與常馬等不可得、安求其能千里也。策之不以其道、食之不能盡其材、鳴之不能通其意。執策而臨之曰、天下無良馬。嗚呼、其眞無馬耶。其眞不識馬耶。

(二〇)柳子厚墓誌銘　韓　愈

嶄然　音鉏咸切、山高峻貌。　踔厲風發　猛烈如疾風也。

汎濫　博涉獵諸家也。　停蓄　深推究諸家也。

涯涘　涯音崖、水際也。涘音牀史切、水厓也。　詡詡　音火羽切、大言也。

窮裔　僻遠之地也。裔音曳、衣裾也。衣領況帝都、而衣裾況邊境也。

子厚諱宗元。七世祖慶、爲拓跋魏侍中、封濟陰公。曾伯祖奭

爲唐宰相、與褚遂良韓瑗俱得罪武后、死高宗朝。皇考諱鎭、以事母棄太常博士、求爲縣令江南。其後以不能媚權貴、失御史。權貴人死乃復拜侍御史。號爲剛直。所與遊、皆當世名人。子厚少精敏、無不通達。逮其父時、雖少年已自成人。能取進士第、嶄然見頭角。衆謂「柳氏有子矣。」其後以博學宏辭授集賢殿正字。儁傑廉悍、議論證據今古、出入經史百子、踔厲風發、率常屈其座人。名聲大振。一時皆慕與之交。諸公要人、爭欲令出我門下、交口薦譽之。貞元十九年、由藍田尉拜監察御史。順宗卽位。拜禮部員外郎。遇用事者得罪、例出爲刺史。未至。又例貶州司馬。居閑益自刻苦、務記覽、爲詞章。汎濫

停蓄、爲深博無涯涘。而自肆於山水間。元和中、嘗例召至京師。又偕出爲刺史。而子厚得柳州。既至。嘆曰「是豈不足爲政邪。」因其土俗、爲設教禁。州人順賴。其俗以男女質錢、約不時贖、子本相侔、則沒爲奴婢。子厚爲設方計、悉令贖歸。其尤貧、力不能者、令書其傭、足相當、則使歸其質。觀察使下其法於他州。比一歲、免而歸者且千人。衡湘以南、爲進士者、皆以子厚爲師。其經承子厚口講指畫、爲文詞者、悉有法度可觀。其召至京師、而復爲刺史也、中山劉夢得禹錫、亦在遣中。當詣播州。子厚泣曰「播州非人所居。而夢得親在堂。吾不忍夢得之窮、無辭以白其大人。且萬無母子俱往理。」請於朝、將拜疏

願以柳易播、雖重得罪死不恨。遇有以夢得事白上者。夢得於是改刺連州。嗚呼、士窮乃見節義。今夫平居里巷相慕悅、酒食遊戲相徵逐、詡詡強笑語以相取下、握手出肺肝相示、指天日涕泣、誓生死不相背負、眞若可信。一旦臨小利害、僅如毛髮比、反眼若不相識。落陷穽、不一引手救、反擠之、又下石焉者、皆是也。此宜禽獸夷狄所不忍爲。而其人自視以爲得計。聞子厚之風、亦可以少媿矣。子厚前時少年、勇於爲人。不自貴重顧藉。謂功業可立就。故坐廢退。既退、又無相知有氣力得位者推挽。故卒死於窮裔。材不爲世用、道不行於時也。使子厚在臺省時、自持其身、已能如司馬刺史時、亦自不

斥。斥時有人力能擧之、且必復用不窮。然子厚斥不久、窮不極、雖有出於人、其文學辭章、必不能自力以致必傳於後世如今無疑也。雖使子厚得所願、爲將相於一時、以彼易此、孰得孰失、必有能辨之者。子厚以元和十四年十一月八日卒。年四十七。以十五年七月十日、歸葬萬年先人墓側。子厚有子男二人。長曰周六、始四歲。季曰周七、子厚卒乃生。女子二人皆幼。其得歸葬也、費皆出觀察使河東裴君行立。行立有節槩、重然諾。與子厚結交。子厚亦爲之盡、竟賴其力。葬子厚於萬年之墓者、舅弟盧遵。遵涿人。性謹順、學問不厭。自子厚之斥、遵從而家焉、逮其死不去。既往葬子厚、又將經紀其家。

庶幾有終始者。銘曰、

是惟子厚之室。既固既安、以利其後人。

(二一)始得西山宴游記　柳宗元

僇人　僇與戮同。言被罪而貶柳州也。
惴惴　音之瑞切、憂懼也。
隟　古文隙字。
施施　施施舒行之貌。
榛莽　榛薉也。莽草深貌。榛莽草木叢生也。
茅茷　茅菅也。茷音房廢切、草葉多也。
谺然　音虛加切、谷中大空貌。
洼然　音烏瓜切、同窪。
培塿　培音蒲口切、小阜也。塿音郎口切、小阜也。
灝氣　音皓、平衷曠空也。

自余為僇人居是州、恒惴惴。其隟也、則施施而行、漫漫而游。日與其徒上高山、入深林、窮迴溪、幽泉怪石、無遠不到。到則

披草而坐、傾壺而醉。醉則更相枕以臥。意有所極、夢亦同趣。覺而起、起而歸。以為凡是州之山有異態者、皆我有也。而未始知西山之怪特。今年九月二十八日、因坐法華西亭、望西山、始指異之。遂命僕過湘江、緣染溪、斫榛莽、焚茅茷、窮山之高而止。攀援而登、箕踞而遨。則凡數州之土壤、皆在衽席之下。其高下之勢、谺然洼然、若垤若穴、尺寸千里、攢蹙累積、莫得遯隱。縈青繚白、外與天際、四望如一。然後知是山之特出、不與培塿為類。悠悠乎與灝氣俱、而莫得其涯。洋洋乎與造物者游、而不知其所窮。引觴滿酌、頹然就醉、不知日之入。蒼然暮色、自遠而至、至無所見、而猶不欲歸。心凝形釋、與萬化

冥合。然後知吾嚮之未始游、游於是乎始。故為之文以志。是歲元和四年也。

(二二)鈷鉧潭記　柳宗元

顚委　顚隕也、委曲也。
款門　音苦管切、叩也、求迎也。
潨然　音仕巷切、水聲也。

鈷鉧潭在西山西。其始蓋冉水自南奔注、抵山石、屈折東流。其顚委勢峻、盪擊益暴、齧其涯。故旁廣而中深、畢至石乃止。流沫成輪、然後徐行。其清而平者、且十畝。有樹環焉。有泉懸焉。其上有居者。以予之亟游也、一旦款門來告曰、「不勝官租私券之委積。既芟山而更居。願以潭上田貿財、以緩禍。」予樂

而如其言。則崇其臺、延其檻、行其泉於高、而墜之潭。有聲潨然。尤與中秋觀月為宜、於以見天之高、氣之迥。孰使予樂居夷而忘故土者、非茲潭也歟。

(二三)鈷鉧潭西小邱記　柳宗元

嶔然　音欽、山勢聳立貌。
剷刈　剷音産削也。
熙熙　音僖、和樂也。
瀯瀯　音營、水聲也。

得西山後八日、尋山口西北道二百步、又得鈷鉧潭。潭西二十五步、當湍而浚者、為魚梁。梁之上有邱焉、生竹樹。其石之突怒偃蹇、負土而出、爭為奇狀者、殆不可數。其嶔然相累而下者、若牛馬之飲於溪。其衝然角列而上者、若熊羆之登於山。

邱之小不能一畝、可以籠而有之。問其主、曰、唐氏之棄地、貨而不售。問其價、曰、止四百。余憐而售之。李深源・元克己時同遊。皆大喜、出自意外。卽更取器用、剷刈穢草、伐去惡木、烈火而焚之。嘉木立、美竹露、奇石顯。由其中以望、則山之高、雲之浮、溪之流、鳥獸魚之遨遊、擧熙熙然廻巧獻伎、以效茲邱之下。枕席而臥、則淸泠之狀與目謀、瀯瀯之聲與耳謀、悠然而虛者與神謀、淵然而靜者與心謀。不匝旬而得異地者二。雖古好事之士、或未能至焉。噫、以茲邱之勝、致之澧鎬鄠杜、則貴游之士爭買者、日增千金而愈不可得。今棄是州也、農夫漁父過而陋之。賈四百、連歲不能售。而我與深源・克己獨喜

得之。是其果有遭乎。書於石、所以賀茲邱之遭也。

(二四)至小邱西小石潭記　柳宗元

坻　音陳知切、水中高地也。
嶼　音徐呂切、島也、海中洲也。
嵁　音口含切、崖也。
蒙絡搖綴　蒙蔽也。絡繞也。搖綴猶言點綴也。
參差披拂　參差長短不齊之貌。披拂動搖而靡也。
俶爾　音叔、動也。
翕忽　與倏忽同。急速也。

從小邱西行百二十步、隔篁竹聞水聲、如鳴珮環、心樂之。伐竹取道、下見小潭。水尤淸冽。全石以爲底。近岸卷石底以出、爲坻爲嶼、爲嵁爲巖。靑樹翠蔓、蒙絡搖綴、參差披拂。潭中魚可百許頭、皆若空遊無所依。日光下徹、影布石上。佁然不動、

俶爾遠逝、往來翕忽、似與遊者相樂。潭西南而望、斗折蛇行、明滅可見。其岸勢犬牙差互、不可知其源。坐潭上、四面竹樹環合、寂寥無人、淒神寒骨、悄愴幽邃。以其境過淸、不可久居。乃記之而去。同遊者、吳武陵・龔古・余弟宗玄。隷而從者、崔氏二小生、曰恕己、曰奉壹。

(二五)袁家渴記　柳宗元

間厠　厠音初寺切、雜也。
轇轕　雜亂貌。轇音交、轕音葛。
掩苒　掩苒者、草靡于風也。
蓊葧　香氣盛貌、蓊音翁、葧音勃。
葳蕤　葳蕤草木華垂貌。葳音於非切、蕤音儒隹切。

由冉溪西南水行十里、山水之可取者五、莫若鈷鉧潭。由溪

口而西陸行、可取者八九、莫若西山。由朝陽巖東南水行至蕪江、可取者三、莫若袁家渴。皆永中幽麗奇處也。楚越之間方言、謂水之反流者爲渴。音若衣褐之褐。渴上與南館高嶂合、下與百家瀨合。其中重洲小溪、澄潭淺渚、間厠曲折。平者深黑、峻者沸白。舟行若窮、忽又無際。有小山出水中。山皆美石。上生靑叢、冬夏常蔚然。其旁多巖洞。其下多白礫。其樹多楓柟石楠楩櫧樟柚。草則蘭芷。又有異卉、類合歡而蔓生。轇轕水石。每風自四山而下、振動大木、掩苒衆草、紛紅駭綠、蓊葧香氣、衝濤旋瀨、退貯谿谷、搖颺葳蕤、與時推移。其大都如此。余無以窮其狀。永之人未嘗遊焉。余得之不敢專也。出而

傳於世。其地世主袁氏。故以名焉。

(二六)石渠記　柳宗元

石泓 音烏宏切、水下深處。　庥 音虛尤切、庇蔭也。

翳朽 翳音於計切、掩蔽也。言草木之掩流者。朽者草木朽廢者也。　釃 音想里切、分其流也。

自渴西南行、不能百步、得石渠。民橋其上。有泉幽幽然、其鳴乍大乍細。渠之廣、或咫尺、或倍尺。其長可十許步。其流抵大石、伏出其下。踰石而往。有石泓、菖蒲被之、青鮮環周。又折西行、旁陷巖石下、北墮小潭。潭幅員減百步。清深多儵魚。又北曲行紆餘、睨若無窮。然卒入於渴。其側皆詭石怪木、奇卉美箭。可列坐而庥焉。風搖其巔、韻動崖谷。視之既靜、其聽始遠。

予從州牧得之。攬去翳朽、決疏土石。既崇而焚、既釃而盈。惜其未始有傳焉者、故累記其所屬、遺之其人。書之其陽、俾後好事者、求之得以易。元和七年正月八日、蠲渠至大石。十月十九日、踰石得石泓小潭。渠之美於是始窮也。

(二七)石澗記　柳宗元

石渠之事既窮。上由橋西北、下土山之陰、民又橋焉。其水之大、倍石渠三之。亙石爲底、達于兩涯。若床若堂、若陳筵席、若限閫奧。水平布其上、流若織文、響若操琴。揭跣而往。折竹掃陳葉、排腐木、可羅胡床十八九居之。交絡之流、觸激之音、皆在床下。翠羽之木、龍鱗之石、均蔭其上。古之人、其有樂乎此

耶。後之來者、有能追余之踐履耶。得意之日、與石渠同。由渴而來者、先石渠、後石澗。由百家瀨上而來者、先石澗、後石渠。澗之可窮者、皆出石城村東南。其間可樂者數焉。其上深山幽林、逾峭險、道狹不可窮也。

(二八)小石城山記　柳宗元

垠 音銀、岸也。　梁欐 欐音麗、屋棟也。與梁同。

堡塢 堡塢小障也。堡音保、塢音安古切。

自西山道口徑北、踰黃茅嶺而下、有二道。其一西出、尋之無所得。其一少北而東、不過四十丈、土斷而川分、有積石橫當其垠。其上爲睥睨梁欐之形。其旁出堡塢、有若門焉。窺之正

黑。投以小石、洞然有水聲。其響之激越、良久乃已。環之可上。望甚遠。無土壤而生嘉樹美箭。益奇而堅。其疏數偃仰、類智者所施設也。噫吾疑造物者之有無久矣。及是愈以爲誠有。又怪其不爲之於中州、而列是夷狄、更千百年、不得一售其伎。是固勞而無用。神者儻不宜如是。則其果無乎。或曰、以慰夫賢而辱於此者。或曰、其氣之靈、不爲偉人、而獨爲是物。故楚之南、少人而多石。是二者、余未信之。

(二九)漁翁　柳宗元

漁翁夜傍西巖宿。　曉汲清湘燃楚竹。
烟消日出不見人。　款乃一聲山水綠。

廻看天際下中流。　巖上無心雲相逐。

(三〇)新城遊北山記　晁補之

幢 音傳江切、旌旗之屬。　梅棕 棕子紅切、棕櫚也。

去新城之北三十里、山漸深、草木泉石漸幽。初猶騎行石齒間。傍皆大松。曲者如蓋、直者如幢、立者如人、臥者如虯。松下草間、有泉沮洳伏見、墮石井、鏘然而鳴。松間藤數十尺、蜿蜒如大蚖。其上有鳥、黑如鴝鵒、赤冠長喙、俛而啄磔然有聲。稍西一峯高絕、有蹊介然、僅可步。繫馬石觜、相扶攜而上。篁篠仰不見日。如四五里、乃聞雞聲。有僧布袍躡履來迎。與之語、愕而顧、如麋鹿不可接。頂有屋數十間。曲折依崖壁、爲欄楯、

如蝸鼠繚繞、乃得出。門牖相値。既坐、山風颯然而至、堂殿鈴鐸皆鳴。二三子相顧而驚、不知身之在何境也。且暮皆宿。於時九月、天高露淸、山空月明、仰視星斗、皆光大、如適在人上。窗間竹數十竿、相摩戞聲切切不已。竹間梅棕、森然如鬼魅離立突鬢之狀。二三子又相顧、魄動而不得寐。遲明皆去。既還家數日、猶恍惚若有遇。因追記之。後不復到、然往往想見其事也。

(三一)前赤壁賦　蘇軾

明月之詩 詩陳風月出篇云、「月出皎兮。佼人僚兮。舒窈糾兮。」本刺好色。謂在位不好德、而悅美色焉。蘇東坡借此而賦。亦譏在位之不好德爾。

斗牛 星名。斗北斗星。牛牽牛星也。　一葦 一葦者小舟也。詩河廣篇云、誰謂河廣一葦杭之。杭度也。

馮虛御風 馮依也、馮虛者蹈空而行也。莊子曰、列子御風而行。

空明流光 秋水淸、見底月在水中、謂之空明。月光與波俱動、謂之流光。搖槳曰擊。逆水而上曰泝。

嫋嫋 音奴鳥切、細而不絕也。　嫠婦 嫠音陵之切、寡婦也。

壬戌之秋、七月既望、蘇子與客泛舟、遊於赤壁之下。淸風徐來、水波不興。擧酒屬客、誦明月之詩、歌窈窕之章。少焉月出於東山之上、徘徊於斗牛之間。白露橫江、水光接天。縱一葦之所如、凌萬頃之茫然。浩浩乎、如馮虛御風、而不知其所止。飄飄乎、如遺世獨立羽化而登仙。於是飮酒樂甚、扣舷而歌之。歌曰、

桂棹兮蘭槳、擊空明兮泝流光。

渺渺兮予懷、望美人兮天一方。

客有吹洞簫者。倚歌而和之。其聲嗚嗚然、如怨、如慕、如泣、如訴。餘音嫋嫋、不絕如縷。舞幽壑之潛蛟、泣孤舟之嫠婦。蘇子愀然、正襟危坐、而問客曰、「何爲其然也。」客曰、「月明星稀、烏鵲南飛。此非曹孟德之詩乎。西望夏口、東望武昌、山川相繆、鬱乎蒼蒼。此非孟德之困於周郎者乎。方其破荊州、下江陵、順流而東也、舳艫千里、旌旗蔽空。釃酒臨江、橫槊賦詩。固一世之雄也。而今安在哉。況吾與子、漁樵於江渚之上、侶魚鰕而友麋鹿、駕一葉之扁舟、擧匏樽以相屬、寄蜉蝣於天地。渺滄海之一粟、哀吾生之須臾、羨長江之無窮。挾飛仙以遨遊、抱

明月而長終。知不可乎驟得。託遺響于悲風。蘇子曰、客亦知夫水與月乎。逝者如斯、而未嘗往也。盈虛者如彼、而卒莫消長也。蓋將自其變者而觀之、則天地曾不能以一瞬。自其不變者而觀之、則物與我皆無盡也。而又何羨乎。且夫天地之間、物各有主。苟非吾之所有、雖一毫而莫取。惟江上之淸風、與山間之明月、耳得之而爲聲、目遇之而成色、取之無禁、用之不竭。是造物者之無盡藏也。而吾與子之所共適。客喜而笑、洗盞更酌。肴核既盡、杯盤狼藉。相與枕藉乎舟中、不知東方之既白。

(三二)後赤壁賦　蘇軾

雪堂　軾謫居于黃州、寓于臨皐亭。就東坡以大雪中築室、名曰雪堂。

蒙茸　草木叢生也。

踞虎豹　石類虎豹之貌者、踞而坐其上。

登虬龍　古木有類虬龍者、攀而登其上。

鶻　既登高處、鳥巢可攀。鶻鷹屬、隼也。

馮夷　馮夷河伯也。

蹁躚　旋行之貌。蹁音扁、躚音遷。

是歲十月之望、步自雪堂、將歸于臨皐。二客從予、過黃泥之坂。霜露既降、木葉盡脫。人影在地、仰見明月。顧而樂之、行歌相答。已而歎曰、有客無酒、有酒無肴。月白風淸、如此良夜何。客曰、今者薄暮擧網得魚。巨口細鱗、狀如松江之鱸。顧安所得酒乎。歸而謀諸婦。婦曰、我有斗酒、藏之久矣。以待子不時之需。於是攜酒與魚、復遊於赤壁之下。江流有聲、斷岸千尺、

山高月小、水落石出。曾日月之幾何、而江山不可復識矣。予乃攝衣而上、履巉巖、披蒙茸、踞虎豹、登虬龍、攀棲鶻之危巢、俯馮夷之幽宮。蓋二客不能從焉。劃然長嘯、草木震動、山鳴谷應、風起水涌。予亦悄然而悲、肅然而恐、凜乎其不可留也。反而登舟、放乎中流。聽其所止而休焉。時夜將半、四顧寂寥。適有孤鶴、橫江東來。翅如車輪、玄裳縞衣、戛然長鳴、掠予舟而西也。須臾客去、予亦就睡。夢一道士、羽衣蹁躚、過臨皐之下、揖予而言曰、赤壁之遊樂乎。問其姓名、俛而不答。嗚呼噫嘻、我知之矣。疇昔之夜、飛鳴而過我者、非子也耶。道士顧笑。予亦驚悟。開戶視之、不見其處。

(三三)望湖樓　蘇軾

黑雲翻墨未遮山。白雨跳珠亂入船。卷地風來忽吹散。望湖樓下水如天。

(三四)出潁口初見淮山　蘇軾

我行日夜向江海。楓葉蘆花秋興長。平淮忽迷天遠近。青山久與船低昂。壽州已見白石塔。短棹未轉黃茆岡。波平風軟望不到。故人久立烟蒼茫。

(三五)阿房宮賦　杜牧

六王　韓、魏、趙、燕、齊、楚六國之王。秦始皇前後並滅六國。

鉤心鬭角　屋中心聚處、其勢如鉤。屋角自相鬭湊焉。

盤盤 盤環之貌。　囷囷 音去倫切、屈曲之貌。

蜂房 遠望天井、如蜂巢焉。　水渦 水之溜、天井之中爲渦。

妃嬪媵嬙 自皇后而下、次爲妃、次爲嬪、次爲媵、爲嬙。皆宮女之在阿房宮中者。

轆轆 音鹿、車行之聲。　鼎鐺 視寶鼎若鐺然。鐺釜之屬。

磷磷 音隣、輝也。　庾 音勇主切、倉庫之無屋者。

嘔啞 秦樂之聲。嘔音烏侯切、啞音烏格切

獨夫 秦帝也。君暴虐而民心離、孤獨無援、故曰獨夫。孟子曰殘賊之人、謂之一夫、是也。

戍卒 陳涉謫戍之卒也。陳涉擧兵、而天下嚮應、秦遂以亡。　楚人一炬 楚人項羽也。項羽燒阿房宮、火三月而不絶。

六王畢、四海一。蜀山兀、阿房出。覆壓三百餘里、隔離天日。驪山北構而西折、直走咸陽。二川溶溶、流入宮墻。五步一樓、十

步一閣、廊腰縵廻、簷牙高啄。各抱地勢、鉤心鬭角、盤盤焉、囷囷焉。蜂房水渦、矗不知其幾千萬落。長橋臥波、未雲何龍。複道行空、不霽何虹。高低冥迷、不知西東。歌臺暖響、春光融融。舞殿冷袖、風雨淒淒。一日之內、一宮之間、而氣候不齊。妃嬪媵嬙、王子皇孫、辭樓下殿、輦來于秦。朝歌夜絃、爲秦宮人。明星熒熒、開粧鏡也。綠雲擾擾、梳曉鬟也。渭流漲膩、棄脂水也。烟斜霧橫、焚椒蘭也。雷霆乍驚、宮車過也。轆轆遠聽、杳不知其所之也。一肌一容、盡態極妍。縵立遠視、而望幸焉。有不得見者、三十六年。燕趙之收藏、韓魏之經營、齊楚之精英、幾世幾年、取掠其人、倚疊如山。一旦不能有、輸來其間。鼎鐺玉石、

金塊珠礫、棄擲邐迤。秦人視之、亦不甚惜。嗟乎一人之心、千萬人之心也。秦愛紛奢、人亦念其家。奈何取之、盡錙銖、用之如泥沙。使負棟之柱、多於南畝之農夫、架梁之椽、多於機上之工女、釘頭磷磷、多於在庾之粟粒、瓦縫參差、多於周身之帛縷、直欄橫檻、多於九土之城郭、管絃嘔啞、多於市人之言語。使天下之人、不敢言而敢怒。獨夫之心、日益驕固。戍卒叫、函谷擧。楚人一炬、可憐焦土。嗚呼滅六國者、六國也。非秦也。族秦者秦也、非天下也。嗟夫使六國各愛其人、則足以拒秦。秦復愛六國之人、則遞三世、可至萬世而爲君。誰得而族滅也。秦人不暇自哀、而後人哀之。而後人哀之、而不鑑之、亦使

後人而復哀後人也。

(三六)漢江　杜牧

溶溶漾漾白鷗飛。綠淨春深好染衣。
南去北來人自老。夕陽長送釣船歸。

(三七)江南春　杜牧

千里鶯啼綠映紅。水村山郭酒旗風。
南朝四百八十寺。多少樓臺烟雨中。

(三八)五柳先生傳　陶潛

黔婁 齊之隱士、著書四篇、言道家之旨。　無懷氏 支那太古之王。

葛天氏 支那太古之王。

先生不知何許人也。亦不詳其姓字。宅邊有五柳樹、因以爲號焉。閑靖少言、不慕榮利。好讀書、不求甚解、每有會意、便欣然忘食。性嗜酒、家貧不能常得。親舊知其如此、或置酒而招之。造飮輒盡、期在必醉。既醉而退、曾不吝情去留。環堵蕭然、不蔽風日。短褐穿結。簞瓢屢空、晏如也。常著文章自娛、頗示己志。忘懷得失、以此自終。贊曰、

黔婁有言、不戚戚於貧賤、不汲汲於富貴。其言茲若人之儔乎。酣觴賦詩、以樂其志。無懷氏之民歟。葛天氏之民歟。

(三九)歸去來辭　陶潛

熹微　日將暮也。　衡宇　衡門之屋宇。

庭柯　柯樹枝也。　矯首　矯擧也。

盤桓　旋回也。　西疇　音直由切、耕治之田也、

巾車　巾飾也、巾車言裝飾其車也。　窈窕　長深貌。

歸去來兮、田園將蕪、胡不歸。既自以心爲形役。奚惆悵而獨悲。悟已往之不諫、知來者之可追。實迷途其未遠、覺今是而昨非。舟搖搖以輕颺、風飄飄而吹衣。問征夫以前路、恨晨光之熹微。乃瞻衡宇、載欣載奔。僮僕懽迎、稚子候門。三逕就荒、松菊猶存。攜幼入室、有酒盈樽。引壺觴以自酌、眄庭柯以怡顏。倚南窗以寄傲、審容膝之易安。園日涉以成趣、門雖設而常關。策扶老以流憩、時矯首而遊觀。雲無心而出岫、鳥倦飛

而知還。景翳翳以將入、撫孤松而盤桓。歸去來兮、請息交以絕遊。世與我以相遺、復駕言兮焉求。悅親戚之情話、樂琴書以消憂。農人告余以春及、將有事於西疇。或命巾車、或棹孤舟。既窈窕以尋壑、亦崎嶇而經丘。木欣欣以向榮、泉涓涓而始流。善萬物之得時、感吾生之行休。已矣乎、寓形宇內、復幾時。曷不委心任去留。胡爲乎、遑遑欲何之。富貴非吾願、帝鄉不可期。懷良辰以孤往、或植杖而耘耔。登東皐以舒嘯、臨清流而賦詩。聊乘化而歸盡、樂夫天命復奚疑。

(四〇)桃花源記　陶潛

晉太元中、武陵人捕魚爲業、緣溪行、忘路之遠近。忽逢桃花

林。夾岸數百步、中無雜樹、芳草鮮美、落英繽紛。漁人甚異之、復前行欲窮其林。林盡水源便得一山。山有小口、髣髴若有光。便捨船從口入。初極狹纔通人。復行數十步、豁然開朗、土地平曠、屋舍儼然、有良田美池、桑竹之屬、阡陌交通、雞犬相聞。其中往來種作、男女衣著、悉如外人。黃髮垂髫、並怡然自樂。見漁人乃大驚、問所從來。具答之。便要還家、設酒殺雞作食。村中聞有此人、咸來問訊。自云、先世避秦時亂、率妻子邑人、來此絕境、不復出焉、遂與外人間隔。問今是何世。乃不知有漢、無論魏晉。此人一一爲具言所聞。皆歎惋。餘人各復延至其家、皆出酒食。停數日辭去。此中人語云、不足爲外人道

也。既出得其船、便扶向路、處處誌之。及郡下、詣太守、說如此。太守卽遣人隨其往、尋向所誌。遂迷不復得路。南陽劉子驥高尙士也。聞之、欣然規往游焉。未果、尋病終。後遂無問津者。

(四一)雜詩　陶　潛

結廬在人境。而無車馬喧。問君何能爾。
心遠地自偏。採菊東籬下、悠然見南山。
山氣日夕佳、飛鳥相與還。此間有眞意。
欲辨已忘言。

(四二)四時　陶　潛

春水滿四澤。夏雲多奇峯。秋月揚明輝。

冬嶺秀孤松。

(四三)春行寄興　李　華

宜陽城下草萋萋。澗水東流復向西。
芳樹無人花自落。春山一路鳥空啼。

(四四)弔古戰場文　李　華

腷臆 意不滿也。猶鬱結也。腷音弼力切。
耗斁 耗音虛到切、虛也、減損也。斁音羊益切、敗也。
期門 官名。掌執兵送從。漢武帝初置。良家子能騎射者。期諸殿門、以備于非常、故名。
蹢躅 猶躊躇也。行而不進貌。
繒纊 繒帛也。纊綿也。
羃羃 音莫狄切、覆也。
彈痡 彈盡也。痡音普胡切、病也。
獫狁 北狄也。

飲至策勳 飲至謂歸而飲於宗廟、以數車徒器械、及所獲也。策勳謂其有功者、以策書、記其功勳也。
穆穆棣棣 穆穆深遠貌。棣棣富而閑習之貌。
荼毒 荼音塗、苦菜也。荼毒謂生民被其害、如荼之苦、如毒之螫也。
悁悁 音縈圓切、憂也。

浩浩乎平沙無垠、夐不見人。河水縈帶、群山糾紛、黯兮慘悴、風悲日曛、蓬斷草枯、凜若霜晨。鳥飛不下、獸挺亡群。亭長告余曰、此古戰場也。嘗覆三軍。往往鬼哭、天陰則聞。傷心哉、秦歟、漢歟、將近代歟。吾聞夫齊魏徭戍、荊韓召募、萬里奔走、連年暴露。沙草晨牧、河冰夜渡、地闊天長、不知歸路。寄身鋒刃、腷臆誰訴。秦漢而還、多事四夷、中州耗斁、無世無之。古稱戎夏、不抗王師。文教失宣、武臣用奇。奇兵有異於仁義。王道迂

闊而莫爲。嗚呼噫嘻、吾想夫北風振漠、胡兵伺便、主將驕敵、期門受戰。野豎旌旗、川迴組練。法重心駭、威尊命賤。利鏃穿骨、驚沙入面。主客相搏、山川震眩。聲折江河、勢崩雷電。至若窮陰凝閉、凜冽海隅、積雪沒脛、堅冰在鬚、鷙鳥休巢、征馬踟躕、繒纊無溫、墮指裂膚。當此苦寒、天假强胡、憑陵殺氣、以相剪屠。徑截輜重、橫攻士卒。都尉新降、將軍復沒。屍塡巨港之岸、血滿長城之窟。無貴無賤、同爲枯骨。可勝言哉。鼓衰兮力盡、矢竭兮絃絕、白刃交兮寶刀折、兩軍蹙兮生死決。降矣哉、終身夷狄。戰矣哉、暴骨沙礫。鳥無聲兮山寂寂。夜正長兮風淅淅。魂魄結兮天沈沈。鬼神聚兮雲羃羃。日光寒兮草短、月

色苦兮霜白。傷心慘目、有如是耶。吾聞之、牧用趙卒、大破林胡、開地千里、遁逃匈奴。漢傾天下、財彈力痡、任人而已。其在多乎。周逐獫狁、北至太原。既城朔方、全師而還、飲至策勳、和樂且閑、穆穆棣棣、君臣之間。秦起長城、竟海爲關、荼毒生靈、萬里朱殷。漢擊匈奴、雖得陰山、枕骸遍野、功不補患。蒼蒼烝民、誰無父母、提攜捧負、畏其不壽。誰無兄弟、如足如手。誰無夫婦、如賓如友。生也何恩、殺之何咎。其存其沒、家莫聞知。人或有言、將信將疑、悁悁心目、寤寐見之、布奠傾觴、哭望天涯。天地爲愁、草木淒悲。弔祭不至、精魂無依、必有凶年、人其流離。嗚呼噫嘻、時耶命耶、從古如斯。爲之奈何。守在四夷。

(四五)從軍行　王昌齡

青海長雲暗雪山。孤城遙望玉門關。
黃沙百戰穿金甲。不破樓蘭終不還。

其二

秦時明月漢時關。萬里長征人未還。
但使龍城飛將在。不教胡馬度陰山。

(四六)毛遂定從　司馬遷

穎脫　穎錐鋩也。穎恐當作穎、穎康頃切、錐柄也。　歷階　登階而不集兩足也。

燒夷陵　燒楚夷陵之祖廟、而辱楚王之先人也。　錄錄　錄音祿、錄錄與碌碌通、隨從之貌也。

九鼎大呂　九鼎大呂、國之寶器、言毛遂至楚、使趙重於九鼎大呂。大呂周廟大鐘。

秦之圍邯鄲、趙使平原君求救、合從於楚。約與食客門下有勇力、文武備具者二十人偕。平原君曰、「使文能取勝則善矣。文不能取勝、則歃血於華屋之下、必得定從而還。士不外索、取於食客門下足矣。」得十九人、餘無可取者、無以滿二十人。門下有毛遂者。前自贊於平原君曰、「遂聞君將合從於楚、約與食客門下二十人偕、不外索。今少一人。願君即以遂備員而行矣。」平原君曰、「先生處勝之門下、幾年於此矣。」毛遂曰、「三年於此矣。」平原君曰、「夫賢士之處世也、譬若錐之處囊中、其末立見。今先生處勝之門下、三年於此矣。左右未有所稱誦、勝未有所聞。是先生無所有也。先生不能。先生留。」毛遂曰、「臣

乃今日請處囊中耳。使遂蚤得處囊中、乃穎脫而出、非特其末見而已。」平原君竟與毛遂偕。十九人相與目笑之、而未發也。毛遂比至楚、與十九人論議。十九人皆服。平原君與楚合從、言其利害。日出而言之、日中不決。十九人謂毛遂曰、「先生上。」毛遂按劍歷階而上。謂平原君曰、「從之利害、兩言而決耳。今日出而言從、日中不決、何也。」楚王謂平原君曰、「客何爲者也。」平原君曰、「是勝之舍人也。」楚王叱曰、「胡不下。吾乃與而君言、汝何爲者也。」毛遂按劍而前曰、「王之所以叱遂者、以楚國之衆也。今十步之內、王不得恃楚國之衆也。王之命懸於遂手。吾君在前、叱者何也。且遂聞湯以七十里之地、王天下。文

王以百里之壤、而臣諸侯。豈其士卒衆多哉、誠能據其勢、而奮其威。今楚地方五千里、持戟百萬、此霸王之資也。以楚之彊、天下弗能當。白起小豎子耳。率數萬之衆、興師以與楚戰。一戰而擧鄢郢、再戰而燒夷陵、三戰而辱王之先人。此百世之怨、而趙之所羞。而王弗知惡焉。合從者爲楚、非爲趙也。吾君在前、叱者何也。楚王曰、唯唯。誠若先生之言、謹奉社稷而以從。毛遂曰、從定乎。楚王曰、定矣。毛遂謂楚王之左右曰、取雞狗馬之血來。毛遂奉銅盤而跪進之楚王曰、王當歃血而定從。次者吾君、次者遂。遂定從於殿上。毛遂左手持盤血、而右手招十九人曰、公相與歃此血於堂下。公等錄錄、所謂因

人成事者也。平原君已定從而歸。歸至於趙。曰、勝不敢復相士。勝相士、多者千人、寡者百數。自以爲不失天下之士。今乃於毛先生而失之也。毛先生一至楚、而使趙重於九鼎大呂。毛先生以三寸之舌、彊於百萬之師。勝不敢復相士。遂以爲上客。

(四七)管晏列傳　一　　司馬遷

上服度　服行也。度法也。

六親　王弼云、父母兄弟妻子也。或曰、六親謂外祖父母一、父母二、姊妹三、妻兄弟之子四、從母之子五、女之子六也。

四維　管子牧民篇曰、國有四維。一曰禮、二曰義、三曰廉、四曰恥。禮不踰節、義不自進、廉不蔽惡、恥不從枉。

包茅　王祭縮酒用茅、而其茅楚國之方物也。

三歸反坫　三歸三姓女也。婦人謂嫁曰歸。坫音店、反爵之器、以土爲之。獻酬畢、反爵于其上。

管仲夷吾者、潁上人也。少時常與鮑叔牙游。鮑叔知其賢。管仲貧困、常欺鮑叔。鮑叔終善遇之、不以爲言。已而鮑叔事齊公子小白、管仲事公子糾。及小白立爲桓公、公子糾死、管仲囚焉。鮑叔遂進管仲。管仲旣用、任政於齊。齊桓公以霸、九合諸侯、一匡天下、管仲之謀也。管仲曰、吾始困時、嘗與鮑叔賈。分財利、多自與。鮑叔不以我爲貪。知我貧也。吾嘗爲鮑叔謀事、而更窮困。鮑叔不以我爲愚。知時有利不利也。吾嘗三仕三見逐於君。鮑叔不以我爲不肖。知我不遭時也。吾嘗三戰三走。鮑叔不以我爲怯。知我有老母也。公子糾敗、召忽死之、吾幽

囚受辱。鮑叔不以我爲無恥。知我不羞小節、而恥功名不顯於天下也。生我者父母、知我者鮑子也。鮑叔旣進管仲、以身下之。子孫世祿於齊、有封邑者十餘世、常爲名大夫。天下不多管仲之賢、而多鮑叔能知人也。管仲旣任政相齊、以區區之齊、在海濱。通貨積財、富國彊兵、與俗同好惡。故其稱曰、倉廩實而知禮節、衣食足而知榮辱。上服度、則六親固。四維不張、國乃滅亡。下令如流水之原、令順民心。故論卑而易行。俗之所欲、因而予之。俗之所否、因而去之。其爲政也、善因禍而爲福、轉敗而爲功、貴輕重、愼權衡。桓公實怒少姬、南襲蔡。管仲因而伐楚、責包茅不入貢於周室。桓公實北征山戎、而管

仲因而令燕修召公之政。於柯之會、桓公欲背曹沫之約。管仲因而信之。諸侯由是歸齊。故曰、「知與之爲取、政之寶也。」管仲富擬於公室、有三歸反坫。齊人不以爲侈。管仲卒、齊國遵其政、常彊於諸侯。後百餘年而有晏子焉。

(四八)管晏列傳　二

司馬遷

危言危行　危言謂己謙讓、非云功能。危行謂君不知己、增修業行、畏責及也。

衡命　衡秤也。謂國無道、則制秤量之、可行即行。

縲紲　縲音力追反、縲黒索也、紲繫也。

驂　音參、騑也。車中兩馬曰服、兩馬驂其外、少退曰驂。

戄然　音休縛反、遽也。

詘信　詘屈同。信申同。

晏平仲嬰者、萊之夷維人也。事齊靈公莊公景公、以節儉力

行、重於齊。既相齊、食不重肉、妾不衣帛。其在朝、君語及之、卽危言、語不及之、卽危行。國有道、卽順命、無道、卽衡命。以此三世、顯名於諸侯。越石父賢在縲紲中。晏子出、遭之塗、解左驂贖之、載歸。弗謝入閨。久之、越石父請絕。晏子戄然、攝衣冠謝曰、嬰雖不仁、免子於厄。何子求絕之速也。石父曰、不然。吾聞君子詘於不知己、而信於知己者。方吾在縲紲中、彼不知我也。夫子既以感寤而贖我、是知己。知己而無禮、固不如在縲紲之中。晏子於是、延入爲上客。晏子爲齊相出。其御之妻從門閒而闚其夫。其夫爲相御、擁大蓋、策駟馬、意氣揚揚、甚自得也。既而歸。其妻請去。夫問其故。妻曰、晏子長不滿六尺、身

相齊國、名顯諸侯。今者妾觀其出、志念深矣、常有以自下者。今子長八尺、乃爲人僕御。然子之意、自以爲足。妾是以求去也。其後夫自抑損。晏子怪而問之。御以實對。晏子薦以爲大夫。

(四九)鴻門之會

司馬遷

楚軍夜擊阬秦卒二十餘萬人新安城南、行略定秦地。函谷關有兵守關、不得入。又聞沛公已破咸陽、項羽大怒、使當陽君等擊關。項羽遂入至于戲西。沛公軍霸上、未得與項羽相見。沛公左司馬曹無傷使人言於項羽曰、「沛公欲王關中、使子嬰爲相、珍寶盡有之。」項羽大怒曰、「旦日饗士卒、爲擊破沛

公軍。」當是時、項羽兵四十萬、在新豐鴻門、沛公兵十萬在霸上。范增說項羽曰、「沛公居山東時、貪於財貨、好美姬。今入關、財物無所取、婦女無所幸。此其志不在小。吾令人望其氣、皆爲龍虎、成五采。此天子氣也。急擊勿失。」楚左尹項伯者、項羽季父也。素善留侯張良。張良是時從沛公。項伯乃夜馳之沛公軍、私見張良、具告以事、欲呼張良與俱去。曰、「毋從俱死也。」張良曰、「臣爲韓王送沛公。沛公今事有急、亡去不義、不可不語。」良乃入、具告沛公。沛公大驚曰、「爲之奈何。」張良曰、「誰爲大王爲此計者。」曰、「鯫生說我曰、『距關毋內諸侯、秦地可盡王也。』故聽之。」良曰、「料大王士卒、足以當項王乎。」沛公默然曰、「固不

如也、且爲之奈何。」張良曰、「請往謂項伯、言沛公不敢背項王也。」沛公曰、「君安與項伯有故。」張良曰、「秦時與臣遊、項伯殺人、臣活之。今事有急、故幸來告良。」沛公曰、「孰與君少長。」良曰、「長於臣。」沛公曰、「君爲我呼入、吾得兄事之。」張良出、要項伯。項伯卽入見沛公。沛公奉卮酒爲壽、約爲婚姻、曰、「吾入關、秋毫不敢有所近、籍吏民、封府庫、而待將軍。所以遣將守關者、備他盜之出入與非常也。日夜望將軍至、豈敢反乎。願伯具言臣之不敢倍德也。」項伯許諾。謂沛公曰、「旦日不可不蚤自來謝項王。」沛公曰、「諾。」於是項伯復夜去、至軍中、具以沛公言報項王、因言曰、「沛公不先破關中、公豈敢入乎。今人有大功而擊

之、不義也。不如因善遇之。」項王許諾。沛公旦日從百餘騎、來見項王。至鴻門、謝曰、「臣與將軍戮力而攻秦。將軍戰河北、臣戰河南。然不自意能先入關破秦、得復見將軍於此。今者有小人之言、令將軍與臣有郤。」項王曰、「此沛公左司馬曹無傷言之。不然、籍何以至此。」項王卽日因留沛公與飮。項王項伯東嚮坐、亞父南嚮坐。亞父者范增也。沛公北嚮坐、張良西嚮侍。范增數目項王、擧所佩玉玦、以示之者三。項王默然不應。范增起、出召項莊、謂曰、「君王爲人不忍。若入前爲壽。壽畢請以劍舞、因擊沛公於坐殺之。不者、若屬皆且爲所虜。」莊則入爲壽。壽畢曰、「君王與沛公飮、軍中無以爲樂。請以劍舞。」項王

曰、「諾。」項莊拔劍起舞。項伯亦拔劍起舞、常以身翼蔽沛公。莊不得擊。於是張良至軍門、見樊噲。樊噲曰、「今日之事何如。」良曰、「甚急。今者項莊拔劍舞、其意常在沛公也。」噲曰、「此迫矣。臣請入與之同命。」噲卽帶劍擁盾入軍門。交戟之衞士、欲止不內。樊噲側其盾以撞。衞士仆地。噲遂入、披帷西嚮立、瞋目視項王、頭髮上指、目眥盡裂。項王按劍而跽曰、「客何爲者。」張良曰、「沛公之參乘樊噲者也。」項王曰、「壯士。賜之卮酒。」則與斗卮酒。噲拜謝起、立而飮之。項王曰、「賜之彘肩。」則與一生彘肩。樊噲覆其盾於地、加彘肩上、拔劍切而啗之。項王曰、「壯士。能復飮乎。」樊噲曰、「臣死且不避。卮酒安足辭。夫秦王有虎狼之心、

殺人如不能擧、刑人如恐不勝。天下皆叛之。懷王與諸將約曰、『先破秦入咸陽者王之。』今沛公先破秦入咸陽、毫毛不敢有所近、封閉宮室、還軍霸上、以待大王來。故遣將守關者、備他盜出入與非常也。勞苦而功高如此、未有封侯之賞。而聽細說、欲誅有功之人。此亡秦之續耳。竊爲大王不取也。」項王未有以應、曰、「坐。」樊噲從良坐。坐須臾、沛公起如廁、因招樊噲出。沛公已出、項王使都尉陳平召沛公。沛公曰、「今者出未辭也。爲之奈何。」樊噲曰、「大行不顧細謹、大禮不辭小讓。如今人方爲刀俎、我爲魚肉。何辭爲。」於是遂去。乃令張良留謝。良問曰、「大王來何操。」曰、「我持白璧一雙、欲獻項王、玉斗一雙、欲與

亞父。會其怒不敢獻、公爲我獻之。」張良曰「謹諾。」當是時、項王軍在鴻門下、沛公軍在霸上、相去四十里。沛公則置車騎、脫身獨騎、與樊噲、夏侯嬰、靳彊、紀信等四人、持劍盾步走。從酈山下、道芷陽間行。沛公謂張良曰「從此道至吾軍、不過二十里耳。度我至軍中、公乃入。」沛公已去、間至軍中。張良入謝曰「沛公不勝桮杓、不能辭。謹使臣良奉白璧一雙、再拜獻大王足下、玉斗一雙、再拜奉大將軍足下。」項王曰「沛公安在。」良曰「聞大王有意督過之、脫身獨去、已至軍矣。」項王則受璧、置之坐上。亞父受玉斗、置之地、拔劍撞而破之曰「唉、豎子不足與謀。奪項王天下者、必沛公也。吾屬今爲之虜矣。」沛公至軍、立

誅殺曹無傷。

(五〇)過秦論　賈誼

囊括　猶囊盛而結之也。
八荒　八方也。
漂鹵　鹵大盾也。
六世　秦孝公、惠文王、武王、昭王、孝文王、莊襄王。
振長策　以馬喩也。振擧也。策鞭也。
敲朴　杖也。短曰敲、長曰朴。
黔首　秦謂人民爲黔首、言其頭黑也。
繩樞　以繩係戶樞也。
阡陌　南北曰阡、東西曰陌。
鉏耰棘矜　耰音憂、鉏柄也。棘音戟、訓同。矜巨巾切、矛柄也。
鉤戟長鎩　鉤戟者、矛有鉤也。鎩者、鈹有鐔也。
銛　音息廉切、銳利也。
絜大　絜匝也。圍也。
七廟　禮記王制曰、天子七廟。三昭三穆、與太祖廟而七。

秦孝公據殽函之固、擁雍州之地、君臣固守、以窺周室、有席

卷天下、包擧宇內、囊括四海之意、并吞八荒之心。當是時也、商君佐之、內立法度、務耕織、修守戰之具。外連衡而鬭諸侯。於是秦人拱手、而取西河之外。孝公既沒。惠文王、武王、昭王、蒙故業、因遺策、南取漢中、西擧巴蜀、東割膏腴之地、北收要害之郡。諸侯恐懼、會盟而謀弱秦。不愛珍器重寶肥饒之地、以致天下之士。合從締交、相與爲一。當是之時、齊有孟嘗、趙有平原、楚有春申、魏有信陵。此四君者、皆明智而忠信、寬厚而愛人、尊賢而重士。約從離衡、兼韓魏燕趙宋衞中山之衆。於是六國之士、有甯越、徐尙、蘇秦、杜赫之屬、爲之謀。齊明、周最、陳軫、召滑、樓緩、翟景、蘇厲、樂毅之徒通其意。吳起、孫臏、帶

佗、兒良、王廖、田忌、廉頗、趙奢之朋制其兵。嘗以什倍之地、百萬之衆、叩關而攻秦。秦人開關而延敵。九國之師、逡巡而不敢進。秦無亡矢遺鏃之費、而天下諸侯已困矣。於是從散約解。爭割地而賂秦。秦有餘力而制其弊。追亡逐北、伏尸百萬、流血漂鹵。因利乘便、宰割天下、分裂河山。彊國請伏、弱國入朝。延及孝文王、莊襄王、享國日淺、國家無事。及至始皇、奮六世之餘烈、振長策而御宇內、吞二周而亡諸侯、履至尊而制六合、執敲朴以鞭笞天下、威振四海。南取百粤之地、以爲桂林象郡。百粤之君、俛首係頸、委命下吏。乃使蒙恬北築長城、而守藩籬、却匈奴七百餘里。胡人不敢南下而牧馬。士不敢

彎弓而報怨。於是廢先王之道、焚百家之言、以愚黔首。墮名城、殺豪俊、收天下之兵、聚之咸陽、銷鋒鍉、鑄以爲金人十二、以弱天下之民。然後踐華爲城、因河爲池、據億丈之城、臨不測之谿以爲固。良將勁弩、守要害之處。信臣精卒、陳利兵而誰何。天下已定、始皇之心自以爲關中之固、金城千里、子孫帝王萬世之業也。始皇既沒、餘威震于殊俗。然而陳涉甕牖繩樞之子、氓隸之人、而遷徙之徒也。才能不及中庸。非有仲尼墨翟之賢、陶朱猗頓之富。躡足行伍之間、而倔起阡陌之中、率罷散之卒、將數百之衆、轉而攻秦。斬木爲兵、揭竿爲旗。天下雲集響應、贏糧而景從。山東豪俊遂竝起而亡秦族矣。

且夫天下非小弱也。雍州之地、殽函之固自若也。陳涉之位、非尊於齊楚燕趙韓魏宋衞中山之君也。鉏耰棘矜、非銛於鉤戟長鎩也。謫戍之衆、非抗於九國之師也。深謀遠慮、行軍用兵之道、非及曩時之士也。然而成敗異變、功業相反也。試使山東之國與陳涉度長絜大、比權量力、則不可同年而語矣。然秦以區區之地、致萬乘之權、招八州而朝同列、百有餘年矣。然後以六合爲家、殽函爲宮。一夫作難而七廟墮、身死人手、爲天下笑者何也。仁義不施、而攻守之勢異也。

(五一)唐詩七首

歸雁　錢起

瀟湘何事等閑回。水碧沙明兩岸苔。
二十五絃彈夜月。不勝清怨却飛來。

楓橋夜泊　張繼

月落烏啼霜滿天。江楓漁火對愁眠。
姑蘇城外寒山寺。夜半鐘聲到客船。

江樓書感　趙嘏

獨上江樓思渺然。月光如水水連天。
同來翫月人何處。風景依稀似去年。

夜雨寄北　李商隱

君問歸期未有期。巴山夜雨漲秋池。

何當共翦西窗燭。却話巴山夜雨時。

送元二使安西　王維

渭城朝雨浥輕塵。客舍青青柳色新。
勸君更盡一杯酒。西出陽關無故人。

送王永　劉商

君去春山誰共遊。鳥啼花落水空流。
如今送別臨溪水。他日相思來水頭。

江村即事　司空曙

罷釣歸來不繫船。江村月落正堪眠。
縱然一夜風吹去。只在蘆花淺水邊。

(五二)軍形　孫武

九天　極言其高也。支那人分天爲九。　九地　極言其深也。支那人分地爲九。

銖鎰　銖音殊、二十四銖曰兩。鎰音逸、二十四兩曰鎰。

昔之善戰者、先爲不可勝、以待敵之可勝。不可勝在己。可勝在敵。故善戰者、能爲不可勝、不能使敵之必可勝。故曰、勝可知而不可爲。不可勝者守也。可勝者攻也。守則不足。攻則有餘。善守者、藏於九地之下。善攻者、動於九天之上。故能自保而全勝也。見勝不過衆人所知、非善之善者也。戰勝而天下曰善、非善之善者也。故擧秋毫、不爲多力。見日月、不爲明目。聞雷霆、不爲聰耳。古之所謂善戰者、勝於易勝者也。故善戰

者之勝也、無智名、無勇功。故其善戰勝不忒。不忒者、其所措勝、勝已敗者也。故善戰者、立於不敗之地、而不失敵之敗也。是故勝兵先勝、而後求戰。敗兵先戰、而後求勝。善用兵者、脩道而保法。故能爲勝敗之政。兵法一曰度。二曰量。三曰數。四曰稱。五曰勝。地生度。度生量。量生數。數生稱。稱生勝。故勝兵若以鎰稱銖。敗兵若以銖稱鎰。勝者之戰、若決積水於千仞之谿者形也。

(五三)勸學　荀況

輮　屈也。　槁暴　槁枯也。暴乾也。

挺　直也。　靖共　詩小雅小明之篇。靖謀也。共恭也。

介爾景福　介助也。景大也。　蒙鳩　蒙鳩鷦鷯也。

葦苕　苕葦之秀也。　射干　射音夜。射干一名烏扇。花白莖長、如射人之執竿。

漸滫　漸浸也、滫溺也。漬也。　彊柱柔束　彊木可以爲柱、柔木可以束物、皆自取也。

質的　質射侯也。的正鵠也。　蹞步　蹞與跬同、半步曰跬。

鍥　音苦結反、刻也。　螣蛇　螣音徒登反、螣蛇龍類、能興雲霧、而遊其中也。

梧鼠五技　梧鼠當爲鼫鼠、蓋本誤爲鼯字、傳寫又誤作梧耳。技才能也。五技、謂能飛不能上屋、能緣不能窮木、能游不能渡谷、能穴不能掩身、能走不能先人也。

鳲鳩　詩曹風鳲鳩篇、鳲鳩之養七子、旦從上而下、暮從下而上、平均如一。善人君子、其執義亦當如鳲鳩之一。執義一、則用心堅固。故曰心如結也。

君子曰、學不可以已。青出之於藍、而青於藍。氷水爲之、而寒於水。木直中繩、輮以爲輪、其曲中規。雖有槁暴、不復挺者、輮使之然也。故木受繩則直。金就礪則利。君子博學、而日參省

乎己、則知明而行無過矣。故不登高山、不知天之高也。不臨深谷、不知地之厚也。不聞先王之遺言、不知學問之大也。干越夷貉之子、生而同聲、長而異俗、敎使之然也。詩曰、嗟爾君子、無恒安息。靖共爾位、好是正直。神之聽之、介爾景福。神莫大於化道、福莫長於無禍。吾嘗終日而思矣、不如須臾之所學也。吾嘗跂而望矣、不如登高之博見也。登高而招、臂非加長也、而見者遠。順風而呼、聲非加疾也、而聞者彰。假輿馬者、非利足也、而致千里。假舟檝者、非能水也、而絕江河。君子生非異也。善假於物也。南方有鳥焉、名曰蒙鳩。以羽爲巢、而編之以髮、繫之葦苕。風至苕折、卵破子死。巢非不完也、所繫者

然也。西方有木焉、名曰射干。莖長四寸、生於高山之上、而臨百仞之淵。木莖非能長也、所立者然也。蓬生麻中、不扶而直。白沙在涅、與之俱黑。蘭槐之根是為芷。其漸之滫、君子不近、庶人不服。其質非不美也、所漸者然也。故君子居必擇鄉、遊必就士。所以防邪僻、而近中正也。物類之起、必有所始。榮辱之來、必象其德。肉腐出蟲、魚枯生蠹。怠慢忘身、禍災乃作。強自取柱、柔自取束。邪穢在身、怨之所構。施薪若一、火就燥也。平地若一、水就濕也。草木疇生、禽獸群焉。物各從其類也。是故質的張、而弓矢至焉。林木茂、而斧斤至焉。樹成蔭、而衆鳥息焉。醯酸、而蜹聚焉。故言有召禍也、行有招辱也。君子愼其

所立乎。積土成山、風雨興焉。積水成淵、蛟龍生焉。積善成德、而神明自得、聖心循焉。故不積蹞步、無以至千里。不積小流、無以成江河。騏驥一躍、不能十步。駑馬十駕、則亦及之。功在不舍。鍥而舍之、朽木不折。鍥而不舍、金石可鏤。螾無爪牙之利、筋骨之強、上食埃土、下飲黃泉、用心一也。蟹六跪而二螯、非蛇蟺之穴、無所寄託者、用心躁也。是故無冥冥之志者、無昭昭之名。無惛惛之事者、無赫赫之功。行衢道者不至。事兩君者不容。目不兩視而明。耳不兩聽而聰。螣蛇無足而飛。梧鼠五技而窮。詩曰、「鳲鳩在桑、其子七兮。淑人君子、其儀一兮。其儀一兮、心如結兮。」故君子結於一也。

(五四)不忍人之心　孟軻

人皆有不忍人之心。先王有不忍人之心、斯有不忍人之政矣。以不忍人之心、行不忍人之政、治天下可運之掌上。所以謂人皆有不忍人之心者、今人乍見孺子將入於井、皆有怵惕惻隱之心。非所以內交於孺子之父母也、非所以要譽於鄉黨朋友也。非惡其聲而然也。由是觀之、無惻隱之心非人也。無羞惡之心非人也。無辭讓之心非人也。無是非之心非人也。惻隱之心、仁之端也。羞惡之心、義之端也。辭讓之心、禮之端也。是非之心、智之端也。人之有是四端也、猶其有四體也。有是四體、而自謂不能者、自賊者也。謂其君不能者、賊其

君者也。凡有四端於我者、知皆擴而充之矣。若火之始然、泉之始達。苟能充之、足以保四海。苟不充之、不足以事父母。

(五五)舍生而取義　孟軻

熊掌　熊蹯也。味極甘美。以喩義。魚以喩生也。　嘑爾　叱咄之貌。
蹴爾　蹴蹋也。以足蹋踐而與之。　萬鍾　音鐘、量名、六斛四斗曰鍾。

魚我所欲也。熊掌亦我所欲也。二者不可得兼、舍魚而取熊掌者也。生亦我所欲也。義亦我所欲也。二者不可得兼、舍生而取義者也。生亦我所欲、所欲有甚於生者、故不為苟得也。死亦我所惡、所惡有甚於死者、故患有所不辟也。如使人之所欲莫甚於生、則凡可以得生者、何不用也。使人之所惡莫

甚於死者、則凡可以辟患者、何不爲也。由是則生、而有不用也。由是則可以辟患、而有不爲也。是故所欲有甚於生者、所惡有甚於死者。非獨賢者有是心也、人皆有之。賢者能勿喪耳。一簞食、一豆羹、得之則生、弗得則死。嘑爾而與之、行道之人弗受。蹴爾而與之、乞人不屑也。萬鍾則不辨禮義而受之。萬鍾於我何加焉。爲宮室之美、妻妾之奉、所識窮乏者得我與。鄉爲身死而不受、今爲宮室之美爲之。鄉爲身死而不受、今爲妻妾之奉爲之。鄉爲身死而不受、今爲所識窮乏者得我而爲之。是亦不可以已乎。此之謂失其本心。

（五六）齊人驕妻妾　孟　軻

瞷　音閑、覘也。

施從　施音矢遺切、斜也。

墦間　音附袁切、冢也。

訕　音所晏切、誹謗也。

施施　施施喜悅之貌。

齊人有一妻一妾而處室者。其良人出、則必饜酒肉而後反。其妻問所與飲食者、則盡富貴也。其妻告其妾曰、良人出則必饜酒肉而後反。問其與飲食者、盡富貴也。而未嘗有顯者來。吾將瞷良人之所之也。蚤起施從良人之所之。徧國中、無與立談者。卒之東郭墦間之祭者、乞其餘、不足又顧而之他。此其爲饜足之道也。其妻歸、告其妾曰、良人者所仰望而終身也、今若此。與其妾訕其良人、而相泣於中庭。而良人未之

知也。施施從外來、驕其妻妾。由君子觀之、則人之所以求富貴利達者、其妻妾不羞也、而不相泣者幾希矣。

（五七）牽牛章　孟　軻

無以　與不得已者同。

釁鐘　釁隙也。新鑄鐘、殺牲以血塗其釁隙、因以祭之曰釁。

觳觫　牛當到死處、恐懼貌。

權度　權衡也、可以稱輕重。度丈尺也、可以度長短。

莅　音利、臨也。

罔民　民誠無恒心、犯罪無所不爲。乃就刑之。是猶張羅網、以網民者也。

贍　音時艷切、給也、足也。

庠序　庠序教學之名。殷曰序、周曰庠。

齊宣王問曰、齊桓晉文之事、可得聞乎。孟子對曰、仲尼之徒無道桓文之事者。是以後世無傳焉。臣未之聞也。無以則王乎。曰、德何如則可以王矣。曰、保民而王、莫能禦也。曰、若寡

人者、可以保民乎哉。曰、可。曰、何由知吾可也。曰、臣聞之胡齕曰、王坐於堂上。有牽牛而過堂下者。王見之曰、牛何之。對曰、將以釁鐘。王曰、舍之。吾不忍其觳觫若無罪而就死地。對曰、然則廢釁鐘與。曰、何可廢也。以羊易之。不識有諸。曰、有之。曰、是心足以王矣。百姓皆以王爲愛也。臣固知王之不忍也。王曰、然。誠有百姓者。齊國雖褊小、吾何愛一牛。卽不忍其觳觫若無罪而就死地。故以羊易之也。曰、王無異於百姓之以王爲愛也。以小易大、彼惡知之。王若隱其無罪而就死地、則牛羊何擇焉。王笑曰、是誠何心哉。我非愛其財、而易之以羊也。宜乎百姓之謂我愛也。曰、無傷也。是乃仁術也。見牛未見

羊也。君子之於禽獸也、見其生、不忍見其死、聞其聲、不忍食其肉。是以君子遠庖廚也。」王說曰、「詩云、『他人有心、予忖度之。』夫子之謂也。夫我乃行之、反而求之、不得吾心。夫子言之、於我心有戚戚焉。此心之所以合於王者、何也。」曰、「有復於王者曰、『吾力足以擧百鈞、而不足以擧一羽。明足以察秋毫之末、而不見輿薪。』則王許之乎。」曰、「否。」「今恩足以及禽獸、而功不至於百姓者、獨何與。然則一羽之不擧、爲不用力焉。輿薪之不見、爲不用明焉。百姓之不見保、爲不用恩焉。故王之不王、不爲也、非不能也。」曰、「不爲者與不能者之形、何以異。」曰、「挾泰山以超北海、語人曰、『我不能。』是誠不能也。爲長者折枝、語人曰、

『我不能。』是不爲也、非不能也。故王之不王、非挾泰山以超北海之類也。王之不王、是折枝之類也。老吾老、以及人之老。幼吾幼、以及人之幼。天下可運於掌。詩云、『刑于寡妻、至于兄弟、以御于家邦。』言擧斯心、加諸彼而已。故推恩足以保四海、不推恩無以保妻子。古之人所以大過人者無他焉、善推其所爲而已矣。今恩足以及禽獸、而功不至於百姓者、獨何與。權、然後知輕重、度、然後知長短。物皆然、心爲甚。王請度之。抑王興甲兵、危士臣、構怨於諸侯、然後快於心與。」王曰、「否。吾何快於是。將以求吾所大欲也。」曰、「王之所大欲、可得聞與。」王笑而不言。曰、「爲肥甘不足於口與。輕煖不足於體與。抑爲采色不

足視於目與。聲音不足聽於耳與。便嬖不足使令於前與。王之諸臣皆足以供之。而王豈爲是哉。」曰、「否。吾不爲是也。」曰、「然則王之所大欲可知已。欲辟土地、朝秦楚、莅中國、而撫四夷也。以若所爲、求若所欲、猶緣木而求魚也。」王曰、「若是其甚與。」曰、「殆有甚焉。緣木求魚、雖不得魚、無後災。以若所爲、求若所欲、盡心力而爲之、後必有災。」曰、「可得聞與。」曰、「鄒人與楚人戰、則王以爲孰勝。」曰、「楚人勝。」曰、「然則小固不可以敵大、寡固不可以敵衆、弱固不可以敵彊。海內之地、方千里者九。齊集有其一。以一服八、何以異於鄒敵楚哉。蓋亦反其本矣。今王發政施仁、使天下仕者皆欲立於王之朝、耕者皆欲耕於王

之野、商賈皆欲藏於王之市、行旅皆欲出於王之塗、天下之欲疾其君者、皆欲赴愬於王。其若是、孰能禦之。」王曰、「吾惽不能進於是矣。願夫子輔吾志、明以敎我。我雖不敏、請嘗試之。」曰、「無恒產而有恒心者、惟士爲能。若民則無恒產、因無恒心。苟無恒心、放辟邪侈、無不爲已。及陷於罪、然後從而刑之、是罔民也。焉有仁人在位、罔民而可爲也。是故明君制民之產、必使仰足以事父母、俯足以畜妻子、樂歲終身飽、凶年免於死亡。然後驅而之善。故民之從之也輕。今也制民之產、仰不足以事父母、俯不足以畜妻子、樂歲終身苦、凶年不免於死亡。此惟救死而恐不贍。奚暇治禮義哉。王欲行之、則盍反其

本矣。五畝之宅、樹之以桑、五十者可以衣帛矣。雞豚狗彘之畜、無失其時、七十者可以食肉矣。百畝之田、勿奪其時、八口之家、可以無飢矣。謹庠序之教、申之以孝悌之義、頒白者不負戴於道路矣。老者衣帛食肉、黎民不飢不寒、而不王者未之有也。

新撰漢文讀本卷五 終

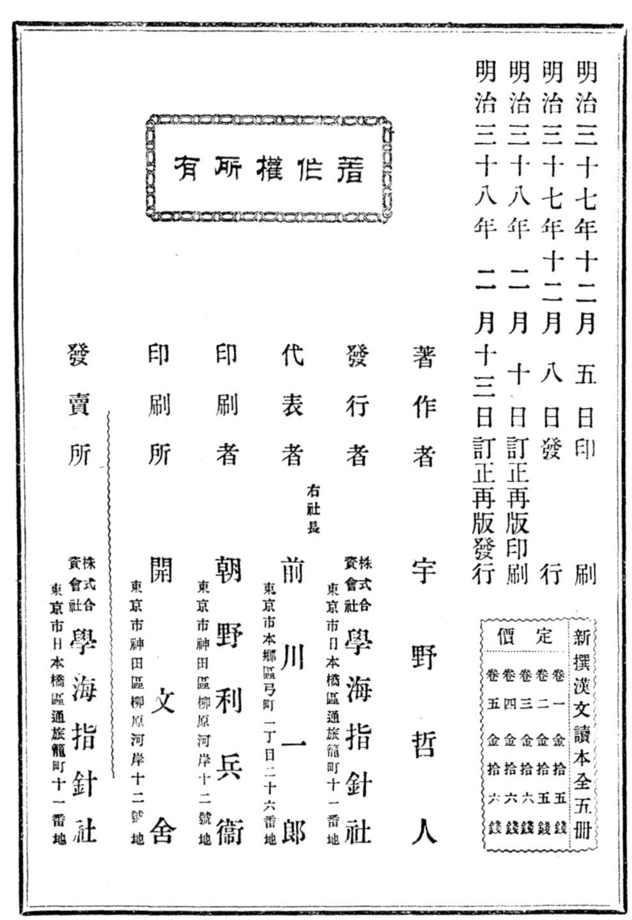
明治三十七年十二月五日印刷
明治三十七年十二月八日發行
明治三十八年二月十日訂正再版印刷
明治三十八年二月十三日訂正再版發行

新撰漢文讀本全五冊

定價	
卷一	金拾五錢
卷二	金拾五錢
卷三	金拾六錢
卷四	金拾六錢
卷五	金拾六錢

著作者 宇野哲人
發行者 株式合資會社 學海指針社 東京市日本橋區通旅籠町十一番地
代表者 右社長 前川一郎 東京市本郷區弓町一丁目二十六番地
印刷者 朝野利兵衛 東京市神田區柳原河岸十二號地
印刷所 開文舍 東京市神田區柳原河岸十二號地
發賣所 株式合資會社 學海指針社 東京市日本橋區通旅籠町十一番地

編集復刻版 明治漢文教科書集成(めいじかんぶんきょうかしょしゅうせい)
補集Ⅱ 模索期の教科書編
(第11巻〜第13巻・別冊1)

2018年11月30日 第1刷発行
揃定価(本体84,000円+税)

編・解説者 木村 淳
発行者 小林淳子
発行所 不二出版株式会社
東京都文京区水道2-10-10
TEL 03(5981)6704
印刷所 富士リプロ
製本所 青木製本
乱丁・落丁はお取り替えいたします。

第13巻 ISBN978-4-8350-8169-4
補集Ⅱ(全4冊 分売不可 セットISBN978-4-8350-8166-3)